LES FRANÇAIS
1945-1975

Chronologie et structures d'une société

Chez le même éditeur

Gérard Vincent

avec la collaboration de
Véronique Aubert

LES FRANÇAIS
1945-1975

Chronologie et structures d'une société

MASSON
Paris   New York   Barcelone   Milan
1977

Masson S.A.	120 bd Saint-Germain, 75280 Paris Cedex 06
Masson Publishing USA Inc.	14 East 60th Street, New York, N.Y. 10022
Toray-Masson s.a.	Balmes 151, Barcelona 8
Masson Italia Editori S.p.A.	Via Giovanni Pascoli 55, 20133 Milano

© *Masson, Paris 1977*
ISBN : 2-225-46970-9

Imprimé en France.

Table des matières

Chronologie

Structures sociales

Que soient ici remerciées, pour leur aide précieuse, Christiane Delattre et Anne Gournay. L'information cinématographique doit beaucoup à la vaste culture d'Alain Perrier dans ce domaine.

Introduction

« L'expérience est comme une lanterne que l'on porte
dans son dos : elle n'éclaire que le chemin parcouru. »
Confucius

A une époque où « structure » est devenu le maître-mot des sciences humaines, n'est-ce pas naïveté, anachronisme – insolence peut-être ? – de prétendre tenter une approche de la société française contemporaine – c'est-à-dire de son fonctionnement et des manières dont, en son sein, l'événement se produit – par une chronologie ? Les lycéens amers refusent, récusent une « histoire-dates », une « histoire-bataille », celle-là même qui – disent-ils – leur est enseignée par de vieux professeurs ou de jeunes vieillards incapables de comprendre leur aspiration à la modernité. Les docteurs célèbres et vénérés, auteurs de l'admirable renouvellement de l'épistémologie historique, champions de l'interdisciplinarité, férus de linguistique, de lexicologie, d'épidémiologie, de dendroclimatologie, d'histoire sérielle, relèguent l'histoire événementielle dans les émissions triviales de la télévision où d'habiles conteurs, travaillant de troisième main, animent les mornes soirées du « grand public » en relatant l'histoire interminable des alcôves royales et princières. S'il est vrai que tout discours (toute pratique discursive comme on dit aujourd'hui) est plaidoirie ou réquisitoire (ou les deux à la fois) la présente introduction n'excepte pas à la règle et s'efforce de justifier l'œuvre entreprise – tout en soulignant ses imperfections nombreuses. Mais avant de livrer à la curiosité d'un lecteur consciencieux le résultat d'un travail – qui ne fut pas mince – quelques questions se posent. Quel est le but d'une telle entreprise ? Son rédacteur – modeste « écrivant » et non écrivain – peut-il prétendre, sinon à l'inaccessible objectivité, du moins à donner à lire un récit historique chargé d'une plausibilité satisfaisante ? Comment l'entreprise a-t-elle été conduite ? Pourquoi a-t-il paru indispensable d'ajouter à un corpus déjà pesant des séries statistiques apparemment rebutantes ? Quatre questions donc. Tentons de fournir quatre réponses et de donner tort à Balzac qui affirmait que « ne vouloir connaître de la vie d'un homme que les événements matériels, c'est faire de la chronologie, l'histoire des sots » [1].

Une entreprise illégitime ?

Si cette chronologie peut être définie comme un relevé d'événements, ce dernier mot n'est pas dépourvu d'ambiguïté. Le Grand Robert nous affirme que, dans son sens premier, l'événement est « le fait auquel vient aboutir une situation ». Et, comme exemple de cette acception, il donne ces deux vers de Molière :

« Jamais, certes, jamais plus beau commencement
« N'eut en si peu de temps si triste événement. »

L'Étourdi, II, 10 [2]

1. Balzac H. de, *La peau de chagrin*, Éd. de la Pléiade, t. IX, p. 84.
2. Robert P., *Dictionnaire alphabétique et analogique de la langue française*, t. 2, p. 712.

Toujours dans ce sens premier, l'événement désigne le dénouement d'une pièce de théâtre. Quand on dit que l'événement a démenti, trompé, confirmé telle attente, on introduit encore une idée de causalité. Mais dans son sens dérivé, le plus couramment usité aujourd'hui, l'événement est « ce qui arrive et qui a quelque importance pour l'homme » et le même dictionnaire cite cette phrase d'Anatole France : « Mais qu'est-ce qu'un événement? Est-ce un fait quelconque? Non pas! me dites vous, c'est un fait notable ». C'est bien ainsi que l'entend le langage familier : dire, à propos d'un person-nage casanier partant en voyage que son départ est pour lui un événement, c'est bien signifier l'importance du fait dans sa biographie. Littré, quant à lui, propose ces deux acceptions mais en les intervertissant : le sens premier est « tout ce qui arrive ». C'est celui que nous choisirons en précisant que l'événement peut se limiter à la rumeur de son surgissement alors qu'il n'a pas « vraiment » eu lieu : ainsi G. Lefèbvre explique-t-il la « Grande peur » (les « brigands » n'existaient pas, mais les paysans s'armèrent et cer-tains nobles furent pendus, bel et bien, haut et court). Relever « tout ce qui est arrivé »? Vaste programe! La notion de « fait historique » a toujours suscité une certaine méfiance. Nietzsche disait : « Il n'y a pas de fait en soi. Toujours il faut commencer par introduire un sens pour qu'il puisse y avoir un fait. » Et commentant Nietzsche, R. Barthes écrit : « A partir du moment où le langage intervient (et quand n'intervien-drait-il pas?) le fait ne peut être défini que d'une manière tautologique : le noté procède du notable, mais le notable n'est que ce qui est digne de mémoire, c'est-à-dire digne d'être noté [3].» Soulignant l'œuvre considérable accomplie par l'École des Annales (his-toire des terroirs, des mentalités, de la folie, etc.) P. Veyne remarque justement que « le non événementiel, ce sont les événements non encore salués comme tels (...). On appel-lera donc non événementiel l'historicité dont nous n'avons pas pris conscience comme telle » [4].

Ce « sens » que Nietzsche veut introduire pour qu'existe le « fait », on voit bien où il se situe : dans une série. « Un événement n'a de sens que dans une série, écrit P. Veyne, le nombre des séries est indéfini, elles ne se commandent pas hiérarchique-ment (...), elles ne convergent pas non plus vers un géométral de toutes les perspecti-ves [5].» Le nombre des séries est, bien évidemment, illimité. Pourquoi donc en avoir choisi trois? La répartition des événements retenus en trois champs – le politique, le socio-économique, le culturel – est très évidemment arbitraire. Toute grève est politi-que : manifestement, si elle est déclenchée pour réclamer la libération de Jacques Duclos comme ce fut le cas en 1952; plus discrètement si elle exige des augmentations de salaires, celles-ci de proche en proche mettant en question la « politique » économi-que du gouvernement. Le fait d'avoir relaté successivement les événements politiques, économiques et sociaux, culturels, n'exprime aucune intention de causalité. L'ordre du discours ne prétend ni reproduire, ni refléter l'ordre – ou le désordre – de l'histoire vécue. Le recours à cette classification trichotomique n'exprime rien d'autre qu'une sorte de paresse de l'écrivant : en reprenant une taximonie universitaire traditionaliste il s'épargnait le casse-tête du repérage des inter-actions entre les sous-systèmes et de la quantification de leurs forces respectives. Chacun des trois champs considérés se divise lui-même en niveaux plus fins qui se subdivisent chacun en strates très subtiles non dépourvues d'une « relative autonomie ».

A considérer le seul champ culturel, on perçoit ses stratifications internes en diffé-rents niveaux distincts les uns des autres par leurs scansions spécifiques, leurs écarts,

---

3. Barthes R., *Le discours de l'histoire, Informations sur les sciences sociales,* août 1967, pp. 65-77, p. 73.
4. Veyne P., *Comment on écrit l'histoire?* Le Seuil, 1973, p. 31.
5. Veyne P., *op. cit.,* p. 38.

leurs différences. Par exemple l'apparition de nouvelles formes de narrativité – brisure du temps chrono-dramatique, disparition du « personnage » dans les discours romanesques et filmiques – ne signe pas pour autant l'arrêt de mort du roman traditionaliste. Le « nouveau roman » met des années à trouver des lecteurs alors qu'Hervé Bazin, Guy des Cars et Henri Troyat (Papillon même) battent des records de tirage. Tous les films d'Yves Montand sont de « grands succès » (sauf quand Jean-Luc Godard s'en mêle, et s'amuse à faire tourner la sauce de la recette triomphaliste dans *Tout va bien*) mais les films de Marguerite Duras n'attirent qu'un public très restreint. Au sein donc de ce champ culturel, la stratification la plus éclairante eut sans doute été celle que propose P. Bourdieu en distinguant « le champ de production restreinte » défini comme « système produisant des biens symboliques destinés à un public de producteurs de biens symboliques produisant eux-mêmes pour des producteurs de biens symboliques » du « champ de la grande production symbolique » où se meuvent et s'enrichissent souvent les producteurs « d'art moyen » destiné aux fractions non intellectuelles de la classe dominante ou aux consommateurs des autres classes sociales [6]. Alors on aurait pu, en termes de diachronie (et en dépassant le cadre restreint de la société française pendant les trente ans que nous nous sommes assigné comme champ d'étude) suivre, par exemple, comment de Tatline et Gabo jusqu'aux deux tours du World Trade Center se déroule la « série » constructiviste; en termes de synchronie comment se connectent (ou s'épanouissent concomitamment) le constructivisme, la pensée saussurienne et l'approche ethnologique de M. Mauss. Une telle perspective n'est pas sans inspirer une certaine fascination. Elle dépassait de beaucoup notre modeste ambition : à savoir mettre à la disposition de lecteurs, qui peuvent ne pas être des « producteurs de biens symboliques » pour leurs pairs, un ouvrage de référence de commode manipulation. Toutefois l'importance que nous avons accordée au champ culturel – et à la production élitaire–montre notre souci de signaler le rôle des intellectuels qui est peut-être moins de signer des pétitions que de « signaler » les changements, les ruptures, s'il est vrai qu'ils sont les premiers à les percevoir. En ce sens leur rôle n'est ni essentiel, ni dérisoire.

Pour simpliste qu'elle soit, cette division en trois champs n'en fait pas moins apparaître avec clarté leur temporalité différentielle. Ils ne sont ni synchrones, ni linéaires : il y a des décalages, des écarts, des solutions de continuité. Le temps n'est ni homogène, ni continu. « Il n'est plus possible de penser dans le même temps historique le processus de développement des différents niveaux du tout. Le type d'existence de ces niveaux n'est pas le même. A chaque niveau nous devons au contraire assigner un temps propre relativement autonome donc relativement indépendant dans sa dépendance même des temps des autres niveaux » [7].

L'énumération des « faits » mentionnés dans la chronologie ne doit pas induire à penser que les phénomènes sont empiriquement observables, car se serait se référer – sans l'avouer et sans se l'avouer – à une métaphysique de la vérité fort éloignée de notre pensée. Avec Louis Althusser toujours, nous sommes d'accord pour affirmer que « l'économique ne peut posséder la qualité d'un donné (de l'immédiatement visible, observable, etc.) puisque son identification requiert le concept de structure de l'économique (...). Le concept de l'économique doit être construit » [8]. Toutefois, laissant à de plus savants que nous le soin de construire ces concepts et respectant la liberté de chaque lecteur qui lira « symptômalement » cette chronologie à partir de l'outillage conceptuel qui constitue son idéologie personnelle, nous pensons que le texte qui suit – tout lacu-

6. Bourdieu P., Le marché des biens symboliques, *L'Année sociologique,* PUF, 1972, p. 55.
7. Althusser L., *Lire le Capital,* t. II, p. 46.
8. Althusser L., *op. cit.,* t. II, p. 57.

naire et contestable/contesté qu'il soit quant aux événements retenus comme significa-
tifs de l'histoire de cette société française – montrera non seulement l'évidence de la
temporalité différentielle chère à Louis Althusser mais soulignera également l'importance des ruptures en fournissant quelques indications sur les conditions de leur émergence. Il est frappant de constater que ces ruptures sont d'abord manifestes dans le
champ culturel. Si l'on accepte de voir en mai 68 les signes agressivement évidents
(quoique souvent ludiques) d'une révolution culturelle, on peut repérer dans le champ
culturel des discontinuités franches bien antérieures à cette date, qu'il s'agisse de
l'œuvre de Samuel Beckett qui marque le retour au tragique dans une tradition théâtrale
toute imprégnée de dramatique ou du renouvellement de la narrativité cinématographique qui – avec J. Rivette – cesse d'être le récit d'une histoire pour devenir l'histoire
d'un récit (et l'on pourrait multiplier les exemples : l'abandon de la musique mélodique
et l'apparition du dodécaphonisme puis de la musique concrète, l'éloignement de la
peinture traditionnelle à laquelle appartenait encore le cubisme puisqu'il s'agissait toujours pour lui d'inscrire sur un plan l'illusion de la tridimentionnalité, etc.). Mais Samuel
Beckett attend des années qu'un théâtre accepte de monter *En attendant Godot,* alors
même que le fécond Jean Anouilh produit sa pièce annuelle, toujours avec ponctualité
et succès. On peut donc se demander ce qui importe le plus pour la compréhension
de notre société : J. Rivette qui signale une rupture à une poignée de cinéphiles enthousiastes, ou Ph. de Broca qui témoigne de la continuité devant une foule de cinéphages
également enthousiastes. La polémique est actuelle et mobilise les autorités de la culture savante. A P. Goubert qui affirme dans *Louis XIV et vingt millions de Français* que
« le succès de Pradon devrait intéresser infiniment plus d'historiens que le génie de
Racine puisqu'il exprime un public, un milieu, une date », Alain Besançon rétorque avec
vivacité : « c'est mutiler le réel que d'en exclure Racine pour motif de transcendance
(un Moyen Age sans cathédrales et sans saints!) et c'est ravaler le métier d'historien
que de le condamner à vie à la société de Pradon. L'argument n'est pas fondé, qui
récuse le phénomène apparemment marginal et le témoignage unique » [9]. Une chronologie se voulant – dans la très faible mesure où cela est possible – relativement
« neutre », nous avons choisi de mentionner à la fois Rivette-Racine et de Broca-Pradon.
A l'opposé de cette strate supérieure où les héros de la production culturelle restreinte
sont les hérauts des mutations qu'ils pressentent et annoncent, l'Église assume sa lente
temporalité, toujours la dernière à entériner les changements survenus dans les mœurs
(ou se refusant à les entériner). Symétrique du niveau où s'ébrouent les innovateurs
vivaces de la production élitaire par rapport à l'axe que formeraient les forces peu
connues et non quantifiables de la géo-histoire, le niveau ecclésiastique fonctionnerait
comme ralentisseur : on comprend que l'Église ait longtemps interdit l'inhumation des
acteurs dans la terre sainte des cimetières chrétiens.

Entreprise diachronique, cette chronologie (et ce n'est pas là un paradoxe) « interpelle » le lecteur (comme on dit aujourd'hui) en l'incitant à une réflexion synchronique.
Ce n'est pas le hasard qui fit que 1864 vît la formation du Comité des Forges, la fondation de la Première Internationale et la publication par le pape Pie IX de l'Encyclique
Quanta Cura et du Syllabus, chacun de ces trois événements exprimant à sa manière
et dans la série qui était la sienne une certaine évolution de l'Europe Occidentale.

Jetons un coup d'œil sur une année « quelconque », 1953 par exemple. Sur le plan
politique l'Assemblée Nationale, refuse d'investir Pierre Mendès-France et, après tren-
te-six jours de crise, accorde ses suffrages à un gouvernement présidé par J. Laniel dont

---

9. Besançon A., Histoire et psychanalyse, *Annales E.S.C.,* juillet-août 1969, p. 1023.

le charisme est modeste. Ce dernier s'intéresse peu à la guerre d'Indochine qui s'achemine, sans passionner personne, vers son issue dramatique. Sa grande préoccupation est de se faire élire à la Présidence de la République où il échoue de justesse, René Coty l'emporte au treizième tour. La vie sociale est très agitée avec les grandes grèves d'août qui surprennent autant le gouvernement que les responsables syndicaux. Malgré la pression inflationniste, les prix restent à peu près stables et le pouvoir d'achat croît légèrement. S. Beckett trouve enfin un théâtre qui monte *En attendant Godot* et publie *L'Innommable* que personne – ou presque – ne lit. A. Robbe-Grillet fait paraître *Les Gommes* œuvre qui serait passée inaperçue si elle n'avait pas été saluée comme une « nouvelle écriture objective ou littérale (...) aseptisant la forme même du récit » par R. Barthes qui publie *Le degré zéro de l'écriture,* essai aujourd'hui célèbre qui, proposant une « nouvelle critique », déchaîne l'indignation de la critique universitaire traditionnelle. H.G. Clouzot remporte un grand succès avec le très conventionnel *Salaire de la peur* et le chef d'œuvre de L. Bunuel, *El,* ne soulève guère d'enthousiasme.

L'année 1962 – pour prendre un second et dernier exemple – est marquée par un saisissant contraste entre une vie politique très agitée (terrorisme de l'OAS, accords d'Évian, rapatriement massif des Français d'Algérie, démission (renvoi?) de M. Debré, formation du ministère G. Pompidou, attentat du Petit-Clamart, mise en minorité du ministère G. Pompidou, référendum adoptant l'élection du Président de la République au suffrage universel, dissolution et élection d'une nouvelle Assemblée Nationale, crise des fusées à Cuba, etc.) et une vie sociale très calme (progression régulière du PNB et du pouvoir d'achat, balance des paiements excédentaire, peu de grèves, etc.). Nous avons dû renoncer au champ scientifique et technique (il fallait choisir, il aurait fallu être compétent!) et c'est bien regrettable lorsque l'on connaît le rôle joué par les transistors dans la réduction du putsch d'avril 1961, lorsque l'on sait que la production de postes récepteurs venait juste de se substituer aux postes traditionnels à lampes (les chiffres de la production annuelle des postes à transistors sont les suivants : 1958 : 260 000; 1959 : 817 000; 1960 : 1 691 000; 1961 : 2 215 000 [10]. Toutefois, si l'on admet la légitimité de l'entreprise chronologique, la relation qu'elle constitue peut-elle être autre chose qu'un récit fictionnel?

Un récit fictionnel?

Si rien n'est synchrone dans la totalité historique, la mesure précise des décalages exige une chronologie rigoureuse, ce qui justifie notre recherche. Mais pouvons-nous prétendre à saisir ce devenir subtil dont Nietzsche réclamait la perception au-delà – en deçà? – de la forme grossière des choses? « Nous ne sommes pas assez subtils – écrivait Nietzsche – pour apercevoir l'écoulement probablement absolu du devenir; le permanent n'existe que grâce à nos organes grossiers qui ramènent et résument les choses à des plans communs alors que rien n'existe sous cette forme. L'arbre est à chaque instant une chose neuve, nous affirmons la forme parce que nous ne saisissons pas la subtilité d'un mouvement absolu » [11]. On peut avancer avec V. Propp l'irréductibilité de l'ordre chronologique et penser comme lui que le temps est le réel. Telle n'est pas l'opinion de Roland Barthes qui approuve cette proposition de Cl. Lévi-Strauss : « L'ordre de succession chronologique se résorbe dans une structure matricielle intem-

---

10. Source : Statistiques du Commerce et de l'Industrie, série « commercialisation ».
11. Cité par Barthes, in *Encyclopaedia universalis,* article « Texte », t. XV, p. 1018.

porelle » et qui la commente en ces termes (en parlant, il est vrai, de récit se déclarant explicitement fictionnels) : « L'analyse actuelle tend à « déchronologiser » le continu narratif et à le « relogifier » ou plus exactement – c'est du moins notre souhait – la tâche est de parvenir à donner une description structurale de l'illusion chronologique »[12]. Vieux débat qui remonte à Aristote, lequel opposait déjà (c'est encore R. Barthes qui le remarque) la tragédie (définie par l'unité d'action) à l'histoire (définie par la pluralité des actions et l'unité du temps). C'est – bien entendu – d'histoire qu'il s'agira dans les pages qu'on va lire, d'histoires aussi, parfois tragiques, souvent dramatiques, comiques aussi. Nous nous sommes efforcé de les relater succinctement sans être parvenu à cette « pure série instructurée de notations :[13] que R. Barthes appelle de ses vœux. On sait que cet auteur a instruit le procès de l'histoire (il est vrai en choisissant bien ses cibles : César, Machiavel, Bossuet, Michelet, Augustin Thierry). Pour lui le discours de l'historien est aussi fictionnel que celui du romancier (ce qui peut se discuter compte tenu du renouvellement de l'épistémologie historique de ces dernières décennies) mais il souligne avec finesse le « problème du frottement de deux temps : le temps de l'énonciation et le temps de la matière énoncée », ajoutant que « le temps chronique de l'histoire est affronté au temps du discours lui-même que l'on pourrait appeler le temps papier »[14]. Si l'on prend pour mesure du temps d'énonciation le nombre de pages, on constatera que les années les plus récentes occupent plus de « temps papier » que les années plus anciennes. Cette « partialité » ne ressortit pas à la volonté de privilégier l'immédiat mais au manque de recul qui aggrave l'embarras du choix.

Pour P. Veyne l'histoire n'est que « le relevé des traces laissées par des intrigues ». Pour R. Barthes, dans le discours historique le « fait » n'a qu'une existence linguistique, ce qui serait sans gravité et sans conséquence si tout ne se passait pas « comme si » cette existence au niveau des mots était présentée comme « copie pure et simple » d'une autre existence, située dans un champ extradiscursif : le « réel ». La mauvaise foi de l'énonçant tient à ce qu'il présente comme « réel » ce qui n'est qu'« effet de réel »[15]. D'où la sévère conclusion : « L'élimination du signifié hors du discours « objectif », en laissant s'affronter apparemment le « réel » et son expression, ne manque pas de produire un nouveau sens tant il est vrai que dans un système toute carence d'éléments est elle-même signifiante :[16]. Face à ce procureur implacable, passons aux aveux : par cette chronologie, par les tableaux statistiques qui la complètent, nous ne nous abandonnons pas à l'illusion de reproduire le réel : le but de cet ouvrage est simplement de donner à lire une re-présentation du réel. Oui, nous ne sommes pas neutre car une chronologie n'est pas un non-discours, c'est encore un discours et la non-neutralité de l'énonçant commence bien en amont de sa pratique discursive, dans le choix de son sujet, dans la collection des données. Le but – ce serait prétention – n'est pas d'anéantir toute fiction mais, sachant qu'elle subsiste, de réduire le plus possible « l'écart » entre l'histoire-vécue et l'histoire-récit. Les milliers de notations qui constituent cette chronologie relevant des trois champs précédemment annoncés et des niveaux nombreux qui les stratifient révèlent le souci qu'a l'auteur de ces lignes de tenir le plus grand compte de « l'allongement du questionnaire » résultant de l'évolution récente et enrichissante de l'historiographie. Nous pensons avec Pierre Nora que « l'histoire instantanée est un réflexe normal à l'agression des événements et du cortège des informations brutes qui les accompagne ou qui les suit de si près ». Afin que le lecteur saisisse l'ampleur de

---

12. Barthes R., Introduction à l'analyse structurale des récits, *Communications*, n° 8, 1966, p. 12.
13. Barthes R., *Le discours de l'histoire, op. cit.*, p. 72.
14. Barthes R., *Le discours de l'histoire, op. cit.*, p. 68.
15. Barthes R., *Le discours de l'histoire, op. cit.*, p. 73.
16. Barthes R., *Le discours de l'histoire, op. cit.*, p. 74.

la réfraction que les phantasmes de l'historien imposent au réel, ce dernier doit-il dire qui il est? Quelle fut sa vie? A quelle (s) idéologie (s) il se rattache? R. Barthes le somme de se nommer. Mais à quoi bon, puisque le même auteur ajoute aussitôt que « l'objectivité est une forme particulière de l'imaginaire » [17]. Alors? Ce qui paraissait si simple – dresser la chronologie des trente dernières années de la société française – constitue-t-il une entreprise impossible?

Une entreprise impossible?

On ne se fait pas faute de suspecter les contemporanéistes de quelque paresse : ils auraient choisi cette période parce qu'ils ne lisent ni le grec, ni le latin, parce qu'ils ignorent la numismatique, l'épigraphie et le maniement du carbone 14, parce que – souffrant d'une carence imaginative – ils ne peuvent concevoir d'autres systèmes de valeurs que ceux qui s'affrontent sous leur regard, etc. Ils peuvent se défendre par bien des arguments dont le plus trivial n'est sans doute pas le plus faible : à savoir qu'ils ne disposent pas des interprétations de leurs prédécesseurs puisque 1975, hier même, c'est déjà de l'histoire (et l'on sait qu'en histoire comme ailleurs, l'art et l'habileté des copistes ont survécu aux inventions de Gutenberg). Comme ses confrères, spécialistes de temps plus anciens, l'historien contemporanéiste doit être un peu linguiste, un peu statisticien, un peu démographe, un peu ethnologue (en savoir suffisamment pour rédiger son questionnaire) mais il lui appartient de franchir les frontières de la sociologie, de la science politique ce qui ne va pas sans effort et sans risque tant il est vrai que la défense du territoire n'est pas le propre des animaux sociaux. Cependant son problème majeur reste l'énormité de son corpus. Même si son choix se porte sur une étude ponctuelle apparemment bien limitée, de proche en proche, de jour en jour, d'une idée à l'autre, d'une hypothèse à un fait (ou à une série de faits) il voit croître son corpus. Un exemple simple permettra de saisir la redoutable dynamique de cette sédimentation. Soit l'étude de la genèse, de la production et de l'exécution d'une loi. L'approche textuelle mobilise déjà linguistique, lexicologie, méthode analytique (ce qui est dit, ce qui est tu). Elle s'efforce de dégager la portée idéologique du message (ce qui est relativement simple) mais aussi celle du contenant (ce qui l'est déjà moins, l'ambiguïté éventuelle de la formulation pouvant procéder soit de la négligence du rédacteur soit du projet calculé de produire un texte susceptible d'une pluralité d'interprétations). La loi elle-même est l'aboutissement de lentes mutations et transformations des mentalités et des mœurs qui ont, implicitement ou explicitement, constitué une sorte d'appel au législateur et qu'il conviendra d'appréhender à travers les sondages, la presse écrite, parlée, télévisée, etc. Dans quelles conditions la loi a-t-elle été votée? L'initiative était-elle gouvernementale ou parlementaire? Dans le second cas, venait-elle de la majorité ou de l'opposition? Quel fut le rôle des commissions parlementaires? Comment se sont déroulés les débats (donc analyse systématique des pratiques discursives des intervenants)? Quels amendements furent proposés, repoussés, adoptés? Quel fut l'accueil de l'opinion publique au vote de la loi (de nouveau, dépouillement des sondages, études de contenu de la presse). Une fois la loi votée, quel est le contenu des décrets d'application? Respectent-ils la volonté du législateur? La réfractent-ils? L'inversent-ils? Ont-ils même été signés? Et combien de temps – mois, années – après le vote de la loi? Une

---

17. Barthes R., *Le discours de l'histoire, op. cit.,* p. 691

fois publiés ces décrets d'application, ont-ils été appliqués? A quelles résistances bureaucratiques, institutionnelles, idéologiques leur exécution s'est-elle heurtée? Dans quelle mesure l'exécution de la loi a-t-elle créé des situations imprévues qui ont exigé une nouvelle intervention du législateur? En prétendant codifier un sous-système (par exemple le statut des Universités ou l'interruption volontaire de grossesse), n'a-t-elle pas entraîné un écart avec les codages des autres sous-systèmes (par exemple les syndicats d'enseignants ou les pratiques religieuses?) Et ce décalage n'a-t-il pas rétroagi sur la « popularité » du groupe politique (ou de l'individu) qui a pris l'initiative de déposer le projet de loi? Bref de paliers en paliers, de sous-systèmes en macro-systèmes (compte tenu de la rétroaction de ceux-ci sur ceux-là), c'est la société tout entière qui est en question et le « spécialiste » de la production et de l'exécution des lois devient un généraliste tâtonnant, inquiet, généralement inquiété.

Entre l'histoire-vécue et l'histoire-récit, quels sont les médiateurs? Très concrètement et concernant notre travail de chronologiste, on peut – en simplifiant – en dresser la liste suivante : à l'origine il y a les « événements », c'est-à-dire, pour reprendre la définition de Littré déjà citée, « tout ce qui est arrivé ». Un premier choix est fait par les agences régionales de l'AFP qui transmettent à l'AFP parisienne les « nouvelles » qui leur semblent « importantes », « intéressantes », « significatives » en fonction de critères parfaitement obscurs mais reflétant – on ne peut en douter – les structures mentales des sélecteurs produites (en gros) par notre système scolaire. Un nouveau tri est effectué au niveau national et ces « dépêches » des différentes agences de presse sont diffusées dans les journaux, dans les institutions de radiodiffusion et de télévision (on imagine l'intérêt que présenterait pour le chercheur la connaissance des informations qui n'ont pas été diffusées, soit parce qu'elles ont paru insignifiantes, soit parce qu'elles ont été censurées consciemment ou non). Un troisième tri se situe dans les bureaux rédactionnels des journaux écrits ou parlés : le présentateur de tel « bulletin d'informations » choisit en fonction de critères toujours aussi secrets mais on peut penser sans risque de se tromper qu'il tient le plus grand compte de l'attente des lecteurs ou des auditeurs (par exemple un « temps-papier » ou un « temps-parole » assez considérable seront consacrés aux amours tumultueuses de telle princesse, quelques phrases mentionnant la sécheresse – donc la famine – dans le Sahel). L'informateur s'efforçant de livrer la marchandise attendue, on prend la mesure de tout ce qui est occulté parce que classé comme ne correspondant pas à cette attente. Il serait naïf d'attendre des sondages plus d'objectivité puisque, comme chacun sait, les résultats des sondages appartiennent au payeur. Là encore il serait du plus grand intérêt d'avoir accès aux sondages dont les résultats n'ont pas été portés à la connaissance du public, ce qui est juridiquement impossible. A partir des journaux, des informations radiodiffusées ou télévisées, des sondages (publiés), des statistiques (publiées) les auteurs de *L'Année politique, économique et sociale* s'efforcent de rédiger, dans les meilleurs délais, leur chronologie annuelle (quatrième tri). Nous avons scrupuleusement dépouillé les trente et un tomes couvrant notre période (1944-1974), l'année 1975 ayant été étudiée à partir de la presse (le volume portant sur l'année 1975 n'est pas encore paru au moment où sont écrites ces lignes). Nous avons dû – à notre tour – choisir pour réduire cette chronologie à des dimensions supportables par le lecteur et l'éditeur. Mais notre information ne s'est pas limitée à ce dépouillement puisque *L'Année politique, économique et sociale* ne s'intéresse pas au champ culturel. Pour celui-ci, nous avons utilisé de nombreuses sources et notamment l'*Encyclopaedia Universalis* dont les seize volumes alphabétiques, l'Organum, les trois tomes du thesaurus et les deux tomes de supplément concernant les années 1974 et 1975 ont constitué pour nous un ensemble référentiel irremplaçable [18]. On peut donc résumer notre démarche dans un graphique très simple.

5ᵉ choix : cette chronologie
4ᵉ choix : rédacteurs de *L'Année politique*
3ᵉ choix : bureaux rédactionnels des journaux écrits et parlés
2ᵉ choix : diffusion des dépêches par les agences nationales de presse
1ᵉʳ choix : les agences régionales de presse
TOUT CE QUI EST ARRIVÉ

Une fois admis que tout sélecteur choisit en fonction du système socio-culturel qui l'a (dé)formé et que la conformité entre ses choix et ce système tend à perpétuer la société telle qu'elle est en occultant ce que les codes prévalents veulent cacher, donc qu'il s'agit là d'une forme subtile – et agissante – de la « reproduction », et étant entendu que, tout étant historique, l'histoire ne peut être que ce que nous choisirons qu'elle soit, qu'avons-nous choisi? « Les événements ne sont pas des choses, des objets consistants, des substances. Ils sont un découpage que nous opérons librement dans la réalité, un agrégat de processus où agissent et pâtissent des substances en interaction, hommes et choses. Les événements n'ont pas d'unité naturelle » [19] remarque justement P. Veyne.

Il ne nous est pas possible de préciser (de quantifier) à partir de quel seuil un événement a acquis une dignité suffisante pour figurer dans cette chronologie. Décevante constatation, mais quelle autre faire puisque tout événement « entre dans une série et n'a d'importance relative que dans sa série » [20]. Si certains événements ne prêtent pas à contestation car leur « importance » recueille un consensus (la fin de la guerre d'Indochine, la mort de la IVᵉ République), si d'autres appartiennent à des séries que nous avons choisies d'ignorer (la vie privée des personnages politiques), dans tous les cas douteux – ils sont fort nombreux – c'est notre seule évaluation qui a tranché, dans sa totale subjectivité, et en sachant bien que d'autres en auraient décidé différemment et que nombre de ces choix ne seront pas ratifiés par les historiens de demain.

Une fois prise la décision de retenir tel événement, était-il possible de lui donner une certaine pondération? On peut lire dans cette chronologie les deux phrases suivantes : « 8 mai 1945 – capitulation de l'Allemagne », « 28 juin 1973 – arrestation d'A. Krivine ». Chacune contient huit mots ou chiffres. Quelle que soit la tendance politique du lecteur, les deux « faits », c'est évident, n'ont pas le même poids historique. Les « temps-papiers » sont cependant identiques. Fallait-il donc imprimer en caractères gras les événements importants, et en italique les plus insignifiants? Mais suivant quels critères les départager? Mieux valait renoncer à cette nouvelle hiérarchisation. C'est ce que nous avons fait. Mais de nouvelles difficultés surgissent aussitôt. A quelle date l'événement doit-il être mentionné? Lorsqu'il s'agit de la mise en minorité d'un ministère, il n'y a pas de problème. Une loi ne fait que ratifier une modification des mœurs (ce qui était subversif devient conventionnel) : du moins le vote de la loi date-t-il l'intégration de la novation dans le code institutionnel. Mais dans le champ culturel le « nouveau »

18. Nous avons fait des emprunts si nombreux à *L'Année politique, économique et sociale* et à l'*Ecyclopaedia Universalis*, fondements de notre chronologie, que nous n'avons pas pu fournir régulièrement les références. Que les nombreux auteurs de ces deux « sommes » soient ici collectivement remerciés pour leur contribution à notre entreprise.
19. Veyne P., *Comment on écrit l'histoire, op. cit.*, p. 51-52.
20. Veyne P., *Comment on écrit l'histoire, op. cit.*, p. 34.

roman, la « nouvelle » critique, la « nouvelle vague » cinématographique n'émergent pas brusquement. En 1947 Samuel Beckett publie *Murphy,* roman qui est accueilli par le silence de la critique. Mais lorsque se joue, en janvier 1953, *En attendant Godot,* on reparle de *Murphy* qui trouve alors ses (presque) premiers lecteurs. *Murphy* doit-il être signalé en 1947? En 1953? Aux deux dates? Nous avons retenu la première solution.

Autre problème : par quels mots nommer l'événement retenu? Pour désigner « ce qui s'est passé » en Algérie entre 1954 et 1962, parlera-t-on de « rébellion », de « guerre », de « révolution », « d'événements »? On sait que ces mots ne sont pas neutres, qu'ils connotent ce qu'ils désignent, et ce faisant, révèlent les choix idéologiques du locuteur. Qui plus est, les acteurs historiques qui paraissent dans ce livre ont eux-mêmes modifié leur discours en suivant l'évolution des choses : le gouvernement français parlera de « rébellion », puis de « guerre », ses adversaires étant successivement qualifiés de « brigands de droit commun », de « terroristes » puis de « combattants du FLN » auxquels le Général de Gaulle proposera la « paix des braves ». Si nous écrivons : « 18 mars 1962 – Par les accords d'Évian, le Général de Gaulle met fin à la guerre d'Algérie », c'est privilégier le rôle du Général qui aurait consenti une sorte de faveur aux combattants d'en face, c'est escamoter la lutte de ceux-ci, c'est exprimer toute une idéologie célébrant le volontarisme transformateur du chef charismatique. Dans de pareils cas nous avons cherché la formulation la plus neutre et l'on pourra lire ces simples mots : « 18 mars 1962 : signature des accords d'Évian ». Ecrire « la Ve République est née d'un putsch militaire » n'est pas mentir. Ecrire la « Ve République est sortie des urnes en septembre et novembre 1958 » n'est pas mentir. Alors? Nous avons relaté les idées algéroises du mois de mai, nous avons donné les résultats du référendum et des élections de l'automne 58 : au lecteur de trouver (de confronter?) « sa » vérité. R. Barthes, une fois encore perspicace, a bien montré la complexité du problème que pose à l'historien la nomination des objets historiques. « En effet – écrit-il – un seul mot peut désigner une suite d'actions. Il est lui-même une petite structure : ainsi Machiavel se sert-il du mot « conjuration » pour économiser l'explicitation d'une donnée complexe » [21]. Le 9 novembre 1970 disparaît le Général de Gaulle : devons-nous écrire « mort » ou « décès ». Le second mot est plus noble, mais le premier est plus militaire (on dit « mort au champ d'honneur » et non « décédé au champ d'honneur »). Nous avons donc opté pour le premier. Mais importe-t-elle à l'histoire, la mort de cet homme qui depuis plus d'un an, s'est retiré de la vie politique? Elle est l'occasion de vastes déplacements de chefs d'État et de gouvernements et l'on parla de « deuil planétaire ». Elle intéresse donc le champ économique dans la mesure où les transports aériens sont concernés par elle. Mais n'y aurait-il pas quelque insolence à mentionner la mort du chef charismatique dans le champ économique et social? Cédant aux convenances nous en avons fait un événement politique.

Se posaient également des problèmes au niveau du choix des discours. Extraire des phrases de leur contexte, c'est les déformer. Les citations exactes mais isolées ont toujours constitué une efficace méthode de falsification du sens que l'énonçant voulait donner à ses paroles. Ne donner aucun passage de discours était tentant – et la solution la plus simple. Mais cela revenait à nier le rôle du verbe dans l'histoire. C'était – là encore – une prise de position, et contraire à notre conviction profonde que l'histoire est une comédie dont les acteurs ne sont pas seulement des mimes, mais des récitants. Sur cette importance des mots et leur inséparabilité de l'action se retrouvent Charles de Gaulle qui dit dans ses *Mémoires de Guerre* : « Je parle. Il le faut bien. L'action met

---

21. Barthes R., *Le discours de l'histoire, op. cit.,* p. 70.

les ardeurs en œuvre. Mais c'est la parole qui les suscite », et J. Derrida qui observe, dans *L'écriture et la différence,* que : « Le langage envahit le champ problématique universel; c'est alors le moment où, en l'absence de centre ou d'origine, tout devient discours ». Ce qui intéresse notre propos ce sont les conditions d'énonciation des discours. En d'autres termes, ce qui, à un certain moment, était dicible et ce qui ne l'était pas. Notre problématique rejoint celle de M. Foucault : « La question que je pose c'est celle, non des codes mais des événements : la loi d'existence des énoncés, ce qui les a rendus possibles – eux et aucun autre à leur place; les conditions de leur émergence singulière; leur corrélation avec d'autres événements antérieurs ou simultanés, discursifs ou non » [22]. Les citations que contient cette chronologie ne manqueront pas de surprendre le lecteur (par leur contenu manifeste s'entend, car elles ne nous disent rien des arrière-pensées des énonceurs qui, pour certains – les plus lucides – avaient sans doute la conviction que la vérité de demain n'était pas bonne à dire aujourd'hui). En outre, si ce lecteur, né dans les années vingt, a été le contemporain des faits ici relatés, il sera sans doute surpris de voir à quel point les souvenirs qu'il en garde sont « reconstruits ». Pour prendre l'exemple de 1958, le dépouillement systématique des débats parlementaires au moment où agonisait la IVe République montre que le dernier quartier de ses défenseurs, bien loin de préconiser pour l'Algérie une solution de type « indochinois », ne cessaient d'affirmer que seule la survie du régime permettrait le maintien de l'Algérie dans l'ensemble français. Ainsi François Mitterrand à l'Assemblée Nationale dénonce « ceux qui ont rompu l'Unité nationale, ceux qui ont compromis, entaché la fidélité traditionnelle de l'armée au régime, ceux qui ont menti à leurs engagements, ceux qui ont joué le double jeu et qui prétendent à la légalité pour mieux la détruire (...) ceux qui oublient que leur devoir, leur seul devoir est de combattre pour la permanence de la France en Afrique et qui se retournent contre ceux qui leur ont confié cette mission (...). Est-ce un acte de patriotisme que d'abandonner la mission, l'admirable mission, celle qui voudrait par les armes et, mieux encore, par la concorde, créer la communauté franco-africaine ? » [23]. Nous retrouvons le même argument développé par Marcel Plaisant (Gauche démocratique) qui assume au Sénat le rôle d'avocat du régime expirant : « ... mais si nous n'acceptons aucune faiblesse, nous voudrions en même temps que ce vote fût une confirmation de notre volonté absolue de voir un gouvernement ferme tenir dans son unité, aussi bien l'Algérie que la France, que s'il est muni des plus grands pouvoirs c'est afin que leur exercice puisse se manifester par des actes et par la persévérance dans les mêmes desseins » [24]. Bien plus, lorsque le Général de Gaulle a obtenu des assemblées terrorisées ce qu'il en attendait (les pleins pouvoirs, le pouvoir constituant) c'est en brandissant la menace d'une révolution « rouge » pour demain que le même M. Plaisant condamne la réaction « blanche » d'aujourd'hui : « ... C'est une autre révolution, bien pire que celle que vous nous proposez, qui nous menace demain lorsque le pouvoir dictatorial du Général de Gaulle sera dépassé par les siens (...). Ce jour-là, le jour de ce débordement, c'est cela qui nous permettra d'assister à l'inversion d'une autre révolution, une révolution plus grave que tout ce dont vous nous menacez, qui viendra des bas-fonds, une révolution qui, celle-là, ne ménagera rien, une révolution qui comme un grand ressac emportera et vos hommes et vos institutions de parade et nous-mêmes, parce que nous n'aurons pas cru, parce que nous n'aurons pas eu la

---

22. Foucault M., *Réponse à une question, Esprit,* mai 1968, p. 859.
23. Assemblée Nationale, séance du 16 mai 1958, *J.O.,* Débats parlementaires, 17 mai 1958, pp. 2364-2355.
24. Conseil de la République, séance du 16 mai 1958, *J.O.,* Débats parlementaires, 17 mai 1958, p. 870.

volonté de nous opposer aujourd'hui à ce qui est une aliénation de la souveraineté nationale »[25]. Ainsi donc parlait « la gauche » en 1958, ou plutôt la faible fraction de celle-ci qui entendait que le navire torpillé de la IVᵉ République sombrât avec quelque dignité.

Mais une chronologie méticuleuse se devrait également de mentionner ce qui n'a pas été fait. On peut concevoir une sorte de chronologie « en creux » qui énoncerait les événements qui n'ont pas eu lieu, les décisions qui n'ont pas été prises. Ainsi les atermoiements, les ajournements décisionnelles du Gouvernement Laniel ont joué un rôle dans la dégradation de la situation indochinoise et les non-décisions de cette équipe falote sont à l'origine de l'investiture que Pierre Mendès-France obtient en 1954 alors qu'elle lui avait été refusée en 1953. Renan disait déjà que faire de la politique « ce n'est pas résoudre les problèmes mais attendre qu'ils s'usent » et on prête au Président Queuille cette phrase (trop belle sans doute pour n'être pas apocryphe) : « La politique, ce n'est pas poser les problèmes, c'est faire taire ceux qui les posent ». Le 4 mai 1799 l'amiral Bruix, qui est parvenu à quitter Brest en trompant la vigilance de l'amiral anglais Bridport, s'apprête à attaquer la flotte de Lord Keith qui bloque l'escadre de l'amiral espagnol Mazzaredo qui, voyant arriver Bruix, donne l'ordre de tenter une sortie. La flotte de Lord Keith est alors dans une position que les spécialistes d'histoire navale tiennent pour désespérée. Mais s'élève une tempête violente qui contraint Bruix à regagner le large et Mazzaredo à rester à quai. La non-bataille du 4 mai 1799 a été décisive dans la mesure où l'entrée de Lord Keith en Méditerranée a définitivement établi la suprématie britannique dans cette mer[26]. On peut donc penser que « l'histoire est pleine de possibilités avortées, d'événements qui n'ont pas eu lieu; nul ne sera historien s'il ne sent pas autour de l'histoire qui s'est réellement produite une multitude indéfinie d'histoires compossibles, de choses qui pouvaient être autrement[27].

Le risque d'une chronologie – par sa structure même – est d'entretenir la confusion entre la consécution, c'est-à-dire le fait de succéder temporellement, et la conséquence, c'est-à-dire le fait de s'enchaîner logiquement. Comme le remarque justement R. Barthes : « La consécution se réfère au temps, la conséquence se réfère à la logique »[28]. La mort de Buffet et Bontens précède celle de Georges Pompidou, elle ne l'a pas provoquée. Mais c'est bien la démission du Général de Gaulle qui a permis à G. Pompidou de devenir Président de la République, du moins à cette date. Ce qui précède n'est pas nécessairement la cause de ce qui suit, mais ce qui suit n'est jamais la cause de ce qui a précédé (c'est « l'idée » d'un futur possible – parmi d'autres – qui peut provoquer tel comportement de tel individu si l'on pense avec Heidegger que « la racine du passé est dans le futur », mais non ce futur vécu, donc devenu présent). C'est là une lapalissade qu'il convient de rappeler à une époque où la linéarité chère à notre système culturel (« l'idée de progrès ») est remise en cause de façon légitime mais avec une telle passion dont s'entiche la mode du moment que le moindre littérateur ou cinéaste qui se veut « moderne » s'attache à « déconstruire » (c'est le mot qui convient aux producteurs de biens symboliques « légitimes ») la possible (et honteuse) continuité de son récit. Certes, c'est faire preuve d'un anthropomorphisme tout à fait démodé que d'écrire « la IVᵉ République est née, a vécu, est morte » et comme M. Foucault nous

25. Conseil de la République, séance du 2 juin 1958, *J.O.,* Débats parlementaires, 3 juin 1958, pp. 942-943.
26. Sur ce point, cf. Vendryès P., *De la probabilité en histoire,* Paris, 1952.
27. Veyne P., *Comment on écrit l'histoire, op. cit.,* p. 131.
28. Barthes R., *Le discours de l'histoire, op. cit.,* p. 12.

l'enseigne à force de nous (se) le répéter : il convient de mettre en évidence les changements, les ruptures. C'est précisément parce que celles-ci et ceux-là apparaissent mal dans une chronologie que nous avons cru nécessaire de lui indexer un corpus statistique permettant de repérer les discontinuités.

Des statistiques rebutantes?

Les statistiques ne sont pas neutres et le lecteur qui aura le courage d'en affronter la lecture pourra voir – par exemple – les critiques que nous adressons à la taxinomie de l'INSEE. La constante polémique entre partisans de l'indice des prix de la CGT et ceux de l'indice de l'INSEE prouve une fois encore que l'idéologie est partout présente. Mais, une fois connus leurs protocoles d'établissement, on sait ce qu'elles mesurent et leur déchiffrement est indispensable à la compréhension de l'évolution des structures sociales. Si l'on admet, avec Louis Althusser, que le tout social n'est pas synchrone, la thèse du maître consistant – suivant l'expression d'un de ses zélés disciples « dans une articulation d'instances qui ont chacune leur rythme et leur ponctuation propre et qui se déterminent mutuellement sous l'effet de leur décalage (...) où les déséquilibres induisent des mutations non sans se perpétuer sous d'autres formes » [29], les temporalités spécifiques des différentes instances seront saisissables de façon très concrète et très claire par la lecture de séries statistiques. Un exemple simple le prouvera : en 1951, sur 100 étudiants des Universités, 2,5 sont fils d'ouvriers; en 1971 ce pourcentage atteint 13,1. Pendant ces mêmes vingt années, le nombre d'élèves de Polytechnique et de l'ENA qui sont fils d'ouvriers oscille autour de 1 %. Le décalage est flagrant entre la relative démocratisation de l'enseignement supérieur/inférieur et l'absence de démocratisation de l'enseignement supérieur/supérieur. Les tableaux que nous présentons à la fin de cet ouvrage sont accompagnés d'un commentaire lisible par tout non-spécialiste et nous avons longuement insisté sur la pluralité de lectures possibles d'un même tableau tant il est vrai que la lecture – elle aussi – n'est pas neutre. Nous espérons qu'ils contribueront à introduire un ordre explicatif dans l'incohérence phénoménale et c'est parce que leur valeur heuristique nous paraît incontestable que nous avons privilégié dans la chronologie les champs politique et culturel, les mutations des structures sociales n'étant appréhendables que par des séries chiffrées.

La chronologie relate une partie de « ce qui est arrivé ». Les tableaux – à les lire attentivement – expliquent comment, pourquoi « c'est arrivé ». Ce livre n'est pas nouveau par ce qu'il dit (tout y est de seconde main) mais par le type de lecture qu'il appelle. On peut – à un premier niveau – le considérer comme « un ouvrage de références ». Un lecteur curieux de son propre passé – ou s'il est jeune du passé de la société française – peut désirer savoir ce qui survint en 1962. La lecture de quelques pages le lui apprendra. Mais à un second niveau, en allant/venant de la chronologie aux tableaux, une seconde lecture est possible, qui informe des mécanismes de cette société, de la nature de l'État, du fonctionnement des structures reproductrices et de la reproduction fonctionnaliste de ces structures. Les chiffres (63 tableaux seulement ont été sélectionnés parmi plusieurs centaines, il fallait tenir compte de la lassitude du lecteur) tous provenant de statistiques « officielles » parlent leur propre langage et n'appellent pas de

---

29. Hochart P., Article « structuralisme », *Encyclopaedia Universalis*, t. XV, p. 437.

longs commentaires qui n'auraient été que redondances. C'est donc à cette lecture austère et non conventionnelle que l'auteur ose convier le lecteur, c'est-à-dire à une lecture discontinue, non linéaire. ·

De même les citations présentées dans la chronologie sont données sans commentaires. Choisies elles aussi parmi tant d'autres possibles (par ce qu'elles nous ont paru – peut-être à tort – « exemplaires ») elles laissent le lecteur en face de son propre questionnaire : pourquoi ces phrases ont-elles été dites? Elles, et non d'autres? Leur présence n'implique de notre part, ni approbation, ni improbation. Elles sont là parce qu'elles furent prononcées. C'est tout. Le plus possible, nous avons tenté d'éviter de mêler normatif et récitatif. Peut-être nous est-il arrivé de mal résister à la tentation : la simple juxtaposition de deux citations suffit souvent à susciter une signification qui appelle un jugement. Mais il y aura autant de juges que de lecteurs.

La phrase de Confucius mise en exergue de cette introduction tend à lui donner – penseront certains – une coloration réactionnaire. Dans notre esprit elle n'est qu'incitation à la modestie. Tout n'est pas possible, mais tout est surprenant. Il n'est qu'à relire les écrits des futurologues des années 60 pour s'en convaincre. Ni les politiques, ni les politicologues n'ont prévu mai 1968. La seconde grande dépression que connaît le monde capitaliste depuis 1974 avait échappé aux sécurisantes extrapolations des prospectivistes d'hier. On s'accordait à penser qu'en France, le « cap » des 600 000 chômeurs provoquerait l'explosion. Plus d'un million sont aujourd'hui recensés. Le gouvernement actuel découvre une « divine surprise », à savoir que l'américanisation (ou la germanisation) de la société française l'a conduite à supporter le chômage de plus de 5 % de sa population active. Le but de ce livre est simplement de rassembler des données chronologiques et statistiques permettant au lecteur de tenir bien des discours possibles sur la société française contemporaine. Le but de cette introduction était de souligner les problèmes épistémologiques soulevés par une chronologie, « histoire des sots »; mais l'expression balzacienne est ambiguë : désigne-t-elle l'écrivant ou les actants?

Chronologie

1944

Champ politique

◆ *Avril.* 21. Ordonnance portant organisation des pouvoirs publics en France après la Libération.

◆ *Juin.* 3. Le Comité Français de Libération Nationale (CFLN), créé le 3 juin 1943 à Alger, se transforme en Gouvernement Provisoire de la République Française (GPRF) présidé par le Général de Gaulle.

6. Débarquement allié en Normandie.

◆ *Août.* 19/25. Libération de Paris. A cette date la composition du GPRF est la suivante :

Président : Général de Gaulle.
Commissaires d'État : *Questions musulmanes :* Général G. Catroux – *Rapports avec l'assemblée consultative et études :* A. Philip (député SFIO du Rhône) – *Territoires libérés :* A. Le Troquer (député SFIO de Paris); Cerat (pseudonyme d'A. Parodi); H. Queuille (sénateur radical de la Corrèze); F. Billoux (député communiste des Bouches-du-Rhône).
Commissaires : *Justice :* F. de Menthon (professeur de droit) – *Affaires étrangères :* R. Massigli (ambassadeur) – *Intérieur :* E. d'Astier de la Vigerie – *Guerre :* A. Diethelm – *Air :* F. Grenier (député communiste de la Seine) – *Colonies :* R. Pleven – *Finances :* P. Mendès-France (député radical socialiste de l'Eure) – *Informations :* H. Bonnet (avocat) – *Communications et Marine marchande :* R. Mayer – *Prisonniers et déportés :* H. Frenay – *Travail et Prévoyance sociale :* A. Tixier – *Production et ravitaillement :* P. Giacobbi (sénateur radical socialiste de la Corse) – *Instruction publique :* R. Capitant (professeur de droit) – *En mission :* J. Monnet.
Secrétaires généraux : *Intérieur :* A. Parodi – *Défense nationale :* Général Fortin – *Éducation Nationale :* H. Wallon (professeur au Collège de France) – *Santé :* L. Pasteur Vallery-Radot (professeur au Collège de France) – *Justice :* Willard – *Information :* J. Guignebert – *Travail :* R. Sanson – *Économie nationale :* R. Courtin – *Finances :* E. Monick (Inspecteur des Finances) – *Ravitaillement :* L. Miné (Inspecteur des Finances) – *Agriculture :* Lefèvre – *Production industrielle :* R. Lacoste – *Communications :* Mathieu – *P.T.T. :* Guesnot – *Prisonniers :* F. Mitterrand.

◆ *Septembre.* 5. Le GPRF est remanié : les commissaires d'État deviennent ministres d'État, les commissaires deviennent ministres.

9. Publication de la composition du GPRF remanié :

Président : Général de Gaulle.
Ministre d'État : J. Jeanneney (Président du Sénat).
Ministres : *Justice :* F. de Menthon – *Affaires étrangères :* G. Bidault – *Intérieur :* A. Tixier – *Guerre :* A. Diethelm – *Marine :* L. Jacquinot – *Air :* C. Tillon – *Économie nationale :* P. Mendès-France – *Finances :* A. Lepercq – *Production industrielle :* R. Lacoste – *Agriculture :* Tanguy-Prigent – *Ravitaillement :* P. Giacobbi – *Colonies :* R. Pleven – *Éducation nationale :* R. Capitant – *Travail et Sécurité Sociale :* A. Parodi – *Transports et Travaux publics :* R. Mayer – *P.T.T. :* A. Laurent – *Informations :* P.H. Teitgen – *Prisonniers, déportés et réfugiés :* H. Frenay – *Santé publique :* F. Billoux – *Afrique du Nord :* Général G. Catroux.

◆ *Octobre.* 5. Ordonnance reconnaissant le droit de vote aux femmes.

23. Les puissances alliées reconnaissent le GPRF.

28. De Gaulle ordonne la dissolution des milices patriotiques où les communistes (militants et sympathisants) sont très majoritaires. Très vives protestations du PCF.

♦ *Novembre.* 3. Lancement de l'emprunt de la Libération.

7. Première réunion de l'Assemblée consultative.

13. Décret créant un Ministère de la Reconstruction et de l'Urbanisme confié à R. Dautry.

14. Remaniement gouvernemental à la suite du décès d'A. Lepercq tué dans un accident d'auto le 9 novembre. R. Pleven le remplace aux Finances; P. Giacobbi remplace R. Pleven aux Colonies; P. Ramadier, député SFIO de Decazeville succède à P. Giacobbi au ravitaillement.

♦ *Décembre.* 9. Le Vatican reconnaît le GPRF.

10. De Gaulle signe à Moscou le traité d'alliance et d'assistance mutuelle franco-soviétique.

14. Ordonnance nationalisant les Houillères du Nord et du Pas-de-Calais.

30. Deux ordonnances inaugurent la réforme de la Sécurité Sociale.

Fin 1944 : épuration. Sont condamnés à mort par la Cour de Justice de Paris et exécutés : Georges Suarez, directeur d'*Aujourd'hui,* Bony et Lafont assassins de G. Mandel, chefs de la Gestapo française, R. Brasillach (fusillé le 6 février 1945). H. Béraud est condamné à mort mais gracié.

Champ économique et social

★ *Juillet.* 27. Ordonnance annulant la charte du travail du 4 octobre 1941 : reconstitution des syndicats.

★ *En août,* la production électrique est de 602 millions de kWh, celle de la fonte et de l'acier est quasi nulle. Les denrées alimentaires légalement distribuées par les tickets d'alimentation représentent 1 005 calories par jour et par adulte (mais il y a le marché noir).

Sont détruits : tous les ponts sur la Seine de Paris à la mer, sur la Loire de Nevers à la mer, sur le Rhône de Lyon à la mer; 115 grandes gares, 24 gares de triage, 3 000 km de voies ferrées, 1 900 ponts et viaducs ferroviaires, 27 tunnels. Sur les 17 000 locomotives en fonctionnement en 1939, il en reste 2 900. 452 000 immeubles sont totalement détruits et 1 436 000 sont endommagés (sur 9 731 000).

Le pays manque de main-d'œuvre : plus de 2 millions de personnes sont en Allemagne (prisonniers de guerre, déportés politiques ou raciaux, déportés du travail en vertu du Service du Travail Obligatoire – STO); un million d'hommes sont mobilisés.

L'inflation est galopante.

Champ culturel

▶ *Les prix littéraires* ne sont pas décernés à l'exception du Renaudot attribué à R. Peyrefitte pour *Les amitiés particulières.*

▶ *Cinéma* – S.M. Einsenstein (URSS) : *Ivan le Terrible*
          M. Carné : *Les enfants du Paradis*
          R. Clair : *C'est arrivé demain* (tourné aux États-Unis)
          J. Grémillon : *Le ciel est à vous*

Le cinéma à cette époque est un « art populaire ». E. Marey, un des précurseurs du cinématographe était un physiologiste qui avait inventé un « fusil photographique » dans le but d'étudier l'oiseau en vol en arrêtant le temps. Certains auteurs se plaçant dans une perspective bachelardienne et freudienne analysent le cinéma comme une tentative pour retenir le spasme, aussi bien celui de la volupté (Eros) que celui de la mort (Thanatos). On peut donc soutenir que la permanence des deux thèmes de l'érotisme et de la violence dans le « spectacle cinématographique » trouve sa source dans l'instrument lui-même.

D'autre part, le cinéma s'inscrit dans un vaste procès d'individualisme et d'embourgeoisement. L'homme veut à la fois l'aventure (la « liberté ») et la sécurité. Le cinéma lui permet d'assumer une pluralité de rôles (héros de la Résistance, Casanova, truand, prostituée, martyr, etc.) par « projection/identification » et sans risque. Tapi dans le confort sécurisant et matriciel de son fauteuil situé dans une salle obscure, le spectateur peut vivre « une autre vie » et rester « ici ». La lecture, il est vrai, est aussi un acte individualiste mais elle reste le fait d'une minorité « cultivée ». On peut donc poser la question suivante : dans quelle mesure l'accession des « classes populaires » au cinéma hier, à la télévision et à l'automobile aujourd'hui, contribue-t-elle à développer dans ces classes des comportements « individualistes et petits-bourgeois »?

▶ *Musique* – L'après-guerre est marquée par une révolution dans la « consommation musicale », elle-même liée à une révolution technique (1945 : généralisation de la transmission par modulation de fréquence; 1948 : invention du disque microsillon; 1953 : création en France d'une chaîne de radio-diffusion exclusivement consacrée à la musique). Au 19e siècle, un mélomane pouvait ne jamais avoir l'occasion d'entendre telle symphonie de Beethoven; il faisait du solfège pour « lire » les partitions et les jeunes filles « de bonne famille » apprenaient le piano. Aujourd'hui : quelques francs et quelques gestes et la Ve symphonie est sur l'électrophone dans l'enregistrement préféré. D'après un sondage ORTF de 1971, 28 % des auditeurs possèdent des disques « classiques ». Alors que le concert était un phénomène exceptionnel, la consommation du disque et de la radio peut se « répéter » indéfiniment. Il en résulte un renforcement du conditionnement de l'auditeur qui va lui faire préférer l'écoute de disques déjà entendus. La « répétition » devient une composante de la consommation. Une vaste enquête menée aux États-Unis montre que la moitié de la musique « classique » consommée est fournie par quinze compositeurs seulement. En outre, ce sont quelques-unes des œuvres de ces compositeurs qui sont le plus souvent enregistrées. D'après cette enquête, les trois compositeurs les plus « consommés » sont Mozart, Beethoven et Bach.

Au niveau de la création, le compositeur va rencontrer les mêmes problèmes – les mêmes angoisses – que le peintre ou l'écrivain : dans la mesure où il se dégagera du code du système tonal, il devra construire *son* langage et *ses* formes. Il vivra donc l'angoisse existentielle de l'homme moderne confronté/affronté au changement (dans les structures, dans les idéologies, dans les « valeurs »).

1945

Champ politique

♦ *Janvier.* 23. M. Thorez se prononce pour la dissolution des milices patriotiques.

Procès de Ch. Maurras devant la Cour de Justice de Lyon. Condamné à la réclusion perpétuelle, il s'écrie : « C'est la revanche de Dreyfus ! »

♦ *Février.* 4/11. Conférence de Yalta.

♦ *Mars.* L'Assemblée consultative provisoire décide la suppression des subventions aux écoles libres.

♦ *Avril.* 5. Démission de P. Mendès-France en désaccord avec R. Pleven sur la politique économique à suivre. R. Pleven, déjà ministre des Finances, prend la direction du ministère de l'Économie.

29 avril et 13 mai : élections municipales. Il s'agit de remplacer les conseillers municipaux élus en 1935. Dans toutes les municipalités sauf à Paris (où joue la représentation proportionnelle intégrale et où il n'y a donc qu'un seul tour) il s'agit d'un scrutin de liste avec ballotage et panachage. Les résultats sont les suivants :

Conseils municipaux à majorité :

Partis	Nombre	Pourcentage
PCF	1 462	4,08 %
PCF + SFIO	247	0,7 %
SFIO	4 133	11,4 %
Socialistes Indépendants et Républicains Socialistes	1 501	4,1 %
Radicaux-socialistes	6 501	18,1 %
Gauche sans prédominance d'un ou deux partis	913	2,5 %
MRP	609	1,7 %
Radicaux indépendants	1 797	5 %
Républicains de gauche et alliance démocratique	5 499	15,3 %
Fédération Républicaine et URD (Union Républicaine Démocratique)	5 809	16,2 %
Droite ou modérés sans prédominance d'un ou deux partis	2 007	5,8 %
Conservateurs	552	1,5 %
Indéterminés (en raison du nombre de conseillers élus au titre d'organisations de résistance ou politiquement non classés)	4 736	13,5 %

Par rapport aux élections de 1935 le glissement à gauche est sensible, mais les formations traditionnelles (Radicaux-socialistes, Radicaux Indépendants, Républicains de gauche, Alliance démocratique, Fédération républicaine et URD) résistent remarquablement en province. Le MRP fait un bon score au premier tour mais remporte peu de sièges parce qu'au second tour les socialistes choisissent généralement de s'allier aux communistes ou aux radicaux-socialistes. Les résultats parisiens, comparés à ceux de 1935, soulignent le caractère original de l'électorat de la capitale.

Conseil municipal parisien

Partis	29.4.45	1935
Modérés	22,3 %	39,5 %
Radicaux	?	?
SFIO	11 %	11,6 %
PCF	29,6 %	19,5 %
MRP	15,3 %	–

♦ *Mai.* 8. Capitulation de l'Allemagne. Prisonniers et déportés commencent à rentrer.

8/10. Émeutes de Sétif et de Guelma. Répression.

31. Remaniement gouvernemental : Ch. Pineau remplace au Ministère du Ravitaillement P. Ramadier, démissionnaire; P.H. Teitgen quitte l'information pour devenir ministre de la Justice où il remplace F. de Menthon appelé à une haute fonction de coopération internationale; J. Soustelle succède à P.H. Teitgen à l'Information.

♦ *Juin.* 22. Ordonnance créant l'École Nationale d'Administration (ENA).

26/30. Congrès du PCF – M. Thorez propose un accord CGT-CFTC-CGA (Confédération Générale du Travail, Confédération Française des Travailleurs Chrétiens – Confédération Générale des Agriculteurs) et la fusion des Communistes et des Socialistes dans un « parti ouvrier français ». Il tend la main aux catholiques et annonce que les effectifs du PCF sont passés de 45 000 en février 1934 à 907 000. Dans son discours de clôture, il fait adopter un « manifeste à la nation française : renaissance, démocratie, unité ». E. Fajon expose clairement la position modérée du PCF : « Le marxisme-léninisme nous apprend qu'il faut discerner ce qui est réalisable dans une période donnée. Par exemple, les bavardages sur l'instauration du socialisme en France à l'époque actuelle n'ont aucun sens ou sont le fait de provocateurs chargés de diviser les forces démocratiques car les conditions indispensables à cette instauration ne sont pas créées ».

♦ *Juillet.* 10/14. « États Généraux de la Renaissance française » organisés par le Conseil National de la Résistance (CNR) et par les Comités départementaux de la Libération. Prépondérance du PCF.

17 (→ 2 août). Conférence de Potsdam.

23 (jusqu'au 15 août). Procès du Maréchal Pétain devant la Haute Cour de Justice qui le condamne à mort en émettant le vœu que la sentence ne soit pas exécutée.

♦ *Août.* 12/15. Congrès de la SFIO qui se réclame de J. Jaurès : « Sans le socialisme, la démocratie est imparfaite; mais sans la démocratie, le socialisme est impuissant. » Par 10 112 mandats contre 274 et 212 abstentions, le Congrès adopte une motion de J. Moch rejetant l'unité organique avec le PCF.

♦ *Septembre.* 23 et 30. Élections cantonales sauf à Paris. Les socialistes obtiennent 23,6 % des suffrages exprimés, les communistes 21,2 %. L. Blum, dans *Le Populaire* : « Nous avons le vent en poupe. »

♦ *Octobre.* Procès de Pierre Laval, exécuté le 15.

21. Référendum : Première question (abandon de la constitution de 1875) : *Oui :* 96,4 % des suffrages exprimés. – Deuxième question (maintien du gouvernement présidé par de Gaulle tant que siègera la Constituante) : *Oui* (réponse préconisée par de Gaulle) : 66,3 % des suffrages exprimés; *non* (réponse préconisée par le PCF) : 33,7 %.

	Suffrages exprimés	Députés
PCF	26 %	152
SFIO + UDSR	24 %	142
MRP	23,6 %	141
Modérés	15 %	67
Radicaux-socialistes	5,8 %	25

♦ *Novembre.* 13. Déclaration de l'Épiscopat français sur la personne humaine, la famille et la société. On y distingue « le laïcisme », doctrine matérialiste et athée de la « laïcité » qui peut être acceptée si elle sous-entend « l'autonomie de l'État dans son domaine de l'ordre temporel ».

L'Assemblée Constituante élit le Général de Gaulle chef du gouvernement à l'unanimité. Dans les jours qui suivent, les communistes réclament un des trois ministères-clés. Refus de de Gaulle : « Je ne veux pas leur confier les trois leviers qui commandent la politique étrangère, à savoir : la diplomatie qui l'exprime; l'armée qui la soutient; la police qui la couvre. » Il écrit à F. Gouin, Président de l'Assemblée : « J'ai l'honneur de remettre à la disposition de l'Assemblée Nationale Constituante le mandat qui m'a été confié. »

18. *L'Humanité* titre : « la rupture est consommée » et dénonce la dictature de De Gaulle.

19. L'Assemblée, par 400 voix contre 163 (communistes et apparentés) vote une motion invitant De Gaulle à former le gouvernement. La coupure est donc éclatante entre les communistes et tous les autres. C'est sans doute la prise de conscience de leur isolement qui incite les communistes à opérer un revirement spectaculaire et à accepter les ministères que leur offre De Gaulle.

21. Formation du Ministère De Gaulle.

Président du Conseil, chef des armées : Général De Gaulle.
Quatre Ministres d'État : V. Auriol (SFIO); . Gay (MRP); L. Jacquinot (modéré); M. Thorez (PCF).
Ministres :*Armée :* E. Michelet (MRP) – *Armement :* C. Tillon (PCF) – *Justice :* P.H. Teitgen (MRP) – *Intérieur :*A. Tixier (SFIO) – *Affaires étrangères :* G. Bidault (MRP) – *Économie nationale :* F. Billoux (PCF) – *Finances :* R. Pleven (UDSR) – *Production industrielle :* M. Paul (PCF) – *Agriculture et ravitaillement :* Tanguy-Prigent (SFIO) – *Travaux publics et transports :*J. Moch (SFIO) – *Travail :* A. Croizat (PCF) – *Éducation nationale :* P. Giacobbi (Radical socialiste) – *Colonies :* J. Soustelle (UDSR) – *P.T.T. :* E. Thomas (SFIO) – *Population :* R. Prigent (MRP) – *Reconstruction et urbanisme :* R. Dautry (sans étiquette) – *Information :* A. Malraux (UDSR).

♦ *Décembre.* 13/16. Deuxième Congrès national du MRP (le MRP a été fondé dans la clandestinité et a tenu son congrès constitutif les 25 et 26 novembre 1944).

22. Création du Parti Républicain de la Liberté (PRL) par J. Laniel, l'un des rares patrons résistants (il avait représenté l'Alliance démocratique au CNR). Le PRL (35 députés) se prononce pour De Gaulle et « contre le front populaire n° 2 ».

Champ économique et social

★ *Janvier.* 16. Nationalisation des Usines Renault.

★ *Février.* 22. Ordonnance instituant des comités d'entreprise dans les entreprises de plus de 100 salariés.

★ *Avril.* La démission de P. Mendès-France signalée dans le champ politique s'explique par les réticences que suscitait la rigueur de son programme économique : compression de toutes les dépenses improductives, recensement des fortunes, confiscation totale des profits illicites, échange des billets, blocage de 75 % des comptes en banque.

★ *Juin.* Échange des billets.

26. Nationalisation des transports aériens.

★ *Octobre.* 4 et 19. Ordonnances instituant la Sécurité Sociale.

★ *Décembre.* 2. Loi nationalisant Crédit Lyonnais, Société Générale, Comptoir National d'Escompte, BNCI. Création du Conseil National du Crédit. La direction du crédit sera assurée par la Banque de France, elle-même nationalisée.

21. Création du Commissariat Général au Plan.

26. Dévaluation du franc qui représente désormais 1/39ᵉ du franc germinal. Ce qui veut dire que ce franc 1945 vaut à peu près 1/3 du franc de 1940.

Champ culturel

▶ *Prix littéraires* – Goncourt : *Mon village à l'heure allemande* (J.L. Bory)
Renaudot : *Le mas Théotime* (H. Bosco)
Fémina : *Le chemin du soleil* (A.M. Monnet)
Interallié : *Drôle de jeu* (R. Vailland)

▶ *Littérature* – C'est le début de la parution des *Temps modernes.* Présentant la nouvelle revue, J.P. Sartre écrit un véritable manifeste en faveur de la littérature « engagée » : « Tous les écrivains d'origine bourgeoise ont connu la tentation de l'irresponsabilité : depuis un siècle elle est de tradition dans la carrière des lettres. L'auteur établit rarement une liaison entre ses œuvres et leur rémunération en espèces. D'un côté il écrit, il chante, il soupire; d'un autre côté, on lui donne de l'argent. Voilà deux faits sans relation apparente; le mieux qu'il puisse faire est de se dire qu'on le pensionne pour qu'il soupire... Aujourd'hui, les choses en sont venues à ce point que l'on a vu des écrivains, blâmés ou punis parce qu'ils ont loué leur plume aux Allemands, faire montre d'étonnement douloureux. Ils disent « Eh quoi? ça engage donc, ce qu'on écrit? » ...L'écrivain est *en situation* dans son époque : chaque parole a des retentissements. Chaque silence aussi. Je tiens Flaubert et Goncourt pour responsables de la répression qui suivit la Commune parce qu'ils n'ont pas écrit une ligne pour l'empêcher. Ce n'était pas leur affaire, dira-t-on! Mais le procès de Calas était-il l'affaire de Voltaire? La condamnation de Dreyfus était-ce l'affaire de Zola? L'administration du Congo, était-ce l'affaire de Gide? Chacun de ces auteurs, en une circonstance particulière de sa vie, a mesuré sa responsabilité d'écrivain. L'occupation nous a appris la nôtre ».

▶ *Théâtre* – Au Vieux Colombier, Jean Vilar accède à la célébrité en montant *Meurtre dans la Cathédrale* (T.S. Eliot). Jusqu'ici, il avait monté des pièces de A. Strindberg et le *Don Juan* de Molière dans de petits théâtres et n'avait remporté que des succès d'estime.

▶ *Cinéma* – R. Rosselini : *Rome ville ouverte*
R. Bresson : *Les dames du bois de Boulogne*
G. Rouquier : *Farrebique*
R. Clément : *La bataille du rail*

▶ *Peinture* – La décennie qui suit la guerre est en gros marquée par le règne de l'art abstrait dont les formes sont d'ailleurs variées : abstraction lyrique (A. Manessier, J. Bazaine, J. Le Moal); puis peinture gestuelle en partie sous l'influence américaine (M. Tobey et surtout J.Pollock). Sémantiquement, l'expression « art abstrait » est tautologique parce qu'il y a toujours de « l'abstraction » dans la peinture, même « figurative » : les portraits (et le mot « portrait » vient du vieux français « pourtraire », c'est-à-dire reproduire trait pour trait) de H. Memling, de Roger van der Weyden, de D. Velasquez sont « aussi » des peintures « abstraites ». Il s'agit plutôt d'une renonciation à la re-présentation; ce qui ne veut pas dire renoncement au sens. Parfois, pour faciliter la « lecture » du tableau, le titre en indiquera le « sens » (voir *La bataille de Bouvines,* de G. Mathieu, au Musée d'Art Moderne).

1946

Champ politique

« La IVe République, en vertu d'une sorte de nécessité qui s'imposait à elle, a ramassé les morceaux de la Constitution de 1875; elle les a joints ensemble dans un système mal cohérent dont il sera peut-être possible – du moins souhaitons-le – de tirer un régime politique viable » (A. Siegfried, *Introduction à l'année politique 1946*)

♦ *Janvier.* 20. En désaccord avec le « régime des partis », de Gaulle démissionne : « J'ai décidé de me démettre de mes fonctions. Ma décision est irrévocable. »

26. Investiture du gouvernement F. Gouin.

Président du gouvernement, Défense Nationale : F. Gouin (SFIO).
Vice-présidents du Conseil : F. Gay (MRP), M. Thorez (PCF).
Ministres : *Garde des Sceaux :* P.H. Teitgen (MRP) – *Affaires Étrangères :* G. Bidault (MRP) – *Intérieur :* A. Le Troquer (SFIO) – *Armées :* E. Michelet (MRP) – *Armement :* Ch. Tillon (PCF) – *Économie Nationale et Finances :* A. Philip (SFIO) – *Agriculture :* Tanguy-Prigent (SFIO) – *Production industrielle :* M. Paul (PCF) – *Education nationale :* M. Naegelen (SFIO) – *Travaux publics et transports :* J. Moch (SFIO) – *P.T.T. :* J. Letourneau (MRP) – *France d'Outre-Mer :* M. Moutet (SFIO) – *Travail et Sécurité sociale :* A. Croizat (PCF) – *Santé publique et population :* R. Prigent (MRP) – *Reconstruction et urbanisme :* F. Billoux (PCF) – *Anciens combattants et victimes de la guerre :* L. Casanova (PCF) – *Ravitaillement :* H. Longchambon (sans étiquette).
Secrétaire d'État à la Présidence du Conseil, chargé de l'information : G. Defferre (SFIO).
Sous-secrétaires d'État : *Travail :* M. Patinaud (PCF) – *Économie :* A. Gazier (SFIO) – *Production industrielle :* A. Lecœur (PCF) – *Santé publique :* P. Pflimlin (MRP) – *Affaires Étrangères :* P. Schneiter (MRP).

♦ *Mars.* 6. Accords Ho Chi Minh-Sainteny : « Le gouvernement français reconnaît la République du Vietnam comme un État libre, ayant son gouvernement, son parlement, son armée, ses finances et faisant partie de la Fédération Indochinoise et de l'Union Française. »

♦ *Mai.* 5. Référendum repoussant le projet de constitution : *oui* (Communistes et socialistes) : 47 % des suffrages exprimés, *non* (les autres dont les Gaullistes) : 53 % – Abstentions : 20,4 % – Communistes et socialistes perdent 500 000 voix par rapport aux élections d'octobre 1945.

Campagne électorale pour la nouvelle Constituante. Les socialistes la fondent sur l'anticommunisme. D. Mayer (Secrétaire Général de la SFIO) repousse l'offre communiste d'unité ouvrière : « La nation ne désire pas que monsieur M. Thorez soit Président du Conseil. » A Le Troquer rappelle que « Thorez a déserté ». Le PCF fait une campagne modérée : défense de la propriété, fruit de l'épargne et du travail; droit à l'héritage; il n'est pas question de « révolution » mais de « reconstruction ».

♦ *Juin.* 1er. Élections à la Deuxième Assemblée constituante (suffrages exprimés et nombre de députés)

	% des suffrages exprimés	Nombre de députés
MRP et apparentés	28,1 %	170
Communistes et apparentés	26,2 %	146
SFIO et apparentés	21,1 %	115
PRL et autres droites	12,8 %	62
RGR et apparentés	11,5 %	39

Donc, par rapport aux élections d'octobre 1945 : progrès du MRP, stabilité du PCF, recul SFIO, stabilité des divers gauches et modérés.

16. Discours de Bayeux où de Gaulle expose son projet constitutionnel et se réjouit du rejet de la première constitution, rejet qu'il avait conseillé.

23. Formation du Ministère Bidault.

Président du gouvernement, Ministre des Affaires Étrangères : G. Bidault (MRP).
Vice-présidents du Conseil : M. Thorez (PCF), F. Gouin (SFIO).
Ministres d'État : F. Gay (MRP), A. Varenne (UDSR).
Ministres : *Garde des Sceaux :* P.H. Teitgen (MRP) – *Intérieur :* E. Depreux (SFIO) – *Armée :* E. Michelet (MRP) – *Armement :* Ch. Tillon (PCF) – *Finances :* R. Schuman (MRP) – *Économie nationale :* F. de Menthon (MRP) – *Agriculture :* Tanguy-Prigent (SFIO) – *Production industrielle :* M. Paul (PCF) – *Éducation nationale :* M. Naegelen (SFIO) – *Travaux publics et transports :* J. Moch (SFIO) – *P.T.T. :* J. Letourneau (MRP) – *France d'Outre-mer :* M. Moutet (SFIO) – *Travail :* A. Croizat (PCF) – *Population :* R. Prigent (MRP) – *Santé publique :* R. Arthaud (PCF) – *Reconstruction :* F. Billoux (PCF) – *Anciens combattants :* L. Casanova (PCF).
Secrétaires d'État : *Présidence de gouvernement :* A. Colin (MRP) – *Ravitaillement :* Y. Farge (Front national).
Sous-secrétaires d'État : *Information :* R. Bichet (MRP) – *Affaires Étrangères :* P. Schneiter (MRP) – *Économie nationale :* P. Pflimlin (MRP) – *Intérieur :* J. Biondi (SFIO) – *Travaux publics et transports :* A. Gazier (SFIO) – *Jeunesse et sports :* Mme A. Vienot (SFIO) – *Production industrielle :* A. Lecœur (PCF) – *Travail :* M. Patinaud (PCF) – *Armement :* G. Gosnat (PCF).

♦ *Octobre.* 13. Référendum ratifiant le projet constitutionnel présenté par la seconde constituante. Sur tous les électeurs inscrits 32,4 % s'abstiennent, 35,3 % votent *oui*, 31 % votent *non* et il y a 1,3 % de blancs et nuls. PCF, SFIO et MRP qui ont recommandé le « oui » l'emportent donc, mais les gaullistes qui ont dit de voter « non » rétorquent que la constitution n'est adoptée que par un peu plus d'un tiers des électeurs inscrits.

23. Communiqué de l'Assemblée des cardinaux et archevêques (ACA) : « Pour certains, une nouvelle guerre est inévitable à bref délai et ils semblent s'y résigner. Une telle attitude, nous ne pouvons la faire nôtre ».

♦ *Novembre.* 10. Élections législatives (% des suffrages exprimés et nombre de sièges).

PCF et apparentés	28,6 %	166
MRP et apparentés	26,3 %	158
SFIO et apparentés	17,9 %	90
RGR et apparentés	12,4 %	55
PRL et autres droites	11,7 %	72
Parti Paysan	1,2 %	8
Union Gaulliste	1,6 %	5

23. Réunion de l'Assemblée Nationale. – Bombardement de Haïphong par la marine française : début de la guerre d'Indochine.

♦ *Décembre.* 3. L'Assemblée élit Vincent Auriol Président. Dans les jours qui suivent, ni M. Thorez, ni G. Bidault ne parviennent à former un gouvernement.

13. Investiture de L. Blum qui décide de former un ministère socialiste homogène pour ne pas attribuer un des trois grands ministères au PCF. Il précise que son gouvernement ne durera que cinq semaines jusqu'à l'élection du Président de la République.

16. Le gouvernement L. Blum est formé :

Président du gouvernement provisoire, Affaires Étrangères : L. Blum.
Ministres d'État : G. Mollet, A. Laurent, F. Gouin.
Ministres : *Justice* : P. Ramadier – *Intérieur* : E. Depreux – *Défense nationale* : A. Le Troquer – *Économie nationale et Finances* : A. Philip – *Agriculture* : Tanguy-Prigent – *Production industrielle* : R. Lacoste – *Éducation nationale* : M. Naegelen – *Travaux publics, transports, reconstruction* : J. Moch – *France d'Outre-mer* : M. Moutet – *Travail et Sécurité sociale* : D. Mayer – *P.T.T.* : E. Thomas – *Santé et Population* : Dr P. Segelle – *Anciens combattants et victimes de la guerre* : M. Lejeune.
Secrétaire d'État à la présidence : A. Gazier.
Sous-secrétaires d'État : *à la présidence* : Lamine-Gueye – *Affaires Étrangères* : P.O. Lapie – *Intérieur* : J. Biondi – *Forces armées* : P. Métayer – *Armement* : P. Béchard – *Finances* : R. Guyon – *Commerce et distribution* : J. Minjoz – *Jeunesse et sports* : Mme A. Vienot – *Travaux publics et transports* : J. Meunier – *Reconstruction* : R. Schmitt – *France d'Outre-mer* : G. Defferre – *Affaires musulmanes* : G. Gorse.

19. Le Viet Minh déclenche l'insurrection à Hanoï.

Champ économique et social

★ *Mars.* 16/19. Première réunion du Conseil du Plan. J. Monnet présente son rapport.

★ *Avril.* 8. Loi nationalisant le gaz et l'électricité.

8/14. Congrès de la CGT. B. Frachon insiste sur la nécessité pour les travailleurs de produire, de renoncer aux grèves et d'accepter le blocage des salaires. L'opposition gauchiste menée par Valière dénonce la « duperie » de cet appel au travail. Le rapport Frachon est cependant voté à une forte majorité. L. Jouhaux et B. Frachon sont réélus secrétaires généraux.

25. Loi nationalisant les grandes compagnies d'assurances.

★ *Mai.* 28. Accords économiques franco-américains Blum/Byrnes.

29. Le bureau de la CGT se prononce pour l'augmentation générale des salaires sans augmentation des prix.

★ *Juillet.* La conférence économique des salaires et des prix qui se réunit le 4 aboutit à l'accord gouvernemental du 27 juillet : la hausse générale des salaires est de l'ordre de 18 %. Le gouvernement se déclare décidé à bloquer les prix industriels mais doit consentir à une hausse générale des prix agricoles.

★ *30 juillet/3 août.* Grève des postiers qui demandent la parité avec les agents des finances. La CGT lance pour le 30 juillet un ordre « d'arrêt de travail d'avertissement » de quatre heures. Sous l'impulsion des syndicalistes révolutionnaires et des anarcho-syndicalistes, les postiers ne reprennent pas le travail et suivent les directives d'un « comité national de grève ». La direction de la CGT est débordée. Le gouvernement donne satisfaction aux postiers.

★ *Novembre.* 27. J. Monnet présente son plan de quatre ans au Conseil du Plan.

★ *Décembre.* 31. Le gouvernement annonce une baisse générale des prix de 5 %.

Indice des prix de détail pour les produits réglementés (1938 = 100) : janvier : 481; décembre : 865. L'augmentation du coût de la vie est donc spectaculaire, notamment dans les tarifs des services publics : le billet de métro passe de 2 à 5 f, le timbre de 3 à 5 f.
Indice général de la production industrielle (1938 = 100) : janvier = 65; septembre : 87. Donc la remontée de la production est spectaculaire, notamment dans le domaine de l'extraction charbonnière (production annuelle : 49 millions de tonnes).

Champ culturel

▶ *Prix littéraires* – Goncourt : *Histoire d'un fait divers* (J.J. Gauthier)
Renaudot : *La vallée heureuse* (J. Roy)
Fémina : *Le temps de la longue patience* (M. Robida)
Interallié : *Poussière du temps* (J. Nels)

Exceptionnellement les Goncourt attribuent un autre prix aux *Grandes Vacances* (F. Ambrière) et le jury Renaudot fait de même pour *L'univers concentrationnaire* (D. Rousset).

▶ *Littérature* – Les traductions des romans américains connaissent un grand succès et un public de plus en plus nombreux découvre W. Saroyan, J. Dos Passos, H. Miller, W. Faulkner, E. Caldwell, J. Steinbeck.

Dans le domaine de la recherche littéraire, « les lettristes », animés par Isidore Isou; se proclament « les pionniers d'un âge atomique de la poésie ».

▶ *Cinéma* – S.M. Eisenstein : *Ivan le Terrible* (2ᵉ partie)
R. Rosselini : *Païsa*
J. Cocteau : *La belle et la bête*
J. Becker : *Antoine et Antoinette*
J. Grémillon : *Le 6 juin à l'aube*

D'après les accords Blum-Byrnes « aucune restriction, de quelque nature que ce soit, ne sera apportée à l'importation en France de films américains ». Ainsi, des films américains, déjà amortis par leur programmation aux États-Unis, sont offerts sur le marché français à des prix de dumping. Le *Populaire* du 16 juin titre avec aplomb : « Les accords de Washington nont la part belle au cinéma français » mais, le 22 juin, dans une conférence de presse, L. Blum, visiblement embarrassé, reconnaît qu'il a dû accepter cet accord « par gratitude pour les États-Unis » et il présente comme une victoire le quota réservé aux films français (30 %) car supérieur aux quotas italien (17 %) et anglais (22 %). Louis Jouvet prend la tête d'un mouvement de protestation. Quelques chiffres mesurent les effets des accords Blum-Byrnes

	Premier semestre 46	Deuxième semestre 46	Premier semestre 47
films français	35	47	54
films nord-américains	38	144	338

Ces accords constituent un bel exemple de « l'articulation » des champs politique, économique et culturel.

▶ *Architecture et urbanisme* – L'ampleur des destructions immobilières rend pensable et possible une grandiose reconstruction qui actualise les thèses de Le Corbusier. A peu près contemporain de P. Picasso, de W. Gropius et de Mies Van Der Rohe (il est né en 1887), Le Corbusier a construit dans l'entre-deux-guerres quelques prototypes et a publié plusieurs ouvrages théoriques notamment *Ville contemporaine de trois millions d'habitants* et *Quand les cathédrales étaient blanches. Les trois établissements humains* qui paraissent en 1945 posent tous les problèmes de la cité moderne. Influencé par les Français Auguste Perret et Tony Garnier, et surtout par les constructivistes russes des années 20 (Naum Gabo et Vladimir Tatline), il conçoit des structures en béton ou en métal qui libèrent le sol (immeuble sur pilotis) et qui créent des plans libres puisque ce sont les planchers qui sont porteurs. Les façades sont également libres, la seule fonction des murs-rideaux étant de fermer le bâtiment. Architecte discuté, il est sans doute l'urbaniste le plus incontestablement novateur et l'on pouvait s'attendre à ce que ce citoyen suisse installé en France depuis 1917 reçoive des commandes de l'État. Il n'en fut rien, bien que son projet d'urbanisation de Saint-Dié élaboré en 1945 prouvât qu'il était le seul urbaniste ayant saisi le problème de la reconstruction dans son ensemble. Il construira des « unités d'habitation de grandeur conforme » à Marseille (1952), Nantes (1953), Briey (1959); la chapelle de Ronchamp (1953), le couvent Sainte-Marie-de-la-Tourette à Eveux près de Lyon (1959), mais ses grandes réalisations urbanistiques seront réalisées à l'étranger (Chandigarh, capitale du Pendjab). Certains pensent qu'en ne lui donnant pas sa chance la France a rompu avec les grandes traditions urbanistiques de Versailles par exemple; d'autres, au contraire, voient dans Le Corbusier un visionnaire sectaire dont la pensée est par certains côtés fascinante. Certains de ses propos suscitent au mieux la réflexion, au pire l'inquiétude, tel celui-ci « ... c'est ainsi que le troupeau se trouve conduit... (car) ... le monde a besoin d'harmonie et de se faire guider par des harmoniseurs... rien n'est contradictoire... chacun bien aligné, en ordre et hiérarchie occupe sa place ».

▶ *Peinture* – Une exposition à la Galerie Drouin de *J. Le Moal, A. Manessier* et *G. Singier* souligne l'importance de l'abstraction lyrique tandis que les œuvres de *Fernand Léger* chez Louis Carré expriment sur le plan pictural des préoccupations proches de celles de Le Corbusier.

1947

Champ politique

« Le remaniement ministériel du mois de mai, qui élimine les communistes du cabinet Ramadier, doit être considéré comme un événement de toute première importance, car il transforme fondamentalement l'équilibre des partis et oriente le courant politique dans un sens nouveau. Il n'est pas excessif de suggérer que, depuis lors, la France est politiquement sur un autre versant » (A. Siegfried, *Introduction à l'année politique 1947*).

♦ *Janvier*. 16. Vincent Auriol est élu Président de la République au premier tour.

28. L. Blum ayant démissionné conformément à ce qu'il avait annoncé, P. Ramadier constitue son gouvernement.

Président du Conseil : P. Ramadier (SFIO).
Ministres d'État, vice-présidents du Conseil : M. Thorez (PCF) et P.H. Teitgen (MRP).
Ministre d'État, président du conseil du plan : F. Gouin (SFIO).
Ministres d'État : Y. Delbos (Radical) – M. Roclore (Ind.).
Ministres : *Justice :* A. Marie (Rad.) – *Affaires Étrangères :* G. Bidault (MRP) – *Intérieur :* E. Depreux (SFIO) – *Défense nationale :* F. Billoux (PCF) – *Guerre :* P. Coste-Floret (MRP) – *Marine :* L. Jacquinot (Ind.) – *Air :* A. Maroselli (Rad.) – *Finances :* R. Schuman (MRP) – *Économie nationale :* A. Philip (SFIO) – *Commerce :* J. Letourneau (MRP) – *Agriculture :* Tanguy-Prigent (SFIO) – *Production industrielle :* R. Lacoste (SFIO) – *Éducation nationale :* M. Naegelen (SFIO) – *Travail et Sécurité sociale :* A. Croizat (PCF) – *Santé publique et population :* G. Marrane (PCF) – *Anciens combattants et victimes de la guerre :* F. Mitterrand (UDSR) – *Jeunesse, Arts et Lettres :* P. Bourdan (SFIO) – *France d'Outre-mer :* M. Moutet (SFIO).

♦ *Mars*. Scandale Joanowici : cet aventurier a fait une fortune considérable en fournissant des métaux non ferreux aux Allemands, en collaboration avec la Gestapo et en finançant le mouvement de résistance « Honneur et police ». Arrêté et mis en liberté provisoire il peut s'enfuir.

5/7. Assemblée des cardinaux et archevêques : le Saint-Siège accepte l'idée d'une assemblée plénière de l'épiscopat français. C'est en mars qu'est fondée l'Union des Chrétiens Progressistes dont l'organe : *La Quinzaine* ne paraîtra qu'en 1950. La fondation de l'UCP apparaît comme une sorte de riposte à celle de *Verbe*, organe autour duquel se sont regroupés dès 1946 les catholiques intégristes.

30. Discours de de Gaulle à Bruneval (Pays de Caux) pour célébrer l'exploit d'un commando allié : « Le jour va venir où, rejetant les jeux stériles et reformant le cadre mal bâti où s'égare la Nation et se disqualifie l'État, la masse des Français se rassemblera avec la France ».

Mars/avril. Insurrection et répression à Madagascar.

♦ *Avril*. A l'occasion du second anniversaire de la libération de Strasbourg, de Gaulle y annonce la création du Rassemblement du Peuple Français (RPF) : « Il est temps que se forme et s'organise le rassemblement du peuple français qui, dans le cadre des lois, va promouvoir et faire triompher, par-dessus les différences des opinions, le grand effort de salut commun et de réforme profonde de l'État. Il est temps maintenant que, dans l'accord des actes et des volontés, la République française construise la France nouvelle. »

14. Communiqué de de Gaulle à la presse : « Aujourd'hui est créé le Rassemblement du Peuple Français. J'en prends la direction. Il a pour but de promouvoir et de faire triompher par-dessus nos divisions l'union de notre peuple dans l'effort de rénovation et la réforme de l'État. » Le secrétaire général du RPF est J. Soustelle.

24. Au cours d'une conférence de presse, de Gaulle explique que le RPF ne sera pas un parti de plus et qu'il sera ouvert à tous les Français, sauf aux collaborateurs.

♦ *Mai*. 4. A la suite de la grève chez Renault, P. Ramadier pose la question de confiance. Les 185 communistes et apparentés (dont les ministres) votent contre. La situation est paradoxale puisque les ministres communistes ne manifestent aucunement l'intention de démissionner.

5. Ce lundi matin, le JO paraît exceptionnellement. Par décret, les fonctions des ministres communistes « sont considérées comme ayant pris fin à la suite du vote qu'ils ont émis à l'Assemblée le 4 mai 1947 ».

6. Après 12 heures de débat, le conseil national de la SFIO par 2 529 mandats contre 2 125 approuve l'éviction des communistes par P. Ramadier, à condition que ce dernier ne se prête pas à une coalition anticommuniste et qu'il ne se maintienne pas « s'il devait être soutenu par une majorité réactionnaire ». G. Mollet, qui vient de succéder à D. Mayer au secrétariat général de la SFIO en soutenant les thèses « dures » de la gauche de son parti, était partisan de la démission collective du gouvernement.

15. Discours de de Gaulle à Bordeaux où il exalte l'œuvre coloniale de la France. Il apparaît clairement que le chef du RPF n'a pas renoncé à l'espoir de revenir au pouvoir. Il affirme que le RPF a reçu 810 000 demandes d'adhésion.

♦ *Juin.* 5. Discours de Harvard où le Général G. Marshall propose le plan qui portera son nom.

25/29. Congrès du PCF. Adoption d'une position modérée. M. Thorez met en garde contre le gauchisme et J. Duclos invite les socialistes à favoriser le retour des communistes au gouvernement.

29. Discours de de Gaulle à Lille dans lequel il reprend ses thèmes habituels : procès du régime, concorde nécessaire qui « exclut évidemment le jeu des partis ».

♦ *Juillet.* 27. Discours de Rennes où, pour la première fois, de Gaulle fait de l'anticommunisme déclaré et militant un élément de sa doctrine et de son programme d'action. Il qualifie les communistes de « séparatistes » : « Car voici où nous en sommes : sur notre sol, au milieu de nous, des hommes ont fait vœu d'obéissance aux ordres d'une entreprise étrangère de domination, dirigée par les maîtres d'une grande puissance slave (...). Pour eux, qui invoquent à grands cris la justice sociale et l'affranchissement des masses, il s'agit en réalité de plier notre beau pays à un régime de servitude totalitaire où chaque Français ne disposerait plus ni de son corps ni de son âme et par lequel la France elle-même deviendrait l'auxiliaire soumise d'une colossale hégémonie. »

♦ *Août.* Vote du nouveau statut de l'Algérie désapprouvé par de Gaulle.

15/17. Congrès de la SFIO où la tendance « dure » (G. Mollet) se renforce aux dépens de la tendance D. Mayer, favorable à P. Ramadier.

♦ *Octobre.* 16. Lettre ouverte des cardinaux et archevêques au Président de la République : « L'heure n'est-elle pas venue d'envisager avec une souveraine sérénité la solution du tragique problème de l'épuration ? »

19 et 26. Élections municipales, la constitution ayant prévu dans son article 102 le renouvellement des conseils municipaux dans le délai d'un an après sa promulgation. Le mode de scrutin est le scrutin majoritaire à deux tours dans toutes les localités de moins de 9 000 habitants, la représentation proportionnelle dans toutes les autres, à l'exception de Paris, qui a un régime spécial. La campagne offre à de Gaulle l'occasion de faire le procès de ceux qui veulent disloquer l'Afrique française. Le RPF fait souvent liste commune avec le PRL et le RGR. Les communistes se heurtent souvent à des coalitions incluant les socialistes. Les voix se répartissent comme suit (en % des suffrages exprimés).

RPF et apparentés	35	%
Communistes et apparentés	20	%
RGR et apparentés	13	%
Divers droite	12	%
SFIO	11,5	%
MRP	8,5	%

Le raz de marée RPF est encore plus important que ne le laisse apparaître le tableau ci-dessus car, dans certaines municipalités, le RPF s'est apparenté au RGR ou aux divers droites. Le gros recul du MRP s'explique par le fait que de nombreux gaullistes votaient MRP quand n'existait pas un parti officiellement gaulliste. PCF et SFIO se maintiennent. Le glissement à droite se manifeste à l'occasion des élections des maires : le RPF conquiert les mairies des treize premières villes françaises.

27. De Gaulle demande à l'Assemblée de se dissoudre après avoir modifié le régime électoral par l'adoption d'un scrutin majoritaire. « Les séparatistes n'ont rien d'un parti français mais ne sont que les délégués d'une dictature étrangère pour qui la misère des hommes n'est que le tremplin de son implacable domination ».

30. Pour obtenir la confiance P. Ramadier doit remanier son ministère en éliminant A. Philip (économie) et Tanguy-Prigent (agriculture), tous deux détestés par la droite de la majorité.

Président du conseil : P. Ramadier (SFIO).
Ministre d'État : Y. Delbos (Radical).
Ministres : *Justice :* A. Marie (Radical) – *Affaires étrangères :* G. Bidault (MRP) – *Intérieur :* E. Depreux (SFIO) – *Forces armées :* P.H. Teitgen (MRP) – *Affaires économiques, Travaux publics, Transports, Reconstruction et urbanisme :* J. Moch (SFIO) – *Finances :* R. Schuman (MRP) – *Agriculture :* M. Roclore (Ind.) – *Industrie et commerce :* R. Lacoste (SFIO) – *Éducation nationale :* M. Naegelen (SFIO) – *Affaires sociales :* D. Mayer (SFIO).
Secrétaire d'État à la Présidence du Conseil : P. Béchard (SFIO).

Ainsi remanié le gouvernement obtient la confiance par 300 voix contre 280.
Le comité central du PCF proclame la rupture de la politique de collaboration avec la SFIO et le MRP.

♦ *Novembre.* 12. Conférence de presse de de Gaulle : « La vague est lancée : je vous répète qu'elle va grossir et déferler. Je ne peux que plaindre ceux qui ne voudraient pas la comprendre. S'ils veulent lutter contre cette force (...) ils seront emportés! Et s'ils veulent rester sur le rivage en déblatérant inutilement, ils n'auront plus d'importance, ou plutôt leurs critiques, leurs malédictions n'auront pas plus d'importance que les crachats dans la mer ».

19. Débordé par le mouvement de grèves, P. Ramadier démissionne.

28. Investiture du gouvernement R. Schuman.

Président du Conseil : R. Schuman (MRP).
Ministres : *Justice :* A. Marie (Radical) – *Affaires étrangères :* G. Bidault (MRP) – *Intérieur :* J. Moch (SFIO) – *Forces armées :* P.H. Teitgen (MRP) – *Finances et affaires économiques :* R. Mayer (Radical) – *Industrie et commerce :* R. Lacoste (SFIO) – *Agriculture :* P. Pflimlin (MRP) – *Éducation nationale :* M. Naegelen (SFIO) – *France d'Outre-mer :* P. Coste-Floret (MRP) – *Travaux publics et Transports :* Ch. Pineau (SFIO) – *Travail et Sécurité sociale :* D. Mayer (SFIO) – *Santé publique et Population :* Mme G. Poinso-Chapuis (MRP) – *Reconstruction et Urbanisme :* R. Coty (Ind.) – *Anciens combattants :* F. Mitterrand (UDSR).

Secrétaires d'État : *Présidence du conseil :* P. Abelin (MRP) – *Affaires allemandes :* P. Schneiter (MRP) – *Forces armées. Guerre :* P. Béchard (SFIO) – *Forces armées Marine :* J. Dupraz (MRP) – *Forces armées Air :* A. Maroselli (Radical) – *Fonction publique et Réformes administratives :* J. Biondi (SFIO) – *P.T.T. :* E. Thomas (SFIO) – *Budget :* M. Bourgès Maunoury (Radical).
  Sous-secrétaires d'État : *Affaires musulmanes :* J. Augarde (MRP) – *Affaires économiques :* F. Gaillard (Radical) – *Agriculture :* Y. Coudé du Foresto (MRP) – *Industrie et commerce :* J. Moreau (Ind.) – *Enseignement technique :* A. Morice (Radical).

Champ économique et social

★ *Janvier.* 2. Décret décidant une baisse générale des prix de 5 %. En janvier, les prix de détail baissent de 5 %, les prix de gros montent de 3 % (13 % pour l'électricité). Publication des résultats du recensement de 1946 : 38 830 000 habitants, soit 3,3 % de moins qu'en 1936.

★ *Avril.* 25. Les Trotskystes déclenchent une grève chez Renault. La base suit. Volte-face de la CGT le 29 avril.

★ *Mai.* 1. En Conseil des ministres, M. Thorez dit se désolidariser de la politique des salaires et des prix du gouverment. Défilé : D. Mayer est hué.

  8. Interview de J. Duclos : « Les gens qui parlent de grève générale en France sont des imbéciles ». Aggravation de la situation alimentaire (200 g de pain par jour).

★ *Juin.* Vague de grèves : SNCF, banques, grands magasins, Citroën. P. Ramadier à l'Assemblée : « Une sorte de mouvement giratoire de grèves se développe, comme s'il y avait un chef d'orchestre clandestin ».

★ *Août.* 1er. Accord CGT-CNPF pour une augmentation générale des salaires de 11 %. Aggravation de la situation économique et du ravitaillement. Grèves chez Peugeot, Berliet, Michelin, etc.

★ *Octobre.* Grèves des transports parisiens et de la marine marchande.

★ *Novembre.* 19. P. Ramadier démissionne.

  28. R. Schuman (MRP) forme le gouverment, J. Moch à l'Intérieur. Un comité national de grève à direction communiste est créé. Le gouvernement rappelle des réservistes et fait voter les « lois scélérates » contre « les saboteurs et les atteintes à la liberté du travail ». FO et CFTC freinent le mouvement. La grève s'essouffle.

Novembre/décembre. Le mouvement de grèves commence à Marseille à la suite du relèvement des tarifs des tramways décidé par la municipalité RPF. Les manifestants pillent cafés chics et boîtes de nuit, repaires du marché noir : 1 mort, 20 blessés. La grève gagne la SNCF, les mines du Nord, la métallurgie parisienne.

★ *Décembre.* 9. La CGT donne l'ordre de « repli général ».

  10. La reprise est générale.

  19. La tendance FO fait sécession de la CGT.

Indice des prix de détail (1938 = 100) : janvier = 856; décembre = 1354.
Décret instituant la propédeutique.
Décret créant les ENSI (École Nationale Supérieure d'Ingénieurs).

Champ culturel

▶ *Prix littéraires* – Goncourt : *Les forêts de la nuit* (J.L. Curtis)
Renaudot : *Je vivrai l'amour des autres* (J. Cayrol)
Fémina : *Bonheur d'occasion* (G. Roy)
Interallié : *Les carnets du Bon Dieu* (P. Daninos)

▶ *Littérature* – A. Camus publie *La peste*. Par rapport à *L'étranger*, *La peste*, sous une forme allégorique classique, prône l'engagement « sceptique ». Le héros, le Dʳ Rieux, « s'engage » pour lutter contre la peste (qui symbolise l'occupation allemande), il fait « comme si » mais ne croit pas – ou plus – aux lendemains qui chantent. Il opte pour une morale solidariste.

Samuel Beckett publie *Murphy*, son premier roman, qui passe complètement inaperçu. En effet, au moment même où le volontarisme éthique de J.P. Sartre s'impose à la littérature qui continue à « raconter » des histoires qui ont un début, un milieu, une fin, une finalité – et souvent une moralité –, comment interpréter cette « histoire » qui n'en est pas une : un homme inquiet croit combler ses vœux en découvrant un emploi d'infirmier dans un asile d'aliénés où il prend conscience de son insatisfaction et se suicide.

R. Queneau publie ses *Exercices de style* dont un cabaret de Saint-Germain-des-Prés fait un spectacle. Ancien surréaliste, R. Queneau fait le procès de l'enseignement universitaire auquel il reproche d'imposer une véritable « police du langage ». Contre « la belle parlure » qui règne à la Sorbonne il se prononce pour l'invention, les néologismes, l'argot, les « impropriétés » syntaxiques, l'écriture phonétique.

Succès des traductions de deux livres de Graham Greene : *Le rocher de Brighton* et *Tueur à gages*, ainsi que de celle de *Gatsby le magnifique* de F. Scott Fitzgerald.

Première apparition du livre de poche sous la forme d'un « livre plastique en format de poche » où paraissent *La Joie* (G. Bernanos) et *La princesse de Clèves* (Mme de La Fayette).

▶ *Théâtre* – L. Jouvet monte le *Don Juan* de Molière et *Les Bonnes* de J. Genêt. J.L. Barrault monte *Le Procès* de F. Kafka à Marigny. Les grands succès de l'année sont : *L'aigle à deux têtes* (J. Cocteau) joué par Jean Marais et Edwige Feuillère dans un décor de Ch. Bérard dont c'est la grande vogue ; *L'archipel Lenoir* (A. Salacrou); *L'invitation au château* (J. Anouilh); *Le mal court* (J. Audiberti) qui révèle Suzanne Flon.

Jean Vilar fonde le Festival d'Avignon où il joue Shakespeare et Claudel.

▶ *Cinéma* – Ch. Chaplin : *Monsieur Verdoux*
R. Flaherty : *Louisiana story*
C. Autant-Lara : *Le diable au corps* (avec Gérard Philipe)
R. Leenhardt : *Les dernières vacances.*
R. Clair : *Le silence est d'or*
H.G. Clouzot : *Quai des orfèvres*
R. Clément : *Les maudits*

▶ *Peinture* – L'expositon des *Trésors du Musée de Vienne* au Petit Palais manifeste la reprise des échanges culturels internationaux. La France envoie *La Dame à la licorne* aux États-Unis.

Deux grandes rétrospectives : *V. Van Gogh* à l'Orangerie et *A. Maillol* à la Galerie Charpentier.

Trois expositions de peintures célèbres : *G. Braque*, *P. Bonnard* et *M. Chagall*.

La galerie René Drouin, une des galeries d'avant-garde, expose le peintre Wols (*Otto A.S. Battman,* dit) et le sculpteur *A. Pevsner* (frère de N. Gabo) qui fait connaître à un assez large public un certain type d'aboutissement des recherches qu'il avait menées avec les autres constructivistes russes des années 1920.

▶ *Architecture* – A. Perret conçoit un plan grandiose de reconstruction du Havre : toute la circulation devait s'y dérouler en sous-sol, la ville entière étant située au niveau du premier étage. Cette proposition d'une ville piétonnière n'excluant cependant pas la circulation automobile dont A. Perret prévoyait l'expansion, parut trop onéreuse et trop audacieuse et l'actuelle ville du Havre ne donne qu'une faible idée de ce qu'elle aurait pu être.

▶ *Musique* – O. Messiaen (né en 1908) inaugure sa classe d'esthétique au Conservatoire de Paris : il aura pour élèves P. Boulez, P. Henry, K. Stockhausen.

▶ *Vie quotidienne* – Un ancien modéliste de L. Lelong, Ch. Dior, qui a fondé sa propre maison financée par Marcel Boussac, lance le « new look » qui change totalement la silhouette féminine (taille serrée, allongement des jupes). La prééminence parisienne – provisoirement effacée pendant la guerre – se manifeste notamment par une certaine reconquête du marché mondial. Par contraste – ou par compensation? – cette même année où les femmes s'habillent long – apparaît le bikini. Le fait qu'on donne à une nouvelle manière de se vêtir – ou de se dévêtir – le nom d'un atoll du Pacifique où eurent lieu l'année précédente plusieurs explosions atomiques américaines exprime métaphoriquement une rupture dans l'histoire de la mode et annonce la mini-jupe, le monokini, voire même la grande vague de l'érotisme des années 1975.

La passion qu'éprouvent les Français pour l'automobile, dont ils ont été frustrés pendant l'occupation, apparaît dans le grand succès du Salon de l'Auto. L'intérêt suscité par le Tour de France est d'autant plus vif que « Le Prince Robic » l'emporte de justesse dans la dernière étape.

1948

Champ politique

« Que la France ne soit pas communiste, nous le savons. Il se peut que 30 % des voix se portent sur les candidats communistes, mais cela prouve que 70 % des électeurs ne partagent pas cette manière de voir (...). Si l'on considère au jour le jour la suite des événements de notre politique intérieure dans l'année qui vient de se terminer, l'impression est celle du désordre, de l'incertitude, presque de la pagaille. Cependant, si l'on prend une vue d'ensemble, on constate que le pays a connu un minimum de gouvernement, un minimum d'ordre et que ce minimum, sans être satisfaisant, a cependant été suffisant pour assurer la survie » (A. Siegfried, *Introduction à l'année politique 1948*).

♦ *Janvier.* 4. A Saint-Étienne, de Gaulle prononce un discours sur l'association capital-travail : « L'association, qu'est-ce à dire? D'abord ceci, que dans un même groupe d'entreprises tous ceux qui en font partie : les chefs, les cadres, les ouvriers fixeraient ensemble, entre égaux, avec arbitrage organisé, les conditions de leur travail, notamment les rémunérations. »

♦ *Février.* 28. Création du Rassemblement Démocratique Révolutionnaire par J.-P. Sartre, D. Rousset, etc. (RDR).

♦ *Mars.* 7. A Compiègne, de Gaulle commente les événements de Prague : « L'idéologie qui lui sert d'avant-garde (lui = URSS) cumule les sombres attraits de la révolte et de la termitière, de la conquête et du désespoir. C'est par là qu'elle dispose, dans chaque contrée de la terre, du concours des séparatistes exclusivement à ses ordres et dont toute l'action tente à s'emparer de l'État (...). Toutefois, tout règlement du problème allemand qui aboutirait directement ou indirectement à reconstituer le Reich serait un règlement mauvais. »

♦ *Avril.* 14/15. Réunion du Comité Central du PCF. Discours conciliant de M. Thorez « tendant plus que jamais une main fraternelle » au travailleur catholique, à l'ouvrier socialiste, à la paysannerie et aux classes moyennes.

16. Dans le discours de clôture du premier congrès du RPF qui se tient à Marseille, de Gaulle dénonce « l'État abandonné aux factions » et réclame des élections générales.

Courant avril. Création du « Secrétariat d'Études pour la Liberté de l'enseignement » sous la direction d'E. Lisop. Ce secrétariat va organiser son action sur le plan électoral en demandant aux candidats, s'ils sont élus, d'adhérer à une Association parlementaire qui verra le jour fin 1950. Une large publicité est faite auprès des électeurs qu'on invite à ne voter que pour les candidats ayant souscrit à l'engagement.

♦ *Mai.* 1er. Défilé CGT-PCF de la Nation à la Bastille. Fête champêtre du RPF à Saint-Cloud.

15. L'Assemblée adopte le projet M. Deixonne de nationalisation des écoles des Houillères par une majorité de Front Populaire reconstituée.

♦ *Juin.* 9. Déclaration de de Gaulle condamnant les recommandations de Londres favorables à l'élection d'une Assemblée constituante dans les trois zones alliées en Allemagne. « Qui mesurera jamais l'effrayant désavantage à quoi la débilité, l'inconsistance de régime qui dévoient, en stérilisant ce dont les hommes pourraient être capables, et condamnent aujourd'hui notre politique étrangère comme elles risqueraient le cas échéant de condamner notre défense nationale? »

17. La Commission permanente des cardinaux et archevêques déplore cette décision et espère « l'application loyale et généreuse du décret du 10 juin 1948 » (possibilité d'allocation de bourses aux enfants fréquentant les écoles libres).

20. De Gaulle est à Verdun pour l'anniversaire de la victoire de 1916. Tranchera-t-il le cas Pétain? Il se contente de dire : « C'est alors qu'on vit un grand chef de la guerre, celui-là même qui avait rendu au pays l'impérissable service de gagner la bataille de Verdun, emporté sous l'effet de l'âge par le torrent des abandons. »

28. Le Conseil des ministres approuve le contenu de l'accord franco-américain pour l'application du plan Marshall à la France.

♦ *Juillet.* 1er/4. Congrès de la SFIO. Le rapport moral présenté par G. Mollet tente de montrer que la constitution du Kominform et « les grèves insurrectionnelles » ont empêché le comité directeur d'appliquer les décisions du Congrès de Lyon. Ce rapport moral, tièdement voté par 2 150 mandats contre 1 935 et 620 abstentions, manifeste le succès de G. Mollet devenu le champion de la tendance modérée.

19. Mis en minorité par communistes et socialistes sur les crédits militaires, R. Schuman démissionne.

24. Investiture du gouvernement A. Marie, radical, ancien déporté pour résistance, investi par les voix RGR, MRP et SFIO, les communistes votant contre et la droite s'abstenant. Cette investiture signifie le déplacement vers la droite de l'axe politique puisqu'un radical succède à un MRP qui avait lui-même succédé à un socialiste.

Président du Conseil : A. Marie (Radical).
Vice-présidents du Conseil : P.-H. Teitgen (MRP) et L. Blum (SFIO).
Ministres d'État : P. Ramadier (SFIO), H. Queuille (Radical).
Ministres : *Justice* : R. Lecourt (MRP) – *Affaires étrangères* : R. Schuman (MRP) – *Intérieur* : J. Moch (SFIO) – *Finances et Affaires économiques* : P. Reynaud (Ind.) – *Défense nationale* : R. Mayer (Radical) – *Éducation nationale* : Y. Delbos (Radical) – *Travaux publics, transports* : Ch. Pineau (SFIO) – *Industrie et commerce* : R. Lacoste (SFIO) – *Agriculture* : P. Pflimlin (MRP) – *France d'Outre-mer* : P. Coste-Floret (MRP) – *Travail et Sécurité sociale* : D. Mayer (SFIO) – *Reconstruction et Urbanisme* : R. Coty (Ind.) – *Anciens combattants* : A. Maroselli (Radical) – *Santé publique et Population* : P. Schneiter (MRP).
Secrétaires d'État : *Information* : F. Mitterrand (UDSR) – *Présidence du Conseil et enseignement technique* : A. Morice (Rad.) – *Fonction publique et réformes administratives* : J. Biondi (SFIO) – *PTT* : E. Thomas (SFIO) – *Forces armées* : M. Bourgès-Maunoury (Radical) et J. Dupraz (MRP) – *Budget* : M. Petsche (Action paysanne) – *Économie nationale* : J. Laniel (PRL) – *Ravitaillement* : Y. Coudé du Foresto (MRP).

♦ *Août.* 27. Démission d'A. Marie qui a perdu l'appui des socialistes et de certains MRP proches de la CFTC qui refusent de soutenir le plan Reynaud de redressement.

28 août/11 septembre. – Longue crise : P. Ramadier, R. Schuman une première fois, R. Schuman une deuxième fois, E. Herriot tentent en vain de former un ministère. Finalement, H. Queuille est investi. Il constitue un gouvernement de 32 membres qui couvre tout l'éventail politique sauf les communistes et le RPF.

Président du Conseil, finances et affaires économiques : H. Queuille (Radical)
Vice-Président du Conseil, Justice : A. Marie (Radical).
Ministres : *Affaires étrangères* : R. Schuman (MRP) – *Intérieur* : J. Moch (SFIO) – *Défense nationale* : P. Ramadier (SFIO) – *Éducation nationale* : Y. Delbos (Radical) – *Travaux publics, transports et tourisme* : Ch. Pineau (SFIO) – *Industrie et Commerce* : R. Lacoste (SFIO) – *Agriculture* : P. Pflimlin (MRP) – *France d'Outre-mer* : P. Coste-Floret (MRP) – *Travail et Sécurite sociale* : D. Mayer (SFIO) – *Reconstruction et Urba-

nisme : E. Claudius-Petit (UDSR) – *Anciens combattants et Victimes de guerre :* R. Bétolaud (PRL) – *Santé publique et Population :* P. Schneiter (MRP) – *Marine marchande :* A. Colin (MRP).

Secrétaires d'État : *Présidence du Conseil :* F. Mitterrand (UDSR), P. Devinat (Radical) – *Fonction publique :* J. Biondi (SFIO) – *PTT :* E. Thomas (SFIO) – *Finances et Affaires économiques :* M. Petsche (Action Paysanne) – *Budget :* A. Poher (MRP) – *Affaires économiques :* A. Pinay (Ind.) – *Affaires économiques et ravitaillement :* Y. Coudé du Foresto (MRP) – *Forces armées :* M. Lejeune (SFIO), J. Dupraz (MRP), J. Moreau (Indépendant) – *Enseignement technique, jeunesse et sports :* A. Morice (Radical) – *Commerce :* J. Julien (Radical) – *France d'Outre-mer :* T. Révillon (Radical).

Sous-secrétaires d'État : *Vice-présidence du Conseil :* R. Bruyneel (PRL) – *Intérieur :* R. Marcellin (UDI) – *Santé publique et population :* J. Catoire (MRP).

♦ *Septembre.* Tournée de De Gaulle dans le Sud-Est. Le 18, à Grenoble, heurts entre le service d'ordre RPF et les contre-manifestants socialo-communistes. Tous les contre-manifestants blessés le sont par balles. Un communiste est tué. Tardivement les forces de l'ordre séparent les adversaires.

27 septembre/2 octobre. – Conseil national du RPF qui se termine par une conférence de presse de De Gaulle : « (...) ce qu'on appelle encore le gouvernement; ce qu'on appelle encore le Parlement (...) que les puissants amis ne prêtent pas leur assistance à des planches pourries. » Interrogé sur son éventuelle accession au pouvoir, il répond qu'il le prendra à l'appel du pays : « Je suis au service du pays comme en 1940. »

♦ *Novembre.* 7. Élections au Conseil de la République : recul du PC, grave défaite du MRP, succès du RPF et du RGR. G. Monnerville est élu Président du Conseil de la République. Quelques instants avant le vote, Pierre de Gaulle justifie l'abstention de son groupe par ces mots : « Nous n'attachons aucune importance et aucun intérêt à l'élection du Président du Conseil de la République. Elle n'entre pas dans nos objectifs. »

11. Quatre heures de bataille rangée entre manifestants (surtout communistes) et service d'ordre qui tire pour se dégager. Arrestation de deux députés communistes. *L'humanité* et *Ce soir* sont saisis pour « présentation tendancieuse des événements ».

13. La CGT déclenche une grève de solidarité qui interrompt toute la vie parisienne.

24. A l'issue d'un débat sur « les activités communistes », H. Queuille pose la question de confiance et obtient 351 voix contre 215.

Fin novembre. Conférence de presse de De Gaulle : « Le RPF ne s'installera pas dans le régime. »

♦ *Décembre.* 14. Au vel' d'Hiv., discours de De Gaulle adressé aux adhérents des groupes gaullistes d'entreprises. Il reprend le thème de l'association capital-travail.

Champ économique et social

★ *Janvier.* 25. Dévaluation du franc : le cours officiel est dévalué de 80 %, le dollar valant désormais 214 fr. Prélèvement exceptionnel. Blocage des billets de 5 000 fr.

★ *Mars.* 12. Grève d'avertissement dans les Houillères du Nord contre la hausse constante des prix.

★ *Avril.* 12. Congrès constitutif de la CGT-FO.

13. Grève dans la métallurgie parisienne.

22. Grève dans tous les bassins miniers du Nord et du Pas-de-Calais. Le Conseil économique repousse une proposition de la CGT visant à établir l'échelle mobile des salaires. Les prix continuent à monter alors que l'indice de la production industrielle a dépassé en janvier le niveau de 38.

★ *Mai.* 25. Le gouvernement repousse les demandes de hausse de salaires de la CGT.

28. Constitution d'un cartel interfédéral CFTC-FO.

★ *Juin.* 15. Grève chez Michelin et Bergougnan à Clermont-Ferrand. J. Moch, ministre de l'Intérieur, fait évacuer les usines par la police. On se bat toute la nuit. Plus de 200 blessés. Le gouvernement refuse de se laisser interpeller par les communistes.

19. Grève générale de solidarité d'une heure décidée par la CGT. Elle est diversement suivie.

★ *Juillet.* 10. Publication des grilles de reclassement des fonctionnaires. Nombreuses grèves dans la fonction publique (douane, préfectures). CGA et CFTC tendent à se rapprocher de la CGT sur le problème des prix et des salaires.

★ *Août.* 10. P. Reynaud présente son plan de redressement économique à l'Assemblée. Il se préoccupe peu du pouvoir d'achat des salariés.

13. La CFTC réclame une indemnité de vie chère de 3 000 fr. Les socialistes, craignant de laisser aux communistes le monopole de la défense du pouvoir d'achat des ouvriers, P. Ramadier et J. Moch attaquent le projet P. Reynaud ce qui aboutira au renversement du ministère A. Marie le 27 août.

Fin août. Grèves chez Schneider au Creusot, dans le Nord, la Loire, chez Renault.

★ *Septembre.* Devant la hausse constante des prix, grèves d'avertissement dans la région parisienne : services publics, métallurgie, EGF, RATP, etc.

★ *Octobre.* 4. Déclenchement de la grève des houillères dans l'unité et après référendum (219 000 voix pour la grève illimitée, 25 000 contre). Les mineurs demandent l'abrogation des décrets Lacoste, ministre SFIO du commerce et de l'industrie, relatifs au statut des mineurs et au licenciement de 10 % d'entre eux. Ils réclament l'échelle mobile des salaires, l'assimilation des maladies professionnelles aux accidents du travail, l'extension des pouvoirs de leurs délégués...

8. Décret réquisitionnant le personnel des cokeries.

9. H. Queuille s'adresse aux grévistes par la radio et dénonce le « caractère insurrectionnel » des grèves.

10. J. Moch, ministre de l'Intérieur, déclare que le Kominform a déclenché ces grèves pour saboter l'aide Marshall : « J'ai la certitude que les agents communistes français ont reçu une somme de 100 millions pour mener leur campagne de désorganisation contre notre économie ». Arrivée des CRS, débrayages à l'EGF et à la SNCF.

11. Ouverture du congrès de la CGT : dénonciation de la baisse constante du pouvoir d'achat. Accords dans les mines de fer et la sidérurgie lorraine. La grève se poursuit dans les houillères où la CGT demande le retrait des forces de police sous peine de suppression des équipes de sécurité. Le gouvernement rappelle 30 000 hommes de la classe 47, autorise les CRS à tirer « après sommations d'usage », interdit toute réunion, même privée.

17. Le franc est dévalué de 17 %.

25. Début des opérations de « dégagement ». Des dizaines de milliers d'hommes y participent. Intervention des tanks.

★ *Novembre.* 2. Les puits sont « libérés ». Dépourvus de ressources, les mineurs reprennent progressivement le travail. Grèves tournantes de solidarité dans tout le pays. Les prix continuent à monter.

15. Pour venir à bout de la grève des mineurs, le gouvernement décide de supprimer les allocations familiales aux mineurs n'ayant pas travaillé au moins 18 jours dans le

mois et de considérer comme démissionnaires tous les mineurs qui n'auront pas repris le travail le 29 novembre. La CGT donne l'ordre de reprise, déjà effectuée par la plupart des mineurs.

Indice des prix de détail (1938 = 100) : janvier =1 354; décembre = 1 870.
Indice de la production industrielle (1938 = 100) : mai 48 = 118 (en 1947 99 en moyenne).

Champ culturel

▶ *Prix littéraires* – Goncourt : *Les grandes familles* (M. Druon)
                    Renaudot : *Voyage aux horizons* (P. Fisson)
                    Fémina : *Les hauteurs de la ville* (E. Roblès)
                    Interallié : *Cortiz s'est révolté* (H. Castillou)

▶ *Littérature* – M. Leiris publie *Biffures,* premier tome d'une trilogie autobiographique où il ne parle que de lui sans prétendre à la moindre objectivité. Ce livre étonnant annonce et accompagne toute une conception de la littérature qui est méditation sur le langage. Il est intéressant de noter que l'année même où paraît cette œuvre annon-ciatrice d'une nouvelle littérature, les Goncourt accordent leur prix à M. Druon, dont *Les Grandes familles* s'inscrivent dans le traditionalisme du psychologisme français.
    Une enquête effectuée auprès des étudiants en lettres de la Sorbonne nous apprend que les auteurs les plus lus par eux sont, en ordre décroissant : A. Gide, P. Valéry, P. Claudel, G. Duhamel, J. Giraudoux, F. Mauriac, M. Proust, Ch. Péguy, A. de Saint-Exupéry, A. Malraux, J.P. Sartre, A. Camus et J. Anouilh.
    La vogue des romanciers américains se poursuit avec les traductions des œuvres de R. Wright *(Les enfants de l'oncle Tom, Un enfant du pays, Black boy)* et J. Steinbeck *(Tortilla flat, Les pâturages du ciel).*
    Certains romans français tout à fait conventionnels remportent de grands succès : H. Bazin accède à la célébrité avec *Vipère au poing.*

▶ *Théâtre* – G. Philipe et Maria Casarès jouent *Épiphanies* de H. Pichette. H. de Mon-therlant remporte deux grands succès avec *Le maître de Santiago* et *Fils de personne* et P. Claudel avec *L'annonce faite à Marie* et *Partage de midi.* J.P. Sartre poursuit son œuvre engagée avec *Les mains sales* et J.L. Barrault monte *L'état de siège* de A. Camus au théâtre Marigny. Au second festival d'Avignon, J. Vilar réalise une création : *La mort de Danton* de G. Büchner.

▶ *Cinéma* – L. Visconti : *La terre tremble*
               V. de Sica : *Le voleur de bicyclette*
               J. Cocteau : *Les parents terribles*
               H.G. Clouzot : *Manon*
    Le succès commercial du *Voleur de bicyclette* marque le triomphe du « néo-réalisme » italien. En fait, le néo-réalisme a commencé dès 1942 autour de la revue *Cinéma* avec *Ossessione* de L. Visconti. A la Libération, la destruction des studios et le manque de moyens incitent R. Rosselini à « tourner dans la rue » *Rome, ville ouverte.* F. Fellini débute comme assistant de R. Rosselini et avec *Le cheikh blanc, Les vitelloni* et même *La strada,* reste dans la tradition néo-réaliste dont on retrouvera certains traits dans *Rocco et ses frères* de L. Visconti qui date pourtant de 1960.

Le mouvement de protestation suscité par les accords Blum-Byrnes aboutit aux accords de Paris de septembre 1948 qui les remplacent : limitation des autorisations de doublage, augmentation du quota réservé aux films français. – Vote par l'Assemblée de la loi d'aide au cinéma. – Mais comme les avoirs américains bloqués en France ont été autorisés à s'investir dans la production, l'influence américaine se maintient à ce niveau.

▶ *Peinture* – Nombreuses expositions de peintres déjà connus : *P. Bonnard, G. Braque, H. Matisse, J. Villon, G. Rouault, F. Léger, E. Vuillard, P. Picasso, A. Masson. J. Miró,* etc. René Drouin expose *Victor Brauner,* jusqu'ici très peu connu du public français. Le prix de la critique, fondé cette année même, est décerné à *Bernard Buffet* et à *Bernard Lorjou* ce qui exprime peut-être une volonté de retour à une peinture très figurative.

▶ *Musique et danse* – P. Schaeffer réalise dans les studios de la RTF son *Concert de bruits* qu'il commentera en ces termes : « Lorsqu'en 1948 j'ai proposé le terme de « musique concrète », j'entendais par cet adjectif marquer une inversion dans le sens du travail musical. Au lieu de noter les idées musicales par le symbole du solfège et de confier leur réalisation concrète à des instruments connus, il s'agissait de recueillir le concret sonore d'où qu'il vienne et d'en abstraire les valeurs musicales qu'il contenait en puissance (...) la musique concrète est donc un réapprentissage de l'entendre et un apprentissage du faire de la musique sur de toutes autres bases. » – Retour à la mode de deux oubliés : C. Saint-Saëns avec *La jeunesse d'Hercule* et de E. Lalo avec *Namouna.* – Vogue de A. Honegger.

S. Lifar, rentré en grâce (il avait un peu trop dansé sous l'occupation) crée à l'Opéra *Zadig* et *Divertissement.* R. Petit crée *La femme et son ombre* un ballet de P. Claudel au Théâtre Marigny et monte plusieurs ballets fastueux au Théâtre des Champs-Élysées dans des décors de Ch. Bérard, avec des costumes de Ch. Dior.

Le jazz acquiert droit de cité en France : les « champions du jazz » se succèdent au Théâtre Marigny : *E. Gardner, C. Hawkins, A. Barelli. C. Luter* au « Lorientais » et *Boris Vian* à « La rose rouge » lancent la mode des caves.

▶ *Vie quotidienne* – L'expansion démographique se poursuit et la presse se réjouit que « la France fasse des enfants ». – Dans les lycées on tente une révolution pédagogique avec « les classes nouvelles » où l'on fait appel à l'imagination et à la participation des élèves. – M. Cerdan est le héros national du sport : il remporte le titre de champion du monde des poids moyens.

1949

Champ politique

« L'ombre des élections générales commence à se dessiner sur l'horizon. Si elles se font selon le mode de scrutin actuel qui ne permet guère qu'à des abstentions de sortir des urnes, il est peu probable qu'une majorité susceptible de s'axer sur le centre puisse en être le résultat (...) A-t-on réalisé le changement d'équilibre qui résulte en Asie de la conquête communiste en Chine? (...) L'anticolonialisme peut se justifier dans de nombreux cas, mais dans d'autres ce qu'il met en cause c'est la civilisation occidentale elle-même et le maintien dans le monde des positions de la race blanche inséparable de l'Occident » (A. Siegfried, *Introduction à la vie politique 1949*).

♦ *Janvier.* 3. Protestation des cardinaux français contre l'arrestation du Cardinal Mindszensky, primat de Hongrie.

23. Élections municipales à Grenoble : recul du RPF, poussée du PCF.

30. Le Comité exécutif de la Fédération radicale du Sud-Ouest présidé par J. Chaban-Delmas (il est également RPF car la double appartenance est possible) adresse à H. Queuille un message de félicitations pour le succès de l'emprunt émis à partir du 24 janvier.

Fin janvier/début février. RPF et PCF accusent A. Marie (Ministre de la Justice) d'avoir couvert une grave affaire de collaboration économique relative à une entreprise ayant travaillé pour le compte des Allemands au « mur de l'Atlantique ». Une opportune maladie permet à A. Marie de démissionner le 13 février. Il est remplacé par R. Lecourt (MRP).

♦ *Février.* 22/23. Réunion du Comité central du PCF au cours de laquelle M. Thorez rappelle que la France ne fera pas la guerre à l'URSS : « Si l'armée soviétique, défendant la cause des peuples, la cause du socialisme, était amenée à pourchasser les agresseurs jusque sur notre sol, les travailleurs, le peuple de France pourraient-il se conduire envers l'armée soviétique autrement que les travailleurs, que les peuples de Pologne, de Roumanie, de Yougoslavie? »

24. M. Scherer, député MRP, interpelle le gouvernement et demande à M. Thorez : « Oui ou non avez-vous posé votre candidature à la succession de Pierre Laval? » P. André (PRL) demande la mise hors la loi du PCF. H. Queuille fait voter un ordre du jour ambigu déclarant que « la justice est saisie » et fait opérer quelques perquisitions dans des mouvements de tendance communiste.

♦ *Mars.* 20 et 27. Élections cantonales pour la désignation des nouveaux conseillers généraux pour la moitié des cantons de chaque département (Tableau ci-contre).

Les différences entre les chiffres publiés par l'Intérieur et par le RPF proviennent de la double appartenance de 138 élus. Tous les partis crient victoire : le PCF perd des sièges mais vient en tête pour le nombre des voix, le RPF augmente le nombre de ses sièges, la majorité conserve la première place. Donc la troisième force paraît relativement solide.

Statistiques des conseillers élus (1ᵉʳ et 2ᵉ tours)

	Chiffre du Ministère de l'Intérieur	*Chiffre du RPF*
PCF et apparentés	37	37
SFIO	279	279
MRP	110	110
RGR	359	321
RPF	389	527
Droite	333	233

◆ *Avril.* 4. Signature à Washington du Pacte Atlantique.

6. Dans un banquet devant cent parlementaires dont cinq ministres ou secrétaires d'État (parmi lesquels A. Pinay), P. Reynaud, qui tente de regrouper les Indépendants, dénonce les abus des entreprises nationalisées et de la sécurité sociale et condamne le dirigisme « avec ses deux filles : la fraude et la corruption ».

◆ *Mai.* 1ᵉʳ. Défilé de la gauche de la Nation à la Bastille. Fête du RPF à Boulogne où de Gaulle qualifie le gouvernement « d'équipe de la médiocrité et du chloroforme », dénonce « la restauration du IVᵉ Reich », prône « l'association du travail et du capital ».

◆ *Juin.* 10/12. Congrès de l'UDSR qui suit R. Pleven et F. Mitterrand et interdit la double appartenance. R. Capitant et ses amis quittent donc l'UDSR et ne sont plus que RPF.

18. La municipalité parisienne invite de Gaulle à inaugurer l'avenue du Général-Leclerc. La gauche organise une contre-manifestation devant la mairie du XIVᵉ. J. Moch intercale 25 000 hommes (?) entre les deux manifestations qui ne se rejoignent pas.

◆ *Septembre.* 8. Lettre des cardinaux français précisant le sens et la portée du décret de juillet pris par le Saint-Office sur le communisme « (...) les catholiques inscrits aux organisations du PCF ou qui lui prêtent leur appui (...) s'exposeront à se voir écartés des sacrements dans la mesure où ils persévèrent sciemment et librement dans leur attitude présente (...). Cependant l'Église ne s'engage pas dans une croisade anti-communiste (...) et veut fermement servir la classe ouvrière. » Il s'agit donc d'une confirmation de la ligne « dure » adoptée dès le mois de mars lorsque l'ACA avait rappelé l'obligation pour les catholiques de soutenir l'enseignement chrétien.

◆ *Octobre.* Devant la hausse des prix, les syndicats unanimes demandent la libération des salaires. Dans une lettre à H. Queuille, D. Mayer, ministre du Travail, dénonce l'inertie du gouvernement. H. Queuille démissionne et charge J. Moch, un socialiste qui rassure par son anticommunisme, de former le gouvernement.

13. Attaqué à droite par P. Reynaud et à gauche par J. Duclos, J. Moch est investi avec une voix de majorité.

14/27. Après neuf jours de tentative, J. Moch ne parvient pas à constituer un gouvernement. Tour de piste de R. Mayer. Echec.

16. Élections municipales dans quelques villes (Rouen, Sceaux, Pantin). Fort recul RPF, léger recul PCF, léger progrès MRP. Gains appréciables de la SFIO.

29. Formation du ministère Bidault.

Président du Conseil : G. Bidault (MRP).
Vice-président du Conseil : H. Queuille (Radical).
Vice-président du Conseil et Ministre de l'Intérieur : J. Moch (SFIO).
Ministre d'État chargé de l'Information : P.H. Teitgen (MRP).
Ministres : *Affaires étrangères :* R. Schuman (MRP) – *Justice :* R. Mayer (Radical) – *Défense nationale :* R. Pleven (UDSR) – *Finances et affaires économiques :* M. Petsche (non inscrit) – *Éducation nationale :* Y. Delbos (Radical) – *Travaux publics, transports, tourisme :* Ch. Pineau (SFIO) – *Industrie et commerce :* R. Lacoste (SFIO) – *Agriculture :* P. Pflimlin (MRP) – *France d'Outre-mer :* J. Letourneau (MRP) – *Travail et*

Sécurité sociale : P. Ségelle (SFIO) – *Reconstruction et Urbanisme :* E. Claudius-Petit (UDSR) – *Anciens combattants et Victimes de la guerre :* L. Jacquinot (Ind.) – *PTT :* E. Thomas (SFIO).

Secrétaires d'État : *Présidence du Conseil :* P. Bacon (MRP) – *Fonction publique :* J. Biondi (SFIO) – *Budget :* E. Faure (Radical) – *Affaires économiques :* R. Buron (MRP) – *Guerre :* M. Lejeune (SFIO) – *Air :* A. Maroselli (Radical) – *Marine :* Raymond-Laurent (MRP) – *Intérieur :* J. Meunier (SFIO) – *Enseignement technique :* A. Morice (Radical).

Sous-secrétaire d'État : *Finances :* L. de Tinguy du Pouët (MRP) – *France d'Outre-mer :* L. Aujoulat (Ind. d'Outre-Mer) et G. Gorse (SFIO) – *Marine marchande :* A. Chastellain (Ind.) – *Industrie et commerce :* R. Marcellin (UDI) – *Agriculture :* P. Ihuel (MRP) – *Santé publique :* P. Ribeyre (Paysan).

Courant octobre. L'ACA retire son mandat d'action catholique au « mouvement populaire des familles » qui deviendra un an plus tard « le mouvement de libération du peuple. »

Champ économique et social

★ *Janvier.* 24. Lancement d'un emprunt.

★ *Février.* L'offensive anticommuniste se poursuit : le J.O. publie presque quotidiennement des arrêtés du ministre du Travail (D. Mayer, SFIO) portant révocation de délégués des mineurs. L'Assemblée vote : les délégués des mineurs seront désormais élus à la représentation proportionnelle et non au scrutin majoritaire, recul de l'âge de l'électorat, de l'éligibilité, etc. Le Conseil de la République modifie ce texte dans un sens encore plus défavorable aux communistes : pour les travailleurs de fond (où la CGT est majoritaire) on appliquera la représentation proportionnelle, pour les autres (où CFTC et FO sont majoritaires) on maintiendra le scrutin majoritaire.

★ *Avril.* 27. Légère dévaluation du franc : c'est-à-dire que le taux de change du franc est modifié par suite de l'application automatique de la clause prévue le 17 octobre 1948 et d'après laquelle un rajustement est nécessaire chaque fois que le cours libre du dollar fait apparaître un écart de plus de 5 % par rapport à la moyenne des cours précédents.

★ *Septembre.* 19. Dévaluation de la livre qui entraîne une nouvelle dévaluation française.

★ *Novembre.* 25. Grève générale de un jour à l'instigation de FO avec l'approbation de la CGT.

Indice des prix de détail (1938 = 100) : janvier, 1928-décembre, 1912.
Indice de la production industrielle (1938 = 100) : mars = 130.

Champ culturel

▶ *Prix littéraires* – Goncourt : *Week-end à Zuydcoote* (R. Merle)
                        Renaudot : *Le jeu de patience* (L. Guilloux)
                        Fémina : *La dame de cœur* (M. Le Hardouin)
                        Interallié : *Les chiens enragés* (G. Sigaux)

▶ *Littérature* – Nathalie Sarraute publie *Portrait d'un inconnu* et Simone de Beauvoir *Le deuxième sexe* qui remporte un grand succès. Paraît – déjà ! – une anthologie de l'érotisme de Pierre Louÿs à J.P. Sartre.

   Parmi les auteurs étrangers l'intérêt se porte sur les traductions des œuvres de James Joyce, de Virgil Gheorghiu *(La vingt-cinquième heure)* et d'A. Moravia *(La belle romaine)*.
   Le courant de la littérature engagée se poursuit : D. Rousset, ancien déporté, lance un appel aux victimes des camps nazis pour dénoncer le monde concentrationnaire soviétique.

▶ *Théâtre* – Les deux grands succès du théâtre traditionnel sont *Les justes* d'A. Camus, et *Demain il fera jour* d'H. de Montherlant. L'œuvre de J. Genêt, *Haute surveillance*, annonce une nouvelle forme d'expression théâtrale. Le théâtre anglo-saxon séduit le public parisien avec *Des souris et des hommes* (J. Steinbeck), *Arsenic et vieilles dentelles* (J. Kesserling) et *Un tramway nommé Désir* (T. Williams).

▶ *Cinéma* – Y. Allégret : *Dédée d'Anvers*
             Ch. Jaque : *La chartreuse de Parme*
             C. Autant-Lara : *Occupe-toi d'Amélie*
             J. Becker : *Rendez-vous de Juillet*
             L. Daquin : *Le point du jour*
             J. Grémillon : *Pattes blanches*
             J. Tati : *Jour de fête*
             R. Hamer : *Noblesse oblige*
             A. Mackendrick : *Whisky à gogo*
             H. Cornelius : *Passeport pour Pimlico*
             J. Huston : *Asphalt juungle*
             R. Wise : *Nous avons gagné ce soir*
             C. B. de Mille : *Samson et Dalila*
             R. Rosselini : *Stromboli*
             I. Bergman : *La soif.*

▶ *Peinture* – J. Dubuffet organise à Paris la première exposition d'*art brut* dont il donne la définition suivante : « Des productions de toute espèce – dessins, peintures, broderies, figures modelées ou sculptées, aussi peu débitrices que possible de l'art coutumier ou des poncifs culturels, et ayant pour auteurs des personnes obscures, étrangères aux milieux artistiques et professionnels ». Donc, dès 1949, J. Dubuffet pose le problème fondamental de l'art d'après-guerre. Il y a une culture « instituée », marquée idéologiquement, qui ne saurait admettre que la création artistique soit l'affaire de tout un chacun et que l'impulsion dont elle relève soit la chose au monde la mieux partagée. En effet, la société s'emploie à distribuer – lucrativement – cette impulsion qu'elle attribue à des « dons » exprimant par là même toute une idéologie de la sélection et de la hiérarchie qu'elle tait au niveau de son discours « officiel », universitaire par exemple, comme le dénonceront vingt ans plus tard les contestataires de mai 68. Dans une société capitaliste, la conduite d'un Scottie Wilson, refusant de céder ses œuvres aux galeries qui font commerce de la peinture mais les offrant sur les foires, prend figure de scandale puisque, par cet « acte exemplaire », il met à nu « l'ordre » même d'une société fondée sur le profit.
   La Galerie R. Drouin expose *J. Dubuffet, J. Fautrier, G. Mathieu, R. Matta, H. Michaux, R. Ubac* et *Wols* (*Alfred Otto Wolgang Schulze* dit)

▶ *Musique* – O. Messiaen crée *Mode de valeurs et d'intensités* qui est à l'origine de l'application de la série à tous les paramètres musicaux et dont P. Boulez et K. Stockhausen retiendront le principe d'une organisation globale du matériau sonore.
   A la salle Pleyel le Festival international du Jazz remporte un grand succès.
   Au music-hall c'est le triomphe d'*Édith Piaf.*

▶ *Vie quotidienne* – Les journaux soulignent que les matières plastiques inaugurent « une révolution dans nos objets domestiques » – L'apparition du micro-film renouvelle les techniques de l'archivistique.

1950

Champ politique

♦ *Janvier.* – «Affaire des généraux» : le Général G. Revers, ancien chef d'état-major général, avait rédigé un rapport sur la situation au Viet-Nam après une tournée d'inspection en 1949. Le Viet-minh eut connaissance de ce rapport. Le bruit court que G. Revers aurait «vendu» le rapport au Viet-minh. L'affaire se termine par un non-lieu, mais montre que G. Revers était très intime avec un certain R. Peyré, aventurier notoire. G. Revers est limogé.

17. G. Bidault accepte la nomination d'une commission parlementaire d'enquête. PCF et CGT accentuent leur campagne pbur la paix en Indochine. Grève des dockers de Marseille pour retarder le départ des navires pour l'Indochine.

27. Les accords passés avec le Viet-Nam, le Laos et le Cambodge sont ratifiés par 401 voix contre 193 après un débat extrêmement houleux opposant majorité et communistes.

♦ *Février.* 4. Démission des ministres socialistes qui voulaient que la prime exceptionnelle accordée aux salariés soit plus élevée. Ils ne veulent pas laisser aux communistes le monopole de la défense de la classe ouvrière. C'est la fin du tripartisme puisque c'est la première fois depuis la Libération que les socialistes sont absents du gouvernement. La France ne fait d'ailleurs que s'aligner sur les autres pays européens : en Allemagne, Italie et Belgique, les socialistes ont été écartés au profit des démo-chrétiens. L. Blum promet un soutien sans participation. G. Bidault décide alors de ne pas démissionner et remplace les ministres socialistes par des radicaux, des MRP ou des indépendants :

Intérieur : H. Queuille (Radical) remplace J. Moch.
Travaux publics, transports, tourisme : A. Chastellain (Ind.) remplace Ch. Pineau.
Travail et Sécurité Sociale : P. Bacon (MRP) remplace P. Ségelle.
Industrie et commerce : J.-M. Louvel (Ind.) remplace R. Lacoste.
PTT : Ch. Brune (Radical) remplace E. Thomas.
Secrétaire d'État à l'Intérieur : A. Colin (MRP) remplace J. Meunier.
Secrétaire d'État à la Présidence du Conseil : R. Prigent (MRP) remplace P. Bacon (MRP) devenu Ministre du Travail.

7. Ainsi remanié, le gouvernement obtient la confiance par 230 voix contre 186. Il y a 96 abstentions et les 98 socialistes sont portés comme n'ayant pas pris part au vote.

♦ *Mars.* 2/8. Débats houleux à propos de la loi contre le sabotage. Les communistes pratiquent (en utilisant avec habileté les règlements de l'Assemblée) une politique systématique d'obstruction qui donne lieu à des séances à la fois héroïques et comiques. Pour empêcher le vote de cette «loi scélérate» qui vise à réprimer les cas «de complicité dans les sabotages et d'atteintes au moral de l'armée», les communistes profitent du fait que le temps de parole n'est pas limité. Leurs députés se succèdent à la tribune, présentant amendement sur amendement. L'un d'eux, R. Lamps, parle plus de cinq heures. Alors que G. Duprat, député de Lot et Garonne, parle depuis deux heures et demie, le président Herriot, appuyé par l'assemblée, l'invite à quitter la tribune. Il refuse. Le commandant militaire du Palais-Bourbon lui adresse les trois sommations d'usage. Il refuse toujours. Entre une compagnie de gardes républicains qui passe un quart d'heure pour venir à bout de la résistance de G. Duprat assisté de ses amis politiques. Les bagarres sont nombreuses. A l'issue de l'une d'entre elles, F. de Menthon est évacué, fortement contusionné. Le fond du problème est la guerre d'Indochine qui divise totalement les adversaires : les communistes y voient une atteinte au droit des peuples à disposer d'eux-mêmes et un reniement des accords Ho Chi Minh-Sainteny du 6 mars 1946; la majorité considère qu'en empêchant renforts et munitions de parvenir au corps expéditionnaire français en Extrême-Orient, les communistes et leurs amis poignardent dans le dos ceux qui combattent « pour la défense du monde libre ». La loi peut enfin être votée après que l'Assemblée a limité le temps de parole et que G. Bidault a posé la question de confiance. Les résultats du scrutin (*pour :* 393 voix, *contre :* 186) donnent la mesure de l'isolement des communistes.

10/12. Assise nationale des « combattants de la paix et de la liberté » sous la présidence de l'Abbé Boulier et de Y. Farge qui déclare : « Nous considérons la loi scélérate comme un chiffon de papier » (cette association rassemblait de nombreux communistes mais également des sympathisants). Lancement le mois suivant de « l'appel de Stockholm » pour la mise hors la loi de la bombe atomique.

♦ *Avril.* 2/6. Congrès du PCF – F. Joliot-Curie, haut-commissaire à l'Énergie atomique, déclare qu'il ne mettra jamais sa science au service de la guerre contre l'URSS.

28. Le conseil des ministres met fin aux fonctions de F. Joliot-Curie.

Pendant tout le mois les évêques organisent des meetings en faveur de l'école libre.

♦ *Mai.* 9. R. Schuman propose la création d'un pool européen du charbon et de l'acier. – L'ACA publie une note contre le divorce et l'avortement, ce dernier étant « un crime que l'Église frappe d'excommunication ».

♦ *Juin.* 14. Lettre de l'ACA sur la paix où il est recommandé « de ne pas céder à l'affreuse tentation de faire usage de l'armement atomique ».

24. L'Assemblée refuse sa confiance au gouvernement G. Bidault à propos du problème très embrouillé du reclassement des fonctionnaires.

25/30. Successivement H. Queuille, R. Pleven, R. Mayer, G. Bidault sont pressentis mais ne peuvent aboutir.

30. H. Queuille est investi et forme un ministère de centre droit dont l'axe est radical et dont la gauche est constituée par le MRP.

♦ *Juillet.* 1er. H. Truman décide l'intervention des troupes américaines en Corée. Grande tension internationale.

4. H. Queuille présente son gouvernement à l'Assemblée qui lui refuse la confiance par 334 voix contre 231. L'opinion publique se scandalise d'autant plus de ces jeux politiques que le début de la guerre de Corée le 25 juin dramatise la situation internationale.

8/13. Investiture de R. Pleven qui obtient la confiance pour un gouvernement de centre gauche.

Président du Conseil : R. Pleven (UDSR).
Ministres d'État – *chargé des relations avec les États associés :* J. Letourneau (MRP) – *chargé du Conseil de l'Europe :* G. Mollet (SFIO).
Ministres : *Justice :* R. Mayer (Radical) – *Affaires étrangères :* R. Schuman (MRP) – *Intérieur :* H. Queuille (Radical) – *Défense nationale :* J. Moch (SFIO) – *Finances et Affaires économiques :* M. Petsche (Ind.) – *Budget :* E. Faure (Radical) – *Éducation nationale :* P.O. Lapie (SFIO) – *Travaux publics, transports, tourisme :*

A. Pinay (Ind.) – *Industrie et Commerce :* J.-M. Louvel (MRP) – *Agriculture :* P. Pflimlin (MRP) – *France d'Ou-tre-mer :* F. Mitterrand (UDSR) – *Travail et Sécurité sociale :* P. Bacon (MRP) – *Reconstruction et Urbanisme :* E. Claudius-Petit (UDSR) – *Anciens combattants et victimes de la guerre :* L. Jacquinot (Ind.) – *Santé publique et population :* P. Schneiter (MRP) – *P.T.T. :* Ch. Brune (RGR) – *Marine marchande :* G. Defferre (SFIO) – *Infor-mation :* A. Gazier (SFIO) – *Sans-portefeuille :* P. Giacobbi (Radical).

Secrétaires d'État : *Présidence du Conseil :* M. Bourgès-Maunoury (Radical) – *Fonction publique et Réfor-mes administratives :* P. Métayer (SFIO) – *Intérieur :* E. Thomas (SFIO) – *Guerre :* M. Lejeune (SFIO) – *Marine :* A. Monteil (MRP) – *Air :* A. Maroselli (Radical) – *Affaires économiques :* R. Buron (MRP) – *Enseigne-ment technique, jeunesse et sports :* A. Morice (Radical) – *Industrie et Commerce :* A. Guillant (UDI) – *France d'Outre-Mer :* L. Coffin (SFIO) – *Santé publique et population :* J. Catoire (MRP).

◆ *Août.* 17. Déclaration de De Gaulle : « La tempête approche, la guerre de Corée en est le signe avant-coureur. Tout le monde sait qu'un jour ou l'autre l'agression pourrait déferler sur l'Europe et sur la France (...). Devant les périls qui montent, je déclare quant à moi être prêt à porter une fois de plus la charge du pouvoir (...). Nous n'avons pas surmonté 2 000 ans d'histoire pour nous écrouler demain dans la veulerie devant la vague des robots. L'avenir est à prendre comme toujours. Debout ! ».

◆ *Octobre.* 3/8. Défaite française à Kao Bang.

10. Le gouvernement adopte un projet de loi portant le service militaire à 18 mois.

18. Évacuation de Lang son.

21. Lancement du « plan Pleven » d'armée européenne.

◆ *Novembre.* 6. Le ministre de l'Intérieur révoque tous les maires (4) et maires-adjoints (28) communistes de Paris jugeant inconciliable « l'exercice de fonctions administratives nécessitant une incontestable impartialité et l'appartenance au PCF ».

29. Pleven pose la question de confiance sur l'ordre du jour et l'obtient très large-ment.

Au cours du mois, les communistes attaquent J. Moch à propos de l'affaire des géné-raux et veulent le faire passer en Haute Cour; Pleven le défend car il ne veut pas perdre l'appui des socialistes.

◆ *Décembre.* 10. Discours de De Gaulle à Lille : « Je suis quant à moi tout prêt à pren-dre le pouvoir. »

Champ économique et social

★ *Février/mars.* Vague de grèves, unitaires au début, pour l'augmentation des salai-res. Attitude dure du gouvernement : évacuation de Renault par la police, un mort à Brest en avril lors de la grève du bâtiment. Les grévistes demandent 25 % d'augmenta-tion, le patronat propose 5 %. Les divisions syndicales et le besoin d'argent des travail-leurs contraignent la CGT à reculer : les grévistes n'obtiennent pas plus de 5 %. Mais SFIO, MRP et certains radicaux qui sont au gouvernement craignent que l'échec des grévistes ne fasse apparaître le PCF comme leur seul défenseur. P. Bacon, ministre MRP du travail, s'inquiète de l'ampleur des licenciements frappant les délégués syndi-caux. Une partie de l'épiscopat prend position en faveur des travailleurs. A. Colin, secré-taire général du MRP et Secrétaire d'État à l'Intérieur déclare : « L'indépendance natio-nale et la concorde ne sont assurées que quand la justice sociale est défendue ».

★ *Avril.* Après quatre semaines de grève, les travailleurs du bâtiment de Brest, sous la conduite de Mme M. Lambert, député communiste du Finistère, vont chercher chez lui l'entrepreneur Prévosto (accusé d'être responsable du prolongement du conflit) et – semble-t-il – le rossent. Mme D. Lambert est arrêtée le 17 avril. Les gendarmes ouvrent le feu contre des manifestants protestant contre cette arrestation : E. Mazé, ouvrier de 26 ans, est tué d'une balle.

Indice de la production industrielle (1938 = 100) : 1949 = 122; 1950 = 121. Donc essoufflement auquel échappent les industries automobile et pétrolière.

Indice des prix de détail (1938 = 100) : janvier : 1910; décembre : 2055. Les prix industriels ont augmenté plus vite que les prix agricoles d'où protestations des ruraux qui achètent de plus en plus d'engrais et de machines au secteur secondaire.

L'inflation, tout en restant modérée, n'est pas jugulée.

Champ culturel

▶ *Prix littéraires* – Goncourt : *Les jeux sauvages* (P. Colin)
   Renaudot : *Les orgues de l'enfer* (P. Molaine)
   Fémina : *La femme sans passé* (S. Groussard)
   Interallié : *Un amour allemand* (G. Auclair)

▶ *Littérature* – G. Bataille publie *L'Abbé C.* G. Bataille est difficile à situer : romancier (érotique)? Poète? Philosophe? Mystique? Il est un peu tout cela à la fois et demeure singulier. Comme M. Blanchot, S. Beckett et, dans une certaine mesure, R. Queneau il est parmi ceux qui instruisent à la fois le procès de la littérature et du langage. Écrire, pour lui, c'est prendre conscience que toute expérience (et l'expérience littéraire comme les autres) débouche sur le néant. Il pense et il écrit que la littérature est un leurre mais il en convient gaiement.

P. Klossovski publie le premier tome de son triptyque érotique *Roberte, ce soir.* Roberte se donne à qui lui convient et à qui la désire sous les yeux de son mari consentant. L'érotisme est présenté comme une manière de vivre et un moyen de connaître l'autre et soi-même.

▶ *Théâtre* – Le théâtre traditionnel poursuit son cours tranquille avec les pièces de H. de Montherlant *(Celles qu'on prend dans ses bras, Malatesta),* de M. Aymé *(Clérambard),* de J. Deval *(Ce soir à Samarcande).* Mais c'est aux environs de 1950 qu'apparaît un « nouveau théâtre ». Aux Noctambules, on joue *La cantatrice chauve* d'Eugène Ionesco où il n'y a, bien entendu, ni cantatrice, ni chauve mais seulement des personnages rabâchant des lieux communs extraits de la méthode Assimil « L'Anglais sans peine » par exemple : « Ma femme est l'intelligence même. Elle est même plus intelligente que moi. En tout cas elle est beaucoup plus féminine ». Les nouveaux auteurs (A. Adamov, E. Ionesco, S. Beckett) contestent le théâtre psychologique et philosophique, les pièces « à message » comme celles de A. Camus et de J.P. Sartre, les pièces « précieuses » de J. Giraudoux. J.M. Serreau monte *La grande et la petite manœuvre* d'A. Adamov et J. Vilar, *L'Invasion* du même auteur. Les personnages de A. Adamov sont des espèces d'ectoplasmes anonymes qui vivent l'absurdité de leur condition dans une atmosphère de cauchemar.

▶ *Cinéma* – R. Clair : *La beauté du diable*
   Y. ALlégret : *Manèges*
   M. Carné : *La Marie du port*
   J. Cocteau : *Orphée*
   M. Ophüls : *La ronde*

A. Cayatte : *Justice est faite*
B. Wilder : *Sunset Boulevard*
J.L. Mankiewickz : *All about Eve*
V. de Sica : *Miracle à Milan*
M. Antonioni : *Chronique d'un amour*
Kurosawa : *Raschomon*
L. Bunuel : *Los olvidados*
I. Bergman : *Jeux d'été.*

▶ *Peinture* – Nombreuses expositions qui ne révèlent pas de nouveaux peintres, mais la peinture devient une valeur boursière et un critique peut écrire : « Notre époque est plus riche en spéculateurs aveugles qu'en véritables amateurs d'art ».

▶ *Musique* – C'est aux environs des années 50 que le dodécaphonisme commence à atteindre le « grand public ». Le terrain, préparé en quelque sorte par O. Messiaen est exploité par P. Boulez (né en 1925) qui élimine de la création musicale toute survivance des formes du langage classique. En 1953, P. Boulez crée le « domaine musical » et devient le chef de file de compositeurs de tendance dite « postwébernienne ». C'est dans la décennie 50-60 que P. Boulez compose *Polyphonie 10* et le premier livre des *Structures pour deux pianos,* que K. Stockausen compose ses premières œuvres. L'idée à retenir – ou plutôt la constatation à faire – c'est que, contrairement aux compositeurs « classiques », le compositeur actuel effectue la sélection de son choix dans la totalité des possibles sonores. La masse de ces possibilités virtuelles n'est limitée que par les facultés d'audition de l'oreille et par les impossibilités techniques (en voie de diminution constante). Le compositeur peut répercuter la liberté de choix – l'embarras du choix? – au niveau de l'interprète dont le rôle change radicalement : chez P. Boulez notamment, il participe effectivement à l'élaboration de la musique. C'est en 1950 que l'ORTF diffuse le premier concert de musique concrète née des travaux de P. Schaeffer et de P. Henry et que K. Stockausen, au studio de Cologne, donne un concert de musique électronique.

On assiste donc, dans l'après-guerre, à la dissolution des formes et des langages traditionnels des arts : tonalité et grandes formes classiques dans la musique, figuration et réalisme dans la peinture, linéarité chronologique du récit littéraire. Cela prépare cette « crise des valeurs » que mai 68 révèlera à une classe politique stupéfaite.

▶ *Vie quotidienne* – On ne parle pas encore de « design » mais on pose le problème : pourquoi les objets utiles sont-ils laids? La revue *Maison & Jardin* commence à paraître et donne le ton à ceux qui veulent être dans le vent. Le rêve du jeune cadre dynamique et performant est d'avoir une maison inspirée de cette revue et la consécration est de coir celle-ci photographiée dans la revue.

1951

Champ politique

♦ *Janvier.* 9. D.E. Eisenhower nommé chef des forces alliées en Europe arrive à Paris. La CGT organise une manifestation et des arrêts de travail. Le gouvernement suspend tout fonctionnaire ayant cessé le travail le 9 janvier.

20. Francis Perrin est nommé Haut Commissaire à l'Énergie atomique en remplacement de F. Joliot-Curie.

24. Manifestation (interdite) organisée par le PCF contre D.E. Eisenhower. Il y a 3 300 interpellations.

♦ *Février.* 15. Manifestation de la Fédération nationale des Déportés, Internés, Résistants et Patriotes organisée par le PCF aux cris de « Pas de nazis à Paris ». La manifestation est interdite. 500 arrestations.

28. Démission de R. Pleven (qui n'a pas été mis en minorité) à propos de la loi électorale. En effet, en vue des élections qui doivent avoir lieu cette année, il s'agit de mettre au point un type de scrutin qui sous-représente RPF et PCF et qui sur-représente l'actuelle majorité.

♦ *Mars.* 9. Investiture de H. Queuille qui prétend former « un ministère d'action ».

Président du Conseil et ministre de l'Intérieur : H. Queuille (Radical).
Vice-présidents du Conseil : G. Bidault (MRP), R. Pleven (UDSR), G. Mollet (SFIO).
Ministre d'État aux États associés : J. Letourneau (MRP).
Ministres : *Justice :* R. Mayer (Radical) – *Affaires étrangères :* R. Schuman (MRP) – *Défense nationale :* J. Moch (SFIO) – *Finances :* M. Petsche (non inscrit) – *Budget :* E. Faure (Radical) – *Éducation nationale :* P.O. Lapie (SFIO) – *Travaux publics :* A. Pinay (Ind.) – *Agriculture :* P. Pflimlin (MRP) – *Anciens combattants :* L. Jacquinot (Ind.) – *Industrie et commerce :* J.M. Louvel (MRP) – *France d'outre-mer :* F. Mitterrand (UDSR) – *Travail :* P. Bacon (MRP) – *Reconstruction :* E. Claudius-Petit (UDSR) – *Santé publique :* P. Schneiter (MRP) – *Marine marchande :* G. Defferre (SFIO) – *Information :* A. Gazier (SFIO).
Secrétaires d'État : *Présidence du Conseil :* M. Bourgès-Maunoury (Radical) – *Intérieur :* E. Thomas (SFIO) – *Guerre :* M. Lejeune (SFIO) – *Marine :* A. Monteil (MRP) – *Air :* A. Maroselli (Radical) – *Affaires économiques :* R. Buron (MRP) – *Agriculture :* P. Antier (Ind. Paysan) – *Fonction publique :* P. Métayer (SFIO) – *Population :* J. Catoire (MRP) – *Industrie et commerce :* A. Guilland (UDI) – *Enseignement technique :* A. Morice (Radical) – *France d'outre-mer :* L. Coffin (SFIO) et P. Aujoulat (MRP).

♦ *Mai.* –1er. De Gaulle à Bagatelle : « Quand le peuple aura parlé, je lui donnerai rendez-vous pour inaugurer l'entreprise. Où donc? Mais sur les Champs Élysées ! »

7. A Toulouse, de Gaulle attaque « les séparatistes et les tenants de l'immobilisme.
Adoption de la loi électorale sur les apparentements. « Le système Queuille consistait dans le scrutin de liste départemental à un tour, donnant la totalité des sièges à toute liste ayant obtenu la majorité, mais recourant à la représentation proportionnelle si cette majorité n'était pas réalisée... La nouveauté essentielle était que plusieurs listes pouvaient s'apparenter pour le calcul de la majorité. Jusqu'ici, on avait connu la coalition du deuxième tour basée sur les données positives du premier tour. L'apparente-

ment est préalable et résulte, non des indications données par le suffrage universel mais des décisions ou combinaisons des partis. De ce fait, il paraît choquant, immoral même à certains orthodoxes de la démocratie » (A. Siegfried). Ajoutons que la représentation proportionnelle subsiste dans les circonscriptions de la Seine et de la Seine-et-Oise où les listes communistes avaient des chances de passer au premier tour.

30. De Gaulle : « Parfois, et j'en ris, on me jette à la figure la formule du pouvoir personnel. Pourtant j'ai rendu la République libre et j'ai rétabli les institutions. »

♦ *Juin.* Au cours de la campagne électorale, on rappelle l'exposé doctrinal de l'épiscopat du 5 avril où il était clairement dit que les parents catholiques avaient le devoir de confier leurs enfants à l'école catholique. Un article de l'*Osservatore Romano* invite explicitement à voter pour le MRP lors des prochaines élections.

7. De Gaulle : « Ce gouvernement est un gouvernement pour époque paisible fait pour végéter médiocrement en grignotant le capital national ». Il insiste sur le fait que le RPF seul est capable de lutter contre « les séparatistes ».

17. Élections législatives (pourcentage de suffrages exprimés et nombre de députés)

RPF	21,7 %	118
SFIO	14,5 %	104
PCF	26,5 %	103
Modérés	13,1 %	98
RGR	12 %	94
MRP	12,3 %	85
Ind. d'Outre-Mer		28

Le résultat de la consultation fut le renvoi à la chambre d'un nombre suffisant de députés qui, n'étant ni communistes ni RPF, pouvaient reconstituer une majorité des centres (A. Siegfried).

Le PCF reste le premier parti de France et, au niveau des voix, c'est lui et le RPF qui sont les vainqueurs. Mais au niveau des sièges on peut lire sur le tableau ci-dessus que les modérés en ont 98 avec 13,1 % des suffrages exprimés, le RGR 94 avec 12 % et le MRP 85 avec 12,3 %. La loi Queuille a donc atteint son but puisque la totalité des députés RPF et PCF (118 + 103 = 221) n'a pas la majorité absolue. Des gouvernements centristes restent donc possibles, mais l'écart s'accroît entre le pays réel et le pays légal. L'habileté tactique du Président Queuille a permis à court terme la survie du centrisme, mais à moyen terme a contribué à déconsidérer un régime qui s'écroulera en mai/juin 1958 sans qu'un seul homme accepte de se faire tuer pour le défendre. Un ministre du début de la IIIe République avait eu cette phrase : « Le suffrage universel ça ne se supprime pas, ça s'escamote. »

21. Conférence de presse de de Gaulle : « C'est au RPF qu'il appartient démocratiquement de prendre la responsabilité nécessaire dans le gouvernement de la France. »

♦ *Juillet.* 1er. De Gaulle devant le Conseil national du RPF : « Le RPF est prêt à assumer la responsabilité dirigeante dans le gouvernement avec tous ceux qui veulent s'associer sans aucune exclusive à une œuvre positive et concrète. »

20. H. Queuille démissionne. Échec d'une tentative R. Mayer.

23. Mort du Maréchal Pétain.

♦ *Août.* 2. L'Assemblée refuse d'investir M. Petsche.

8. Investiture de R. Pleven avec soutien sans participation de la SFIO.

Président du Conseil : R. Pleven (UDSR).
Vice-présidents du Conseil et ministre de la Défense nationale : G. Bidault (MRP) et ministre des Finances et des Affaires économiques : R. Mayer (Radical).
Ministres d'État : H. Queuille (Radical) – *Chargé des relations avec les États associés :* J. Letourneau (MRP).
Ministres : *Justice :* E. Faure (Radical) – *Affaires étrangères :* R. Schuman (MRP) – *Intérieur :* Ch. Brune (RGR) – *Éducation nationale :* A. Marie (Radical) – *Défense nationale :* M. Bourgès-Maunoury (Radical) –

Budget : P. Courant (Ind.) – *Industrie et énergie :* J.M. Louvel (MRP) – *Commerce et relations économiques extérieures :* P. Pflimlin (MRP) – *Agriculture :* P. Antier (Paysan) – *Travail et Sécurité sociale :* P. Bacon (MRP) – *Reconstruction et Urbanisme :* E. Claudius-Petit (UDSR) – *Travaux publics et Transports :* A. Pinay (Ind.) – *France d'Outre-mer :* L. Jacquinot (Ind.) – *Anciens combattants et victimes de la guerre :* E. Temple (Ind.) – *Santé publique et population :* P. Ribeyre (Paysan) – *P.T.T. :* J. Laniel (Ind.) – *Marine marchande :* A. Morice (Radical) – *Information :* R. Buron (MRP).

Secrétaires d'État : *Présidence du Conseil :* F. Gaillard (Radical, J. Bruyneel (Paysan) – *Guerre :* P. de Chevigné (MRP) – *Marine :* J. Gravini (Ind.) – *Air :* P. Montel (Ind.) – *Affaires économiques :* E. Hugues (Radical) – *Commerce :* F. Delcos (Radical) – *Agriculture :* C. Laurens (Paysan) – *Affaires étrangères :* M. Schumann (MRP) – *Intérieur :* A. Colin (MRP) – *Beaux-Arts :* A. Cornu (RGR) – *Enseignement technique, jeunesse et sports :* P. Chevallier (UDSR) qui meurt le 12 août et est remplacé par C. Lemaitre (UDSR) – *Travaux publics et tourisme :* R. Duchet (Ind.).

♦ *Septembre.* 21. Après de très longs débats, vote de la loi Barangé qui étend l'allocation scolaire à l'enseignement privé, ce qui est conforme aux résultats des dernières législatives qui avaient vu la victoire des défenseurs de l'École libre. D'autre part, la loi A. Marie étend le bénéfice des bourses à l'enseignement secondaire privé.

♦ *Octobre.* 7/14. Élections cantonales : recul de la SFIO, du PCF, et des divers gauches; stagnation du RGR et du MRP, gain des modérés et du RPF.

♦ *Novembre.* 23. Assises nationales du RPF à Nancy. De Gaulle : « Nous avons commencé par être l'esprit, nous sommes l'organisation et la force. Nous allons être la victoire. Tout cela au service du pays ! »

24. De Gaulle à Nancy : « A tout instant, nous sommes prêts à étudier avec d'autres les moyens d'apprendre en commun pour tirer la patrie d'affaire. »

♦ *Décembre.* 13. Ratification du plan Schuman par l'Assemblée Nationale.

Champ économique et social

★ *Février.* 26. Grève de 24 heures à la RATP où le personnel réclame un réajustement des salaires en fonction de la hausse des prix.

★ *Mars.* 16. Grève des étudiants à propos de la Sécurité sociale. A la RATP, syndicats et direction n'étant pas parvenus à un accord, la grève est presque générale malgré la non-participation du syndicat autonome des conducteurs.

16/20. Extension de la grève aux centrales électriques et gazières, et à la SNCF.

23. Le gouvernement décide le relèvement de 11,54 % du SMIG.

24. Accords dans la métallurgie parisienne, où le patronat accepte une augmentation de 10 % des salaires. Reprise immédiate. L'État de son côté augmente de 10 % les salaires des cheminots, mineurs, GDF-EDF. Reprise du travail.

Fin mars/début avril. Ces augmentations de salaires exigent un financement. Le gouvernement décide l'augmentation immédiate des prix du charbon, de l'électricité, du gaz, des tarifs marchandise SNCF et une augmentation des impôts sur le tabac, l'essence et les taxes téléphoniques. En outre, majoration du taux de l'IRPP pour les revenus les plus élevés.

★ *Avril.* 3. Reprise du travail à la RATP.

★ *Septembre.* 18. Grève des examinateurs du baccalauréat. Création d'un Comité d'Action Universitaire. Les professeurs réclament une hausse de leurs salaires qui se sont dégradés par rapport à ceux du secteur semi-public, et le respect des échelles hiérarchiques.

★ *Octobre.* La grève s'étend à l'enseignement supérieur. Le gouvernement menace de suspendre les traitements des réfractaires et fait appel « à la traditionnelle conscience des professeurs ».

25. Le Comité d'Action Universitaire reporte son ordre de grève après n'avoir obtenu que des satisfactions illusoires. La grève était fort impopulaire chez les parents d'élèves.

★ *Novembre.* 15. Grève des mineurs du Pas-de-Calais, qui protestent contre le rétablissement du ticket modérateur pour la Sécurité sociale. Recul du gouvernement.

Indice des prix de détail (1949 = 100) : janvier, 117 – décembre, 140.

Champ culturel

▶ *Prix littéraires* – Goncourt : *Le rivage des Syrthes* (J. Gracq, qui le refuse)
    Renaudot : *Le dieu nu* (R. Margerit)
    Fémina : *Jabadao* (A. de Tourville)
    Interallié : *Bande à part* (J. Perret)

▶ *Littérature* – A. Camus publie *L'homme révolté.* Dans sa *Lettre à Albert Camus,* J.P. Sartre le somme de choisir son camp, c'est-à-dire d'avouer qu'il est devenu le défenseur d'une « bourgeoisie moribonde » attachée à ses privilèges. Dans sa réponse, A. Camus dit qu'il refuse d'être le complice de « la tyrannie des idéologies ».
    S. Beckett publie *Molloy.* Molloy part retrouver sa mère mourante et s'écroule dans un fossé avant de l'avoir revue. Moran, père de Molloy, part à la recherche de son fils et revient des mois après sans l'avoir trouvé. Ce livre révèle les vraies dimensions de l'œuvre de S. Beckett : invention d'un nouveau langage romanesque, dérision, tragique de l'écriture. B. Pingaud : « A partir de *Molloy,* le problème central de la littérature sera le problème du rien ». Surpris, les critiques parlent « d'odyssée nihiliste », « de chronique de la décomposition », « d'entreprise de déconsidération de l'homme ». Alors que A. Camus se situe en dehors de l'absurde pour le juger, S. Beckett s'y établit et s'enfonce volontairement dans le non-sens initial, dont ses héros ne sortiront plus. *Malone meurt,* qui paraît la même année, montre un agonisant qui, pour tromper son attente de la mort et son ennui, raconte des histoires insignifiantes qu'il emmêle, embrouille et confond. *En attendant Godot,* joué au théâtre en 1953 surprend les critiques de théâtre parce que l'aventure contée sur la scène n'est qu'une épopée du langage, une « aventure de mots ». Désormais un nouveau roman et un nouveau théâtre commencent à apparaître, dont le « sujet » est le fonctionnement du langage et son organisation narratrice.

▶ *Théâtre* – Le 1er septembre J. Vilar est nommé directeur du TNP. La grande salle du Palais de Chaillot étant encore occupée par l'ONU, le TNP nouvelle formule commence par un week-end à Suresnes avec *Le Cid* et *Mère Courage.* Précédées d'un repas en musique, les représentations (suppression du rideau, fermeture des portes dès le commencement du spectacle, interdiction des pourboires, gratuité du vestiaire, remplacement du « programme » par le texte et les photos de la pièce) sont suivies d'un bal auquel participent les acteurs. J. Vilar considère sa mission comme un service public et veut « tenter de réunir dans les travées de la communion dramatique le petit boutiquier de Suresnes et le haut magistrat, l'ouvrier de Puteaux et l'agent de change, le facteur des pauvres et le professeur agrégé ». Soutenu par les syndicats, les comités d'entreprise et les mouvements de jeunesse, J. Vilar draine un public neuf mais très faiblement ouvrier malgré sa politique d'abonnements à bas prix. Les statistiques montrent que, dans les théâtres populaires, le pourcentage des ouvriers ne dépasse jamais 12 % (dans les meilleurs cas). J. Vilar conserve un répertoirê classique puisque, de 1951 à 1963, le TNP joue 619 fois Molière, 343 fois B. Brecht, 230 fois Corneille, 186 fois W. Shakespeare.

- Les initiatives de J. Vilar seront complétées par une politique « culturelle » : créations des centres dramatiques régionaux et des maisons de la culture. Mais le théâtre dit populaire demeurera élitiste : ou bien il joue Molière, Corneille, B. Brecht et W. Shakespeare et devient une sorte d'enseignement secondaire traditionnel pour adultes; ou bien il tente d'innover en montant S. Beckett, E. Ionesco et plus tard F. Arrabal, dont les œuvres exigent un décodage qui n'est possible que pour celles et ceux qui ont reçu une formation universitaire. C'est pourquoi l'action culturelle a atteint la petite bourgeoisie mais très peu les ouvriers.

Au Vᵉ Festival d'Avignon, G. Philipe joue le rôle de Rodrigue : il est dès lors associé à J. Vilar, et, à Chaillot, en Avignon, dans le monde entier, de 1951 à 1959, il sera Rodrigue, le Prince de Hombourg, Lorenzaccio, Octave, Perdican, Ruy Blas, etc. « Dans la dramaturgie non écrite du TNP, il fut le héros, comme Vilar était le roi » (A. Simon).

Le diable et le bon Dieu marque peut-être l'apogée du théâtre de J.P. Sartre. De 1943 à 1951, il avait dominé la scène française (1943 : *Les mouches;* 1944 : *Huis clos;* 1946 : *Morts sans sépultures;* 1946 : *La p... respectueuse;* 1948 : *Les mains sales*). Ce théâtre, très didactique, s'est trouvé par la suite en quelque sorte coincé entre le théâtre néo-tragique de S. Beckett et E. Ionesco, et le théâtre épique de B. Brecht. Cependant, la production sartrienne se poursuivra, la satire sociale devenant de plus en plus violente et précise (1953 : *Kean;* 1955 : *Nekrassov;* 1959 : *Les séquestrés d'Altona*). En 1965, le TNP montera une adaptation par J.P. Sartre des *Troyennes* d'Euripide et, en 1968, le TNP reprendra avec un grand succès *Le diable et le bon Dieu.*

▶ *Cinéma* – R. Bresson : *Journal d'un curé de campagne*
        J. Renoir : *Le fleuve*
        J. Ford : *L'homme tranquille*
               Rio Grande
        J. Huston : *African Queen*
        V. Minelli : *Un Américain à Paris*
        A. Hitchcock : *L'inconnu du Nord Express*
        F. Fellini : *Le cheick blanc*
        A. Mattson : *Elle n'a dansé qu'un seul été* (Suède)
        L. Bunuel : *Suzanne la perverse* (Mexique)

En avril paraît le premier numéro des *Cahiers du cinéma* dont les deux rédacteurs en chef sont Lo Duca et J. Doniol-Valcroze. En fait, le théoricien de la revue est A. Bazin, qui marquera toute la génération qu'on appellera par la suite celle de « la nouvelle vague ».

▶ *Peinture* – Trois grandes rétrospectives : *J. Villon, H. de Toulouse-Lautrec, P. Signac.*
– *Les chefs-d'œuvre du Musée de Berlin* sont exposés au Petit-Palais.

▶ *Vie quotidienne* – L'opinion publique est frappée par les progrès technologiques. Le Congrès international des cybernéticiens incite la presse à poser le problème : « La machine pourra-t-elle penser? ». Dans un reportage sur le voyage aux USA du Président V. Auriol, *Paris-Match* le photographie devant un engin révolutionnaire : un magnétophone! – Nombreux articles sur la chirurgie esthétique à propos du nez d'Annabel Buffet, femme du peintre. – Au Salon de l'Auto qui remporte toujours le même succès, Renault présente sa Frégate : la commercialisation d'une voiture d'assez forte cylindrée exprime l'enrichissement de certaines catégories sociales et la montée générale, quoiqu'inégalitaire, du niveau de vie.

1952

Champ politique

« Les communistes formant à l'extrême gauche un bloc évidemment inutilisable, il s'ensuivait que toute politique de gauche, ou même simplement appuyée sur la gauche devait se révéler impossible », écrit A. Siegfried dans la préface de *L'année politique 1952*. Et il rappelle cette remarque de R. de Jouvenel dans *La République des camarades :* « Il y a plus de différence entre un socialiste député et un socialiste qui ne l'est pas qu'entre un député socialiste et un député qui ne l'est pas. »

♦ *Janvier.* 7. R. Pleven est renversé : les socialistes joignent leurs voix à celles des communistes et du RPF, car ils redoutent que les lois cadres demandées par la droite pour réaliser des économies sur les dépenses de l'État et que la réforme de la SNCF et de la Sécurité Sociale ne se fassent aux dépens des classes laborieuses.

7/14. V. Auriol consulte successivement Ch. Pineau, J. Soustelle, P. Reynaud, G. Bidault et Y. Delbos qui refusent. Finalement, E. Faure accepte de résoudre la crise.

17. Investiture d'E. Faure : seuls les communistes votent contre lui, le RPF s'abstenant.

Président du Conseil, ministre des Finances : E. Faure (radical).

Vice-présidents du Conseil, ministres d'État : H. Queuille (radical), G. Bidault (MRP) qui est également ministre de la Défense nationale.

Ministres d'État : F. Mitterrand (UDSR), J. Laniel (Ind.), J. Letourneau (MRP) qui est également chargé des États associés, P. Pflimlin (MRP), également chargé du Conseil de l'Europe.

Ministres : *Justice :* L. Martinaud-Déplat (Radical) – *Affaires étrangères :* R. Schuman (MRP) – *Intérieur :* Ch. Brune (Radical) – *Affaires économiques :* R. Buron (MRP) – *Budget :* P. Courant (Ind.) – *Éducation nationale :* A. Marie (Radical) – *Travaux publics, transports, tourisme :* A. Pinay (Ind.) – *Industrie et Énergie :* J.M. Louvel (MRP) – *Commerce :* E. Bonnefous (UDSR) – *Agriculture :* C. Laurens (Paysan) – *France d'Outremer :* L. Jacquinot (Ind.) – *Travail et Sécurité sociale :* P. Bacon (MRP) – *Reconstruction et Urbanisme :* E. Claudius-Petit (UDSR) – *Anciens combattants et Victimes de la guerre :* E. Temple (Ind.) – *Santé publique, population :* P. Ribeyre (Paysan) – *P.T.T. :* R. Duchet (Ind.) – *Marine marchande :* A. Morice (Radical) – *Information :* P. Coste-Floret (MRP) – *Armement :* M. Bourgès-Maunoury (Radical).

Secrétaires d'État : *Présidence du Conseil et Finances :* F. Gaillard (Radical) – *Présidence du Conseil et chargé de la fonction publique :* B. Lafay (Radical) – *Présidence du Conseil :* R. Marcellin (Paysan) – *Affaires étrangères :* M. Schumann (MRP) – *Intérieur :* A. Colin (MRP) – *Guerre :* J. de Chevigné (MRP) – *Marine :* J. Gavini (Ind.) – *Air :* P. Montel (Ind.) – *Budget et réforme fiscale :* G. Laffargue (Radical) – *Beaux-Arts :* A. Cornu (Radical) – *Enseignement technique, jeunesse et sports :* J. Masson (Radical) – *Travaux publics :* L. Bégouin (Radical) – *Agriculture :* J. Sourbet (Paysan) – *France d'Outre-mer :* L.P. Aujoulat (Ind. Outre-mer).

♦ *Février.* 29. E. Faure est renversé : on lui refuse une majoration de 15 % des impôts.

♦ *Mars.* 1er / 2. V. Auriol charge P. Reynaud de former le ministère. Le RPF se prononce pour la participation mais la SFIO s'y refuse en dénonçant « l'hypocrisie du groupe RPF qui déclare aujourd'hui accepter la participation à un gouvernement parlementaire alors que son chef a pris à maintes reprises des positions antirépublicaines. »

P. Reynaud renonce en déclarant : « L'ère des artifices est close. Seule une majorité d'union nationale peut permettre de redresser la situation de la France. »

3. A. Pinay est pressenti.

6. A. Pinay est investi contre toute attente grâce aux votes imprévus de 27 députés RPF dont le groupe s'était pourtant prononcé pour l'abstention. A. Pinay avait été élu député en 1936, avait voté les pleins pouvoirs au Maréchal Pétain, avait été nommé membre par ce dernier du « Conseil national » qui n'avait jamais siégé et avait été relevé de l'inéligibilité dès 1945.

Président du Conseil, Ministre des Finances : A. Pinay (Ind.).
Vice-président du Conseil et Ministre d'État : H. Queuille (Radical).
Ministre d'État chargé des États associés : J. Letourneau (MRP).
Ministres : *Justice* : L. Martinaud-Déplat (Radical) – *Affaires étrangères* : R. Schuman (MRP) – *Intérieur* : Ch. Brune (RGR) – *Défense Nationale* : R. Pleven (UDSR) – *Éducation Nationale* : A. Marie (Radical) – *Travaux publics, transports, tourisme* : A. Morice (Radical) – *Industrie et Commerce* : J.M. Louvel (MRP) – *Travail* : P. Garet (Ind.) – *France d'Outre-mer* : P. Pflimlin (MRP) – *Reconstruction* : E. Claudius-Petit (UDSR) – *Santé publique* : P. Ribeyre (Paysan) – *Agriculture* : C. Laurens (Paysan) – *Anciens combattants* : E. Temple (Ind.) – *PTT* : R. Duchet (Ind.).
Secrétaires d'État : *Présidence du Conseil* : R. Marcellin (Paysan) et G. Petit (Paysan) – *Présidence du Conseil et Finances* : F. Gaillard (Radical) – *Guerre* : P. de Chevigné (MRP) – *Air* : P. Montel (Ind.) – *Marine* : J. Gavini (Ind.) – *Affaires étrangères* : M. Schumann (MRP) – *Éducation Nationale et Beaux-Arts* : A. Cornu (Radical) – *Enseignement technique, jeunesse et sports* : J. Masson (Radical) – *France d'Outre-mer* : L.P. Aujoulat (Ind. d'Outre-mer) – *Budget* : J. Moreau (Radical) – *Affaires économiques* : T. Révillon (Radical).

♦ *Mai.* 1er. Défilé CGT-PCF de la Nation à la Bastille. A Bagatelle, « Fête du travail, de la jeunesse et du sport » du RPF au cours de laquelle de Gaulle déclare : « En ce moment un homme fort honorable s'efforce d'atteindre un but que tout Français ne saurait qu'approuver (...). Mais la situation de la France exige bien d'autres choses que des recettes de conservation ». A Douai et Valenciennes, heurts entre manifestants Nord-Africains et forces de police. Un mort chez les manifestants.

18. Élections sénatoriales partielles. 161 sièges sont à pourvoir. Les communistes se maintiennent, les socialistes perdent 6 sièges, le RGR 2, le RPF 9. Le MRP en gagne 5 et les indépendants et modérés 9.

28. Manifestation (interdite) organisée par le PCF contre « M. Ridgway la peste » ancien commandant américain en Corée, nommé à la succession de D.E. Eisenhower et accusé par l'extrême-gauche d'avoir utilisé en Corée des armes bactériologiques. Les affrontements sont très violents; un Nord-Africain est tué par balle. 718 arrestations; 140 manifestants sont inculpés d'atteinte à la sûreté intérieure de l'État. Parmi eux, J. Duclos, dont la voiture garée à proximité de la manifestation contenait deux pigeons que la police considère comme des pigeons voyageurs permettant au leader communiste de communiquer avec ses troupes dans le cadre d'un vaste « complot ».

29. 41 dissidents gaullistes écrivent à de Gaulle : « Pour nous, toute méthode qui conduirait à une opposition systématique, stérile et impopulaire, dans l'attente d'une inévitable catastrophe nous apparaît sans issue. Il nous semble difficile de tout subordonner à une conception fataliste de l'histoire. » Réponse du Général : « Laissez-moi vous dire que j'aperçois mal quels changements ont été apportés au système depuis que vous y êtes entrés. »

♦ *Juillet.* 1er. La Chambre des mises en accusation met J. Duclos en liberté provisoire.

2. A l'issue du Conseil des ministres, R. Marcellin, Secrétaire d'État à la Présidence du Conseil et chargé de l'Information déclare : « Le dernier mot n'est pas dit ».

4/6. Le Conseil National élargi du RPF se réunit à Saint-Maur et confirme l'exigence de la discipline de vote. 26 députés gaullistes démissionnent du groupe parlementaire et constituent à l'Assemblée Nationale, le Groupe Indépendant d'Action Républicaine et Sociale (ARS) sous la présidence de E. Barrachin. 13 sénateurs RPF font de même. Tous les dissidents sont aussitôt exclus du RPF. Pourtant, le malaise persiste chez les députés gaullistes restés orthodoxes.

16. Le domicile de M. Didier, Président de la Chambre des mises en accusation qui avait libéré J. Duclos, est plastiqué.

20. Résolution du Comité directeur de la SFIO condamnant l'expérience Pinay : « L'emprunt n'a pas rendu le tiers des prévisions optimistes du gouvernement (...). Le pouvoir d'achat des travailleurs reste en dessous de celui de l'automne dernier ».

♦ *Septembre*. Remous au PCF à la suite de la manifestation du 28 mai. En effet, à la suite de l'arrestation de J. Duclos, la CGT avait lancé un ordre de grève pour sa libération le 4 juin. Cet ordre avait été très peu suivi et, le 21 juillet, la CGT parisienne avait reconnu que ce mot d'ordre était erroné. A. Stil, rédacteur en chef de *L'Humanité,* qui avait joué un rôle important dans l'organisation de la manifestation et qui avait été arrêté pendant plus de six semaines, fait son autocritique. A. Lecœur dénonce « le sectarisme et la frénésie qui ne sont pas le meilleur moyen pour mobiliser la classe ouvrière ». Les deux victimes de l'épuration sont A. Marty qui est rayé du secrétariat, mais reste au Bureau politique et Ch. Tillon qui est rayé du Bureau politique mais reste au Comité central. L'un et l'autre refusent de faire leur autocritique.

♦ *Octobre*. Nouvelles arrestations de responsables d'associations para-communistes (par ex. : A. Le Léap, secrétaire général de la CGT). Le parquet du Tribunal militaire demande la levée de l'immunité de cinq députés communistes. L'ACA met en garde contre le mouvement « Jeunesse de l'Église » et son journal *La Quinzaine.*

10. De Gaulle, devant le Conseil national du RPF, se fait plus conciliant à l'égard du « système » : « Après tout, il n'est pas impossible que dans le régime lui-même, quelques-uns, venant à peu près de la voie que nous suivons, ne se décident à faire ce que nous voulons faire (...). Nous ne sommes pas exclusifs. Nous savons bien que l'on ne fait pas la France sans les Français (...).On peut camper sur une position en attendant la soupe, mais on ne peut remporter la victoire sans combattre. Ceux qui ne voulaient pas combattre sont allés à la soupe. »

♦ *Novembre*. Au Conseil municipal de Paris, neuf Conseillers RPF sont exclus pour avoir préconisé une alliance avec les RGR et les Indépendants en vue des élections municipales de 1953. Aux assises nationales du RPF qui se tiennent à Nancy les 9/11 novembre, R. Capitant, en déclarant : « Il est nécessaire de renverser ce régime qui est illégitime », semble exprimer un durcissement des positions gaullistes par rapport aux propos plus conciliants tenus par de Gaulle le mois précédent.

♦ *Décembre*. Cependant, alors que les socialistes font clairement comprendre qu'ils veulent la fin de l'expérience Pinay, les leaders du RPF, J.Soustelle et A. Diethelm, multiplient les déclarations affirmant que le RPF est prêt à collaborer à un gouvernement favorable à l'expansion économique et à « la révision de la Constitution ». Les députés de l'ARS veulent éviter la crise. La Confédération générale des petites et moyennes entreprises (CGPME) soutient vigoureusement A. Pinay. La crise est imminente mais chacun se demande s'il existe une majorité de rechange. Le MRP ayant annoncé l'abstention de son groupe qui reproche au gouvernement de ne pas avoir tenu ses promesses sociales, A. Pinay constate « la défaillance d'un groupe important de la majorité », déclare qu'il va remettre sa démission à V. Auriol et quitte l'hémicycle.

7. Le comité central du PCF remplace A. Marty et Ch. Tillon à la base.

23. V. Auriol accepte la démission d'A. Pinay. De Gaulle déclare : « Toute combinaison qui tend à prolonger le système comme ce fut le cas depuis six années doit être dans l'intérêt public condamnée et combattue. Au contraire, tout regroupement social et national qui viendrait à se former pour changer l'actuel système doit être approuvé et soutenu. » J. Soustelle informe V. Auriol qu'il accepte d'entreprendre « de très larges consultations. »

24. La cellule d'A. Marty l'exclut notamment à cause « de ses liaisons avec des éléments policiers ».

28. Devant le refus de la SFIO et des radicaux et les réserves des Indépendants, J. Soustelle renonce à former le gouvernement.

Champ économique et social

★ *Janvier.* Grève des 1 100 ouvriers de A. Borie qui creusent le tunnel de l'Isère à l'Arc. La presse dénonce leurs conditions de travail et de logement. Le clergé savoyard prend parti pour les grévistes et collecte des fonds. A. Borie cède, construit des maisons préfabriquées et augmente les salaires de 8 à 12 %.

★ *Février.* 12. Ordre de grève générale lancé par la CGT pour commémorer la grève du 12 février 1934. CGT-FO, CFTC et CGC sont contre. Échec de la grève. Violentes bagarres entre grévistes et policiers aux usines Renault.

25. Vote de l'échelle mobile du SMIG (quand l'indice des prix augmentera de 5 %).

★ *Mars.* 3/7. Grève dans les mines du Nord.

18. Les ouvriers de la fonderie Delattre en Seine-et-Marne séquestrent le directeur de l'usine après une grève de cinq semaines. Brutale intervention de la police.

★ *Juin.* 4. Grève organisée par la CGT pour obtenir la libération de J. Duclos arrêté le 28 mai lors de la manifestation contre M. Ridgway. Échec de la grève mais à Renault un commando communiste dirigé par R. Linet, député de Paris et secrétaire de la section syndicale de Renault, parvient à couper le courant et arrête la production.

★ *Juillet.* L'emprunt Pinay (indexé sur l'or, exempté d'impôts et de droits successoraux) a rapporté 428 milliards dont 210 seulement d'argent frais.

★ *Octobre.* 18. Grève (peu suivie) des grands magasins pour l'obtention de deux jours de repos consécutifs.

Courant octobre. Conseil national de la CFTC : renforcement de la tendance minoritaire de gauche qui regroupe environ 40 % des mandats et qui, sans aller jusqu'à la déconfessionalisation, voudrait un relâchement des liens avec la hiérarchie catholique et avec le MRP. Les minoritaires regroupent les grandes fédérations ouvrières (métallurgie, chimie, gaz, électricité) et le SGEN (Syndicat Général de l'Éducation Nationale). Ils expriment donc une conjonction des ouvriers et des intellectuels. En fait, il s'agit d'une crise de croissance : la CFTC, avant la guerre, regroupait surtout des employés et des fonctionnaires. Depuis la guerre, elle est devenue largement ouvrière et ses cadres, issus en grande part de la Résistance, lui ont apporté un dynamisme de gauche.

★ *Novembre.* Congrès de la CGT-FO. R. Bothereau : « La CGT, agent avoué du bolchévisme en France, n'est pas loin d'être réduite à son squelette communiste ». Certains congressistes déplorent que la CGT-FO reçoivent des subsides de l'AFL. Le Congrès condamne la politique Pinay et l'unité d'action avec la CGT et se prononce pour un rapprochement avec la CFTC. Les syndicalistes « purs » accusent certaines fédérations de recevoir pour leurs journaux des subventions déguisées en annonces publicitaires émanant d'un certain Bureau d'Études et de Documentations Économiques et Sociales, vraisemblablement financé par les syndicats américains. Enfin le Congrès décide, après la CFTC, de retirer ses représentants des organismes d'Études pour la productivité (en 1951 une collaboration de classe avait été encouragée par l'envoi de plus de 100 missions de patrons, de techniciens et de syndicalistes aux États-Unis, missions prises en charge par le plan Marshall).

– *Indice des prix de détail* (1949 = 100) : Janv. : 146 – Déc. = 145,4.
– *Indice de la production industrielle* (1938 = 100) : 1951 = 131. 1952 = 145.

A partir de mars : fin de l'inflation et de la hausse des prix; mais stagnation économique et développement du chômage.

31 décembre : chômeurs totaux inscrits : 54 000 – Demandes d'emploi enregistrées : 182 000 – Chômeurs partiels : aux environs de 350 000 – Réduction de travail presque partout (chez Renault on est passé de 48 à 40 heures).

Champ culturel

▶ *Prix littéraires* – Goncourt : *Léon Morin, prêtre* (B. Beck)
                        Renaudot : *L'amour de rien* (J. Perry)
                        Fémina : *Le souffle* (D. Robin)
                        Interallié : *Au bon beurre* (J. Dutourd)
F. Mauriac reçoit le prix Nobel – Mort de Ch. Maurras et P. Eluard – Traduction des *Palmiers sauvages* de W. Faulkner.

▶ *Littérature et vie intellectuelle* – En simplifiant beaucoup, on pourrait dire que la vie intellectuelle française de l'après-guerre est dominée par trois « ancêtres » : F. de Saussure, S. Freud et K. Marx.
F. de Saussure avait professé son *Cours de linguistique générale* en 1894 et il ne fut publié qu'en 1916 à partir de notes prises par ses élèves. Mais ce n'est qu'après la Seconde Guerre mondiale que dans tous les pays occidentaux sa pensée connaît un extraordinaire rayonnement. Sur le plan philosophique, deux choses sont à retenir : d'abord la notion d'un système, d'un code qui fonctionne indépendamment de la conscience des locuteurs; ensuite – et implicitement – la négation de l'idée de progrès qui sous-tendait toutes les philosophies de l'histoire depuis St Augustin. En effet synchroniquement il serait absurde de dire que la langue française est « supérieure » à la langue anglaise (ou inversement); et diachroniquement il est absurde de dire que la langue de A. Rimbaud est supérieure à celle d'Homère (ou inversement). La linguistique conduit donc premièrement à la remise en question de l'idée de progrès, et deuxièmement à la reconnaissance de « l'autre » comme différent et non comme « supérieur » ou « inférieur ». Cette nouvelle approche introduit une véritable *rupture* dans un mode de pensée européocentrique fortement marqué par l'entreprise coloniale et qui affirmait que les peuples dits « primitifs » étaient « en retard » sur nous et qu'ils devaient « rattraper » *la civilisation la plus avancée,* c'est-à-dire la civilisation industrielle. On comprend donc que l'ethnologie se soit inspirée de la linguistique non seulement au niveau des méthodes (il y a un système de la parenté comme il y a un système de la langue) mais aussi au niveau d'une véritable éthique épistémologique.
L'étude de K. Marx (toujours cité mais peu connu et jamais enseigné avant 1945) domine la philosophie politique, qu'on l'approuve ou qu'on le conteste. Mais le « second souffle du capitalisme », la croissance économique de tous les pays industriels capitalistes après la guerre mettent en question l'imminence de l'effondrement du capitalisme dont la crise de 1929 avait paru le signe annonciateur. D'autre part, le stalinisme repose entièrement le problème du dépérissement de l'État en pays socialiste. Les milieux intellectuels entreprennent donc une laborieuse relecture de K. Marx que l'enseignement de L. Althusser fera connaître aux étudiants de la rue d'Ulm.
Enfin la pensée de S. Freud connaît après la guerre une diffusion spectaculaire, mais à plusieurs niveaux. Cependant, qu'il s'agisse de la vulgarisation de sa pensée par les mass media ou de la savante relecture de Freud par J. Lacan, le résultat est, là encore,

une *rupture* avec les modes de pensée traditionnels. Depuis toujours on savait que l'homme ment (le discours politique l'illustre quotidiennement), on sait maintenant qu'il *se* ment.

Un terme va dominer la vie intellectuelle à partir des années 50/60, c'est le *structuralisme*. L'approche structuraliste vide les éléments de leur substance, de leur signification, de leur message afin de saisir leurs relations et la théorie qui les explique. Pour le comprendre le plus simple est de reprendre l'image de F. de Saussure assimilant la démarche structuraliste au jeu d'échecs. Dans ce jeu, que le cavalier soit en or ou en bois importe peu. Seule compte sa valeur, qui est relative et conventionnelle, la convention étant ici la règle du jeu. Les signes (en l'occurrence les pièces) ne sont plus signifiants par eux-mêmes mais par les valeurs qu'ils représentent dans l'ensemble du jeu. Donc les objets soumis au « traitement sémiologique » se trouvent réduits à leur valeur de signe, c'est-à-dire vidés de leur « sens expressif » ou de leur « essence » qui les référerait à un « sujet » ou à l'« Être », pour n'être plus que les éléments d'un discours sémiologique dont la règle se réduit à l'immanence de sa loi de composition interne.

▶ *Théâtre* – Succès de deux auteurs traditionnels : J. Anouilh avec *La valse des toréadors* et M. Aymé avec *La tête des autres*. La Comédie française reprend la pièce de L. Pirandello : *Six personnages en quête d'auteur* qui avait été créée en 1923. Mais la nouvelle expression théâtrale ne cesse de gagner du terrain : à la Huchette on reprend *La cantatrice chauve* et *La leçon* de E. Ionesco, dont le théâtre Lancry monte *Les chaises*. Cette dernière pièce montre un couple de vieillards solitaires qui attend des invités qui ne viendront jamais, alors que s'entassent les chaises qui finalement bloqueront les vieux qui en mourront. L'homme est aussi dérisoire qu'une chaise vide : « ... Absence de Dieu, irréalité du monde, vide métaphysique. Le thème de la pièce c'est le rien » (E. Ionesco). Ce rien apparaît encore dans *La parodie* (montée par R. Blin) dont le héros – ou plutôt le non-héros ou l'anti-héros – meurt écrasé par une voiture et balayé avec les ordures.

▶ *Cinéma* – J. Becker : *Casque d'Or*
    Ch. Jaque : *Fanfan la Tulipe* (avec G. Philipe et G. Lollobrigida)
    A. Cayatte : *Nous sommes tous des assassins*
    R. Clair : *Belles de Nuit* (avec M. Carol et G. Lollobrigida)
    R. Clément : *Jeux interdits* (avec B. Fossey toute petite fille)
    M. Ophüls : *Le plaisir*
    J. Duvivier remporte un très grand succès avec *Le petit monde de Don Camillo* (avec Fernandel et Gino Cervi). Le premier d'une série de films où s'opposeront d'aimable façon le curé et le militant communiste.
    Ch. Chaplin : *Limelight*
    J. Huston : *Moulin Rouge*
    E. Kazan : *Viva Zapata*
    V. de Sica : *Station terminus*
    J. Renoir : *Le carrosse d'or*

▶ *Peinture et expositions* – Le Musée d'Art moderne présente successivement : une exposition consacrée à *l'Art Aztèque* et une rétrospective *G. Rouault* – L'Orangerie : l'œuvre de *E. Manet* puis *Le portrait flamand*. – La gloire de N. de Staël ne cesse de se confirmer et le misérabilisme prudent de B. Buffet trouve une vaste clientèle chez Drouant-David.

▶ *Vie quotidienne* – L'opinion publique se passionne pour le procès de Marie Besnard, une dame de Loudun accusée de plusieurs empoisonnements à l'arsenic et pour l'affaire Dominici, soupçonné du meurtre de touristes anglais qui avaient campé sur ses terres. – Le week-end du 14 juillet bat tous les records avec 38 morts sur les routes. – Les premiers logements de la « Cité radieuse », construite par Le Corbusier à Marseille, sont terminés. – Le barrage de Donzère-Mondragon est ouvert. – Le mur du son est franchi.

1953

Champ politique

« On trouverait une majorité sur le dirigisme ou l'anti-dirigisme, sur l'orientation socialisante ou sur la résistance à la socialisation, sur l'école libre ou l'école laïque, sur l'armée européenne ou son refus, sur la continuation de la guerre en Indochine ou la paix avec Ho chi Minh, mais un accord sur tous ces points à la fois s'avère impossible... La situation se complique encore du fait que la division n'est pas seulement entre les groupes mais au sein de chaque groupe incapable d'adopter une attitude commune et d'imposer à ses membres un vote unique ». C'est en ces termes qu'A. Siegfried pose le problème de l'impossible majorité. R. Mayer en fait l'expérience : les socialistes entendent rester dans l'opposition et le RPF reste hostile à la CED.

♦ *Janvier.* 7. Investiture de R. Mayer qui forme un gouvernement sans les socialistes et qui est soutenu par le RPF qui ne participe pas.

Président du Conseil : R. Mayer (Radical).
Vice-président du Conseil : H. Queuille (Radical).
Ministres d'État : *chargé de la révision constitutionnelle* : P. Coste-Floret (MRP) – *chargé des relations avec les États associés* : J. Letourneau (MRP) – *chargé de la justice* : L. Martinaud-Déplat (Radical) – *chargé de la réforme administrative* : E. Bonnefous (UDSR).
Ministres : *Affaires étrangères* : G. Bidault (MRP) – *Finances* : M. Bourgès-Maunoury (Radical) – *Budget* : J. Moreau (Ind.) – *Affaires économiques* : R. Buron (MRP) – *Intérieur* : Ch. Brune (Radical) – *Défense nationale* : R. Pleven (UDSR) – *Éducation nationale* : A. Marie (Radical) – *Travaux publics, transports, tourisme* : A. Morice (Radical) – *Industrie* : J.-M. Louvel (MRP) – *Commerce* : P. Ribeyre (Ind.) – *Travail* : P. Bacon (MRP) – *Reconstruction* : P. Courant (Ind.) – *France d'Outre-mer* : L. Jacquinot (Ind.) – *Santé publique et Population* : A. Boutémy (Paysan) – *Agriculture* : C. Laurens (Paysan) – *Anciens combattants* : H. Bergasse (ARS) – *PTT* : R. Luchet (Ind.).
Secrétaires d'État : *Présidence du Conseil* : F. Gaillard (Radical) – *Présidence du Conseil et Information* : E. Hugues (Radical) – *Guerre* : P. de Chevigné (MRP) – *Air* : P. Montel (Ind.) – *Marine* : J. Gavini (Ind.) – *Présidence du Conseil* : J. Dupraz (MRP) – *Affaires étrangères* : M. Schumann (MRP) – *Intérieur* : A. Colin (MRP) – *Beaux Arts* : A. Cornu (Radical) – *Enseignement technique, jeunesse et sports* : J. Masson (Radical) – *Marine marchande* : J. Ramarony (Paysan) – *Agriculture* : G. Petit (Paysan) – *France d'Outre-Mer* : H. Caillavet (Radical) – *Santé publique* : P. Covinaud (ARS).

♦ *Février.* 9. Attaqué par les communistes parce que très lié au patronat, attaqué également par le RPF et le MRP parce qu'il avait été préfet de Vichy dans la Loire, mollement défendu par R. Mayer, A. Boutémy démissionne (pour raison de santé).

25. De Gaulle : « Il est clair que le traité de la CED combiné avec l'actuelle politique américaine mène directement à l'hégémonie politique et militaire du Reich en Europe. » Controverse R. Pleven (ministre de la Défense nationale) – M. Debré qui dit : « Le traité d'aujourd'hui c'est la reconstitution de la Wehrmacht ».

♦ *Mars.* 1ᵉʳ. Difficultés de la presse communiste. (*Ce soir* cesse de paraître.)

7. Polémique à propos de la mort de Staline. R. Pleven ayant fait mettre en berne les drapeaux placés sur les bâtiments militaires, F. Dupont y voit une insulte à nos sol-

dats d'Indochine ». Les anciens combattants manifestent à l'Arc de Triomphe. Le RPF proteste. E. Herriot rend hommage aux combattants d'Indochine.

4/29. Voyage de De Gaulle en AEF et AOF. Le 6 mars, à Bamako, il dénonce « les tentatives de subversion des Soviets, une certaine surenchère américaine et l'obscur désir des États européens de séparer la France de ses territoires ».

Courant mars. Congrès national du RPF. De Gaulle constate le reflux de son mouvement : « Aussitôt que les vents ont changé, nous nous sommes retrouvés seuls; au sommet : sans arrivistes ni opportunistes; en bas : sans la grande foule électorale ». Il prend acte de ce que les élus du RPF n'ont pas été assez nombreux pour obtenir le changement de régime par la voie électorale : « Nous devons y parvenir quelle que soit la veulerie du pays (...). Il n'y a aucun doute que la stagnation, l'immobilisme actuels n'ont aucun avenir. Nous existons pour être le recours du pays dans le danger. Bien sûr, nous espérons que le sursaut se produira avant la catastrophe et nous agissons pour cela ».

♦ *Avril.* 26. Premier tour des élections municipales : recul du RPF; succès des modérés, du RGR et du MRP; progrès de la SFIO; maintien du PCF. La SFIO refuse toute entente avec le PCF pour le second tour.

♦ *Mai.* 3. Second tour des municipales. La SFIO reprend la mairie de Marseille aux gaullistes.

6. De Gaulle prend acte de l'échec du RPF aux municipales et rend leur liberté aux parlementaires élus sur son nom en 1951 : « Les faits le prouvent : drame budgétaire, marasme économique, injustices sociales, troubles de l'Afrique du Nord, revers en Indochine, léthargie de la Nation, désarroi des gouvernants qui livrent à l'étranger des lambeaux d'une souveraineté dont ils ne peuvent porter la charge. Il est caractéristique que le succès des partis aux élections municipales s'accompagne du recul de la France sur tous les terrains (...). Voici venir la faillite des illusions. Il faut préparer le recours. »

21. R. Mayer est renversé, la majorité lui ayant refusé les pouvoirs spéciaux en matière économique.

26. Le groupe RPF à l'Assemblée prend le nom d'« Union des Républicains d'Action Sociale » (URAS).

Fin mai. Tentatives successives et infructueuses de G. Mollet, A. Diethelm et P. Reynaud.

♦ *Juin.* 3. Déclaration d'investiture de P. Mendès-France : « Les principaux problèmes doivent être considérés comme un tout. Leur solution est une. Il n'y a pas une maladie de nos finances et une autre de notre économie : une faiblesse de notre démocratie et une crise de l'Union française appelant chacune des remèdes distincts. Les causes sont les mêmes, les mesures à prendre forment un tout indivisible (...). On ne peut pas tout faire à la fois (...). Gouverner c'est choisir. » Ce discours produit un effet de choc, mais l'URAS et le MRP s'inquiètent pour l'Indochine.

4. P. Mendès-France répond aux questions. Il affirme qu'il n'acceptera aucun marchandage pour composer son équipe ministérielle et qu'il demandera à chacun de ses ministres de s'engager à ne pas faire partie du gouvernement qui succèdera au sien. Il obtient 301 voix au lieu des 314 nécessaires. 200 députés se sont abstenus.

13. De Gaulle : « Il n'est même plus question de parler de partis. Il y a pulvérisation, impuissance, dislocation, décrochage saisissant entre la vie réelle et la politique, et c'est là tout le drame français. »
G. Bidault manque l'investiture d'une voix, A. Marie échoue, A. Pinay, appelé, renonce.

26. Après 36 jours de crise, J. Laniel est finalement investi. L'opinion publique s'indigne de la longueur de la crise au moment où la situation économique, et plus

encore la gravité du problème indochinois, requéraient de toute évidence des décisions urgentes. De plus en plus, le pays réel s'étonne du spectacle que se donne à lui-même et à la Nation le petit monde politique. L'échec de P. Mendès-France le grandit et il tend à apparaître comme ce « recours » que De Gaulle prétend être.

28. Formation du gouvernement Laniel :

Président du Conseil : J. Laniel (Ind.).
Vice-présidents du Conseil : P. Reynaud (Ind.). H. Queuille (Radical). P.H. Teitgen (MRP).
Ministres d'État : *Délégué au Conseil de l'Europe :* F. Mitterrand (UDSR) – *Chargé de la réforme constitutionnelle :* E. Barrachin (URAS) – E. Corniglion-Molinier (URAS).
Ministres : *Justice :* P. Ribeyre (Paysan) – *Affaires étrangères :* G. Bidault (MRP) – *Intérieur :* L. Martinaud-Déplat (Radical) – *Défense nationale et forces armées :* R. Pleven (UDSR) – *Finances et Affaires économiques :* E. Faure (Radical) – *Éducation nationale :* A. Marie (Radical) – *Travaux publics, transports, tourisme :* J. Chastellain (Ind.) – *Industrie et Commerce :* J.-M. Louvel (MRP) – *Agriculture :* R. Houdet (Ind.) – *France d'Outre-Mer :* L. Jacquinot (Ind.) – *Travail et Sécurité sociale :* P. Bacon (MRP) – *Reconstruction et Logement :* M. Lemaire (URAS) – *Anciens combattants :* A. Mutter (Paysan) – *Santé publique et Population :* P. Coste-Floret (MRP) – *PTT :* P. Ferri (URAS).

♦ *Juillet.* 2. Nomination des secrétaires d'État :

Présidence du Conseil : P. July (ARS) – *Présidence du Conseil, chargé de l'Information :* E. Hugues (Radical) – *Présidence du Conseil, chargé des relations avec les États associés :* M. Jacquet (URAS) – *Affaires étrangères :* M. Schumann (MRP) – *Intérieur :* E. Thibault (MRP) – *Forces armées, guerre :* P. de Chevigné (MRP) – *Marine :* J. Gavigni (Ind.) – *Air :* L. Christiaens (Ind.) – *Budget :* H. Ulver (URAS) – *Affaires économiques :* B. Lafay (Radical) – *Éducation nationale et Beaux-Arts :* A. Cornu (RGR) – *Aviation civile :* P. Devinat (Radical) – *Marine marchande :* J. Ramarony (Paysan) – *Commerce :* R. Boisdé (ARS) – *Agriculture :* P. Olmi (Ind.) – *France d'Outre-Mer :* F. Schleiter (Ind.).
Sous-secrétaire d'État à la Présidence du Conseil : A. Bougenot.

14. Défilé Bastille-Nation organisé par la CGT et le PCF. A la dislocation, affrontement entre la police et 2 000 manifestants nord-africains dont sept sont tués et de nombreux sont blessés.

Fin juillet. Congrès de la SFIO où apparaît la division entre partisans (G. Mollet, Ch. Pineau) et adversaires (A. Savary, M. Naegelen, R. Lacoste, P.O. Lapie) de la CED.

♦ *Août.* 25. Un certain nombre de personnalités communistes (M. Ducoloné, A. Le Léap, L. Molino, A. Stil), qui avaient été incarcérés pour complot contre la sûreté de l'État, sont mis en liberté provisoire.

♦ *Septembre.* 13. G. Mollet tire pour son parti les leçons des grèves du mois d'août. « Le drame de la situation présente c'est qu'il existe dans l'opinion une majorité opposée à une politique de droite. Mais les staliniens empêchent l'existence d'une majorité pour une politique de gauche. Bien qu'ayant dressé la Nation contre elle, la droite réactionnaire continue donc, grâce aux staliniens, à gouverner contre la volonté populaire de justice et de progrès. » Il propose la constitution d'un front démocratique et social.

22. Démission de F. Mitterrand en désaccord avec la politique du gouvernement en Tunisie et au Maroc. Y. Barel est rayé de la liste des candidats au concours de l'ENA du fait de son appartenance au PCF. Il introduit un recours devant le Conseil d'État.

♦ *Octobre.* Au début du mois, la direction du CNRS remet plusieurs chercheurs à la disposition de leurs administrations d'origine sans explication officielle. Protestation des syndicats contre ces mesures discriminatoires qui s'apparentent à une « chasse aux sorcières ».

20. l'ACA condamne le mouvement « Jeunesse de l'Église ».

♦ *Novembre.* 17. Ouverture à l'Assemblée du débat sur la CED. Les communistes et l'URAS lui sont violemment hostiles; le MRP lui est favorable, mais le clivage pro-cédiste et anti-cédiste traverse à la fois la SFIO, les radicaux et l'ARS.

12. Conférence de presse de De Gaulle : « Beaucoup de Français et de Françaises qui gardent leur idéal et leur espoir vivants et qui ne se laissent pas égarer par telle

ou telle péripétie d'un combat qui dure depuis quinze ans demeurent rassemblés en vue de la suite. C'est à moi-même qu'ils se rattachent. »

23. Le Comité directeur de l'UDSR par 50 voix sur 60, élit F. Mitterrand président.

♦ *Décembre.* 17/22. Très laborieuse élection du président de la République. Au treizième tour, R. Coty est finalement élu. L'opinion publique commence à manifester son irritation. La presse étrangère accable le congrès (Assemblée Nationale + Conseil de la République) de sarcasmes et le ton de la presse française devient de plus en plus vif. Le spectacle qu'offre ce règlement de compte entre gens du milieu politique contribue à détacher l'opinion publique d'un régime dont le fonctionnement frise le ridicule. (R. Coty aurait dit par la suite : « Je sais que j'ai été élu grâce à ma prostate ». Il avait en effet été absent lors d'un vote du Conseil de la République sur l'Europe et c'est pourquoi cédistes et anti-cédistes ont pu s'accorder sur son nom.)

♦ *Novembre/décembre.* Plusieurs prises de position de la hiérarchie catholique sont importantes : le haut clergé de Madagascar rappelle que « l'Église, comme le droit naturel, reconnaît la liberté des peuples à se gouverner eux-mêmes » ce qui exprime une position progressiste sur les problèmes de décolonisation. Par contre, après la décision catégorique de Pie XII, les trois cardinaux Liénart, Gerlier et Feltin déclarent : « L'expérience des prêtres-ouvriers telle qu'elle a évolué jusqu'à ce jour ne peut être maintenue dans sa forme actuelle. »

Champ économique et social

★ *Février.* 10. Ouverture de la première étape du Marché Commun appliquée au charbon, ferraille et minerai de fer.

12. Manifestations organisées par la CGT pour commémorer le 12 février 1934.

★ *Mars.* 23. Arrestations d'A. Stil et de deux leaders cégétistes L. Molino et A. Tollet. Un mandat d'amener est lancé contre Benoit-Frachon qui choisit la clandestinité. Chef d'inculpation : recrudescence de l'action contre la fabrication et le transport de matériel de guerre destiné à l'Indochine. Dans un article paru dans *Le peuple* (journal de la CGT), on peut lire : « Nous avons conscience, nous travailleurs français, de la responsabilité qui nous incombe. Nous comprenons que notre devoir est d'être absolument et totalement aux côtés des travailleurs asservis par le colonialisme français, que nous devons par des actes hâter l'heure de leur libération. » Contre ces arrestations, la CGT manifeste son indignation, la CFTC réagit mollement et la CGT-FO déclare : « La CGT-FO n'a pas à s'immiscer dans cette affaire. Nous ne connaissons pas le dossier, mais nous savons par expérience que les communistes sont capables de beaucoup de choses. Nous n'avons rien à dire tant que la justice s'exercera normalement. » Dans tout le pays, les réactions spontanées sont très faibles et les quelques ordres de grève lancés par la CGT sont peu suivis. Il apparaît donc clairement que, pour l'heure, la classe ouvrière française n'est pas massivement mobilisable sur la plate-forme de la lutte anti-impérialiste.

★ *Avril.* 15. Déclenchement d'une grève unitaire chez Renault : CGT, CFTC et FO se sont mis d'accord.

27. Le gouvernement fait arrêter trois secrétaires du Syndicat CGT de Renault.

30. Journée d'action revendicative lancée par la CGT-FO et la CFTC. L'absence de participation de la CGT marque clairement l'opposition entre un syndicalisme « revendicatif » et un syndicalisme « politisé ». Ce qui est confirmé par le 1er mai.

★ *Mai.* 1ᵉʳ. Le traditionnel défilé de la Nation à la Bastille est en effet organisé par la seule CGT (et le PCF), FO et la CFTC ayant refusé d'y participer. Ce même jour, dans le défilé cégétiste d'Anzin, 600 manifestants Nord-africains brandissent le drapeau des nationalistes algériens, ce qui déclenche une charge des CRS. On voit donc qu'à un moment où le problème indochinois n'est pas encore réglé, le problème algérien ne va pas tarder à se dramatiser.

6. La régie Renault ferme les Usines de Billancourt. Ce lockout affecte 37 000 ouvriers qui sont convoqués individuellement à partir du lendemain. Le travail reprend. Dans cette affaire, qui vise à isoler la CGT, le syndicat « indépendant » joue un rôle important et tout le monde sait qu'il est très lié à l'ARS.

23/25. Congrès de la CFTC. Le président J. Tessier, qui a démissionné, est remplacé par M. Bouladoux, ancien secrétaire général.

30/31. Congrès de la CGC. Son président A. Malterre affirme qu'elle compte 180 000 adhérents.

★ *Juin.* 7/8. Congrès de la CGT. P. Le Brun, secrétaire confédéral et membre du Conseil Économique, préconise la formation d'un nouveau Front populaire.

★ *Juillet.* – Échec des négociations paritaires dans la métallurgie parisienne. Ces négociations font apparaître qu'il peut y avoir entente entre la CGT et les autres syndicats lorsqu'il s'agit d'obtenir du patronat des avantages salariaux. Manifestations des viticulteurs méridionaux. Barrages des routes.

★ *Août.* 4. Les postiers de Bordeaux déclenchent une grève illimitée. L'ensemble des PTT suit. Puis les fonctionnaires et travailleurs de l'État : SNCF, mineurs, EDF-GDF.

7. Il y a 2 millions de grévistes dans les services publics. Les différentes centrales syndicales s'entendent pour créer un Comité d'Action pour un Front unique de grève : il s'agit de lutter contre les décrets qui doivent être pris en application des pouvoirs spéciaux et qui inquiètent les syndicats de fonctionnaires. Socialistes et communistes demandent la convocation du parlement (qui est en vacance), ce qui est refusé par son Président E. Herriot. Le gouvernement lance des ordres de réquisition qui sont sans effet.

12. J. Laniel lance un appel au pays dont la vie économique est stoppée : « Nous disons non à la grève ce qui ne veut pas dire non à toutes les revendications. »

15/17. Pourparlers Laniel-CFTC-FO qui échouent.

17. Nouvel appel de J. Laniel : « Les pouvoirs publics n'engageront pas de conversation avec ceux qui ne reprendraient immédiatement le travail. » Les travailleurs qui n'ont pas répondu aux ordres de réquisition sont poursuivis en correctionnelle. Des condamnations (généralement avec sursis) sont prononcées. Le gouvernement rassemble des forces de police considérables et amène des chars aux environs de Paris.

18. Favorables à l'isolement de la CGT et du PCF, mais redoutant de leur laisser le monopole de la défense de la classe ouvrière, le Comité directeur de la SFIO et le Bureau du groupe parlementaire insistent pour une reprise des négociations. La Commission exécutive du MRP (le MRP s'était pourtant prononcé contre la convocation du parlement) désigne une délégation pour « prendre contact avec le gouvernement et les organisations syndicales ».

21. Reprise des pourparlers entre le gouvernement et les délégations CFTC et FO à l'exclusion de la CGT. Les deux syndicats ayant obtenu satisfaction sur presque tous les points, lancent un ordre de reprise du travail. Mais la base ne suit pas et observe les consignes de résistance lancées par les Comités de grève spontanément constitués ou créés à l'initiative de la CGT. Le gouvernement fait alors une déclaration publique affirmant qu'il respectera les accords signés (entre autres : aucune sanction administra-

tive pour cette grève, retenues sur les journées de grève échelonnées sur plusieurs mois).

25. La CGT s'associe à l'ordre de reprise générale « pour maintenir l'unité d'action ».

★ *Septembre.* 17. Relèvement des bas salaires des secteurs publics et nationalisés.

★ *Octobre.* 12. Manifestations agricoles dans quatorze départements pour protester contre la baisse des cours du bétail.

★ *Novembre.* 9. Grève du personnel enseignant à peu près unanimement suivie. L'UNEF affirme sa solidarité.

Malgré la pression inflationniste, le déficit commercial et la stagnation de la production et des échanges, les prix sont restés stables, stabilité qui n'a en rien empêché l'agitation sociale.

Champ culturel

▶ *Prix littéraires* – Goncourt : *Le temps des morts* (P. Gascar)
              Renaudot : *La dernière innocence* (C. Bertin)
              Fémina : *La pierre angulaire* (Z. Oldenbourg)
              Interallié : *L'air sur la quatrième corde* (L. Chauvet)

▶ *Littérature* – S. Beckett publie *L'innommable :* le narrateur se confond avec l'auteur qui s'accuse de parler afin de déguiser sa propre histoire, la seule qui mériterait d'être racontée. A la fin il n'est plus qu'« une grande bouche idiote, rouge, lippue, baveuse, au secret, se vidant inlassablement avec un bruit de lessive et de gros baisers, des mots qui l'obstruent ».
A. Robbe-Grillet publie : *Les Gommes.* Sous l'apparence d'un roman policier, A. Robbe-Grillet esquisse en fait une nouvelle écriture « objective ou littérale » selon l'expression de Roland Barthes qui, cette même année, publie *Le degré zéro de l'écriture* et se réjouit de voir A. Robbe-Grillet tenter « d'aseptiser la forme même du récit » et de préparer « un déconditionnement du lecteur par rapport à l'art essentialiste du roman bourgeois ». En inaugurant une « nouvelle critique » R. Barthes soulève l'indignation de la critique universitaire traditionnelle.

▶ *Théâtre* – Le 3 janvier est créé à Paris : *En attendant Godot,* pièce qui avait été refusée par plusieurs théâtres et qui connaîtra désormais un succès ininterrompu. Elle a été aujourd'hui (1975) traduite en dix-huit langues. Selon A. Simon, « Godot n'est pas God, il est la présence d'une absence plus que l'absence d'une présence ». Commentant cette pièce de S. Beckett, A. Robbe-Grillet qui, au même moment, tente de créer selon la formule de R. Barthes une « littérature littérale », se réjouit de voir le théâtre enfin débarrassé « des vieux mythes de la profondeur (...). Nous saisissons tout à coup en les regardant (les deux clochards de Godot) cette fonction majeure de la représentation théâtrale : montrer en quoi consiste le fait d'*être là.* Car c'est cela précisément que nous n'avions pas encore vu sur la scène ». Alors que dans le théâtre traditionnel les personnages *jouent un rôle,* chez S. Beckett « les deux vagabonds se trouvent en scène *sans avoir de rôle.* Ils sont là; il faut qu'ils s'expliquent (...). Ils sont libres (...). Une liberté sans emploi (...). La seule chose qu'ils ne sont pas libres de faire c'est de s'en aller, de cesser d'être là (...). Ils seront encore là le lendemain, le lendemain du lendemain (...), seuls en scène, debout, inutiles, sans avenir ni passé, irrémédiablement présents ».

Dans une telle pièce, le langage, loin d'être un moyen de communication entre les personnages, témoigne de leur incommunicabilité puisque chacun monologue sans écouter l'autre et sans même espérer en être écouté.

Mais ce théâtre tragique n'attire encore qu'un public restreint. Marguerite Jamois crée *L'alouette* de J. Anouilh, le plus fécond de nos dramaturges (26 pièces) dont A. Simon dit : « Dans tous les cas, un grand sujet est réduit à sa moindre dimension, voire dénaturé pour complaire à un public paresseux. Cela est fait avec habileté et presque toujours avec succès. »

▶ *Cinéma* – H.-G. Clouzot : *Le salaire de la peur*
      M. Carné : *Thérèse Raquin*
      M. Ophüls : *Madame de...*
      J. Tati : *Les vacances de Monsieur Hulot*
      L. Benedek : *L'équipée sauvage*
      H. Hawks : *Les hommes préfèrent les blondes*
      H. Koster : *La tunique* (superproduction hollywoodienne sur écran large
         utilisant une nouvelle technique)
      A. Hitchcock : *Le crime était presque parfait*
      M. Antonioni, D. Risi, A. Lattuada, F. Fellini : *L'amour à la ville*
      F. Fellini : *Les vittelloni*
      R. Rossellini : *Voyage en Italie*
      L. Visconti : *Senso*
      I. Bergman : *La nuit des forains*
      L. Bunuel : *El*

▶ *Peinture et expositions* – Le Corbusier (Musée d'Art Moderne), *Le nu dans la peinture française* (Galerie Charpentier), *L'affiche* (Bibliothèque nationale). Une exposition consacrée aux *automates* attire 200 000 visiteurs à la Galerie Charpentier.

▶ *Vie quotidienne* – Expérimentation du four solaire de Mont-Louis. – Début de l'exploitation du gaz de Lacq. – La télévision en couleur fait son apparition aux États-Unis. – Procès des « malgré nous », c'est-à-dire des Alsaciens mobilisés dans l'armée allemande et dont certains embrigadés dans la division Das Reich avaient participé au massacre d'Oradour.

1954

Champ politique

« Même si nous réussissions à conserver en Indochine l'influence culturelle et les relations commerciales privilégiées auxquelles notre contribution à un progrès de trois quarts de siècle devait nous donner droit, point de doute : une page est tournée et la phase indochinoise, combien brillante, de notre empire colonial est terminée (...). L'Occident va-t-il continuer à disposer de tout l'au-delà de Suez dans une conception mondiale de mise en valeur planétaire assurée selon ses méthodes, ses inspirations et en fin de compte ses intérêts? (...) L'enjeu est si énorme, les risques sont si formidables qu'on ose à peine considérer fixement ce que serait demain le visage nouveau du monde si l'Extrême-Orient, si l'Océan Indien devaient échapper à notre contrôle (...). C'était nos capitaux qui mettaient en valeur les richesses naturelles des cinq continents; c'était nos techniciens, nos administrateurs qui, délégués avec nos capitaux, organisaient eux-mêmes partout la production en assurant l'exploitationn efficace des entreprises (...). Comme un vaisseau de haut-bord a besoin de sentir sous lui la profondeur des océans, le puissant système de l'Occident ne peut survivre sans une base mondiale (...). Quand Rome perdit sa puissance militaire, elle perdit aussi la source de sa richesse (...). La présence française au sud de la Méditerranée ne saurait être l'objet d'une discussion : nous n'y sommes pas en étrangers, ni en colons, mais en associés permanents au même titre que les Romains de l'Antiquité.
Le ton de M. Mendès-France n'est pas celui de ses prédécesseurs. Ses déclarations ont des arêtes vives et il cherche plutôt à trancher qu'à s'accomoder, ce qui lui vaut, surtout auprès des jeunes, un prestige certain (...). Son ascendant sur une assemblée qui, au fond, ne l'aime pas, est singulier et intéressant à analyser : cette tactique à l'emporte-pièce surprend un parlement qui a tout essayé et que la lassitude porte à accepter cet ultime recours. » (A. Siegfried, *Introduction à l'année politique 1954*).

♦ *Janvier.* 12. A. Le Troquer est élu président de l'Assemblée contre P. Pflimlin. C'est une nouvelle occasion d'affrontement entre cédistes et anti-cédistes, entre laïques et anti-laïques. G. Monnerville est pour la 10ᵉ fois réélu président du Conseil de la République.

16. V. Auriol transmet ses pouvoirs à R. Coty.

19. Message de R. Coty au parlement « L'Union Française, qui nous permet de parler dans le monde au nom de 100 millions d'êtres humains, est à nos yeux une vaste famille où chacun garde sa personnalité propre mais où tous les cœurs battent à l'unisson. »

Fin janvier. Le camp retranché de Dien-Bien-Phu est totalement investi par les Vietscongs. Développement du terrorisme au Maroc où Ben Arafa (le sultan des Français) est mal vu de la population urbaine.

♦ *Février.* Le Viet-minh s'infiltre dans le haut-Laos. Le terrorisme se développe au Maroc. La conférence quadripartite de Berlin décide la réunion d'une conférence à Genève pour régler les problèmes coréens et indochinois.

♦ *Mars.* 5/9. Discussion à l'Assemblée sur la politique indochinoise. Laniel : Nous sommes unanimes à souhaiter désormais de régler le conflit par voie de négociations. » Intervention de P. Mendès-France qui réclame la négociation directe avec Ho-Chi-Minh : « Il y a dans votre politique une grande arrière-pensée inavouée, celle d'une intervention militaire américaine. » Les radicaux se divisent : la plupart votent la confiance mais 22 (dont P. M.-F. et E. Daladier) et 17 UDSR (dont F. Mitterrand) la refusent.

6/8. Au Comité central du PCF, J. Duclos attaque A. Lecœur, député du Pas-de-Calais, qui est replacé à la base. On lui reproche surtout les échecs du parti dans les différentes grèves lancées dans la région du Nord.

14. Deuxième tour de l'élection législative partielle de Seine-et-Oise. Les anticommunistes font taire leurs divergences sur la CED et Mme G. Peyroles l'emporte de justesse sur A. Stil.

31. Devant les officiers de réserve de Saumur le Maréchal Juin, qui avait antérieurement dénoncé la CED, appelle de ses vœux « un État stable au lieu d'une administration sans oreille ni entraille qui poursuit sa besogne de comptable. » Convoqué par J. Laniel dont il est conseiller militaire permanent, il refuse de répondre à la convocation. Il est privé de ses fonctions françaises (vice-président du Conseil supérieur des forces armées), mais il reste commandant de la zone Centre-Est de l'Europe, poste qui dépend de l'OTAN. Ces sanctions sont critiquées par le sénateur M. Debré et par le Général Koenig, Président de la Commission de la défense nationale et député URAS.

Pendant tout le mois, la situation s'aggrave à Dien-Bien-Phu. L'infiltration du Viet-Minh commence dans la périphérie du camp retranché. Le Général Ely, chef d'État-major général se rend à Washington le 20 mars et obtient l'envoi de vingt-cinq bombardiers supplémentaires. Mais le président Eisenhower sait bien que l'opinion publique américaine est contre l'engagement en Indochine.

♦ *Avril.* 4. Incidents Place de l'Étoile. J. Laniel et R. Pleven (ministre de la Défense nationale) sont pris à parti par la foule au cours d'une cérémonie organisée par l'Association des Anciens du corps expéditionnaire de l'Extrême-Orient. La foule crie : « Vive Juin ! Vive l'armée ! Pleven et Laniel démission ! » La police (L. Martinaud-Déplat est ministre de l'Intérieur), curieusement réduite, est débordée et les ministres regagnent péniblement leur voiture sous la protection des généraux.

7. Conférence de presse de De Gaulle qui se prononce contre l'armée européenne mais en faveur de ceux qui cherchent à faire cesser la Guerre d'Indochine. Il défend le Maréchal Juin.

26. Ouverture de la Conférence de Genève qui doit régler les problèmes coréens et indochinois.

Le ministère semble condamné car la cohabitation entre adversaires et partisans de la CED y devient de plus en plus difficile. La situation devient dramatique à Dien-Bien-Phu alors que le terrorisme s'aggrave au Maroc.

♦ *Mai.* 4/6. Débat sur le problème indochinois. J. Laniel obtient la confiance.

7. Chute de Dien-Bien-Phu.

11/13. Nouveau débat sur l'Indochine. Ch. Fouchet (URAS) somme le gouvernement de se retirer. J. Laniel se tait, se contentant d'annoncer qu'il reposera la question de confiance. « Équipe usée » écrit *Le Figaro*. « Le gouvernement n'est plus qu'un groupement d'administrateurs sans doctrine d'État, sans volonté collective » écrit *Le Monde*. Le 13 mai, après un long discours, J. Laniel pose la question de confiance et l'obtient à deux voix de majorité.

16. Élection législative partielle au Pas-de-Calais où le socialiste l'emporte de peu

sur le communiste, ce qui prouve que « l'affaire Lecœur » a eu peu d'influence sur l'électorat communiste qui est fidèle au parti plus qu'à un homme.

Au cours du mois de mai, aggravation de la situation au Tonkin, où l'artère Haïphong-Hanoï est coupée toutes les nuits par le Viet-Minh et réouverte tous les matins par les chars. Désertions massives dans les troupes vietnamiennes. Le Général Navarre redoute une attaque générale sur Hanoï. Les Généraux Ely et Salan (ce dernier ancien commandant en chef en Indochine où il a précédé Navarre) partent en mission en Indochine du 18 au 25 mai. Le terrorisme se développe au Maroc où F. Lacoste, un diplomate, est nommé résident général. Cinq colons français sont assassinés en Tunisie.

A la Conférence de Genève, G. Bidault, ministre des Affaires étrangères, déclare le 8 mai : « Le Viet-nam est le terrain d'une guerre civile (...). Il existe un État Viet-namien dont l'unité, l'intégrité territoriale et l'indépendance doivent être respectées. Si la présence à cette conférence du Parti qui, pour lutter contre cet État, a organisé des forces armées, a été admise comme une nécessité en vue d'un accord sur l'arrêt des hostilités, cette présence ne saurait être interprétée comme impliquant une reconnaissance d'un caractère quelconque. »

♦ *Juin.* 9/12. Débat décisif sur l'Indochine. G.Bidault ne repousse pas l'idée d'une internationalisation du conflit. P. Mendès-France dénonçant « tous les gouvernements qui ont poursuivi pendant sept ans le mirage d'une victoire totale ». La paix en Indochine ne rendra que plus pressant le problème d'Afrique du Nord qui sera « n'en doutez pas, le prochain acte du drame que nous vivons ». Il met en garde les députés contre « le divorce qui s'affirme entre le pays et le régime, surtout entre la jeunesse, c'est-à-dire l'avenir et un régime qui ne lui donne aucun espoir ». Il se prononce « pour une crise salutaire, pas celle qui ramène un cabinet déjà vu mais celle qui tournera une page de notre triste histoire d'après-guerre ».

12. J. Laniel est renversé par 306 voix contre 293.

17. Discours d'investiture de P. Mendès-France : « C'est parce que je voulais une paix meilleure que je la voulais plus tôt quand nous disposions de plus d'atouts. Mais maintenant encore, il y a des renoncements et des abandons que la situation ne comporte pas ».

18. P. Mendès-France est investi par 419 voix contre 47 et 143 abstentions, dont tous les communistes.

19. P. Mendès-France présente son cabinet à R. Coty. SFIO et MRP ont refusé de participer mais l'URAS (ex RPF) participe.

Président du Conseil, Ministre des Affaires étrangères : P. Mendès-France (Radical).
Ministres : *Justice* : E. Hugues (Radical) – *Défense nationale* : Général Koenig (Républicains sociaux, ex-URAS) – *Intérieur* : F. Mitterrand (UDSR) – *Finances* : E. Faure (Radical) – *Éducation nationale* : J.M. Berthoin (RGR) – *Travaux publics et communications* : J. Chaban-Delmas (Radical) – *Industrie et commerce* : M. Bourgès-Maunoury (Radical) – *Agriculture* : R. Houdet (Ind.) – *Travail* : E. Claudius-Petit (UDSR) – *États associés* : G. La Chambre (Ind.) – *France d'Outre-Mer* : R. Buron (MRP) – *Reconstruction* : M. Lemaire (Républicains sociaux) – *Santé publique* : L. P. Aujoulat (Ind. d'Outre-mer) – *Anciens combattants* : E. Temple (Ind.) – *Affaires tunisiennes et marocaines* : Ch. Fouchet (Républicains sociaux).
Secrétaires d'État : *Présidence du Conseil* : A. Bettencourt (Ind.) et J. Masson (Radical) – *Affaires étrangères* : G. de Baumont (Ind.) – *Guerre* : J. Chevallier (apparenté Ind.) – *Marine* : A. Monteil (MRP) – *Air* : D. Catroux (Républicains sociaux) – *Budget* : H. Ulver (Républicains sociaux) – *Territoires d'Outre-Mer* : R. Duveau (UDSR) – *Affaires économiques* : H. Caillavet (Radical) – *PTT* : A. Bardon (ARS) – *Agriculture* : J. Raffarin (Paysan) – *Recherche scientifique et Progrès technique* : H. Longchambon (RGR) – *Enseignement technique* : J. Lanet (UDSR).

Pour la première fois, le MRP est dans l'opposition, mais les gaullistes soutiennent vigoureusement P. Mendès-France et participent au gouvernement.

22. De Gaulle : « Quelles que puissent être les intentions des hommes, l'actuel régime ne saurait produire qu'illusions et velléités. Je demande aux Français de croire que ni directement, ni par personne interposée, je ne prends aucune part à aucune de ces combinaisons. »

♦ *Juillet.* 20. A la Conférence de Genève signature de l'armistice en Indochine

22. Débat à l'Assemblée où P. Mendès-France présente les résultats de la Conférence de Genève : « Je ne me fais pas d'illusions et je voudrais que personne ne se fasse d'illusions sur le contenu des accords. Leur texte est parfois cruel parce qu'il consacre des faits qui sont cruels. » Au cours de la discussion, J. Letourneau, qui fut 44 mois ministre des États associés, exprime son désaccord et conclut : « L'avenir nous départagera. Je prie Dieu que l'avenir me donne tort et vous donne raison. » L'ordre du jour présenté par Mendès-France et approuvant sa politique est voté : 462 pour (PCF, SFIO, presque tous les radicaux et UDSR, la majorité des Républicains sociaux, une fraction de chacun des autres groupes), 134 abstentions (majorité du MRP et de l'ARS).

31/3 août : Voyage de P. Mendès-France à Tunis. Il se fait accompagner par le Maréchal Juin et par Ch. Fouchet.

♦ *Août.* 5. Violente polémique entre P. Mendès-France et L. Martinaud-Déplat (membre du parti radical). P. Mendès-France accusé d'avoir cédé au chantage du terrorisme en Tunisie, exige un vote et accroît sa majorité.

12. P. Mendès-France s'apprête à partir pour la Conférence de Bruxelles qui doit discuter de la CED. Démission de trois ministres anticédistes : Le Général Koenig, J. Chaban-Delmas et M. Lemaire.

28/30. De retour de Bruxelles, P. Mendès-France assiste au débat sur la CED. Le vote de la motion préalable Aumeran-Herriot (qui équivaut au rejet de la CED), par 319 voix contre 264, entraîne la démission immédiate de trois ministres cédistes : M. Bourgès-Maunoury, E. Claudius-Petit et E. Hugues. L'hostilité à l'égard du réarmement de l'Allemagne reste donc très vive; cependant, la Grande-Bretagne et les États-Unis ont nettement laissé entendre que, si le parlement français rejetait la CED, ils ne renonceraient nullement à leur intention de faire participer l'Allemagne à la Défense de l'Europe.

31. Le comité directeur de la SFIO exclut D. Mayer, J. Moch et M. Lejeune pour avoir voté contre la CED. On voit donc que dix ans après la libération de Paris – et malgré la guerre froide – la méfiance à l'égard d'une Allemagne réarmée reste très vive. Le cas de J. Moch, qui a fourni toutes les preuves d'un anticommunisme virulent est, sur ce sujet, exemplaire.

♦ *Septembre.* F. Mitterrand, ministre de l'Intérieur, suspend le commissaire J. Dides qui, soutenu par J. Baylot, ancien préfet de police, animait un réseau de renseignements qu'il diffusait en marge des services officiels.

28/9 *octobre.* Conférence de Londres qui tente de résoudre le problème de la défunte CED. P. Mendès-France obtient la permanence de la coopération militaire de la Grande-Bretagne, la limitation de l'armement allemand, mais doit accepter l'entrée directe de l'Allemagne dans l'OTAN.

♦ *Octobre.* 13. Entretien privé De Gaulle-Mendès-France chez Lapérouse, qui semble indiquer que ce dernier a pu échapper à certaines servitudes du régime.

♦ *Décembre* 4. Journée nationale du RPF à la porte de Versailles. L. Terrenoire : « Si nous avons un conseil à donner à M. Mendès-France, c'est de soigner sa sortie (...). Il ne doit accepter de mourir qu'en plein soleil, en criant la vérité au pays pour bien lui montrer qu'il faut changer le régime. » De Gaulle rend hommage « à l'ardeur, à la valeur et à la vigueur » de P. Mendès-France et dit percevoir « un souffle nouveau qui fait lever les têtes. » Mais il ajoute : « Je me réserve de montrer au pays la route, de le rappeler à ce qu'il pourrait être et, dès lors qu'une crise grave, ferait renaître en lui le courant de salut public, d'intervenir par n'importe quelle voie, fusse la voie électorale. »

10. P. Mendès-France expose sa politique tunisienne et n'obtient que 29 voix de majorité pour la ratification des accords franco-tunisiens signés le 20 novembre. Il est

de plus en plus vivement attaqué sur sa politique en Afrique du Nord. Pourtant, à la suite des attentats perpétrés le 1ᵉʳ novembre dans les Aurès, attentats qui marquent le début de la guerre d'Algérie, il s'est prononcé pour la plus grande fermeté : « A la volonté criminelle de quelques hommes doit répondre une répression, sans faiblesse car elle est sans injustice. Les départements d'Algérie font partie de la République, ils sont français depuis longtemps (...). Jamais la France, jamais aucun parlement, jamais aucun gouvernement ne cédera sur ce principe fondamental. » (déclaration du 12 novembre).

Fin décembre. La discussion du budget des États associés donne aux adversaires de P. Mendès-France l'occasion de faire une nouvelle fois le procès de sa politique indochinoise. Battu à dix voix de majorité, il pose la question de confiance sur l'ensemble du projet : il recueille 310 voix, mais il y a 104 abstentions et 172 voix contre lui. Dans une déclaration relative à l'insurrection des Aurès, l'épiscopat d'Algérie fait appel « à la prière, à la justice et à l'amour fraternel ».

Champ économique et social

★ *Février.* E. Faure, ministre des Finances et des Affaires économiques, élabore un plan de dix-huit mois qui s'insèrera dans le deuxième plan et a trois objectifs : accroissement de 10 % de la production, augmentation du revenu national de 10 % et amélioration du pouvoir d'achat (notamment par relèvement du SMIG), abaissement des prix de vente pour stimuler les exportations. Le 8 février le SMIG est relevé : les syndicats trouvent que c'est insuffisant, le CNPF que c'est une mesure de caractère autoritaire.

★ *Mars.* 27. Décret réformant la licence en droit : elle se fait désormais en quatre ans au lieu de trois avec deux ans de spécialisation entre trois options : droit privé, droit public, économie politique.

★ *Mai.* 1ᵉʳ. Le défilé ayant été interdit, CGT et PCF organisent une réunion au Bois de Vincennes.

★ *Août.* 13. P. Mendès-France obtient les pouvoirs spéciaux en matière économique. Son ministre des Finances, E. Faure, crée un Fonds de reconversion de l'industrie et un fonds de reconversion de la main-d'œuvre. P. Mendès-France prévoyait d'entreprendre une politique de rénovation plus radicale des structures économiques.

Le calme social qui caractérise cette année 1954 contraste avec l'agitation et l'intensité de la vie politique. Le Président du Conseil était décidé à entreprendre des réformes de structure ce qui inquiétait les milieux patronaux. Mais, entièrement absorbé par les problèmes coloniaux et extérieurs, il n'eut même pas le temps de les esquisser. La gestion prudente mais non sans efficacité de son ministre des Finances, E. Faure, rassurait les grands intérêts économiques.

Champ culturel

▶ *Prix littéraires* – Goncourt : *Les Mandarins* (S. de Beauvoir)
　　　　　　　　　　　Renaudot : *Le passage* (J. Reverzy)
　　　　　　　　　　　Fémina : *La machine humaine* (G. Véraldi)
　　　　　　　　　　　Interallié : *Le goût du péché* (M. Boissals)

▶ *Littérature* – Révélation de F. Sagan qui publie *Bonjour tristesse.* Dans ses *Exercices de style* R. Queneau, sous une forme ludique, pose les très sérieux problèmes de l'expression romanesque.

▶ *Théâtre* – E. Ionesco : *Comment s'en débarrasser?*
　　　　　　A. Tchékhov : *Les trois sœurs*
　　　　　　　　　　　　La mouette

On découvre dans Tchékhov une sorte de précurseur du nouveau théâtre : peu ou pas d'action, des personnages qui sont plutôt des non-héros ou des anti-héros que des héros.

▶ *Cinéma* – Cl. Autant-Lara : *Le blé en herbe*
　　　　　　　　　　　　Le rouge et le noir
　　　　　　A. Cayatte : *Avant le déluge*
　　　　　　R. Clément : *M. Ripois*
　　　　　　M. Carné : *L'air de Paris*
　　　　　　J. Grémillon : *L'amour d'une femme*
　　　　　　A. Resnais : *Les statues meurent aussi* (court métrage interdit)
　　　　　　J. Becker : *Touchez pas au grisbi*
　　　　　　F. Zinnemann : *Tant qu'il y aura des hommes*
　　　　　　E. Dmytryk : *Ouragan sur le Caine*
　　　　　　E. Kazan : *Sur les quais*
　　　　　　J. Manckiewicz : *La comtesse aux pieds nus*
　　　　　　O. Preminger : *La rivière sans retour*
　　　　　　A. Hitchcock : *Fenêtre sur cour*
　　　　　　V. de Sica : *L'or de Naples*
　　　　　　F. Fellini : *La strada*
　　　　　　R. Rossellini : *La peur*
　　　　　　I. Bergman : *Une leçon d'amour*
　　　　　　A. Kurosawa : *Les sept samouraïs*

Agnès Varda réalise *La pointe courte,* premier film tourné avec un tout petit budget en dehors du système de production capitaliste, ce qui lui vaut d'être boycotté par les distributeurs. Avec l'équipe des *Cahiers du cinéma,* elle vise à dégager la notion « d'auteur de film », c'est-à-dire de gens capables de faire la preuve qu'à travers toutes les contraintes de l'industrie et du commerce ils peuvent s'exprimer cinématographiquement. Cette contestation du type hollywoodien de production trouve une base technique dans la caméra légère avec synchrone. Dans cette direction, J. Rouch, ethnologue et cinéaste, va avoir une influence décisive (*Les Maîtres fous,* 1957, *Moi un Noir,* 1958) et R. Rosselini saluera en lui un grand innovateur.

Le numéro de janvier des *Cahiers du cinéma* publie l'article-manifeste de F. Truffaut : « Une certaine tendance du cinéma français ». Dans les années qui suivent les cahiers publient de nombreux articles d'E. Rohmer (qui remplace Lo Duca à la rédaction en chef) de Cl. Chabrol, de J.-L. Godard, de J. Rivette et d'A. Astruc. A partir des années 58, ces « jeunes Turcs » de la critique deviendront des réalisateurs.

▶ *Vie quotidienne* – L'abbé Pierre lance une campagne pour les sans-logis – H. Bernard expose la maquette de la Maison de la radio qui suscite des réactions très contradictoires – Coco Chanel rouvre sa maison de couture fermée depuis 1940 – Il y a 100 000 postes de télévision en France – On commence la construction de la première usine atomique française à Marcoule.

1955

Champ politique

« L'opinion française se trouve une fois encore, sans l'avoir voulu, sans bien même s'en rendre compte, entraînée dans un tourbillon qui la dépasse (...). Le spectacle pour ceux qui avaient cru à la pérennité de l'empire constitué par la IIIᵉ République est angoissant (...). Il devrait alerter la quiétude américaine, si portée dans son imprudence à encourager partout de sympathie la passion anticolonialiste. » (A. Siegfried, *Introduction à la vie politique 1955*)

Aux élections de 1951, les apparentements avaient été conçus pour lutter contre le communisme et contre le gaullisme. Entre MRP et SFIO, la question des subventions aux écoles libres crée un fossé impossible à combler. Les communistes étant exclus et les socialistes se récusant, il y eut un déplacement vers la droite : MRP, radicaux et indépendants. Mais, là encore, des clivages apparaissent : le MRP est dirigiste alors que radicaux et indépendants repoussent les interventions de l'Etat dans l'économie. Pour constituer une majorité, l'appoint gaulliste devient alors nécessaire. Mais les gaullistes sont anticédistes, le MRP est procédiste et socialistes et radicaux se partagent chacun en pro et anti-cédistes. La majorité cédiste, la majorité dirigiste, et la majorité « laïque » ne coïncident donc pas, et A. Siegfried a raison d'écrire : « Les gouvernements ne réussissaient à survivre qu'en ne gouvernant pas, toute prise de position un peu nette risquant d'entraîner ipso facto leur dislocation ».

P. Mendès-France introduit un style nouveau : il gouverne et a le courage de poser les vrais problèmes. Mais il n'est soutenu que par une majorité de fortune : les socialistes soutiennent mais ne participent pas; une partie des radicaux est réticente; les gaullistes retrouvent en lui l'ancien collaborateur de De Gaulle; les indépendants sont méfiants; le MRP est hostile. La politique coloniale de P. Mendès-France est progressiste, mais son « brillant second », E. Faure, fait une politique économique traditionnelle et rassurante.

♦ *Janvier.* Le gouvernement sud-vietnamien, auquel les États-Unis accordent une aide directe, refuse l'ouverture des négociations pré-électorales prévues par les accords de Genève.

19/20. Opération « Véronique » dans les Aurès.

24. L'Union de défensé des commerçants et artisans (UDCA), née en janvier 1953 à l'instigation de Pierre Poujade et qui a connu un grand essor dans les secteurs archéo-capitalistes de la production et de la distribution, décide la grève de l'impôt.

25. P. Mendès-France nomme J. Soustelle Gouverneur général de l'Algérie.

27. Le Comité Central du PCF exclut A. Lecœur pour un an.

♦ *Février.* 5. R. Mayer annonce qu'il refusera sa confiance à P. Mendès-France à cause de sa politique algérienne : « Je ne puis croire qu'une politique de mouvement ne puisse trouver de moyen terme entre l'immobilisme et l'aventure ». Riposte de P. Mendès-France : « Si l'Assemblée nous condamnait, elle condamnerait aussi M. René Mayer qui, avec six mois de retard, s'est aperçu que le gouvernement trahit le pays, liquide l'Afrique du Nord et est indigne de la confiance des Français. »

6. La confiance est refusée à P. Mendès-France par 319 voix contre 273. Il tente de reprendre la parole. L'opposition l'empêche de parler. Dans le brouhaha, il lance cet avertissement : « Ce qui a été fait pendant ces 7 ou 8 mois, ce qui a été mis en marche dans ce pays ne s'arrêtera pas. Les hommes passent, les nécessités nationales demeurent. »

15. Arrivée à Alger de J. Soustelle, très fraîchement accueilli.

25. Après des tentatives infructueuses d'A. Pinay, P. Pflimlin et Ch. Pineau, E. Faure est investi grâce à son habileté et à la lassitude de l'Assemblée. Il va poursuivre une politique Nord-africaine de gauche avec une majorité de droite, ce qui le condamne à très court terme. Prudemment, il déclare dans son discours d'investiture : « Le véritable choix n'est pas entre les idéaux, c'est le choix entre les moyens. Le mauvais choix des moyens est le seul véritable choix contre l'idéal. Choisir les moyens n'est-ce pas exactement gouverner? »

Président du Conseil : E. Faure (Radical).
Ministres : *Ministre délégué à la présidence du Conseil :* G. Palewski (Rép. Soc.) – *Affaires étrangères :* A. Pinay (Ind.) – *Justice :* R. Schuman (MRP) – *Défense nationale et forces armées :* Général Kœnig (Rép. Soc.) – *Intérieur :* M. Bourgès-Maunoury (Radical) – *Finances et Affaires économiques :* P. Pflimlin (MRP) – *Éducation nationale :* J.-M. Berthoin (Radical) – *France d'Outre-Mer :* P.H. Teitgen (MRP) – *Travail et Sécurité sociale :* P. Bacon (MRP) – *Travaux publics et transports :* E. Corniglion-Molinier (Rép. Soc.) – *Industrie et commerce :* A. Morice (Radical) – *Agriculture :* J. Sourbet (Ind. et Paysan) – *Reconstruction et logement :* R. Duchet (Ind.) – *Santé publique et population :* B. Lafay (Radical) – *Anciens combattants :* R. Triboulet (Rép. Soc.) – *PTT :* E. Bonnefous (UDSR) – *Marine marchande :* P. Antier (Paysan) – *Affaires marocaines et tunisiennes :* P. July (ARS).
Secrétaire d'État : *Finances et Affaires économiques :* G. Jules (Radical).

♦ *Avril.* 2. L'Assemblée vote un projet de loi sur l'état d'urgence en Algérie.

17 et 24. Les élections cantonales marquent un net recul des Républicains sociaux au profit du centre et de la SFIO.

♦ *Mai.* 4/5. Congrès extraordinaire du parti radical. Éviction de la tendance Martinaud-Desplat. P. Mendès-France contrôle désormais l'appareil du parti. Il fait une tournée de conférences dans l'Est et remporte un grand succès, notamment auprès des jeunes.

♦ *Juin.* 1er. Retour de H. Bourguiba à Tunis.

♦ *Juillet.* 2. Conférence de presse ambiguë de De Gaulle : « Je me désintéresse totalement de ce qui pourra se passer aux élections de 1956. Je vous dis au-revoir et peut-être pour longtemps (...) Le pays, dans ses profondeurs, refait sa vitalité. Le trouble du monde déferle sur nos rivages. Sans qu'on puisse prévoir encore quel facteur ou quel événement provoqueraient le changement de régime, on peut croire que la secousse viendra ».

7. Arrivée de G. Grandval au Maroc.

14/17. Attentat marocain à Casablanca; émeute européenne suivie d'une contre-manifestation marocaine.

16. Le président Diem, soutenu par les Etats-Unis, affirme que son gouvernement n'est pas lié par les accords de Genève.

♦ *Juillet/août.* Une série d'émeutes au Maroc conduisent G. Grandval à démissionner le 24 août.

♦ *Septembre.* 15. Lettre collective de l'épiscopat d'Algérie justifiant le droit de l'Église à prendre position et se prononçant pour « l'accession de tous les éléments de la population aux divers degrés de la culture, à l'exercice des responsabilités civiques et aux charges de la fonction publique ».

18. Déclaration commune des dirigeants de tous les mouvements chrétiens de jeunesse relative à l'Afrique du Nord : « Il n'est plus possible aujourd'hui que les jeunes chrétiens ignorent la doctrine de l'Église sur les légitimes aspirations des peuples. »

♦ *Octobre.* 1er. Ben Arafa part pour Tanger.

9. L'Assemblée approuve la politique marocaine d'E. Faure : éviction de Ben Arafa et installation à Rabat de « gardiens du trône ». Manifestations dans tout le Maroc pour le retour de Mohammed V.

14. L'ACA condamne la torture.

♦ *Novembre.* 5. Le gouvernement approuve le retour de Mohammed V.

16. Arrivée de Mohammed V à Rabat.

29. E. Faure est renversé par 318 voix contre 218, c'est-à-dire 6 voix de plus que la majorité constitutionnelle. Ce vote exprime le refus de l'Assemblée d'examiner en priorité le projet de loi sur la date des élections et les projets de réforme électorale.

Fin novembre. – Communiqué de l'ACA à propos des élections : « Pour affirmer l'indépendance de l'Église et la tenir en dehors des luttes politiques, l'ACA rappelle que les candidats aux élections ne doivent ni se présenter sous l'étiquette de catholiques, ni faire état de leur qualité de membres d'une organisation catholique ».

♦ *Décembre.* 2. Parution au *Journal Officiel* du décret de dissolution de l'Assemblée nationale. E. Faure est aussitôt exclu du parti radical. En vue des prochaines élections les radicaux, la tendance Mitterrand de l'UDSR, la tendance Chaban-Delmas des Républicains-sociaux et la SFIO constituent le Front républicain.

3. F. Mauriac publie un éditorial dans *L'Express* invitant les catholiques à voter pour le Front républicain.

23. Des catholiques (H. I. Marrou, R. Rémond, P. H. Simon, G. Suffert) lancent un appel : « Il faut que les catholiques sachent qu'ils peuvent voter à gauche parce que de leurs votes, demain, dépendent la paix internationale, la paix dans l'Union française, la paix en Algérie, le calme et le progrès à l'intérieur. C'est de cela qu'il s'agit, et non du sort de l'école libre, prétexte adroitement utilisé pour masquer les problèmes vitaux. »

Champ économique et social

★ *Février.* 20. Meeting de l'UDCA au Vel d'Hiv'. De 1952 à 1955, c'est-à-dire de A. Pinay à E. Faure, il y a stabilisation des prix, essor économique, croissance des salaires réels et plein emploi. La fin de l'inflation signe l'arrêt de mort de nombreux petits commerçants : la « valse des étiquettes » devient impossible et l'impôt fixé sur les déclarations de l'année précédente paraît d'autant plus lourd qu'il ne se paye plus dans une monnaie en voie de dépréciation. D'autre part s'esquisse la main-mise du néocapitalisme sur l'appareil distributif.

★ *Mai.* 28/30. Congrès de la CFTC à Asnières : affrontement de la majorité et de la minorité (tendance « reconstruction »).

★ *Juin.* 12/17. Congrès de la CGT. Débat sur la paupérisation. P. Le Brun et L. Rouzaud, secrétaire général de l'Union des Fédérations de fonctionnaires, contestent la thèse de la paupérisation absolue, déplorent que la CGT se cantonne dans l'action revendicative et n'élabore pas un programme économique constructif. Le Congrès approuve B. Frachon qui reprend la thèse de la paupérisation et qui demande que des propositions d'action commune soient adressées à FO, à la CFTC et à la CGC.

★ *Juillet.* 28. Décret instituant un « certificat d'aptitude à l'administration des entreprises ». L'enseignement y est dispensé aux licenciés de toutes origines se destinant aux carrières de l'industrie et du commerce dans des « Instituts d'administration des entreprises ».

★ *Juin / juillet / août.* Nombreuses grèves dans les chantiers navals et la métallurgie à St-Nazaire. Aux chantiers navals de Penhoët, l'annonce d'un retour à la semaine de 40 heures déclenche le 1er août des affrontements violents avec les CRS. Le ministre du travail réunit une commission paritaire qui aboutit à un accord ratifié par référendum le 16 août. Ce qui marque ces grèves, c'est le recours au référendum et l'utilisation des grèves tournantes et perlées qui désorganisent la production sans entraîner une baisse catastrophique des salaires des ouvriers.
A Nantes, même scénario : le 17 août les délégations syndicales sont réunies sous la présidence du Directeur départemental du travail : M. Gand. Les ouvriers envahissent le siège du syndicat patronal réclamant « nos 40 frs » (soit une augmentation de salaires de 25 %). M. Gand, « pour éviter le pire », conseille aux employeurs d'accepter, ce qui est fait. Aussitôt après, la délégation patronale déclare considérer comme nulle une signature extorquée par la violence et ferme les usines le 18 août. Bataille rangée entre ouvriers et forces de police. Médiation du préfet régional. Protocole d'accord le 21 août qui, bien que laissant en suspens la question des 40 F, est approuvé par référendum. Réouverture des usines où commence une succession de grèves perlées.
Rouen, le Mans, la Rochelle, Angers, dans le courant du mois d'août, connaissent des conflits qui imitent les méthodes de St-Nazaire et de Nantes.

★ *Septembre.* Les mouvements s'étendent à Lorient, St-Etienne, Montluçon, Belfort, Le Havre. A Nantes, les grèves perlées rendant l'exploitation impossible, le patronat ferme les usines le 9 septembre. Dans de nombreuses entreprises, les entrepreneurs prennent souvent l'initiative de hausses pour éviter les grèves et de nombreux accords salariaux sont signés.

15. Accord Renault entre la direction, FO et CGC : augmentation des salaires, trois semaines de congés payés, paiement de tous les jours fériés. « Pendant une durée de deux ans à compter du 1er janvier 56, les parties contractantes épuiseront tous les moyens de conciliation avant de recourir à une grève ou à un lock out ». La CGT refuse de signer l'accord.

★ *Octobre.* 4. Fin du conflit de Nantes. Accord CNPF-CGT-FO-CFTC-CGSI-CGC : augmentation des salaires de 12 à 15 %. Reprise du travail. Dans le courant du mois d'octobre, Berliet-Chausson signe un accord imité de l'accord Renault. Citroën, par décision unilatérale, porte à trois semaines la durée des congés payés.

★ *Décembre.* 10. Chez Peugeot et à la SNECMA, accords imités des accords Renault.

En 1955, les salaires ont augmenté de 9 %, les prix de 1 %. L'INSEE estime qu'en trois ans (53, 54, 55) le pouvoir d'achat des ouvriers s'est accru de 20 %. Ces trois ans ont été marqués par les drames de la décolonisation. On perçoit nettement la relative autonomie des champs politique et socio-économique.

Champ culturel

▶ *Prix littéraires* – Goncourt : *Les eaux mêlées* (R. Ikor)
Renaudot : *Le moissonneur d'épines* (G. Govy)
Fémina : *Le pays où l'on n'arrive jamais* (A. Dhotel)
Interallié : *Les élans du cœur* (F. Marceau)

▶ *Littérature* – Le récit traditionnel remporte de grands succès avec *Les rois maudits* de M. Druon et avec certaines traductions comme *Le dégel* d'I. Ehrenbourg et *Le mépris* d'A. Moravia.
Mais les nouvelles formes de la narrativité se font plus nombreuses : M. Leiris publie *Fourbis* et M. Duras *Le square*. A. Robbe-Grillet publie *Le voyeur*. Il entend faire du roman autre chose qu'un univers de « significations ». Gestes et objets doivent être « là » avant d'être « quelque chose ». Dans un texte de 1956, l'auteur écrit : « Nous constatons de jour en jour la répugnance croissante des plus conscients devant le mot à caractère viscéral, analogique ou incantatoire. Cependant que l'adjectif optique, descriptif, celui qui se contente de mesurer, de situer, de limiter, de définir, montre probablement le chemin difficile d'un nouvel art romanesque ».
Un recensement portant sur les plus forts tirages en langue française des dix dernières années (*L'Express* – 16 avril), nous apprend que les six livres qui ont dépassé 400 000 exemplaires sont : *Le petit monde de Don Camillo* (G. Guareschi, 798 000 ex.), *Le grand cirque* (P. Clostermann, 527 000 ex.), *J'ai choisi la liberté* (I. Kravchenko, 503 000 ex.), *Le zéro et l'infini* (A. Koestler, 450 000 ex.), *Le silence de la mer* (Vercors, 420 000 ex.), *Le petit prince* (A. de Saint-Exupéry, 400 000).

Dans *L'opium des intellectuels,* R. Aron dénonce la fascination que le marxisme exerce sur l'intelligentsia française.

▶ *Théâtre* – La Comédie française monte *L'annonce faite à Marie* de P. Claudel. M. Achard remporte un grand succès avec *Voulez-vous jouer avec moâ?* Le succès de B. Brecht auprès du public français se confirme avec le *Cercle de craie caucasien*.
Le nouveau théâtre connaît deux créations : *Jacques ou la soumission* d'E. Ionesco, et *Ping-pong* d'A. Adamov qui s'oriente vers un théâtre-document très explicitement politisé.

▶ *Cinéma* – J. Dassin : *Du rififi chez les hommes*
J. Renoir : *French cancan*
M. Ophüls : *Lola Montès*
N. Ray : *La fureur de vivre*
R. Brooks : *Graine de violence*
A. Hitchcock : *Mais... qui a tué Harry?*
S. Kubrick : *Le baiser du tueur*
M. Antonioni : *Femmes entre elles*
F. Fellini : *Il bidone*
I. Bergman : *Rêves de femmes*
J.A. Bardem : *Mort d'un cycliste.*
En octobre, création de l'AFCAE (Association française des cinémas d'Art et d'Essai). L'AFCAE regroupe 5 salles à Paris en 1955, 11 en 1956, 14 en 1957, 19 en 1958. Cette création est contemporaine de la crise de fréquentation cinématographique qui a commencé dès 1948 (en 1947, 424 millions d'entrées dans les salles françaises – en 1948, 399 millions – en 1951, 372 millions – en 1952, 356 millions – en 1957, 411 millions – en 1961, 328 millions – en 1969, 181 millions.
Donc la baisse commence *Avant* la généralisation de la télévision (1948) mais

s'accélère dès que celle-ci se répand (1960). Il est donc inexact de faire de la télévision la *Seule* cause de la baisse de la fréquentation cinématographique. Le phénomène est plus complexe. Avant 1945, le cinéma fonctionnait sur l'hypothèse de l'homogénéité du public. Le cinéma est alors une « distraction » populaire, il est bon marché, il prend peu de temps, il y a toujours une salle à proximité du lieu d'habitation. Dès les années 50, le cinéma commence à perdre son public populaire. Il y a une élévation culturelle de toute la population jeune (« explosion » scolaire, scolarisation obligatoire jusqu'à 16 ans, etc.). Toutes les enquêtes du CNC depuis 1959 tracent le portrait-robot d'un spectateur jeune, d'un niveau d'instruction secondaire ou supérieur, vivant en milieu urbain. Il y a donc un nouveau public, plus élitiste, que ne satisfait plus la production classique. L'abbé Gau, député MRP lance une campagne contre « le crime et la sensualité qui sont les deux mamelles avachies du cinéma français expirant ». Des députés MRP demandent l'interdiction du *Blé en herbe* de Cl. Autant-Lara et d'*Avant le déluge* de A. Cayatte. De nombreux maires interdisent ces films.

▶ *Peinture* – Bien qu'il soit impossible de fixer une date précise, c'est aux environs des années 55/60 qu'apparaît le Pop'art. C'est surtout un phénomène américain et anglais en réaction contre un certain essoufflement de la peinture abstraite. Pour *R. Lichtenstein, R. Rauschenberg, J. Rosenquist* et surtout *Andy Warhol* (qui fait un peu figure de théoricien) l'art n'est pas une évasion mais un « constat » de la société environnante dans son aspect le plus banal. Les produits les plus ordinaires de la société de consommation sont reproduits ou collés sur les toiles. R. Rauschenberg : « J'estime qu'une toile est plus réelle si elle est créée avec des éléments du monde réel ». Il y a « dérision » par rapport à l'objet, mais également dérision par rapport au travail de l'artiste : Andy Warhol est celui qui va le plus loin dans cette direction, inaugurant la peinture sérielle, c'est-à-dire reproduisant ou faisant reproduire par ses assistants (par les techniques sérigraphiques notamment) la même photo de M. Monroe ou de Mao Tsé-Toung en un très grand nombre d'exemplaires et à des échelles différentes. A. Warhol se nie en tant qu'artiste singulier et puisqu'il montre les produits de la machine, il déclare vouloir être lui-même une machine et dit espérer que ses propres peintures ne puissent plus être distinguées de celles des autres peintres. Pour A. Warhol, il n'y a plus de « sujet esthétique » ni d'habileté ou de « génie » de l'artiste : la peinture et le peintre sont niés.

▶ *Expositions* – G. Braque et V. Kandinsky (chez Maeght), *J. Villon* (chez Carré), *Salon de la sculpture abstraite* (Denise René) – Début de la parution de *L'Œil* – Suicide de N. de Staël.

▶ *Musique* – Création de l'opéra de D. Milhaud *Le roi David* (composé en 1952) - Festival Webern (A. von) (mort en 1945). On joue de nombreuses œuvres de A. Schöenberg dont certaines sont présentées par P. Boulez – Mort d'A. Honegger.

▶ *Vie quotidienne* – Un foyer français sur quatre a un réfrigérateur – Le blue-jean se répand en France – La presse bien pensante reproche aux femmes de porter le pantalon à la messe et au restaurant – Les grands couturiers, Ch. Dior, P. Balmain, H. Givenchy et J. Fath créent « des boutiques » – Air-France commande des « Caravelles » dont le premier vol a lieu au mois de mai.

1956

Champ politique

« La nationalisation du canal du Suez, répercussion purement occasionnelle d'un refus de concours américain à l'Égypte pour le barrage d'Assouan, met en cause tout le système sur lequel le monde vit depuis un siècle. La contestation de la présence française en Algérie, moins par l'Algérie elle-même que par un panarabisme, n'est qu'un autre aspect du même raz-de-marée anti-occidental qui risque de recouvrir la plus grande partie du domaine que l'Europe et l'Amérique, unies dans une même œuvre de civilisation, avaient administré jusqu'ici.

Cette année ne prêterait pour nous qu'à des commentaires pessimistes si, de façon inattendue, une fenêtre ne s'était entrouverte en Europe orientale sur des horizons plus clairs. La révolte polonaise et hongroise contre une tyrannie soviétique devenue manifestement insupportable n'est pas le fait, comme le dit la propagande communiste, d'intrigues fascistes. C'est le soulèvement spontané de peuples qui réclament la liberté. » (André Siegfried; *Introduction à l'année 1956*).

◆ *Janvier*. La campagne électorale, surtout axée sur le problème algérien, revêt un caractère passionné. Pourtant, les élections se déroulent dans le calme. La loi des apparentements, toujours en application, ne vas pas jouer comme en 1951, parce que les partis de la troisième force ne considèrent plus que le régime soit vraiment en danger. En effet, le RPF a éclaté et les Républlicains sociaux sont entrés dans le système. Mais le centre lui-même a éclaté puisque le parti radical est le terrain d'une lutte violente entre la tendance centre-droit d'E. Faure et la tendance centre-gauche de P. Mendès-France. Aux deux extrêmes, on trouve le PCF et l'UDCA et le centre se divise en deux tendances : à droite les modérés, le MRP, quelques républicains sociaux, le rassemblement des gauches républicaines avec E. Faure, quelques radicaux; à gauche le Front républicain avec la SFIO (qui refuse tout apparentement avec le PCF, malgré les très vives instances de ces derniers), les radicaux de P. Mendès-France, la majorité des républicains sociaux qui suivent J. Chaban-Delmas, l'UDSR engagée derrière F. Mitterand.

Comme les apparentements ont été rares, c'est la représentation proportionnelle qui a joué dans la plupart des cas. Les élections ont lieu le 2 janvier et la participation électorale est massive (17,2 % seulement d'abstentions). Le PCF maintient ses positions (25,38 % des suffrages exprimés), mais comme la représentation proportionnelle joue à peu près normalement, ils gagnent 50 sièges (150 députés, contre 100 dans l'Assemblée de 1951); la SFIO a 96 sièges avec 15 % des suffrages exprimés; Radicaux-socialistes et UDSR ont 15,4 % des suffrages exprimés et 91 sièges qui se répartissent entre 77 députés du Front républicain et 14 de la tendance E. Faure; le MRP obtient 11 % des suffrages exprimés et 73 députés auxquels on peut ajouter 10 Indépendants d'Outre-mer soit 83; les Modérés, avec 15 % des suffrages exprimés, ont 95 députés et les Poujadistes, avec 12,5 %, obtiennent 52 sièges. Par rapport aux élections de 1951, la grande différence tient à l'effondrement des Républicains sociaux : en 1951, les Gaullistes avaient recueilli 21,56 % des suffrages exprimés; ils n'en obtiennent plus que 4,42 %, ce qui leur donne 22 députés dont un tiers adhèrent au Front républicain derrière J. Chaban-Delmas, les deux autres tiers ralliant la droite.

L'accroissement du nombre des sièges communistes et l'apparition des Poujadistes va rendre les gouvernements de plus en plus introuvables. On a en effet 200 députés (150 Communistes + 50 Poujadistes dans l'opposition systématique), les autres étant divisés entre le Front républicain et l'ensemble des formations de droite. Numériquement, une majorité serait possible en additionnant Communistes, Radicaux mendésistes, UDSR, Socialistes et Républicains sociaux de tendance Chaban-Delmas, mais le Front républicain a déclaré sa totale hostilité au Front populaire. Donc aucune majorité de gauche n'est possible. Mais aucune majorité de centre-droit n'est possible sans le concours des radicaux ou des socialistes. Les élections de 1956 ont donc encore compliqué le problème et annoncent la crise de 1958. Aussitôt les résultats connus, E. Faure préconise : « Une large union allant des socialistes aux modérés », alors que G. Mollet déclare à *L'Express :* « Il est indispensable que le gouvernement sortant et battu soit remplacé au plus vite. Les responsables du Front républicain revendiquent le pouvoir. »

19. Réunion de la nouvelle Assemblée. Le MRP décide de soutenir sans participer un gouvernement de Front républicain.

31. G. Mollet (désigné par le Président R. Coty qui aurait aussi bien pu choisir l'autre leader du Front républicain P. Mendès-France) est investi.

Président du Conseil : G. Mollet (SFIO).

Ministres d'État : *sans portefeuille :* P. Mendès-France (Radical) *–Garde des Sceaux :* F. Mitterrand (UDSR) – *Anciens combattants :* J. Chaban-Delmas (Républicain social).

Ministres : *Affaires étrangères :* Ch. Pineau (SFIO) – *Défense nationale :* M. Bourgès-Maunoury (Radical) – *Intérieur :* G. Jules (Radical) – *Résident général en Algérie :* Général Catroux *– Affaires économiques :* R. Lacoste (SFIO) *– Affaires sociales :* A. Gazier (SFIO) – *Éducation nationale :* R. Billère (Radical) – *France d'Outremer :* G. Defferre (SFIO) – *Délégué à la Présidence du Conseil :* F. Houphouet-Boigny (RDA).

Secrétaires d'État : *Présidence du Conseil et Relations avec l'Assemblée :* G. Guillé (SFIO) – *Présidence du Conseil et Intérieur :* G. Jaquet (SFIO) – *Présidence du Conseil et Fonction publique :* P. Métayer (SFIO) – *Affaires étrangères :* M. Faure (Radical) – *Tunisie et Maroc :* A. Savary (SFIO) – *Intérieur et Administration de l'Algérie :* M. Champeix (SFIO) – *Intérieur, affaires communales et départementales :* M. Pic (SFIO) – *Guerre, opérations en Algérie :* M. Lejeune (SFIO) – *Air :* H. Laforest (Radical) – *Marine :* P. Anxionnaz (Radical) – *Budget :* J. Filippi (Radical) *– Affaires économiques :* J. Masson (Radical) *– Transports et Marine marchande :* A. Pinton (Radical) – *Industrie et commerce :* M. Lemaire (Républicain social) *– Agriculture :* Tanguy-Prigent (SFIO) – *Équipement rural :* A. Dulin (Radical) – *Reconstruction :* B. Chochoy (SFIO) – *PTT :* E. Thomas (SFIO) – *Travail :* M. Minjoz (SFIO) – *Santé :* A. Maroselli (Radical) *– Arts et Lettres :* J. Bordeneuve (Radical).

Sous-secrétaires d'État : *Logement :* P. de Félice (Radical) – *Agriculture :* H. Loustau (SFIO) – *Marine marchande :* R. Duveau (UDSR-RDA) – *Industrie et Commerce :* H. Dicko (SFIO).

Ce ministère fort nombreux durera jusqu'au 21 mai 1957. Comment expliquer cette exceptionnelle longévité? D'abord parce qu'il n'y a pas d'autre combinaison parlementaire possible. Les communistes peuvent soutenir sans participer sur les problèmes sociaux (3 semaines de congés payés, création du fonds national de vieillesse), voire sur certains problèmes coloniaux (pouvoirs spéciaux en Algérie) mais ne le veulent pas sur la politique extérieure et sur d'autres aspects de la politique coloniale (Hongrie, Suez). La droite peut soutenir la politique extérieure et coloniale du gouvernement mais sa participation est impossible à cause de la loi Barangé. En second lieu, la stabilité ministérielle s'explique par le fait que, secrétaire général de la SFIO dont il contrôle l'appareil, G. Mollet a une « image de gauche » qui lui permettra de faire une politique de droite que cette dernière n'aurait pas pu mener à bien si elle avait présidé le gouvernement. Dans sa déclaration d'investiture, G. Mollet déclare : « Est-il besoin d'insister sur ce que deviendrait la France sans l'Algérie et l'Algérie sans la France? (...) La population autochtone, si elle contient hélas! une minorité de forcenés et de criminels, dans son immense majorité n'aspire qu'au maintien des liens avec la France (...) Il faut réaliser l'égalité politique totale de tous les habitants de l'Algérie. »

Dans le courant de janvier. la situation algérienne a évolué rapidement. L'efficacité de la « rébellion » a obligé la France a accroître ses effectifs militaires de 80 000 hommes au 1er mai 1955 à 225 000 en janvier 1956. Dès le 4 janvier, 61 représentants musulmans à l'Assemblée algérienne demandent la reconnaissance par l'Assemblée d'une nationalité algérienne. Le 14 janvier, création à Alger d'un Comité d'action et de défense de l'Algérie française. Ferhat Abbas, Secrétaire général de l'Union démocratique du Manifeste algérien (UDMA), déclare s'effacer devant les chefs du Front de Libération Nationale (FLN) : « Les méthodes que j'ai défendues pendant 15 ans, coopération, discussion, persuasion, se sont avérées inefficaces; je le reconnais ».

♦ *Février.* 6. G. Mollet se fait insulter par les partisans de l'Algérie française devant le monument aux morts d'Alger. Les manifestants conspuent le nom du Général Catroux dont ils redoutent le libéralisme.

9. G. Mollet cède. Le Général Catroux démissionne et est remplacé par R. Lacoste. P. Ramadier succède à R. Lacoste aux Affaires économiques.

18. Dans une déclaration lue le dimanche dans toutes les églises de France, les évêques dénoncent « la menace qui pèse sur l'enseignement libre ». L'épiscopat, en effet, a noté qu'au cours des récentes élections une fraction importante de l'électorat catholique s'est détachée de la démocratie chrétienne pour rallier le néo-radicalisme de P. Mendès-France. Il redoute que pour garder son « image de gauche », G. Mollet ne fasse voter une loi préjudiciable à l'enseignement libre.

♦ *Mars.* 2. Signature de la déclaration franco-marocaine reconnaissant l'indépendance du Maroc et son « interdépendance » avec la France.

7. Mohammed V proclame l'indépendance et la souveraineté du Maroc.

12. G. Mollet obtient les pouvoirs spéciaux pour régler le problème algérien par 455 voix contre 76, les communistes ayant voté pour. Au cours du débat, J. Soustelle, ancien gouverneur général de l'Algérie, déclare : « L'Algérie perdue : si ces mots venaient à se traduire dans les faits, ils définiraient un désastre national comparable à Sedan et à Juin 1940. La France cesserait d'être une puissance ». Son successeur R. Lacoste renchérit : « Il n'est pas un Français qui accepte de voir la France chassée d'une terre où elle s'est installée par l'indiscutable puissance des armes, mais qu'elle a conquise par l'indiscutable droit d'une œuvre civilisatrice pleine de générosité ».

20. Signature de l'accord franco-tunisien proclamant l'indépendance de la Tunisie.

23. Vote de la loi cadre (« loi Defferre ») sur les territoires d'Outre-mer.

♦ *Avril.* 4. L'aspirant Maillot, membre du PCF, passe du côté du FLN.

♦ *Mai.* 22. P. Mendès-France, ministre d'État, démissionne pour exprimer son désaccord avec la politique algérienne de G. Mollet et R. Lacoste.

♦ *Juin.* 20. *L'Humanité* écrit que « le rapport Krouchtchev suscite une légitime émotion parmi les membres du PCF » et que « les explications données sur les fautes de Staline, leur origine, les conditions dans lesquelles elles se sont produites ne sont pas satisfaisantes ». Il s'agit du texte d'un rapport présenté devant le XXe Congrès du Parti communiste de l'URSS, texte qui a été diffusé en Occident grâce à des « indiscrétions » sans doute calculées : en effet le rapport est théoriquement secret, mais le gouvernement soviétique n'a ni confirmé ni contesté son authenticité.

Fin juin. Inaugurant un monument à la gloire des résistants de l'Ain, de Gaulle reprend ses critiques contre le système et conclut : « Quelles que soient les médiocrités du présent (...) nous avons trop clairement montré comment se retourne une situation apparemment perdue pour cesser de croire aujourd'hui au grand avenir de la France ».

♦ *Juillet*. 5. Grève générale des Musulmans à Alger et des travailleurs algériens en France.

18/21. Congrès national du PCF au Havre. P. Hervé, ancien rédacteur à *L'Humanité*, vient d'être exclu pour avoir réclamé dans son essai *La Révolution et les fétiches* une condamnation des pratiques staliniennes. Il semble qu'au niveau des cellules les discussions suscitées par le rapport Krouchtchev aient été vives. Mais l'appareil a pu étouffer les contestations. M. Thorez déclare : « Il faut reconnaître que quelques voix isolées ont fait l'écho dans nos rangs au tapage de l'ennemi. Certains ont glissé à des opinions opportunistes, voire liquidatrices. Mais le parti dans sa quasi unanimité est resté ferme autour de son comité central. » Il souligne « les mérites exceptionnels de Staline », évoque « les perspectives d'unité d'action avec les socialistes », critique la politique algérienne de R. Lacoste et affirme qu'aucune autocritique n'est nécessaire.

26. Le Président Nasser nationalise le canal de Suez.

♦ *Août*. Voyage de de Gaulle aux Antilles et dans les établissements français du Pacifique.

27. A Vichy, le Maréchal Juin se prononce pour une fédération française en Afrique du Nord.

♦ *Septembre.* 24. M. Farès, ancien Président de l'Assemblée algérienne prend position en faveur d'un dialogue avec le FLN.

♦ *Octobre*. 11/14. Scission du parti radical au Congrès de Lyon qui se prononce contre la réintégration d'E. Faure. L'attaque contre P. Mendès-France est menée par A. Morice, H. Queuille et A. Marie. A. Morice réclame une direction collégiale, accuse P. Mendès-France de brader l'Union française et d'imposer sa dictature au parti : « Notre parti n'apparaît plus comme le garant de la grandeur française; d'autre part, il ne se comporte plus comme un parti démocratique et l'on peut constater certaines pratiques totalitaires dans son fonctionnement interne ». La motion de la majorité contre la direction collégiale est votée par 1 006 mandats contre 426. 14 députés dissidents optent pour la scission et constituent un nouveau parti : le parti radical-socialiste. Paradoxalement, les dissidents veulent prendre leur distance à l'égard de la SFIO mais soutiennent fermement la politique algérienne de G. Mollet et R. Lacoste qui appelle les plus fermes réserves de la part de P. Mendès-France.

16. Arraisonnement de *L'Athos* qui transportait des armes en provenance de l'Égypte à destination finale pour l'Algérie.

22. Interception de l'avion qui transportait du Maroc au Caire les cinq leaders du FLN : A. Ben Bella, M. Khider, M. Boudiaf, Aït Ahmed et M. Lacheraf. Véhémente protestation du sultan.

25. Démission d'A. Savary, secrétaire d'État aux Affaires marocaines et tunisiennes qui désapprouve l'interception.

30. Les Assemblées sont informées de l'intervention franco-britannique à Suez, approuvée par l'Assemblée par 368 voix contre 182.

♦ *Novembre*. 4. Intervention russe à Budapest.

5. Parachutage de troupes franco-britanniques le long du canal de Suez et à Port Saïd. A 23 h 30, message de N. Boulganine à D. Ben Gourion, A. Eden et G. Mollet : « Je considère de mon devoir de vous faire savoir que le gouvernement soviétique s'est déjà adressé à l'ONU ainsi qu'au Président des États-Unis en proposant d'utiliser, avec d'autres membres de l'ONU des forces navales et aériennes pour mettre fin à l'agression. Le gouvernement soviétique est pleinement résolu à recourir à l'emploi de la force pour écraser les agresseurs et rétablir la paix au Moyen-Orient. »

6. Les franco-britanniques débarquent à Port Saïd mais D. E. Eisenhower téléphone à A. Eden, le sommant d'arrêter les opérations militaires.

7. A 0 heure, les franco-britanniques cessent le feu. Le 24 décembre toutes leurs troupes auront évacué l'Égypte.

Au cours du mois de novembre, l'intervention russe en Hongrie fait subir au PCF une épreuve comparable à celle du pacte germano-soviétique. P. Le Brun (CGT) signe un manifeste condamnant l'intervention russe. F. Mauriac démissionne du comité France-URSS. Dans toute la France ont lieu des manifestations anti-communistes. A Paris, le siège du PCF est incendié et en partie dévasté. Les 8 et 9 novembre tous les députés, sénateurs, membres de l'Assemblée de l'Union française (les communistes exceptés) adoptent à l'unanimité des motions rendant hommage au peuple hongrois. Remous à la CGT, notamment à la Fédération des travailleurs du livre qui déclare « que le droit des peuples à disposer d'eux mêmes est imprescriptible et que toute nation a droit au gouvernement de son choix ». La CGT contre-attaque et organise le 13 novembre une grande journée d'unité et d'action contre le fascisme qui est un échec presque total (quelques arrêts de travail de courte durée).

20/21. Réunion à Ivry du Comité central du PCF qui condamne l'attitude de J.B. Tito, des Polonais et des communistes italiens. M. Thorez repousse l'idée d'un Congrès extraordinaire demandé par quelques intellectuels dont P. Picasso et déclare : « Il n'y a pas eu de stalinisme. Cette expression appartient au vocabulaire de nos adversaires. Il s'est cependant produit, en dépit d'une politique juste, fondée sur les principes du marxisme-léninisme, un éloignement de ces principes dans des conditions historiques données. Ces conditions sont aujourd'hui révolues ». A la SFIO l'opposition se durcit contre la politique Mollet-Lacoste. Elle est menée par A. Philip; R. Verdier, D. Mayer et Marceau Pivert qui réclament, eux aussi, la réunion d'un Congrès extraordinaire.

♦ *Décembre.* 16/17. Conseil national SFIO qui consacre le triomphe de la tendance Mollet-Lacoste. G. Mollet : « Certains aujourd'hui nous louent, qui nous vilipendaient jadis. Soit ! Leurs mobiles sont divers. Mais c'est le pays, le peuple, le parti qui approuve, qui applaudit ou qui écrit ». En outre la position parlementaire de G. Mollet est forte dans la mesure où le PCF est isolé et où Mendès-France est affaibli par les divisions du Parti radical.

18/20. Débat de politique étrangère : G. Mollet emporte une forte majorité « ce qui nous a guidés, c'est, en quelque sorte, un réflexe anti-munichois ».

Champ économique et social

★ *Janvier.* 20. Accord national sur les salaires dans les mines de fer. Rôle important de A. Gazier, ministre des Affaires sociales (nouvelle dénomination du ministre du Travail) qui représente la tendance de gauche de la SFIO.

★ *Février.* 28. L'Assemblée vote les trois semaines de congés payés.

★ *Mars.* 9. Manifestation de travailleurs algériens.

★ *Avril/mai/juin.* Plusieurs grèves à la RTF.

★ *Juin.* 27. Vote de confiance de l'Assemblée sur le Fonds national de solidarité.

★ *Septembre.* Grève des ouvriers boulangers : les patrons les augmentent et augmentent également le prix du pain.

★ *Novembre.* 7. Débrayage des travailleurs CFTC, FO et CGC en solidarité avec la Hongrie.

29. Institution d'un système de rationnement de l'essence.

Indice des prix de détail (1949 = 100) : janvier 146,8 – Décembre 148,2.
L'emploi en 1956 a été le plus élevé depuis la libération.
Les salaires nominaux ont augmenté de 6 à 7 %. Donc augmentation incontestable
des salaires réels. D'ailleurs il n'y a eu aucun mouvement de grèves de grande envergure.

Champ culturel

▶ *Prix littéraires* – Goncourt : *Les racines du ciel* (R. Gary)
                    Renaudot : *Le Père* (A. Perrin)
                    Fémina : *Les adieux* (F.R. Bastide)
                    Interallié : *Le commandant Watrin* (A. Lanoux)

▶ *Littérature* – A. Camus publie *La chute* et M. Butor *L'emploi du temps*. Comme le
titre l'indique, le thème de ce roman est l'impossibilité de mémoriser un passé à partir
d'un présent qui en est la conséquence. Le temps perdu peut être cherché mais non
trouvé.
   A. Robbe-Grillet écrit *Une voie pour le roman futur.* C'est un manifeste contre l'exis-
tentialisme qui avait privilégié « le message » et prôné la littérature « engagée ». Les
guerres d'Indochine et d'Algérie ont montré le faible pouvoir d'intervention des roman-
ciers sur la politique. A. Robbe-Grillet fait donc le procès de toute la littérature fondée
sur le primat de la psychologie et de la « profondeur » et dénonce la métaphysique
humaniste sur laquelle elle prend appui : « Le monde n'est ni signifiant, ni absurde, *il
est* tout simplement... Autour de nous, défiant la meute de nos adjectifs animistes ou
ménagers, les choses *sont là.* Leur surface est nette et lisse, intacte, sans éclat louche
ni transparent ». Il reprend ses thèses en 1958, dans *Nature, humanisme, tragédie,* où
il se prononce pour une écriture systématiquement dénotative et descriptive, antidote
à tout un discours romanesque saturé d'anthropomorphisme, où la métaphore était
reine et dont A. Camus et J.P. Sartre n'avaient pas su éviter les pièges. Il convient donc
de renoncer « à certaines notions périmées » : personnages, histoire, engagement,
oppositions entre forme et contenu, pour se plier aux rigoureuses disciplines de la description. L'adjectif *optique,* celui qui se contente « de mesurer, de situer, de limiter, de
définir » doit montrer « le chemin difficile d'un nouvel art romanesque ».
   La condamnation du « personnage » soulève de vives polémiques parce qu'il fait partie du système romanesque – intrinsèquement. Ce personnage est souvent « héroïque »
mais il n'est jamais un « héros » dans la mesure où le héros (Œdipe, Lady Macbeth,
James Bond, San Antonio, Astérix) est in-variable. Au contraire, le personnage romanesque se transforme au cours de ses « aventures ». Rastignac, Julien Sorel, Emma
Bovary ne sont plus les mêmes à la fin du roman. Pour Balzac, le personnage doit adopter, sous peine de mort ou de déchéance, une stratégie de carrière allant dans le sens
du déterminisme économique et social. Balzac sauve les Vautrin et les Rastignac mais
perd les Chabert, les Pons, les Rubempré qui ont cru pouvoir ignorer ces déterminismes.
Pour Zola, ce déterminisme, tant qu'il ne sera pas rationalisé par la science, fera des
hommes ces « animaux-objets » que sont la plupart des « personnages » des Rougon-
Macquart.
   Mais à côté du personnage romanesque bourgeois, il y a les « héros » de la littérature
populaire. Cette littérature paraît sous forme de « romans-feuilletons » et Lévi-Strauss
dans *Mythologiques III* propose une hypothèse peut être trop intelligente pour être
exacte : constatant qu'au 19e siècle l'industrialisation inaugure « le temps des horlo-
ges » qui détruit la durée nécessaire à l'expansion des consciences, il pense que la frag-
mentation du temps humain dans le roman feuilleton est précisément destinée à reflé-

ter le temps morcelé du travail répétitif et parcellaire et à rendre celui-ci supportable. Et d'autant plus supportable que, dans ces romans feuilletons, l'idéologie n'est pas neutre : on y voit toujours les méchants (les paresseux) punis et les bons (les travailleurs) récompensés.

On peut aussi se demander si l'absence d'évolution psychologique chez le « héros » contemporain du roman (San Antonio), de la bande dessinée (Astérix, Obélix), du film (Fantomas, Maigret, J. Bond) n'est pas investie d'une mission idéologique : l'inculpation de non-changement dans la conscience du lecteur ou du spectateur.

Pour être « choquant », ce procès du personnage n'est pas nouveau : tous ces problèmes ont été posés par A. Gide dans *Paludes*, livre « qui contient sa propre réfutation, qui porte en lui-même de quoi se nier, se supprimer lui-même » selon la propre expression de A. Gide qui ajoute que « l'histoire de l'œuvre, de sa gestation serait plus intéressante que l'œuvre elle-même ». Il est surprenant que le même A. Gide ait refusé « les personnages pulvérulents » de J. Dos Passos et ait déclaré n'avoir « rien compris » à *Manhattan Transfer*.

Gallimard publie le premier tome des œuvres complètes de A. Artaud, mort en 1948.

▶ *Théâtre* – J. Anouilh remporte un grand succès avec *Pauvre bitos ou le dîner de têtes*, et dans *Le Figaro,* il a l'élégance de faire l'éloge de la pièce de E. Ionesco *Les chaises*, montées de nouveau, mais au Théâtre des Champs Élysées, bien qu'il soit la cible préférée des admirateurs de E. Ionesco.

Le grand public découvre donc E. Ionesco ainsi qu'A. Adamov, dont on joue *Le pélican*. A. Camus adapte l'œuvre de W. Faulkner *Requiem pour une nonne*, et la pièce de T. Williams, *La chatte sur un toit brûlant*, connaît un grand succès.

▶ *Cinéma* – C. Autant-Lara : *La traversée de Paris*
              R. Bresson : *Un condamné à mort s'est échappé*
              H.G. Clouzot : *Le mystère Picasso*
              A. Resnais : *Nuit et brouillard*
              J. Renoir : *Elena et les hommes*
              A. Varda : *La pointe courte*
              R. Vadim : *Et Dieu créa la femme*
              C.B. de Mille : *Les dix commandements*
              R. Aldrich : *En quatrième vitesse* et *Le grand couteau*
              A. Hitchcock : *L'homme qui en savait trop*
              E. Kazan : *Baby doll*
              O. Welles : *M. Arkadin*
              J. Losey : *Temps sans pitié*
              L. Olivier : *Richard III*
              K. Dryer : *Ordet*
              L. Bunuel : *La vie criminelle d'Archibald de la Cruz*
              I. Bergman : *Sourires d'une nuit d'été* et *Le septième sceau*

Et Dieu créa la femme, le film de R. Vadim qui comprenait des scènes considérées à l'époque comme « osées », remporta un très grand succès en France et aux Etats-Unis et fit de Brigitte Bardot, dite B.B. le mythe féminin – et le seul – de l'après-seconde guerre mondiale. Son originalité, et sans doute la raison principale de son succès mondial, tient au fait qu'elle incarna à la fois sur les écrans et dans sa vie privée (une vie privée de vedette, c'est-à-dire en fait une vie privée/publique) le personnage d'une femme joyeuse, relativement impudique et sexuellement libérée. Elle créa une mode et un genre et l'on put compter par centaines de milliers – sinon par millions – les jeunes filles et jeunes femmes qui se coiffèrent, se fardèrent, s'habillèrent et se comportèrent « à la Bardot ». Au cours d'une interview elle dit modestement (?) : « J'ai le physique des filles de mon époque ». Dire que les filles de cette époque ont tenté d'accéder au physique de Brigitte Bardot serait sans doute plus proche de la vérité. Les réticences exprimées par les bien-pensants à l'égard de cette femme-enfant, peut-être un peu perverse, finirent par disparaître puisque c'est elle qui posa pour la très officielle sculpture du buste de la Marianne nationale.

▶ *Musique* – P. Boulez compose *Le marteau sans maître* où le choix est encore le fait du créateur mais qui annonce la *Troisième sonate pour pianos* où le choix sera laissé à l'interprète. Ainsi est mise en valeur cette notion « d'itinéraire » à laquelle est attaché P. Boulez qui écrit : « on devrait s'y promener comme dans un labyrinthe ». Il y a donc dans la *Troisième sonate* une structure principale inamovible autour de laquelle se déplacent des pièces indépendantes. K. Stockhausen (né en 1928) crée *Le chant des adolescents dans la fournaise*. Ancien élève de O. Messiaen et de P. Schaeffer avec qui il a travaillé au studio de musique concrète de la RTF, il explore les possibilités de la musique électronique (*Etude électronique,* 1953) dont il dépasse le stade expérimental dans *Le chant des adolescents.*

▶ *Vie quotidienne* – Apparition des radio-téléphones dans les taxis – *L'Express* organise un forum sur le contrôle des naissances –Pie XII se prononce en faveur de l'accouchement sans douleur.

1957

Champ politique

L'année 1957 connaîtra deux crises ministérielles qui inspirent à André Siegfried la prophétie suivante : « Il apparaît de plus en plus que les parlementaires, au fond d'eux-mêmes, ne souhaitent pas sincèrement le changement d'un régime auquel beaucoup d'entre eux ne croient guère, mais dont ils s'accommodent en fait trop bien. Le scepticisme du public s'accroît, mais contrairement à ce qui s'écrit souvent à l'étranger, il ne semble pas que la IVe République soit en péril, non qu'on l'aime, mais on ne lui préférerait aucun autre système de gouvernement, surtout issu de la droite. » Et, portant son regard sur l'outre-mer, le même auteur poursuit : « Il se peut que, pendant les années qui viennent de s'écouler, la France ait perdu l'Indochine et ses établissements de l'Inde; qu'elle ait vu naître puis se perpétuer une crise algérienne dont elle n'aperçoit pas la fin; qu'elle ait dû consentir une réorganisation profonde de son Afrique noire; mais en même temps, le jaillissement pétrolier saharien ouvre un nouveau domaine à l'expansion technique d'une génération plus jeune de Français chez qui se retrouvent, un siècle plus tard, des aspirations que Jules Verne n'eût pas reniées ». (A. Siegfried – *Introduction à la vie politique 1957*).

♦ *Février.* R. Duchet, dans un éditorial de *La France indépendante,* dénonce la nomination récente de hauts fonctionnaires, tous SFIO : « Le Président du Conseil n'oublie pas qu'il est le secrétaire général de la SFIO. Les nominations accroissent évidemment la clientèle du parti (...). Nous ne pouvons pas tolérer que l'État soit accaparé par les favoris du parti socialiste. Cette colonisation méthodique devient parfaitement scandaleuse. Nous deviendrions complices si nous restions silencieux! »

♦ *Mai.* 3/4. Congrès du parti radical. Vive polémique entre P. Mendès-France et les ministres radicaux. P. Mendès-France : « Qui commande à Alger? Est-ce Lacoste ou est-ce cette poignée de factieux que nous avons déjà vus à l'œuvre le 6 février 1956? (...) C'est le fascisme qui règne en Algérie (...). La presse libérale est saisie, celle des ultras ne l'a jamais été. » Riposte de M. Faure : « Je n'ai pas encore compris la logique politique du Président Mendès-France qui a quitté le gouvernement en nous demandant d'y rester. » Le congrès se termine par une motion confuse. P. Mendès-France ne demande pas la démission des ministres radicaux.

12. Le conseil national de la SFIO renouvelle sa confiance à G. Mollet. Les minoritaires (Ch. André-Julien et A. Depreux) favorables à une politique très libérale en Algérie sont écrasés.

21. G. Mollet engage pour la 34e fois l'existence de son gouvernement et il est renversé par 250 voix contre 213. En fait, les Indépendants s'impatientent parce que leurs conceptions fiscales, sociales et économiques sont à l'opposé de celles de P. Ramadier, ministre des Finances (qui parle d'un impôt nouveau) et d'A. Gazier, ministre des Affaires sociales (qui veut réformer la profession médicale). D'autre part, parce qu'il fait une

politique coloniale de droite, G. Mollet, par compensation, insiste sur sa volonté de faire une politique sociale de gauche. Il veut faire comprendre qu'il est un ministre socialiste et pas seulement un socialiste Président du Conseil. Mais, au sein de la SFIO, nombreux sont ceux qui refusent d'être dupes du double jeu du secrétaire général, et l'opposition de gauche, hostile à la politique coloniale de G. Mollet, ne cesse de se renforcer ce qui explique l'intransigeance de ce dernier sur les questions sociales. Le 21 mai il eut sans doute pu, en tenant un langage plus souple, éviter d'être mis en minorité, mais il lui était agréable de tomber à gauche sur un problème financier lié à des préoccupations sociales.

Mais compte tenu des 150 communistes ou progressistes et des 37 poujadistes comment trouver une majorité gouvernementale puisque les indépendants ne veulent pas des socialistes, et que les socialistes ne veulent pas des indépendants? Pressenti, P. Pflimlin échoue parce que socialistes et radicaux reprochent au MRP d'être clérical et les indépendants lui reprochent d'être dirigiste. En outre, dans le courant du mois de mai, une partie de l'opinion catholique exprime clairement son désaccord avec la politique dite « de pacification » poursuivie par G. Mollet. P.H. Simon publie un pamphlet intitulé *contre la torture* et le Général de Bollardière, catholique vigoureux, demande à être relevé de son commandement en Algérie en signe de protestation contre l'emploi systématique de la torture.

◆ *Juin.* 12. Avec le même programme que P. Pflimlin, M. Bourgès-Maunoury est investi. Pourquoi? Parce qu'il est radical sans être mendésiste; parce que G. Mollet, dont il a été le ministre de la Défense nationale, fait voter pour lui; parce que ses idées sur l'Algérie rassurent la droite. Il obtient donc les suffrages de tous les socialistes, de la majorité des radicaux et de l'UDSR, de la moitié des indépendants et des républicains sociaux, le MRP s'abstenant. Dans son discours d'investiture, M. Bourgès-Maunoury se prononce sans ambiguïté pour le maintien de la présence française en Algérie (où il y a maintenant près de 500 000 soldats) : « Au nom d'une prétendue fatalité, certains voudraient nous décourager dans notre effort. On nous a fort parlé, entre 1940 et 1944, de mythes analogues et nous sommes nombreux à ne pas y avoir cru. Je ne pense pas en conséquence que soient inévitables des poussées de nationalisme exacerbé dans l'évolution des peuples de l'Union française. Dans un pays comme l'Algérie, dont l'unité procède de la seule présence française, une telle phase ne pourrait être que désordonnée, marquée par une série de convulsions ruineuses. C'est elle qui serait à proprement parler rétrograde (...). La vérité est que le maintien de la présence française en Algérie y économisera des décades de tâtonnements et d'erreurs pour le plus grand bien-être de la population. Les slogans d'un anticolonialisme démodé doivent très vite apparaître vides de sens devant notre volonté d'évolution et de progrès. Le colonialisme est mort (...). Je ne crois pas à la fatalité de l'histoire (...). Les chances de la France s'appellent : haute natalité (...), Lacq, Parentis, uranium de la métropole; elles s'appellent enfin Sahara, minerais et ressources hydroélectriques de l'Afrique. »

Président du Conseil : M. Bourgès-Maunoury (Radical-socialiste).
Ministre d'État : F. Houphouët-Boigny (RDA).
Ministres : *Justice :* E. Corniglion–Molinier (RGR) – *Affaires étrangères :* Ch. Pineau (SFIO) – *Intérieur :* G. Jules (Radical socialiste) –- *Défense nationale :* A. Morice (Radical) – *Finances, affaires économiques et plan :* F. Gaillard (Radical socialiste) – *Éducation nationale :* R. Billères (Radical socialiste) – *Travaux publics :* E. Bonnefous (UDSR) – *France d'Outre-mer :* G. Jaquet (SFIO) – *Affaires sociales :* A. Gazier (SFIO) – *Anciens combattants :* A. Dulin (Radical) – *Algérie :* R. Lacoste (SFIO) – *Sahara :* M. Lejeune (SFIO).
Secrétaires d'État : *présidence du Conseil et relations avec le Parlement :* Q. Galy-Gasparrou (Radical socialiste) – *Présidence du Conseil et chargé de l'information :* M. Soulié (Radical socialiste) – *Président du Conseil chargé de la fonction publique :* J. Meunier (SFIO) – *Affaires étrangères chargé des affaires européennes :* M. Faure (Radical socialiste) – *Affaires étrangères chargé des affaires marocaines et tunisiennes :* E. Claparède (Gauche démocratique) – *Algérie :* Mlle S. Sid-Cara (non parlementaire); Abd-el-Kader Barakrok (non parlementaire); M. Champeix (SFIO) – *Intérieur :* M. Pic (SFIO) – *Forces armées-terre :* P. Métayer (SFIO) – *Forces armées-marine :* F. Arnal (SFIO) – *Forces armées-air :* H. Laforest (Radical socialiste) – *Budget :* J.R. Guyon (SFIO) – *Affaires économiques :* E. Hugues (Radical) – *Énergie :* R. Ramonet (Radical) – *Industrie et Commerce :* A. Conte (SFIO) – *Reconstruction :* B. Chochoy (SFIO) – *PTT :* E. Thomas (SFIO) –- *Agricul-*

ture : H. Loustau (SFIO) – *Équipement et plans agricoles :* P. de Félice (Radical socialiste) – *Travail :* J. Minjoz (SFIO) – *Santé publique :* A. Maroselli (Radical socialiste) –– *Arts et Lettres :* J. Bordeneuve (Radical) – *France d'Outre-mer :* Modibo Keita (RDA) et Hammadoun Dicko (SFIO).

Sous-secrétaires d'État : *Présidence du Conseil :* F. Bonard (UDSR), F. Giacobbi (Radical), J. Périer (Radical) – *Reconstruction et Logement :* Jacqueline Thome-Patenôtre (Gauche démocratique) – *Aviation civile :* A. Auban (SFIO) – *Marine marchande : –* J. Faggianelli (Radical) – *Anciens combattants :* A. Quinson (RGR).

27/1ᵉʳ *juillet.* Congrès national de la SFIO : aucune motion de synthèse n'est possible sur l'Algérie entre la motion Mollet-Lacoste, la motion Verdier-Depreux (reconnaissance du fait national algérien, indépendance) et la motion Defferre (statut d'autonomie sans indépendance).

♦ *Juillet.* L'Algérie est au centre de la vie politique française. La situation est alors la suivante. G. Mollet y a envoyé le contingent. Il a chargé le général Massu du maintien de l'ordre à Alger et ce sont les parachutistes de la Xᵉ division qui ont brisé la grève de huit jours ordonnée par le FLN le 28 janvier. Toutefois, malgré la construction de la « ligne Morice », le FLN continue à se renforcer pendant que, de l'autre côté, les ultras n'hésitent pas le 16 janvier à tenter d'assassiner le général Salan à l'aide d'un bazooka. La création, le 5 avril, d'une « Commission de sauvegarde des droits et libertés individuels en Algérie » ne permet pas de nourrir des illusions sur la nature des méthodes de « pacification » utilisées en Algérie.

1ᵉʳ Après que les hommes du colonel Bigeard aient remporté « la bataille d'Alger », R. Salan, commandant en chef en Algérie, déclare : « Les masses musulmanes se détachent de plus en plus de la rébellion pour se rapprocher de nous. En de nombreuses régions, la population manifeste maintenant activement sa volonté de participer à notre action sur le plan de la défense et du renseignement aussi bien qu'en matière administrative. »

19. M. Bourgès–Maunoury obtient la prorogation des pouvoirs spéciaux en Algérie.

♦ *Septembre.* 30 : M. Bourgès–Maunoury est renversé en proposant une loi-cadre Algérienne pourtant fort peu progressiste, par 279 voix contre 253.

♦ *Octobre.* Crise ministérielle. L'Assemblée refuse successivement l'investiture à G. Mollet et à A. Pinay.

4. Lancement par les soviétiques de Spoutnik I.

♦ *Novembre.* 5. F. Gaillard est investi en partie grâce à la lassitude des parlementaires. Il forme un gouvernement qui va de la SFIO à la droite, combinaison sans doute rendue possible par la crainte d'un front populaire (Communistes, SFIO, Mendésistes auraient presque la   majorité).

Présidence du Conseil : F. Gaillard (Radical).

Ministres : *Justice, réformes constitutionnelle et électorale :* R. Lecourt (MRP) – *Affaires étrangères :* Ch. Pineau (SFIO) – *Intérieur :* M. Bourgès-Maunoury (Radical socialiste) – *Défense nationale :* J. Chaban-Delmas (Républicain social) – *Finances et affaires économiques :* P. Pflimlin (MRP) – *Éducation nationale et jeunesse :* R. Billères (Radical social) – *Production industrielle :* P. Ribeyre (Indépendant) – *Travaux publics et Transport :* E. Bonnefous (UDSR) – *Travail :* P. Bacon (MRP) – Agriculture : R. Boscary-Monsservin (Indépendant) – *Reconstruction :* P. Garret (Indépendant) – *France d'Outre-mer :* G. Jaquet (SFIO) – *Algérie :* R. Lacoste (SFIO) – *Sahara :* – M. Lejeune (SFIO) – *Anciens combattants :* A. Quinson (RGR) – *Santé :* F. Houphouët-Boigny (RDA).

Secrétaires d'État : *Présidence du Conseil chargé de l'information :* E. Claparède (Gauche démocratique) – *Affaires étrangères :* M. Faure (Radical socialiste) – *Intérieur :* M. Pic (SFIO) – Fonction publique : R. Marcellin (Ind.) – *Forces armées terre :* P. Métayer (SFIO) – *Forces armées air :* L. Christiaens (Ind.) –– *Forces armées marine :* A. Poher (MRP) – Marine marchande : M. Simonnet (MRP) – Agriculture : H. Dorey (MRP) – Commerce : F. Schleiter (Ind.) – *Affaires économiques :* E. Hugues (Radical) – *Budget :* J.R. Guyon (SFIO) – *PTT :* E. Thomas (SFIO) – *Présidence du Conseil :* Modibo –Keita (RDA) – *Éducation nationale :* Hammadoun Dicko (SFIO) – *Algérie :* Mlle S. Sid Cara (non parlementaire); Abd el Kader Barakrok (non parlementaire).

Sous-secrétaires d'État : *Présidence du Conseil :* F. Giacobbi (Radical socialiste) – *Travail :* H. Maga (Convention africaine)

29. Adoption de la loi-cadre sur l'Algérie (projet Bourgès-Maunoury remanié en tenant compte des objections de J. Soustelle). Au cours de la discussion l'extrême-

droite empêche Mendès-France de parler. G. Bidault a l'élégance de déclarer : « Si M. Mendès-France n'a pas le droit de parler, personne n'aura le droit de lui répondre. »

*Fin décembre.*R. Salan fait un bilan optimiste de l'année 1957 en Algérie : « 1957 a été l'année de l'espoir. Le terrorisme urbain a été extirpé et la vie est redevenue normale à Alger. Les forces de l'ordre infligent aux rebelles des pertes de plus en plus lourdes. L'activité économique, ralentie en 1956, se développe à nouveau. »

Champ économique et social

★ *Janvier.* 20. Grève des travailleurs algériens qui est un succès dans les régions parisienne, lyonnaise et marseillaise.

★ *Février.* 27. Décret créant les IPES (Institut de Préparation aux Enseignements du 2e degré) : moyennant l'engagement d'enseigner pendant un certain nombre d'années – l'époque est marquée par une grande pénurie de professeurs – certains étudiants sont rétribués pendant la durée de leurs études.

★ *Mars.* Grèves au CNRS, dans les houillères, dans les PTT.

18. Loi créant l'INSA (Institut National des Sciences Appliquées) de Lyon. Cette création, dont l'initiative revient à Gaston Berger, est considérée comme « révolutionnaire » parce que c'est la première grande école d'ingénieurs à laquelle on accède sur dossier, c'est-à-dire sans passer de concours d'entrée.

★ *Mai* 9/13. Violents incidents à Saint-Nazaire où CGT, CFTC et FO protestent contre la hausse des tarifs de transports régionaux.

17. Débrayages CGT et CFTC à Flins pour la revalorisation du pouvoir d'achat.

★ *Juin.* 8/10. Congrès de la CFTC à Asnières. Le groupe « reconstruction » qui reproche à la direction sa bureaucratisation, son mépris pour l'action directe et son empreinte cléricale, récolte 36 % des mandats mais n'obtient que deux postes au Bureau.

16/21. Congrès de la CGT. B. Frachon parle avant tout d'unité d'action – même d'unité syndicale – mais il fait repousser une proposition de P. Le Brun préconisant la liberté des tendances au sein de la CGT et il taxe d'anticommunisme les secrétaires des syndicats du personnel pénitentiaire et de la Fédération du Livre qui ont condamné l'intervention soviétique en Hongrie.

★ *Juillet.* 5/29. Mouvement revendicatif du personnel des banques.

Courant juillet. Grève tournante chez les douaniers. Grève du personnel pénitentiaire : le 17 juillet les détenus de la Santé saccagent une partie de la prison. Tous ces conflits sont provoqués par des demandes d'augmentation de salaires. A la 33e Assemblée générale du CNPF G. Villiers déclare que le pays est menacé d'une double faillite extérieure et intérieure parce que l'excessive augmentation des salaires se fait aux dépens des investissements : « l'avenir des jeunes générations plus nombreuses se trouve ainsi compromis ».

★ *Août.* 8. L'augmentation des prix contraint le gouvernement à augmenter le SMIG.

★ *Octobre.* 16. Grève EGF.

24. Violentes bagarres à Saint-Nazaire où un ouvrier est tué. La CFTC organise des grèves tournantes, moyen le plus efficace de faire pression sur le patronat en lui faisant perdre le plus d'argent possible et le moins possible aux ouvriers.

25. Mouvement général d'avertissement aux pouvoirs publics et au patronat.

★ *Novembre*. 19. Journée revendicative des fonctionnaires.

L'expansion industrielle s'est poursuivie (Sud Aviation sort la Caravelle et, en mai, l'usine de traitement du gaz de Lacq entre en fonctionnement). Les gisements pétroliers au Gabon commencent à produire et de nombreux forages au Sahara donnent des résultats positifs. On peut estimer à 9 % la croissance de la production industrielle : (1952 = 100); 1956 : 130; 1957 : 141.

Il y a *aggravation du déficit budgétaire et commercial*. La détérioration affecte également les opérations invisibles et les réserves en or et en devises sont menacées.

L'année sociale a été marquée par la progression de la CFTC qui profite d'une certaine perte d'audience de la CGT due aux événements hongrois. Sur le plan local (en Loire-Atlantique par exemple), la CFTC réalise souvent l'unité d'action avec la CGT qui est refusée sur le plan confédéral. Sauf en Loire-Atlantique, l'année a été calme dans le secteur privé, les employeurs consentant assez facilement à des augmentations de salaires. D'où un déclassement du secteur public par rapport au privé et l'agitation dans le premier.

Les salaires ont augmenté d'à peu près 9 % et l'on s'est efforcé de limiter l'augmentation des prix par des détaxations, des subventions, des importations massives de produits agricoles, c'est-à-dire par des mesures préjudiciables à l'équilibre budgétaire et à celui de la balance commerciale. C'est pourquoi, en fin d'année, E. Hirsch, Commissaire Général du Plan et W. Baumgartner, gouverneur de la Banque de France, lancent un appel à un effort général d'austérité.

Champ culturel

▶ *Prix littéraires* – Goncourt : *La loi* (R. Vailland)
  Renaudot : *La modification* (M. Butor)
  Fémina : *Le carrefour des solitudes* (Ch. Mégret)
  Interallié : *Rue du Havre* (P. Guimard)

▶ *Littérature* – M. Butor : *La modification :* Comme dans *l'Emploi du temps*, passé, présent, et projets sont enchevêtrés. L'histoire systématiquement banale, est entièrement écrite à la seconde personne du pluriel. C'est la première fois qu'un prix « officiel » est attribué à un « roman » ne se réclamant pas de l'écriture romanesque traditionnelle. A. Robbe-Grillet publie *La jalousie* qui contribue à sa célébrité. Il est intéressant de remarquer que cette année même où M. Butor et A. Robbe-Grillet commencent à être « connus », le prix Nobel de littérature est attribué à A. Camus, c'est-à-dire à un romancier traditionaliste.
  G. Bataille publie *Le bleu du ciel*, qu'il avait écrit en 1937. Saint-John Perse publie *Amers* – A. Memmi trace le *Portrait du colonisé. Le docteur Jivago* de B. Pasternak trouve un succès immédiat. L'intelligentsia française découvre le chef d'oeuvre de R. Musil *L'homme sans qualité* et de nombreux articles paraissent sur J.L. Borgès, dont les œuvres sont progressivement traduites.

▶ *Théâtre* – Le théâtre de boulevard connaît une santé florissante avec *Patate* de M. Achard, *La mamma* et *Bobosse* d'A. Roussin. Plusieurs pièces de B. Brecht sont montées ou remontées *(l'Opéra de quatre sous, La vie de Galilée)*. S. Beckett va au-delà de l'attente de Godot dans *Fin de partie*.

▶ *Cinéma* – J. Becker : *Arsène Lupin*
H.G. Clouzot : *Les espions*
R. Clair : *Porte des Lilas*
R. Vadim : *Sait-on jamais?*
D. Lean : *Le pont de la rivière Kwaï*
G. Cukor : *Les girls*
F. Tashlin : *Artistes et modèles*
A. Hitchcock : *Le faux coupable*
J. Huston : *Dieu seul le sait*
E. Kazan : *Un homme dans la foule*
B. Wilder : *Sept ans de réflexion*
F. Fellini : *Les nuits de Cabiria*
M. Antonioni : *Le cri*
L. Visconti : *Les nuits blanches*
I. Bergmann : *Les fraises sauvages*
A. Wajda : *Kanal* (Pologne)
M. Kalatozow : *Quand passent les cigognes*

▶ *Musique* – P. Boulez dirige son *Visage nuptial* et inaugure une révolution dans la direction d'orchestre. Cette révolution ne concerne pas exclusivement la direction de ses propres œuvres mais également celle d'autres compositeurs comme *Le Sacre du printemps* de I. Stravinsky. K. Stockhausen joue à Darmstadt *Klavierstück II,* contemporaine de la *Troisième sonate* de P. Boulez et qui exprime une démarche analogue, à savoir le principe d'une forme ouverte aux parcours multiples (les « itinéraires » de P. Boulez). L'irruption de ces musiques « aléatoires » en 1957 clôt un des chapitres de la musique sérielle.

▶ *Vie quotidienne* – 13 % des foyers français ont un réfrigérateur (37 % des cadres, 6 % des ouvriers) et 14 % ont une machine à laver le linge – Les accidents du travail font 2 000 morts et un million de blessés – On apprend que les Etats-Unis viennent de mettre au point une pilule contraceptive. En septembre, *L'Express* publie un article illustré sur l'éducation sexuelle – On lance la mode « femmes qui travaillent » avec chandail, robe-chemisier, cardigan – A la fin de l'année, l'IFOP pour le compte de *L'Express* administre une enquête sur la jeunesse.

1958

Champ politique

De janvier à mai, les sondages permettent de percevoir un détachement progressif de l'opinion publique à l'égard du régime en place et la montée régulière de la popularité du Général de Gaulle. En fait, la très grande majorité de la population est à la fois hostile au Front Populaire et à un putsch de droite. Le Général de Gaulle apparaîtra comme le recourscontre ces deux dangers. Il faut préciser qu'à gauche comme à droite, on raisonnait à la fois à court terme et à moyen terme : une partie de la gauche était favorable à une solution de type Front Populaire, mais redoutait qu'elle n'entrainât réactionnellement quelques mois après l'instauration d'un régime fasciste; parallèlement une partie de la droite était plutôt favorable à une prise de pouvoir par les généraux défenseurs de l'Algérie française mais craignait que les troubles sociaux (grève générale par exemple), consécutifs à l'établissement d'un tel système politique n'aboutisse au bout de quelques mois à la vie du Front Populaire.

« La haute administration se chargeait en fait de décisions que le gouvernement officiel ne prenait pas (...) L'armée, sur le théâtre lointain des opérations, échappait de plus en plus à l'autorité centrale. Sous la IVᵉ République, la France n'a pas été gouvernée mais elle a été administrée. Que dans ces conditions le pays ait connu l'expansion industrielle la plus remarquable de son histoire, qu'il ait réussi à contenir, sinon à éliminer, le poison communiste, c'est la preuve que socialement et même biologiquement l'organisme est solide » écrit A. Siegfried qui poursuit : « C'était un spectacle impressionnant d'impuissance que celui d'un ministre de la Guerre sans armée, d'un ministre de l'Intérieur sans police, d'un ministre du Sahara ou d'Algérie ne pouvant même pas se rendre dans le domaine de son action gouvernementale ». Évoquant la possibilité d'une grève générale en riposte à un coup d'État des militaires, A. Siegfried écrit : « Mais attention ! L'arme était à deux tranchants, car c'est la CGT communiste qui en eût été le volant dirigeant et dynamique (...). La défense républicaine entraînera inévitablement la formation d'un Front Populaire dans lequel l'élément communiste, dans son affectation de défendre le régime, travaillerait en réalité pour la révolution. Le communisme, bon apôtre, soutient la République comme la corde soutient le pendu. » (A. Siegfried, *Introduction à la vie politique 1958*).

♦ *Février.* 8. L'aviation française bombarde le village de Sakhiet, base du FLN en territoire tunisien : 75 morts, 100 blessés, en grande majorité civile. J. Chaban-Delmas, ministre de la Défense nationale parle de « l'exercice d'un droit de légitime défense ». La droite applaudit. La gauche critique. D. Mayer : « Crime? erreur? faute? on a l'habitude d'opposer l'un à l'autre ces trois termes. On s'apercevra bientôt qu'il s'agit cette fois d'un cumul des trois ». Le gouvernement tunisien rappelle M. Masmoudi, son ambassadeur, qui avant son départ, obtient une audience de de Gaulle.

10. Communiqué nuancé du cabinet du Général de Gaulle : « L'association de la France et de la Tunisie est plus désirable que jamais pour l'Occident et pour le monde. »

♦ *Mars.* 2. A. Morice, G. Bidault, R. Duchet et M. Debré se prononcent en faveur d'un gouvernement de salut public pour le salut de l'Algérie. Le plus précis est J. Soustelle qui déclare : « Il faut qu'un gouvernement de salut public prenne la tête des affaires (...). Il n'y a dans l'immédiat en France, parmi les hommes d'État disponibles, qu'un seul homme qui puisse jouir à l'étranger de l'autorité nécessaire pour faire respecter les intérêts vitaux de la France : c'est le général de Gaulle ».
7. Le gouvernement obtient la confiance sur l'augmentation des crédits militaires.
13. Manifestation des policiers parisiens réclamant une « prime de risque ». Partis de la Préfecture de police, ils assiègent l'Assemblée en injuriant certains députés. M. Bourgès-Maunoury ministre de l'Intérieur, monte à la tribune et donne des explications confuses. Lui succède le député poujadiste J. Dides, ancien policier qui avait été révoqué par F. Mitterrand lorsqu'il était ministre de l'Intérieur. Le vacarme entraîne une suspension de séance. Le gouvernement se contente de remplacer le préfet de police A. Lahillone par M. Papon.

En mars, trois élections partielles dans le Nord, la Nièvre et à Paris sont marquées par une progression des socialistes et des communistes dans le Nord et des républicains sociaux dans la Nièvre et aussi dans le Nord. Le nom de de Gaulle suscite de plus en plus d'échos.

♦ *Avril.* L'échec de la procédure « des bons offices » confiée au diplomate américain Murphy, décide F. Gaillard à convoquer en session extraordinaire une Assemblée nationale en vacance depuis peu. Ces bons offices visaient à réconcilier la France et la Tunisie.
15. Le gouvernement est renversé par 321 voix contre 245 sur la politique des bons offices, c'est-à-dire sur sa politique africaine. F. Gaillard déclare sèchement : « J'espère que personne n'aura la lâcheté de s'abstenir. Chacun doit avoir une opinion nette ». Il n'y a aucune abstention. Ce sont les modérés qui renversent F. Gaillard : à l'opposition habituelle (148 communistes et progressistes, 30 poujadistes, 14 mendésistes, 7 UDSR tendance Mitterrand) se sont joints 17 républicains sociaux, 16 RGR et radicaux dissidents, 3 MRP et surtout 77 indépendants-paysans sur 111. Puisque c'est le centre droit qui a renversé le gouvernement, le Président R. Coty pressent successivement et sans succès G. Bidault et R. Pleven.
20 et 27. Élections cantonales qui expriment dans l'ensemble une grande stabilité de l'électorat.

♦ *Mai.* 8. P. Pflimlin est chargé de constituer le gouvernement. Il est soutenu par G. Mollet, A. Pinay et le MRP, dont il est président. Les modérés sont réticents et les républicains sociaux réclament l'arbitrage de de Gaulle. Dans *Le Monde,* le Général Billotte écrit un article intitulé « Le Général de Gaulle dans l'Histoire ou dans la Politique ? » Le thème de l'aticle est que de Gaulle n'est pas encore revenu dans la politique, mais qu'il ne se situe plus seulement sur le plan de l'histoire.
9. Le général Salan, commandant en chef en Algérie, envoie un télégramme au Général Ely, chef d'État-major où il exprime l'appréhension de l'armée devant d'éventuelles négociations avec les rebelles : « Les seules clauses d'un cessez-le-feu ne peuvent être autres que celles-ci : la France invite les rebelles en Algérie à remettre aussitôt leurs armes et leur garantit, avec une large amnistie, le retour au sein de la communauté franco-musulmane rénovée. »
12. Constitution du ministère Pflimlin.

Président du Conseil : P. Pflimlin (MRP).
Ministres d'État : F. Houphouët-Boigny (RDA) – *chargé du Sahara :* E. Corniglion-Molinier (RGR).
Ministres : *Justice :* R. Lecourt (MRP) – *Affaires étrangères :* R. Pleven (UDSR) – Intérieur : M. Faure (Radical) – Algérie : A. Mutter (Ind.) – *Défense nationale et Forces armées :* P. de Chevigné (MRP) – Finances, affaires économiques et Plan : E. Faure (RGR) – *Éducation nationale :* J. Bordeneuve (Radical) – *Industrie et Commerce :* P. Ribeyre (Ind.) – *Agriculture :* R. Boscary-Monsservin (Ind.) – *France d'Outre-mer :* A. Colin (MRP) – *Travail et Sécurité sociale :* P. Bacon (MRP) – *Santé publique et population :* A. Maroselli (Radical) – *Reconstruction et Logement :* P. Garret (Ind.) – *Anciens combattants :* V. Badie (radical dissident).

13. *15 heures :* P. Pflimlin lit sa déclaration d'investiture : « Il faut que l'on sache que la France n'abandonnera pas l'Algérie (...). En Afrique du Nord, la France seule fait face à une agression qui menace le monde occidental tout entier ».

17 heures : manifestation à Alger au cours de laquelle le Général Salan est conspué.

20 heures : Constitution à Alger d'un Comité de Salut public sous la présidence du Général Massu qui télégraphie à R. Coty : « Moi général Massu, en raison gravité situation et nécessité absolue maintien de l'ordre et ce pour éviter toute effusion de sang, Comité de Salut public et moi exigeons création à Paris d'un gouvernement de Salut public seul capable de conserver l'Algérie partie intégrante de la métropole. » F. Gaillard envoie au Général Salan un télégramme lui confiant les pouvoirs civils en Algérie.

Dans la nuit du 13 au 14, P. Pflimlin est investi par 274 voix contre 129, les communistes s'abstenant. Il est indispensable en effet que, face à l'ultimatum d'Alger, il y ait un gouvernement légitime.

14. *5 heures :* nouvel appel du Général Massu suppliant de Gaulle de former un gouvernement de Salut public. Message de R. Coty à l'armée. *Le Figaro* titre : « Rétablir l'autorité légale » et *Le Parisien libéré :* « Un seul recours : de Gaulle ». Des comités de Salut public s'instaurent dans les principales villes d'Algérie. Le général Salan harangue la population algéroise et termine par : « Vive de Gaulle » (à l'instigation, semble-t-il, de L. Delbecque, chargé de mission au cabinet de J. Chaban-Delmas et secrétaire de la Fédération du Nord des Républicains sociaux).

15. P. Pflimlin élargit son gouvernement : G. Mollet devient vice-président du Conseil, J. Moch ministre de l'Intérieur et A. Gazier ministre de l'Information. L'entrée des socialistes dans le gouvernement est interprétée par certains comme un durcissement de la politique de défense de la République. Déclaration de de Gaulle : « Depuis douze ans la France, aux prises avec des problèmes trop rudes pour le régime des partis, est engagée dans un processus désastreux. Naguère le pays dans ses profondeurs m'a fait confiance pour le conduire tout entier dans son salut. Aujourd'hui, devant les épreuves qui montent de nouveau vers lui, qu'il sache que je me tiens prêt à assumer les pouvoirs de la République ».

16. l'Assemblée vote l'état d'urgence pour trois mois. Le général Ely, en désaccord avec P. de Chevigné ministre de la Défense nationale, MRP, qui veut résister aux « factieux », démissionne. Ce qui veut dire que le régime n'a plus le soutien de l'armée.

19. Conférence de de Gaulle au Palais d'Orsay : « Vous savez, quand les événements parlent très fort et qu'on est d'accord sur le fond, les procédures comportent une flexibilité considérable (...) Croit-on qu'à 67 ans je vais commencer une carrière de dictateur? (...) A présent je vais rentrer dans mon village et m'y tiendrai à la disposition du pays ».

22. A. Pinay va voir de Gaulle à Colombey (or c'est lui qui, en 1952, avait provoqué par son investiture l'éclatement du RPF à l'Assemblée). De retour, il conseille à P. Pflimlin d'entrer en contact avec de Gaulle.

23. Des Comités de Salut public se constituent dans le Sud-Ouest et dans la région lyonnaise.

24. Constitution d'un Comité de Salut public à Ajaccio où arrivent les parachutistes. Des CRS envoyés par avion se laissent désarmer sans difficulté...

26. G. Mollet communique à P. Pflimlin la lettre qu'il a écrite la veille à de Gaulle où l'on peut lire : « Je disais à Monsieur Guichard il y a 48 heures ma crainte que votre retour au pouvoir aujourd'hui ne servît les intérêts du bolchévisme d'une manière quasi irrévocable. Il ne s'agissait alors que de votre venue après les événements d'Alger. Votre silence après ceux d'Ajaccio transforme ma crainte en quasi certitude ». Cependant G. Mollet conseille à P. Pflimlin d'entrer en contact avec de Gaulle.

Nuit du 26 au 27. Rencontre P. Pflimlin-de Gaulle à Saint-Cloud. P. Pflimlin demande sans succès à de Gaulle de désavouer la sédition corse.

27. De Gaulle passe à l'action et à 12 heures publie une nouvelle déclaration : « J'ai entamé hier le processus régulier nécessaire à l'établissement d'un gouvernement républicain capable d'assurer l'unité et l'indépendance du pays ». Peut-être de Gaulle a-t-il reçu des nouvelles d'Alger concernant l'imminence d'un débarquement ou d'un parachutage. Le nouveau ministre de l'Intérieur J. Moch se rend compte que ni l'armée ni la police ne sont prêts à obéir au gouvernement. Les ministres modérés démissionnent. P. Pflimlin obtient la confiance par 408 voix contre 165.

28. Le matin, démission de P. Pflimlin. – L'après-midi, grande manifestation de la gauche « pour la défense de la République. » – Le Président Coty charge A. Le Troquer, Président de l'Assemblée, et G. Monnerville, Président du Conseil de la République, d'aller trouver de Gaulle pour organiser son retour au pouvoir.

29. Dans un message aux parlementaires, le Président Coty leur demande d'investir de Gaulle, sinon il démissionnera : « Je me tourne vers le plus illustre des Français, vers celui qui aux heures les plus sombres de notre histoire fut notre chef pour la reconquête de la liberté et qui, ayant réalisé autour de lui l'unanimité nationale, refusa la dictature pour rétablir la République ». Le groupe socialiste approuve le texte d'une lettre de V. Auriol se prononçant pour de Gaulle. Entrevue de Gaulle-Coty à l'Élysée : « Le général de Gaulle a été pressenti pour former le gouvernement et il a accepté ». Un communiqué émanant de de Gaulle précise qu'il réclamera des pouvoirs exceptionnels et constituants.

♦ *Juin.* 1ᵉʳ. L'Assemblée investit de Gaulle par 309 voix contre 224. De Gaulle est donc le dernier Président du Conseil de la IVᵉ République.

Président du Conseil, Ministre de la Défense nationale : Ch. de Gaulle.
Ministres d'État : G. Mollet (SFIO); P. Pflimlin (MRP); F. Houphouët-Boigny (RDA); L. Jacquinot (Ind.).
Ministres : *Justice :* M. Debré (Républicain social) – *Affaires étrangères :* M. Couve de Murville (ambassadeur) – *Intérieur :* E. Pelletier (préfet) – *Armée :* P. Guillaumat (haut fonctionnaire) – *Finances :* A. Pinay (Ind.) – *Éducation nationale :* J. Berthoin (Radical) – *Travail :* P. Bacon (MRP) – *Territoires d'Outre-mer :* B. Cornut-Gentille (ambassadeur) – *Affectation non précisée :* M. Lejeune (Socialiste) – *Information :* A. Malraux (écrivain).
Secrétaire d'État Industrie et commerce : E. Ramonet (Radical dissident).

Le 7 juillet, le gouvernement sera complété par la nomination de trois nouveaux ministres.

Ministres : *Santé publique :* B. Chenot (haut fonctionnaire) – *Information :* J. Soustelle – *Délégué à la Présidence du Conseil :* A. Boulloche.

De Gaulle dépose aussitôt trois projets de loi : pouvoirs spéciaux en Algérie, pleins pouvoirs, modification de l'article 90 de la constitution c'est-à-dire auto-attribution de pouvoirs constituants.

2. L'Assemblée vote ces trois lois.

3. L'Assemblée se sépare.

4/7. Voyage de de Gaulle en Algérie. « Je vous ai compris ».

♦ *Juillet.* 1ᵉʳ/5. Nouveau voyage de de Gaulle en Algérie.

♦ *Septembre.* 4. Vaste manifestation Place de la République où de Gaulle présente son projet de constitution. Toutes précautions ont été prises pour éviter une contre-manifestation.

Indépendants, MRP, SFIO (qui réunit un congrès extraordinaire), radicaux-socialistes prennent position pour le « oui ». La Ligue des Droits de l'Homme, l'UDSR et le PCF se prononcent pour le « non ».

17. Déclaration des cardinaux de France qui disent ne pouvoir approuver « la propagande inopportune qui incite les catholiques à s'abstenir ou à rejeter le projet de constitution en invoquant uniquement les exigences de leur foi ».

24. De Gaulle remet au Président Eisenhower et au premier ministre H. Mac Millan un memorandum dans lequel il propose l'institution d'une organisation politique et militaire composée des États-Unis, de la Grande-Bretagne et de la France et qui serait chargée d'élaborer une sta stratégie commune et de décider, le cas échéant, du recours à l'arme nucléaire. Pratiquement, c'était substituer au directoire à deux composé des seules puissances anglo-saxonnes un directoire à trois : « La France subordonne le développement de sa participation à l'OTAN à la prise en considération de ses propositions. » Elles ne furent d'ailleurs pas prises en considération.

26. Allocution radio-télévisée de de Gaulle invitant à ratifier la nouvelle constitution. G. Mollet parle dans le même sens : « La République est-elle menacée? Je dis non. Les libertés fondamentales sont-elles assurées? Oui ».

28. Referendum : la Constitution est adoptée par 79,25 % des suffrages exprimés et il n'y a que 15,1 % d'abstentions. Éditorial du *Monde* : « La légitimité du nouveau pouvoir est ainsi fondée avec éclat et l'étendue de ce pouvoir n'a provisoirement d'autres limites que la sagesse d'un homme ».

♦ *Octobre.* 7. Le conseil des ministres adopte le scrutin uninominal majoritaire à deux tours par circonscription. Il faudra redessiner toutes les circonscriptions pour tenir compte des variations démographiques et de la diminution du nombre des députés (460 au lieu de 544).

23. Dans une conférence de presse, de Gaulle propose « la paix des braves ». En vue des élections, les mouvements gaullistes se fédèrent en une Union pour la Nouvelle République (UNR) dont le leader est J. Soustelle, le secrétaire général R. Frey. Dans le comité directeur : J. Chaban-Delmas, E. Michelet, M. Debré. G. Mollet écarte toute alliance avec le PCF : « Il n'y a pas de compromission possible pour un socialiste avec les tenants du bolchévisme ».

♦ *Novembre.* 23 et 30. Élections législatives. Résultats du deuxième tour (% des suffrages exprimés et nombre de députés).

Poussée UNR	28	189
Indépendants	15,4	130
PCF	20,5	10
SFIO	13,8	40
RP	7,3	57

Les communistes reculent de 25 % en 1956 à 20,5 %. Mais, avec 3 833 000 voix, ils ont 10 députés alors que les indépendants en ont 130 avec 2 869 000 voix. On voit donc que le nouveau type de scrutin et le nouveau découpage des circonscriptions ont atteint leur but : la sous-représentation des « séparatistes ». Un grand nombre de leaders ont été battus dont P. Mendès-France, A. Gazier, J. Moch, G. Defferre, E. Faure, F. Mitterrand. Sur 537 sortants, il n'y a que 131 réélus.

♦ *Décembre.* 9. Première séance de la nouvelle Assemblée qui élit J. Chaban-Delmas pour président.

21. De Gaulle est élu Président de la République et de la communauté avec 77,5 % des suffrages exprimés (étaient électeurs : députés, sénateurs, conseillers généraux, maires, adjoints, plus un nombre de conseillers municipaux dépendant de l'importance des communes).

Champ économique et social

★ *Janvier.* 1er. Création officielle du Marché Commun et de l'Euratom.

★ *Mars.* 6. Arrivée du premier chargement de pétrole saharien.

7. Grève des agents de conduite SNCF.

★ *Avril.* 1er. Grève générale des transports.

12. Grève de 24 heures des mineurs.

★ *Mai.* 19. La CGT lance un ordre de grève p « pour la défense de la République ». Elle est peu suivie. Deuxième tentative le 17 mai « pour écraser le complot et sauver la République ». Peu de succès.

30. Grève de la FEN « pour la défense de la République ». L'arrivée de de Gaulle au pouvoir relance le problème de l'Association Capital-Travail qui provoque l'hostilité des trois centrales syndicales.

★ *Dans l'été,* on apprend l'exécution d'Imre Nagy, ce qui accentue l'isolement de la CGT et du PCF. La CFTC rappelle qu'elle a eu raison en mai 1958 de mettre l'accent sur le danger totalitaire : « La liberté syndicale ne peut exister que dans un cadre général de liberté : tout système qui ne lui permet pas d'exister doit être repoussé ». Les élections professionnelles aux postes de délégués du personnel ou de délégués aux comités d'entreprise marquent une avance de la CFTC et un recul de la CGT.

★ *Septembre.* 23. Violente bagarre à l'entrée des usines Simca à Nanterre. C'est le seul incident de la campagne pour le référendum.

★ *Décembre.* 28. Dévaluation du franc et création du « franc lourd ».

30. Profitant des pleins pouvoirs que lui a concédés la dernière Assemblée de la IVe République, de Gaulle – à l'instigation du Professeur R. Debré – signe l'ordonnance créant les CHU (Centres Hospitaliers et Universitaires) dans lesquels les membres du personnel médical et scientifique exercent conjointement les fonctions universitaires et hospitalières.

On ne parvient pas à enrayer la hausse des prix : d'octobre 57 à octobre 58, la vie a monté de 14 %. Mais relative stabilisation dans la seconde partie de l'année : indice des prix de détail (juillet 1957 = 100) janvier 58 : 109,71; juin 58 : 112,84; décembre 58 : 113,65. Progression ralentie des salaires, surtout dans la seconde partie de l'année à cause de la diminution des heures supplémentaires. Balance commerciale très déficitaire. Fin 57, les réserves de devises sont presque épuisées : on demande aux États-Unis des reports d'échéances et un nouveau droit de tirage au FMI. En juin, l'emprunt Pinay permet d'acheter 450 tonnes d'or mais, dès octobre : spéculation à la baisse du franc dans la perspective d'une dévaluation jugée inévitable.

D'après les statistiques officielles, en 57, les grèves avaient entraîné la perte de plus de 4 millions de journées de travail; en 1958 on ne compte qu'un million de journées perdues. Le fait que FO et CFTC ne soient pas intervenues dans la crise de mai semble imputable à une relative prospérité économique (en outre écœurement devant le fonctionnement du « système parlementaire » et remise en question du modèle socialiste depuis les événements de 1956 en Hongrie).

Développement de la politique contractuelle : le 31 décembre, CNPF-FO, CFTC, CGT signent une convention instituant un régime d'assurance chômage.

En fin d'année, détérioration du niveau de l'emploi (118 000 demandes d'emplois non satisfaites), augmentation du chômage partiel et sérieuse réduction des horaires de travail.

Champ culturel

▶ *Prix littéraires* – Goncourt : *Saint Germain ou la négociation* (F. Walder)
                    Renaudot : *La lézarde* (E. Glissant)
                    Fémina : *L'empire céleste* (F. Mallet-Joris)
                    Interallié : *Le grand dadais* (B. Poirot-Delpech)
Un nouveau prix est créé, « Le Médicis » : il est attribué à Cl. Ollier pour *La mise en scène,* qui exprime une recherche dans la voie indiquée par A. Robbe-Grillet.

▶ *Littérature* – Le livre d'H. Alleg *La question,* qui rapporte les tortures subies par l'auteur en Algérie, est interdit et H. Alleg est inculpé. P. Vidal-Naquet, dans *L'affaire Audin,* accuse certains officiers de l'assassinat du Professeur M. Audin (qui avait adopté des positions très libérales en Algérie).
Plusieurs traductions remportent un grand succès *Justine* de L. Durell, *Le métier de vivre* de C. Pavese, *L'image dans le tapis* d'H. James, *Journal d'un écrivain* de V. Woolf et *Parabole* de W. Faulkner.
La revue *Esprit* publie un numéro spécial sur Le nouveau roman alors même que paraissent *Moderato cantabile* de M. Duras et *Le génie des lieux* de M. Butor. Toutefois la narration traditionnelle atteint toujours un vaste public et le début de l'autobiographie de S. de Beauvoir *Mémoires d'une jeune-fille rangée* connaît un très grand succès.

▶ *Philosophie* – C. Lévi-Strauss publie *L'anthropologie structurale.* L'essor de l'ethnologie après la guerre va contribuer à libérer la pensée occidentale de l'européocentrisme qui la dominait depuis la Renaissance (nous l'avons déjà noté à propos de la linguistique). C. Lévi-Strauss ne cesse de reconnaître le tribut qu'il doit à la linguistique, à la géologie, à la musique, à la psychanalyse. Derrière l'ifinie diversité des pratiques culturelles, est-il possible de cerner des fonctionnements structurels en nombre relativement restreints? « On pourrait définir mon entreprise comme une sorte d'inventaire des contraintes mentales, une tentative pour réduire l'arbitraire à un ordre, pour découvrir une nécessité immanente à l'illusion de liberté ». Il s'agit donc de saisir, sous l'apparente diversité, les conditions de production des systèmes culturels, les règles supposées communes à l'humanité qui permettent de construire ces structures sans pour autant déterminer leur contenu. Déjà, dans *Les structures élémentaires de la parenté* (1949), C. Lévi-Strauss avait montré que le passage de la nature à la culture était marqué par un phénomène universel : la prohibition de l'inceste, qui entraîne une grande variété de modèles culturels reposant tous sur l'obligatoire échange des femmes. « Si, comme nous le croyons, l'activité inconsciente de l'esprit consiste à imposer des formes à un contenu, et si ces formes sont fondamentalement les mêmes pour tous les esprits, anciens et modernes, primitifs et civilisés – comme l'étude de la fonction symbolique telle qu'elle s'exprime dans le langage le montre de façon si éclatante – il faut et il suffit d'atteindre la structure inconsciente sous-jacente à chaque institution et à chaque coutume pour obtenir un principe d'explication valide pour d'autres institutions et d'autres coutumes » (*Anthropologie structurale,* p. 38). Dans son ambiguïté, ce texte révèle l'ambition de C. Lévi-Strauss : par un cheminement « scientifique » et non philosophique, réduire la diversité des sociétés humaines à un monisme culturel.

▶ *Théâtre* – J. Vilar monte triomphalement au TNP *Ubu-roi.* – La pièce de A. Jarry avait été jouée pour la première fois en 1896 au Nouveau Théâtre de la rue Blanche. Cette parodie de Macbeth avait scandalisé, ce qui avait entraîné ce commentaire laconique de l'auteur : « Il n'est pas étonnant que le public ait été stupéfait à la vue de son double ignoble qui ne lui avait pas encore été entièrement présenté ». Mais A. Jarry avait aussi attaqué la forme traditionnelle de l'expression théâtrale en affirmant : « Il s'agit de faire disparaître quelques objets notoirement horribles et incompréhensibles qui encombrent la scène sans utilité; en premier rang le décor et les acteurs. »

▶ *Cinéma* – A. Astruc : *Une vie*
　　　　　 L. Malle : *Les amants*
　　　　　 J. Tati : *Mon oncle*
　　　　　 C. Autant-Lara : *En cas de malheur*
　　　　　 Walt Disney : *La belle au bois dormant*
　　　　　 S. Kubrick : *Les chemins de la gloire*
　　　　　 H. Hawks : *Rio Bravo*
　　　　　 A. Hitchcock : *Vertige*
　　　　　 L. Bunuel : *Nazarin*
　　　　　 A. Wajda : *Cendres et diamants*

Les critiques et animateurs des *Cahiers du cinéma* commencent à devenir auteurs. Leurs itinéraires seront divers : alors que L. Malle, Cl. Chabrol, F. Truffaut feront rapidement des œuvres commerciales et traditionalistes (l'argument de la « lecture au second degré », souvent avancé pour défendre la « récupération » de C. Chabrol, est un peu gros), J.L. Godard restera fidèle à une ligne éthique et politique qui le conduira parfois au silence, parfois au dogmatisme, parfois à des chefs-d'œuvre. Quoi qu'on pense de ses réalisations, le cinéma de la « nouvelle vague » prétend être une critique du cinéma classique : il se veut une protestation en faveur du public, de sa liberté, de sa créativité. On revendique une lecture « plus libre ». On cherche « l'ambiguïté », l'allusion, l'ellipse, etc. C'est – malheureusement? heureusement? – plus évident dans les textes d'A. Bazin que dans les films de F. Truffaut : « Le cinéma dispose de tout un arsenal de procédés pour imposer au spectateur son interprétation de l'événement représenté... au contraire la profondeur de champ réintroduit l'*ambiguïté* dans la structure de l'image... Le montage doit céder la place au plan-séquence car... le metteur en scène qui découpe pour nous fait à notre place la discrimination qui nous revient dans la vie réelle ». (A. Bazin, *Ontologie du langage*).

On peut se demander si la « nouvelle vague » est une protestation libertaire et anti-répressive ou s'il s'agit d'une manifestation de l'individualisme petit-bourgeois. Quoiqu'il en soit, elle pose la problématique individu/société dans une perspective plutôt tendue vers l'intégration comme le prouve la « réussite » de ses « auteurs », J.L. Godard et J. Rivette exceptés.

▶ *Vie quotidienne* – Deux grande réalisations architecturales sont en cours : le CNIT à la Défense et le Palais de l'UNESCO – Début de la commercialisation des premiers appareils stéréophoniques et apparition du mobilier « de style nordique ». – Renault lance la « Floride ». C'est le début de l'émission « 5 colonnes à la une ». Le Dr Lagroua Weill-Hallé publie une documentation sur les différentes méthodes contraceptives. Les articles sur la jeunesse sont de plus en plus nombreux.

1959

Champ politique

♦ *Janvier.* Jusqu'au 8 janvier où il deviendra Président de la République, de Gaulle, chef du gouvernement, signe de nombreuses ordonnances et des décrets d'application sur la répartition des dépenses budgétaires, la Haute Cour de Justice, les tarifs postaux, les loyers, les tarifs de la SNCF (relèvement), l'intéressement des travailleurs à la marche de l'entreprise, l'action en faveur des travailleurs sans emploi, la protection des libertés syndicales.

D'après la Constitution de 1958, les sessions parlementaires sont écourtées; la compétence législative des Assemblées est limitativement énumérée; dans certains cas l'adoption du budget peut être assumée par le gouvernement; l'Assemblée peut être dissoute à tout moment (sauf mise en vigueur de l'art. 16); le droit d'interpellation est soumis à la condition préalable du dépôt d'une motion de censure.

8. Passation des pouvoirs de R. Coty à de Gaulle : « Le premier des Français est désormais le premier en France ». De Gaulle répond en rendant hommage au « grand citoyen quittant avec une dignité parfaite le mandat qu'il a exercé d'une manière vraiment exemplaire ».

9. Formation du ministère M. Debré. Les socialistes refusent d'y participer, ce que de Gaulle semble regretter.

Premier ministre : M. Debré (UNR) – *Ministre délégué auprès du Premier ministre :* J. Soustelle (UNR).

Ministres d'État : *Sans portefeuille :* F. Houphouët-Boigny (RDA) – *Recherche scientifique :* L. Jacquinot (Ind.) – *Relations avec la Communauté :* R. Lecourt (MRP) – *Affaires culturelles :* A. Malraux.

Ministres : *Justice :* E. Michelet (UNR) – *Affaires Étrangères :* M. Couve de Murville (Haut-fonctionnaire) – *Intérieur :* J. Berthoin (Radical) – *Armées :* P. Guillaumat (Haut-fonctionnaire) – *Finances et Affaires Économiques :* A. Pinay (Ind.) – *Éducation Nationale :* A. Boulloche (Haut-fonctionnaire) – *Travaux publics et transports :* R. Buron (MRP) – *Industrie et Commerce :* J.M. Jeanneney (universitaire) – *Agriculture :* R. Houdet (Ind.) – *Travail :* P. Bacon (MRP) – *Santé publique et Population :* B. Chenot (Haut-fonctionnaire) – *Construction :* P. Sudreau (Haut-fonctionnaire) – *Anciens combattants :* R. Triboulet (UNR) – *PTT :* B. Cornut Gentille (UNR) – *Information :* R. Frey (UNR).

Secrétaires d'État : *Auprès du Premier ministre :* Mlle S. Sid-Cara (député algérien) et P. Chatenet – *Affaires économiques :* M. Fléchet (Ind.) – *Industrie et Commerce :* J. Fontanet (MRP) – *Finances :* V. Giscard d'Estaing (Ind.) – *Intérieur :* M. Bokanowski (UNR).

15. Session extraordinaire de l'Assemblée. Lecture d'un message de Gaulle puis discours-programme de M. Debré qui est approuvé par 453 voix contre 56 (43 socialistes + 10 communistes).

30. Allocution radio-télévisée de Gaulle : « J'ai nommé un gouvernement que j'estime digne et capable de remplir une rude mission. D'autre part, le Parlement va se consacrer à sa tâche législative. Ainsi les pouvoirs séparés, équilibrés, disposent-ils de l'efficacité et de la stabilité. S'il arrivait qu'ils s'égarent, l'arbitre aurait désormais, et moyennant votre appui, les moyens de rétablir les choses. » Rappelons que ces moyens sont, outre l'article 16, le droit de dissolution et le droit de recourir au référendum.

♦ *Février.* Le bureau du parti radical prononce l'incompatibilité entre l'appartenance au parti et à l'UFD (Union des Forces Démocratiques) créée par P. Mendès-France ce qui équivaut à l'exclusion de P. Mendès-France qui a complètement échoué dans sa tentative de renouveler le parti radical.

22 et 1ᵉʳ *mars.* Trois élections législatives partielles concernant les députés invalidés font apparaître : une augmentation des abstentions, les succès des invalidés, un léger tassement de l'UNR, une remontée des communistes.

♦ *Mars.* 8/15. Élections municipales : renforcement du PCF, recul de l'UNR; MRP, Indépendants et SFIO se maintiennent. A. Chalandon : « On constate une poussée communiste dont il serait vain de vouloir dissimuler la portée et la gravité ». *Le Populaire* écrit : « Le plan Rueff-Pinay a garanti le succès de nombreux candidats du parti de M. Thorez. Le barrage anticommuniste a été efficace au 2ᵉ tour en terme de sièges, mais les communistes gagnent encore des voix par rapport au premier tour ».

17/19. Le Comité Central du PCF se félicite du succès de la politique d'union de la gauche. En effet CGT et CFTC se sont mises d'accord pour organiser une journée d'action contre « la politique antisociale du gouvernement » (le 19).

25. Conférence de presse de de Gaulle. Il indique nettement que le plan de redressement économique sera poursuivi car « il résulte d'une ordonnance qui a été prise en vertu des pleins pouvoirs délégués par la Nation (...). Sa remise en question conduirait à un referendum ou à de nouvelles élections. » Il évoque une « Algérie qui trouvera sa nouvelle personnalité » ce qui entraîne une violente réplique de P. Lagaillarde, député d'Alger qui réclame l'Algérie française.

♦ *Avril.* 14. Création de l'Union Démocratique du Travail (UDT, gaullistes de gauche) avec L. Vallon, G. Grandval et M. Clavel.

26. Élections sénatoriales : 84 % des sortants sont réélus; donc contraste frappant avec les législatives de novembre 1958.

♦ *Mai.* 3. Dans une interview donnée au *Monde,* V. Giscard d'Estaing, Secrétaire d'État aux Finances, annonce qu'il n'y aura pas d'impôts nouveaux.

13. Aucune manifestation à Paris. A Alger, vaste rassemblement sur le Forum.

♦ *Juin.* 19. Saisie du livre *La gangrène,* qui dénonce l'emploi de la torture en Algérie et que M. Debré qualifie de « faux, fabriqué de toutes pièces par deux membres du P.C. Ce livre infâme est une fabulation mensongère qui ne saurait représenter l'ombre même de la vérité ».

24. Communiqué du Ministère de l'Éducation Nationale annonçant la création d'une commission présidée par P.O. Lapie, chargée d'une « investigation complète des rapports entre l'État et l'enseignement privé ».

24/28. Congrès du PCF qui « réaffirme solennellement le droit de la nation algérienne à l'indépendance ».

♦ *Juillet.* 9/12. Congrès de la SFIO qui montre que G. Mollet reste le maître de l'appareil. Parlant du danger couru en mai 1958, il déclare : « De ce danger, nous étions tous d'accord, A. Gazier, J. Moch, M. Lejeune et moi (...). Oui nous voyions que tout foutait le camp : armée, police et administration. » Il fait confiance à de Gaulle pour régler le problème algérien.

Le Saint Siège interdit à ses prêtres tout travail en usine, même partiel.

♦ *Septembre.* 16. Allocution de de Gaulle qui se déclare favorable à autodétermination de l'Algérie. Il se dit prêt à entamer des pourparlers pour un cessez-le-feu. Quatre ans après que les armes se seront tues, tous les habitants d'Algérie auront à choisir entre trois solutions : francisation, indépendance, autonomie au sein de la Communauté.

19. En réplique à l'allocution de de Gaulle, G. Bidault et R. Duchet créent à Paris un « Rassemblement pour l'Algérie française ».

F. Mitterrand (qui avait été battu aux législatives de novembre 1958, mais qui avait été élu sénateur de la Nièvre aux élections d'avril 1959) organise à Château-Chinon un Rassemblement de l'opposition de gauche non communiste, avec E. Depreux et P. Mendès-France (l'Union des Forces Démocratiques de P.M.-F. vient de fusionner avec le parti socialiste autonome – PSA – d'E. Depreux) Claude Bourdet, P. Le Brun – Secrétaire non communiste de la CGT – et Monsel – Secrétaire général du syndicat général de l'éducation nationale (SGEN) affilié à la CFTC.

♦ *Octobre.* 13. Longue déclaration de M. Debré à l'Assemblée qui doit justifier la politique d'autodétermination annoncée dans l'allocution du 16 septembre. Démonstration longue, embarrassée, peu convaincante : « Le Général de Gaulle veut faire entrer l'Algérie dans le régime du droit. Le retour au droit ce n'est pas, ce ne peut pas être, la reconnaissance d'une prétendue souveraineté algérienne (...). Le retour au droit ce ne peut pas être davantage une négociation politique avec les dirigeants de la rébellion (...). Le droit se trouve dans ce qui fait la légitimité de toute politique fondée sur le respect de la liberté humaine : il est dans le choix des individus. C'est ce qu'on appelle l'autodétermination ». Réplique de J.M. Le Pen : « La seule solution possible c'est la poursuite de la pacification jusqu'à la reddition pure et simple des rebelles ». Cinq députés UNR démissionnent.

15. L. Neuwirth, membre du bureau politique de l'UNR déclare : « Il est urgent de se ressaisir. Le drame peut être pour demain. Déjà des commandos de tueurs ont passé la frontière espagnole, les personnalités à abattre sont désignées. » Or dans la nuit un attentat manqué a lieu contre F. Mitterrand. Le bruit court qu'il y aurait un complot visant à remplacer le gouvernement Debré par une équipe Algérie Française avec G. Bidault et P. Arrighi. Des perquisitions ont lieu dans les milieux d'extrême droite et, sous prétexte de protection, G. Bidault est consigné chez lui quelques heures.

22. *Rivarol* affirme que F. Mitterrand a organisé un pseudo-attentat avec l'aide d'un ancien député poujadiste R. Pesquet. F. Mitterrand reconnaît avoir appris de R. Pesquet qu'un attentat était préparé contre lui, mais il contre-attaque en accusant J.B. Biaggi, P. Arrighi, J.L. Tixier-Vignancour et J.M. Le Pen d'avoir monté l'affaire de son attentat comme ils avaient déjà monté l'affaire du bazooka en 1957.

♦ *Novembre.* 8. Déclaration du cardinal Liénart sur l'enseignement : refus catégorique du monopole de l'État. Quelles que soient les solutions adoptées, elles ne doivent pas porter atteinte « au droit sacré des familles ni à la stabilité de l'enseignement libre ».

10. Conférence de presse de de Gaulle qui réaffirme avec beaucoup de fermeté que la politique d'autodétermination annoncée dans sa déclaration du 16 septembre sera poursuivie.

Fin nov. Le sénat vote la levée de l'immunité parlementaire de F. Mitterrand, mais R. Pesquet est arrêté pour avoir participé à l'attentat au plastic contre le Palais-Bourbon dans la nuit du 5 au 6 février 1958.

♦ *Décembre.* 2. Rupture du barrage de Malpasset : 400 morts.

23/24. L'Assemblée vote la loi scolaire préparée par A. Boulloche qui démissionne au dernier moment, des amendements la rendant encore plus favorable à l'enseignement privé. La loi prévoit quatre options : intégration, contrat d'association, contrat simple ou liberté totale sans aide de l'État.

A la fin de l'année, les constituants de 1958 peuvent être satisfaits : la stabilité ministérielle est assurée; les assemblées se cantonnent en maugréant un peu dans le rôle limité qui leur a été dévolu; c'est le gouvernement qui propose presque toutes les lois qui sont adoptées généralement sans amendement; les commissions parlementaires n'ont plus la possibilité d'entraver l'action de l'administration. D'autre part, le nouveau régime repose incontestablement sur le consensus de la grande majorité des Français ce qui est d'autant plus remarquable que, contrairement aux traditions nationales, la constitution de 1958 n'a pas été élaborée par une assemblée constituante, mais par un groupe d'experts désignés par le Général de Gaulle. Conscient de cette procédure tout à fait exceptionnelle dans l'élaboration d'une constitution le Président Coty, lors de la passation des pouvoirs au Général de Gaulle le 8 janvier 1959, avait déclaré : « C'est le parlement de la IVe République qui, régulièrement, a confié au gouvernement le mandat de proposer une constitution nouvelle au peuple souverain qui, à une majorité massive, en a fait la constitution de la France. » La situation politique est cependant confuse. Le 30 décembre, A. Pinay rend publiques les controverses qui l'opposent à certains membres du gouvernement. D'autre part, il est clair que ceux qui ont porté le Général au pouvoir sont divisés sur sa politique algérienne.

Cette même année 1959 a vu à la fois la vie et la mort de la Communauté. Par le référendum du 28 septembre 1958, tous les TOM (la Guinée exceptée) avaient accepté de faire partie de la Communauté. La première réunion du Conseil exécutif de la Communauté siège à Paris en février : le français sera la langue officielle, la Marseillaise l'hymne commun et le franc la monnaie unique. Mais Sénégal et Soudan (alors associés dans le Mali) demandent pleine compétence en matière de relations extérieures. En décembre, de Gaulle, en tant que Président de la Communauté, annonce que des négociations vont être ouvertes pour que le Mali dispose de sa « souveraineté internationale » c'est-à-dire de sa complète indépendance. Les autres pays vont rapidement demander et obtenir le même traitement. La Communauté n'aura duré qu'un an.

L'ordonnance du 7 janvier 1959, qui sera complétée par les décrets du 10 juillet 1962, refond entièrement l'appareil de la Défense Nationale. Aux deux principes de spécialisation et de subordination qui organisaient la Défense Nationale (spécialisation d'une institution particulière, subordination au pouvoir gouvernemental) se substituent quatre nouveaux principes définissant une nouvelle structure :

– *Principes de permanence et d'universalité.* « La Défense a pour objet d'assurer en tous temps, en toutes circonstances et contre toutes les formes d'agression la sécurité et l'intégrité du territoire ainsi que la vie de la population. » C'est-à-dire que l'opposition traditionnelle entre paix et guerre est dépassée et que sont prévues les multiples formes d'agression (économique, nucléaire, subversive).

– *Principe de prévention.* A côté de la mobilisation générale, l'ordonnance prévoit une situation nouvelle : la mise en garde, qui peut être décidée par la déclaration de l'état de siège ou par la mise en application de l'article 16.

– *Principe d'unité.* « La politique de défense est définie en conseil des ministres. » Ce qui veut dire qu'elle devient un fait gouvernemental sous la responsabilité du premier ministre.

Parmi les institutions qui seront créées en conformité avec ces principes, la plus nouvelle est celle du service national qui remplace le service militaire et qui revêt quatre formes : service militaire destiné à répondre aux besoins des armées; service de défense qui satisfait les besoins non militaires de défense; service de l'aide technique qui concerne les DOM-TOM; service de coopération qui concerne les pays en voie de développement.

Champ économique et social

★ *Janvier.* 1ᵉʳ. Les syndicats critiquent sévèrement la politique économique du gouvernement.

6. Ordonnance décidant la prolongation jusqu'à 16 ans de l'obligation scolaire à partir de 1967. Décret Berthoin réformant l'enseignement secondaire : création d'un cycle d'observation de deux ans; institution des CEG (Collèges d'Enseignements Généraux); report à la fin de la Troisième des orientations décisives.

★ *Février.* Fives-Lille-Cail licencie 870 personnes. Les ouvriers occupent l'usine qui est évacuée sans incident par la police.

★ *Avril.* 24/26. Rencontre nationale de l'ACO (Association catholique ouvrière) à Issy-les-Moulineaux. Appel à « tous les travailleurs pour qu'ils prennent leurs responsabilités dans les organisations syndicales, familiales et politiques »; aux dirigeants du pays « pour qu'ils donnent à la classe ouvrière sa véritable place dans la Nation ». Les participants demandent « de tout mettre en œuvre pour créer les conditions d'une paix juste et fraternelle en Algérie ».

★ *Mai.* – Nervosité dans le secteur public (SNCF, EGF).

★ *Juin.* 1ᵉʳ. Grève du métro. Les cheminots préparent une grève. Le gouvernemnt signe un arrêté prévoyant la réquisition du personnel. R. Buron, ministre des Travaux Publics et des Transports, fait quelques promesses vagues. L'ordre de grève est rapporté malgré les protestations de la CGT.

★ *Décembre.* 2. Grève des fonctionnaires largement suivie.

En été et en décembre plusieurs manifestations d'agriculteurs, en Bretagne notamment.

Le *redressement financier est incontestable :* les impôts ont été augmentés de 200 milliards, 275 milliards de subventions économiques et sociales ont été supprimés. Les prix de détail ont augmenté de 6,5 %, ce qui est peu compte tenu de la dévaluation de 14,93 %. En mai la balance commerciale est équilibrée et en décembre la balance des paiements est nettement positive, bien que le Trésor ait remboursé à l'étranger 1 milliard de dollars. Après un recul de 3 % pendant les trois premiers mois de l'année, l'indice de la production industrielle a recommencé à croître (1952 = 100) : mai : 171; nov. : 181. En fin d'année la durée moyenne du travail hebdomadaire remonte. Le 1ᵉʳ janvier 1960 entre en vigueur le franc nouveau défini par 180 mmg d'or fin (62 % de la valeur or du franc de Germinal).

L'année sociale a été calme (1,7 million de journées de travail perdues du fait de grève). Les syndicats semblent ne pas vouloir gêner l'action de de Gaulle en Algérie. Modération de la CGT peut-être dans la perspective du voyage de N. Khrouchtchev en France prévu pour 1960. D'autre part, le régime d'assurance-chômage complémentaire institué fin 58 rassure les salariés. Mais l'ordonnance sur l'intéressement des travailleurs et la loi sur la promotion sociale votée en 1959 n'ont encore donné lieu, fin décembre, à aucune réalisation pratique.

Champ culturel

▶ *Prix littéraires* – Goncourt : *Le dernier des Justes* (A. Schwarz-Bart)
　　　　　　　　　　　Renaudot : *L'expérience* (A. Palle)
　　　　　　　　　　　Fémina : *Au pied du mur* (B. Privat)
　　　　　　　　　　　Médicis : *Le dîner en ville* (Cl. Mauriac)
　　　　　　　　　　　Interallié : *Un singe en hiver* (A. Blondin)

▶ *Littérature* – A. Camus est tué dans un accident de voiture. P. Klossowski publie *La révocation de l'édit de Nantes,* second volet de son triptyque érotique. R. Queneau fait paraître *Zazie dans le métro,* A. Robbe-Grillet *Dans le labyrinthe,* N. Sarraute *Le planetarium.* Parution des deux premiers tomes des mémoires du Général de Gaulle : *L'appel* et *Le salut.* Traduction du livre de V. Nabokov : *Lolita.*

▶ *Théâtre* – Avec *Le Rhinocéros* E. Ionesco atteint enfin le grand public. Le *Times* célèbre « une pièce de Ionesco entièrement compréhensible ». Certains se demandent si Ionesco n'est pas « récupéré ». Quand il écrit : « Coupé de ses racines religieuses ou métaphysiques l'homme est perdu, toute sa démarche devient insensée, inutile, étouffante », ne renoue-t-il pas avec le théâtre à message? Béranger, le personnage principal du Rhinocéros, est un héros dérisoire sans doute, mais un héros quand même, qui ne se contente pas « d'être là ».
　　Le 28 octobre, *Les nègres* de J. Genêt sont montés au Théâtre de Lutèce par la troupe noire des Griots et mise en scène par R. Blin. Dans cette pièce, qui date des années 50, on voit un groupe d'acteurs noirs s'identifier aux noirs tels que les voient les blancs en présence de blancs qui sont joués par des noirs masqués. A la fin des noirs-noirs massacrent les blancs-noirs, mais on apprend qu'en coulisses d'autres noirs ont mis à mort un traitre à leur cause.

▶ *Cinéma* – R. Bresson, *Le pickpocket*
　　　　　　　Cl. Chabrol, *Le beau Serge* et *Les cousins*
　　　　　　　R. Renoir, *Le déjeuner sur l'herbe*
　　　　　　　A. Resnais, *Hiroshima mon amour*
　　　　　　　F. Truffaut, *Les 400 coups*
　　　　　　　R. Vadim, *Les liaisons dangereuses*
　　　　　　　V. Minelli, *Gigi*
　　　　　　　B. Wilder, *Certains l'aiment chaud*
　　　　　　　W. Wyler, *Ben Hur*
　　　　　　　R. Rossellini, *Le Général della Rovere*
　　　　　　　I. Bergman, *La source*

▶ *Peinture et Expositions* – J. Pollock et « *l'école de New York* » au Musée d'Art moderne – Trois grandes rétrospectives : *(H. de) Toulouse-Lautrec, M. Utrillo* et *C. Soutine.*

▶ *Musique* – 20 janvier, *Turangalila-Symphonie* d'O. Messiaen (composée en 1949) remporte un succès considérable au Théâtre des Champs-Élysées où l'auteur lui-même dirige l'Orchestre national de la R.T.F.
　　C'est le temps du rock : *P. Anka,* 17 ans, fait salle comble à l'Olympia pendant cinq semaines.

1960

Champ politique

♦ *Janvier.* 13. Hostile à un projet de cogestion dans les entreprises, qu'il qualifie de « soviétisation », appuyé par la Confédération générale des Petites et Moyennes Entreprises (CGPEM), A. Pinay démissionne en refusant un poste de ministre d'État. W. Baumgartner lui succède aux Finances.

19. Le général Massu est limogé pour avoir émis devant un journaliste allemand des doutes quant à l'obéissance de l'armée à De Gaulle (propos qu'il nie avoir tenus). Il est remplacé par le général Crépin.

24. Emeute à Alger. Vingt morts parmi les gendarmes mobiles. Début de la semaine des barricades (les émeutiers se retranchent au milieu de la ville, derrière des barricades).

25. Voyage éclair de M. Debré en Algérie. Il semble qu'il y ait divergence de vue entre l'Élysée, partisan de la fermeté et de l'assaut contre les émeutiers, et Matignon, favorable à la négociation. On parle de la démission de M. Debré. Mais, rentré à Paris, celui-ci annonce son ralliement total aux vues du général. Vaste mouvement de soutien au général (officiel ou officieux) allant du MRP à la CGT et à la FEN. Le Club Jean Moulin fait circuler une pétition priant le général De Gaulle « d'en appeler au peuple français pour qu'il manifeste par une mobilisation civique massive sa volonté de rester libre de sa propre destinée ». Ce texte recueille 300 000 signatures en 24 heures. L'agitation professionnelle est partout suspendue (notamment en milieu paysan) pour éviter toute équivoque.

29. De Gaulle (en uniforme) s'adresse à la Nation à la télévision : « Eh bien, mon cher et vieux pays, nous voici donc ensemble, encore une fois, face à une lourde épreuve ». Il précise que la politique d'autodétermination sera poursuivie et que la mission de l'armée « ne comporte ni équivoque ni interprétation ». Il renouvelle sa confiance au général Challe et qualifie les meneurs de l'insurrection de « menteurs et conspirateurs ». « En vertu du mandat que le peuple m'a donné et de la légitimité que j'incarne depuis vingt ans, je demande à tous et à toutes de me soutenir quoiqu'il arrive ». Le discours reste toutefois prudent puisqu'en ce qui concerne les mesures à prendre à l'encontre des insurgés, De Gaulle se contente de dire : « Les moyens pour que force reste à la loi pourront être de diverses sortes ».

Au cours du mois de janvier. Deux problèmes préoccupent la hiérarchie ecclésiastique. Le 4 janvier Mgr Feltin rappelle qu'une « attention vigilante » s'impose en ce qui concerne l'enseignement, mais que deux points sont acquis : « nos maîtres seront financièrement aidés (...) et dans les lycées (...) l'enseignement religieux obtient officiellement sa place ». L'autre problème est celui de l'attitude de certains prêtres à l'égard de l'Algérie. L'abbé J. Kerlan de la Mission de France, est appréhendé pour « intelligence avec le FLN. » Peu après l'abbé C. Corre, toujours de la Mission de France, qui avait eu certains contacts avec le mouvement de « La Jeune Résistance » dont le but était de regrouper et d'aider les jeunes réfractaires à la guerre d'Algérie est condamné à un an de prison ferme.

♦ *Février.* 1er. Les émeutiers abandonnent le « réduit des facultés ». J. Ortiz, leader du Front National, est en fuite, P. Lagaillarde est arrêté et transféré à Paris. « La semaine des barricades ne semble pas avoir été le résultat d'un complot. Quelques hommes ont tenté de créer une situation insurrectionnelle avec l'espoir que l'armée les suivrait et que le Général devrait infléchir sa politique. Mais, après une semaine de demi-fraterni-sation entre rebelles et parachutistes, De Gaulle l'emporta et la politique d'autodétermi-nation sortit renforcée plutôt qu'affaiblie de l'émeute algérienne. Alger n'avait pas pu renverser la Ve république comme elle avait renversé la IVe. Elle n'avait pas pu exercer un droit de veto sur les décisions du gouvernement de Paris » (R. Aron, *Préface à l'année politique 1960*).

2. Débat à l'Assemblée réunie en session extraordinaire. Une loi est votée autorisant le gouvernement à prendre des ordonnances (article 38 de la constitution). On s'étonne qu'il soit nécessaire de renforcer en droit un gouvernement qui dispose déjà de pouvoirs juridiques exorbitants en Algérie. Lors du débat, G. Bidault dit à M. Debré : « Efforcez-vous de comprendre qu'au-delà de la mer des gens ont pris au sérieux les paroles que vous avez prononcées dans le passé. Depuis le 16 septembre, ils les ont prises au tragi-que. Dussé-je être le seul, je ne voterai pas les pleins pouvoirs à un gouvernement dont la majorité est aussi changeante que la politique. »

5. Important remaniement ministériel. C'est le sixième depuis janvier 1959 et la per-manence du premier ministre ne doit pas masquer les profondes modifications interve-nues dans la composition de son équipe, dont sont progressivement évincés les parti-sans de l'Algérie française.

Premier ministre : M. Debré (UNR).
Ministres délégués auprès du Premier ministre : P. Guillaumat et R. Frey (UNR).
Ministres d'État : *Chargé de la recherche scientifique :* L. Jacquinot (Ind.) – *Chargé des Dom-Tom et du Sahara :* R. Lecourt (MRP) – *Chargé des affaires culturelles :* A. Malraux.
Ministres : *Justice :* E. Michelet (UNR) – *Affaires étrangères :* M. Couve de Murville – *Intérieur :* P. Chatenet – *Armée :* P. Messmer – *Éducation nationale* L. Joxe – *Travaux publics, transports :* R. Buron (MRP) – *Indus-trie et commerce :* J. M. Jeanneney – *Agriculture :* H. Rochereau (Ind.) – *Travail :* P. Bacon (MRP) – *Santé publique et population :* B. Chenot – *Construction :* P. Sudreau – *PTT :* M. Bokanowski (UNR) – *Information :* L. Terrenoire (UNR) – *Anciens combattants :* R. Triboulet (UNR).
Secrétaires d'État : *Affaires sociales et musulmanes :* Mlle S. Sid-Cara – *Finances :* V. Giscard d'Estaing (Ind.) – *Commerce extérieur :* J. Fontanet (MRP) – *Communauté :* J. Foyer (UNR).

Ce remaniement donne lieu à un court communiqué de l'Élysée : « Le général De Gaulle donne son approbation aux départs des MM. J. Soutelle et B. Cornut-Gentille ».

13. Explosion de la bombe A française.

♦ *Mars.* 3/7 « Tournée des popotes ». De Gaulle interdit à la presse de le suivre. Il semble que, pour rassurer les officiers, il ait insisté sur le fait que le problème algérien ne sera pas réglé avant longtemps et qu'il ne peut l'être qu'après la victoire des armes françaises. Il aurait déclaré : « L'indépendance est à mes yeux à la fois une catastrophe, une sottise, une monstruosité. Ce sont les Algériens qui décideront de leur sort. Je crois qu'ils diront : une Algérie algérienne liée à la France. »

23/3 avril. Voyage de N. Krouchtchev en France.

Fin mars. L'ACA dénonce l'immoralité grandissante d'une partie du cinéma français.

♦ *Avril.* 3. Création du parti socialiste unifié (PSU) résultant de la fusion du parti socia-liste autonome (PSA), de l'Union de la gauche socialiste (UGS) et du groupe « Tribune du communiste ».

11/13. Congrès de l'UNEF dénonçant « le caractère anachronique » de la guerre d'Algérie et réclamant l'ouverture de négociations avec le FLN.

20. On apprend que F. Jeanson a tenu une conférence de presse à Paris, que son organisation d'aide au FLN est intacte, que le but de son réseau est de « multiplier le nombre de déserteurs et d'insoumis ». *L'express* et *France-Observateur* sont saisis pour incitation à la désertion.

25. J. Soustelle est exclu de l'UNR.

18/29. Voyage de De Gaulle au Canada et aux États-Unis.

25/27. Réuni en assemblée plénière, l'épiscopat, ayant pris connaissance des décrets d'application de la loi scolaire du 31 décembre 1959, « tout en reconnaissant les efforts accomplis », regrette que ne soient pas affirmés plus explicitement « ni le droit des familles (...) ni le caractère propre de l'enseignement donné ».

♦ *Juin* 14. Discours de De Gaulle, optimiste sur le plan économique et réaffirmant sa politique algérienne : « Le 16 septembre a été ouverte la route claire et droite qui doit mener l'Algérie vers la paix (...). Je déclare au dirigeants de l'insurrection que nous les attendons ici pour trouver avec eux une fin honorable aux combats qui se traînent encore, régler la destination des armes, assurer le sort des combattants. »

25/29. Entretiens de Melun entre représentants français et représentants du gouvernement provisoire de la République algérienne (GPRA). On se sépare sans conclure. « Pas de négociations avant le cessez-le-feu, disait De Gaulle; pas de cessez-le-feu sans garantie de l'autodétermination répondait le GPRA » (R. Aron). Communiqué de l'AFP : « On souligne dans les milieux bien informés que la fin des entretiens préliminaires de Melun ne revêt en aucune façon la signification d'une rupture. »

♦ *Septembre.* 5. Conférence de presse de De Gaulle attendue avec une très grande impatience. Le général s'exprime avec une imprécision et une confusion calculées. Ses exégètes concluent qu'il n'a rien dit de nouveau. « Qui peut croire que la France (...) en viendrait à traiter avec les seuls insurgés, avec la seule organisaton extérieure de la rébellion (...) de tout l'avenir politique de l'Algérie? (...), à admettre que le droit de la mitraillette l'emporte sur celui du suffrage? (...). De divers côtés, on veut bien quelquefois dire : c'est de Gaulle qui résoudra le problème algérien. S'il ne le fait pas, personne ne le fera. Alors! Qu'on veuille bien me laisser faire, je n'en demande pas davantage. »
Ouverture du procès Jeanson.
Publication de la « Déclaration des 121 », c'est-à-dire de 121 « intellectuels » affirmant « le droit à l'insoumission dans la guerre d'Algérie ».

6. 200 personnalités, dont le Maréchal Juin, publient « leur » manifeste des intellectuels français favorables à la guerre d'Algérie « qui est une lutte imposée à la France par une minorité de rebelles fanatiques terroristes et racistes, conduits par des chefs dont les ambitions personnelles sont évidentes, armés et soutenus financièrement par l'étranger ».

Courant septembre. Mis à la retraite depuis quelques semaines, le général Salan fait un discours à Alger : « Je n'hésite pas à affirmer que le sursaut national du 13 mai et le référendum qui l'a suivi ont établi définitivement l'Algérie comme terre française par la volonté unanime et libre de ses habitants. » Convoqué à Paris par P. Messmer, il se voit interdire le territoire algérien et part pour l'Espagne.

♦ *Octobre.* De Gaulle doit manœuvrer entre partisans de l'Algérie française et partisans de la paix en Algérie, qui durcissent respectivement leur position. En accord avec la FEN, la CFTC et la CGT, l'UNEF organise une manifestation pour la paix en Algérie. Le gouvernement l'interdit mais accepte un meeting à la Mutualité qui a lieu le 27 octobre et qui se termine par de violents affrontements avec la police. Ce même jour, de nombreux meetings ont lieu dans la banlieue parisienne et en province.

♦ *Novembre.* 1er. L'assemblée plénière du protestantisme français donne mandat au pasteur M. Boegner d'effectuer avec le cardinal Feltin, le grand rabbin J. Kaplan et le directeur de la Mosquée de Paris Al Sid Boubakeur, une démarche auprès du général De Gaulle et des chefs nationalistes algériens afin qu'une trêve soit proclamée le plus rapidement possible.

4. Allocution télévisée de De Gaulle : « Reste à régler l'affaire algérienne, pendante depuis 130 ans (...). Ayant repris la tête de la France, j'ai, comme on le sait, décidé en son nom de suivre un chemin nouveau. Ce chemoin conduit non plus à l'Algérie gouvernée par la métropole française, mais à l'Algérie algérienne. Cela veut dire une Algérie émancipée, une Algérie dans laquelle les Algériens décideront de leur destin, une Algérie où les responsabilités seront aux mains des Algériens, une Algérie qui, si les Algériens le veulent – et j'estime que c'est le cas – aura son gouvernement, ses institutions et ses lois. » Il dénonce « les deux meutes ennemies, celle de l'immobilisme stérile, et celle de l'abandon vulgaire ». Il annonce un référendum pour le 8 janvier. En clair cela veut dire que le général reconnaît en fait l'indépendance de l'Algérie mais non l'exclusive représentativité du FLN et du GPRA.

11. Manifestations de protestation contre ce discours à Alger et Oran.

♦ *Décembre.* 9. Publication au *Journal officiel* du texte qui sera soumis à référendum (autodétermination en Algérie).

10/13. Voyage de De Gaulle en Algérie. Heurts violents entre Français d'Algérie et service d'ordre. Pour la première fois, intervention des masses musulmanes aux cris de « Algérie algérienne ». Débordé, le service d'ordre tire : le chiffre officiel des morts est de 81, dont 75 musulmans. Par « service d'ordre » il faut entendre principalement la gendarmerie mobile dont le recrutement est métropolitain et qui n'a pas oublié les 20 morts qu'elle a perdus au début de la semaine des barricades. Le gouvernement s'efforce de muter en métropole la police de recrutement régional dont les sympathies pour les pieds-noirs sont évidentes.

20 et 31. Allocutions de De Gaulle appelant à voter oui. CGT et PCF recommandent le non, mais ce non exprime l'hostilité des communistes à l'égard du régime gaulliste mais non à l'égard de sa politique d'autodétermination.

L'année 1960 aura été celle de la « rénovation de la Communauté » d'après la version officielle, celle de la dislocation de la Communauté d'après les adversaires du pouvoir. En fait, quand la fédération du Mali (Sénégal + Soudan) réclame la «souveraineté extérieure », c'est-à-dire l'indépendance, de Gaulle ne peut rien faire. Il en résulta que, de janvier à juillet 1960, tous les pays de l'Afrique francophone accédèrent à l'indépendance (la Fédération du Mali éclata, et le Soudan, sous le nom de Mali et le Sénégal entrèrent à l'ONU en tant qu'États différents).

Champ économique et social

★ *Février.* Emeute à Amiens, où la FNSEA a rassemblé 30 000 agriculteurs. Très vite, les mots d'ordre sur l'indexation des prix agricoles sont remplacés par les slogans « vive Massu, vive l'Algérie française » (la déviation de la manifestation semble due à des provocateurs poujadistes et dorgéristes). L'agitation agricole s'étend dans la seconde moitié de février.

★ *Mars.* 5. Parution au *JO* de mesures en faveur des agriculteurs que J. Courau, Président de la FNSEA, commente : « Ces dispositions sont à mon avis zéro, moins que zéro, plus catastrophiques que celles que nous connaissions ».

15. La FNSEA annonce qu'elle a reçu 300 réponses de parlementaires favorables à une convocation anticipée du Parlement pour discuter cinq propositions de lois tendant à définir une politique agricole.

17. J. Chaban-Delmas remet à M. Debré une lettre demandant la convocation anticipée de l'assemblée signée de 287 parlementaires (il en fallait 277). Refus de De Gaulle car une pareille session extraordinaire ne serait pas compatible « avec le fonctionnement régulier des pouvoirs publics que j'ai la charge d'assurer ».

★ *Mai.* 19. Vote de la loi d'orientation agricole.

★ *Juillet.* Au début du mois le Sénat repousse la loi d'orientation agricole que l'Assemblée vote en seconde lecture.

21. Le comité Rueff-Armand remet son rapport sur les obstacles à l'expansion économique.

28 et 2 *août.* – Un décret et un arrêté réforment les études de médecine : leur durée est réduite d'un an; suppression de la dualité entre les examens de médecine et le concours de l'externat; allongement de la durée de l'enseignement dispensé en milieu hospitalier.

En 1960, la PIB augmente de 4,7 % (1958 : 1,5 %; 1959 : 2,3 %).

Indice de la production industrielle (1952 = 100) : janvier 1960 : 171; décembre 1960 : 180. Ces indices recouvrent des variétés sectorielles : *secteurs en progrès très rapides :* électricité, hydrocarbures, sidérurgie, construction électrique, chimie (pour cette dernière branche, augmentation de la production de 30 % par rapport à 1959); *secteurs en progrès lents :* industries mécaniques (automobiles (5,4 % d'augmentation par rapport à 1959); *secteurs en régression :* charbon, textile, bâtiment.

Les prix de détail ont peu augmenté (100 = moyenne 1956/7) : janvier : 130,1; décembre 133.

Les salaires ont augmenté de 5,2 % de janvier à octobre. Donc amélioration du niveau de vie d'autant plus nette que la reprise économique allonge la journée de travail (heures supplémentaires).

Balance commerciale très excédentaire avec la zone franc, légèrement déficitaire avec l'étranger.

Balance des paiements confortablement excédentaire bien qu'un peu moins qu'en 1959.

Niveau de l'emploi favorable.

L'amélioration du niveau de vie et le souci de ne pas entraver la politique algérienne du Général De Gaulle expliquent que l'année sociale ait été assez calme, sauf dans le secteur agricole. Certaines grèves (métallurgie, PTT, grands magasins) situent sur le même pied les revendications concernant l'amélioration des conditions de travail et le temps de loisir que celles concernant les salaires. On réclame : l'abaissement de l'âge de la retraite, le retour à la semaine de 40 heures, une quatrième semaine de congés payés.

La CGT multiplie les grèves tournantes qui exigent d'être organisées ce qui implique une concertation avec les autres centrales syndicales, et va dans le sens de l'unité d'action préconisée par la CGT. En mai, juin, juillet, grèves tournantes SNCF, Sud Aviation, métallurgie, RATP, bâtiment, Air France. Si ces grèves ont été peu spectaculaires, c'est que l'EGF s'est abstenue, le gouvernement ayant accordé en 1959 de très grands avantages.

1960 est donc la troisième année consécutive de « calme social ».

Champ culturel

▶ *Prix littéraires* – Goncourt : *Dieu est né en exil* (V. Horia – prix refusé – vote annulé)
Renaudot : *Le bonheur fragile* (A. Kern)
Fémina : *La porte retombée* (L. Bellocq)
Médicis : *John Perkins* (B. Thomas)
Interallié : *Clem* (H. Muller) et *Janitzia ou la dernière qui aima l'amour* (J. Portelle)

▶ *Littérature* – P. Klossovski publie *Le souffleur,* troisième volet de son triptyque érotique et M. Butor poursuit ses recherches avec *Degrés.* Ph. Sollers crée la revue *Tel quel.* En octobre, Saint-John Perse reçoit le prix Nobel de littérature.

Les grands succès de librairie – en termes de nombres d'exemplaires vendus – sont *Secrets d'État* (J.R. Tournoux), *Les centurions* (J. Larteguy), *Un certain Monsieur Blot* (P. Daninos).

▶ *Théâtre* – *Les séquestrés d'Altona* (J.P. Sartre)
Becket ou l'honneur de Dieu (J. Anouilh)
L'effet Glapion (J. Audiberti)
Les trois sœurs (A. Tchekov)
Château en Suède (F. Sagan)
Le balcon (J. Genêt, monté par P. Brook)

Pour la première fois, B. Brecht est joué par le Berliner Ensemble sous la direction d'Helen Weigel au Théâtre des Nations : *La résistible ascension d'Arturo Ui, La mère, La vie de Galilée, Mère courage.*

C'est aux environs des années 1960 que l'improvisation collective commence à s'imposer au théâtre français. L'origine en est américaine avec le « Living Theatre » (1951-1970) fondé par J. Beck, un peintre, et Judith Malina, une élève de E. Piscator. Il s'agit de libérer l'acteur de la double tyrannie du texte et du metteur en scène et d'en faire un créateur à part entière. Parfois, cela aboutit à un psychodrame collectif qui ne dure pas, parfois l'entreprise « réussit » comme ce sera le cas pour le théâtre du Soleil qui, avec *1789* et *1793,* proposera à un large public (populaire ?) à la fois une fête et une réflexion sur l'histoire de la révolution et sa mythologie.

▶ *Cinéma* – J. Cocteau : *Le testament d'Orphée*
Cl. Chabrol : *Les bonnes femmes*
J. Doniol-Valcroze : *L'eau à la bouche*
J.L. Godard : *A bout de souffle*
P. Kast : *Le bel âge*
F. Truffaut : *Tirez sur le pianiste*
J. Rouch : *Moi, un noir*
J. Huston : *Les misfits*
E. Kazan : *Le fleuve sauvage*
O. Preminger : *Exodus*
A. Hitchcock : *Psychose*
M. Antonioni : *L'aventura*
F. Fellini : *La dolce vita*
L. Visconti : *Rocco et ses frères*

La crise de la fréquentation cinématographique se précise. Du « mass-medium » qu'il était à son origine, le cinéma tend à devenir un « class-medium » réservé aux privilégiés de la culture (héritiers ou étudiants). Certains soutiennent qu'il devient même un « upper class medium » comme le prouvent l'ésotérisme croissant de certains films et la localisation des salles dans les quartiers financièrement et/ou culturellement élevés.

▶ *Peinture* – Ce n'est que vers 1960 que le Pop'Art apparaît en Europe. En 1964, la Biennale de Venise attribue son prix à R. Rauschenberg. A partir de 1965, le salon de la jeune peinture présente les productions de peintres politiquement engagés dont l'imagerie politique et satirique est facilement lisible (Arroyo). D. Spœrri enrobe de matière plastique transparente une table qui a servi à un banquet et « fixe » le camembert qui coule, les miettes sur la nappe tachée, etc. De telles œuvres, présentées notamment dans l'exposition *Le monde en question* à l'Arc en 1967 scandalisent, mais, par le détour de la dérision, reviennent à une certaine tradition de l'art engagé.

Bien que l'expression « Op Art » (optical art) n'ait été employée pour la première fois, semble-t-il, qu'en 1964 par la revue *Time,* les recherches dans la direction de l'art optique et de l'art cinétique commencent à être connues aux environs des années 1960. En fait l'idée est ancienne puisque M. Duchamp, un des fondateurs du Dadaïsme, s'était déjà livré à des recherches visuelles. Deux artistes qui deviennent célèbres dans les années 60 cherchaient en fait depuis longtemps : V. Vasarely, qui élabore dès 1952 des structures binaires en noir et blanc et J.R. Soto qui d'abord travaille en deux dimensions et uniquement en noir et blanc, et s'oriente ensuite vers des recherches cinétiques tridimensionnelles. Chez Y. Agam l'expérience optique résulte du mouvement du spectateur, l'œuvre restant immobile. Donc l'Op'art peut être une démarche bidimensionnelle illusioniste ou tridimensionnelle. A partir des années 65, il devient souvent art d'environnement c'est-à-dire construction plastique entourant le spectateur. L'art cinétique créera une collaboration entre l'artiste et l'informaticien qui programmera l'œuvre en fonction de la diversité ou de la récurrence recherchées. L'Op'art aura une grande influence sur les ballets, la publicité et la mode.

Principales expositions : *Sept cents chefs-d'œuvre, des primitifs à la fin du XIXᵉ siècle* au Louvre, *Les trésors de l'art indien* et *L'art italien du XVIIIᵉ siècle* au Petit Palais, *Van Gogh* chez Jacquemart-André.

▶ *Musique* – La vente, donc l'écoute, de disques ne cesse de croître. Ainsi se confirme l'apparition d'une catégorie de mélomanes de plus en plus nombreux, celle des « écouteurs de musique ». En effet au XIXᵉ siècle – quand le disque n'existait pas – on accédait à la musique par la lecture des partitions et par la pratique – même rudimentaire – d'un instrument. Aujourd'hui, par millions existent des écouteurs qui ne savent ni le solfège, ni l'exécution. Il y a donc une dichotomie entre écouteurs et praticiens. D'autre part, quand on possède un disque, on le fait souvent « passer ». On peut s'interroger sur la nature de cette écoute. Conduit-elle à un approfondissement ou au contraire, si tourne le disque quand l'écouteur fait autre chose (« toile de fond musicale ») s'agit-il d'une « perception horizontale » c'est-à-dire d'une sorte de bruitage qui fait partie de l'environnement?

On peut se demander si l'écoute est différentielle en fonction des classes sociales mais nous ne disposons pas d'enquêtes sur le contenu des discothèques. On peut penser que musique classique et musique expérimentale sont l'apanage des classes supérieures, l'opérette, la chanson et la pop'music ayant des écouteurs socialement plus défavorisés. Mais pour la pop'music, il est probable que son écoute est davantage liée à la classe d'âge qu'à la classe sociale ce qui ne veut pas dire que deux jeunes issus de milieu différent et écoutant le même disque en aient une perception identique.

Une dernière question se pose : dans quelle mesure l'audition musicale fréquente contribue-t-elle à structurer le mental? On a posé le problème pour l'audition – vision de la télévision, mais pas pour l'écoute de la musique. Certains prétendent – mais sans en apporter la preuve – que cette immersion dans l'écoute musicale détournerait les gens des problèmes politiques et contribuerait à la perpétuation de la société.

Quoiqu'il en soit, après la vogue des « grands classiques » (J.S.Bach, W. Mozart, L. van Beethoven) on a enregistré des œuvres qui avaient été peu ou jamais écoutées comme celles de G. Mahler, A. Brückner, ou comme le *Requiem* de H. Berlioz. Le cas le plus typique est peut-être celui de la re-naissance de A. Vivaldi, complètement oublié, réexhumé aux environs des années 1930 et très largement diffusé depuis les années 1950 puisqu'on compte quarante enregistrements différents des *Quatre Saisons.*

Du 26 juin au 8 juillet, la chaîne française de modulation de fréquence donne une audition complète des œuvres de G. Mahler.

En juin, Renata Tebaldi triomphe à l'Opéra en interprétant la *Tosca* de G. Puccini.

En septembre, pour la première fois l'Orchestre symphonique de Leningrad joue devant le public français au Palais de Chaillot.

En ce qui concerne le jazz, les deux événements de l'année sont les récitals d'Ella Fitzgerald en mars, et les concerts donnés pour la première fois à Paris de G. Mulligan en novembre.

C'est aux environs des années 60 que, par l'intermédiaire du *Rock and Roll,* pénètre en Europe la « pop music » par quoi les Européens désignent une musique simple dérivée du Jazz alors qu'aux États-Unis l'expression « pop music » désignait originellement toutes les musiques populaires. La pop'music concerne davantage la France au niveau de la consommation qu'au niveau de la création, qui reste principalement anglo-américaine. C'est en 1956 que commence aux États-Unis l'ascension d'E. Presley, le « roi du Rock ». Le rock n'emprunte rien à la « culture bourgeoise » : parce que simple et spontanée et née dans les milieux populaires auxquels elle s'adresse, cette musique est considérée par certains comme la première manifestation de « l'anticulture » ou de la « contre-culture ». Aux environs de 65 c'est le règne des Beatles, eux aussi d'origine populaire alors que les Rolling Stones qui partent à la conquête du marché mondial vers 65 sont d'origine bourgeoise : ils reprennent le thème du mal en le poussant à son extrême : M. Jaegger chante « Je suis le diable » *(Sympathy with the devil).*

Au niveau des variétés, les deux grands succès de l'année sont ceux de F. Raynaud et de R. Devos.

1961

Champ politique

L'année 1961, comme les précédentes, est caractérisée par une vie politique très agitée et par la continuation de l'expansion économique. Il en résulte que les revendications sociales, qui sont nombreuses, ne prennent jamais un tour dramatique. Lorsque le 6 janvier, de Gaulle dit à la télévision : « L'affaire algérienne est entre chacun de vous et moi-même », il évince explicitement tous les intermédiaires entre « les Français » et lui-même.

◆ *Janvier.* Le procès des barricades se poursuit. Déposition du colonel Broizat, commandant du 1er Régiment de parachutistes : « La justice idéale fut celle de la bataille d'Alger, dont le résultat a été 90 % de vraie justice même si les paras ont commis 80 % d'excès ».

8. Référendum sur l'autodétermination. En métropole 75,26 % de oui par rapport aux suffrages exprimés. Mais comme les communistes ont fait voter non tout en étant favorables à l'autodétermination, on peut considérer que presque tous les métropolitains se sont prononcés pour la politique algérienne de De Gaulle. En Algérie, il y a 69 % de oui par rapport aux suffrages exprimés : très forte abstention chez les musulmans, presque tous les Européens ont voté non.

19. Onze organisations politiques et syndicales (CGT, FO, CFTC, CNJA, SFIO, UDT, LICA...) réclament une confrontation rapide entre le gouvernement français et le GPRA.

◆ *Février.* 1er. Le général Challe mis en disponibilité sur sa demande est remplacé par le général Gambiez.

20. De Gaulle reçoit le président H. Bourguiba, qui joue un rôle de médiateur. Une conférence est prévue à Évian.

Janvier/février. Le PCF lance une violente critique contre M. Servin et L. Casanova accusés, semble-t-il, de vouloir réaliser une union avec les leaders des formations de gauche alors que M. Thorez veut une unité à la base. M. Servin et L. Casanova refusent de reconnaître leurs « erreurs » et, le 23 février, sont relevés de leurs fonctions au sein du parti. C'est là un très vieux problème qui s'était déjà posé dans l'entre-deux guerres à la veille de la formation du Front Populaire. Par un rapprochement avec les militants des autres partis ou formations de gauche, les communistes espèrent se rallier une partie d'entre eux. Les appareils de ces autres formations sont bien entendu hostiles à une tactique qui risque de leur faire perdre une partie de leurs effectifs. Au contraire, s'il y a entente entre les sommes des appareils, chacun s'engage à ne pas faire de prosélytisme chez ses alliés et concurrents.

◆ *Mars.* 2. Verdict dans le procès des barricades. Tous les accusés présents sont acquittés. Les absents dont J. Ortiz et P. Lagaillarde sont condamnés. On ne s'attendait pas à tant de clémence.*L'Humanité* écrit : « Le jugement signifie l'absolution des émeutiers (...) il proclame la légitimité de leur insurrection. » *L'Aurore* se réjouit des acquittements : « Parce qu'il était pénible, écœurant même de voir des gens traduits en justice parcequ'il aiment trop et défendent leur patrie, la France ».

♦ *Avril*. 11. Conférence de presse de De Gaulle : « Depuis Brazzaville je n'ai jamais cessé d'affirmer que les populations qui dépendaient de nous devaient pouvoir disposer d'elles-mêmes. En 1941, j'ai accordé l'indépendance aux États sous mandat de la Syrie et du Liban. En 1945, j'ai donné le droit de vote à tous les Africains, Algériens musulmans compris ». Il se dit persuadé que l'État algérien sera « souverain en dedans et en dehors ». Il espère que le nouvel État s'associera librement avec la France. En cas de refus, il faudra envisager la possibilité d'un regroupement des éléments voulant rester Français. Alors que le double terrorisme FLN et OAS (Organisation de l'Armée Secrète) prend une ampleur accrue, de Gaulle déclare placidement : « Pour le moment, la France continue à ramener l'ordre public, à accomplir son œuvre de progrès, à aider l'Algérie à devenir algérienne dans sa structure politique, administrative, économique depuis le bas jusqu'au sommet ». Aussitôt, le FLN proteste contre l'idée d'un regroupement qui semble annoncer un partage alors que les Français d'Algérie y voient le prélude à un rapatriement.

Nuit du 21 au 22 avril Le général Challe, qui a regagné secrètement l'Algérie, et les généraux Zeller et Jouhaud bientôt rejoints par le général Salan déclenchent le « putsch d'Alger », c'est-à-dire s'emparent des bâtiments officiels avec l'aide de quelques régiments de parachutistes. Le gouvernement est pris de panique et redoute le largage de troupes aéroportées sur les aérodromes de la région parisienne.

23. Par la radio, M. Debré appelle les Parisiens à se porter en masse vers les aérodromes. De Gaulle, qui sait que les putschistes ne disposent pas des moyens logistiques permettant un débarquement maritime ou aérien en France, ne perd pas son sang-froid. Revêtu de son uniforme, il annonce son intention de recourir à l'article 16 : « Ce pouvoir (celui des putschistes) a une apparence : un quarteron de généraux en retraite. Il a une réalité : un groupe d'officiers partisans ambitieux et fanatiques. Ce groupe et ce quarteron possèdent un savoir-faire expéditif et limité. Mais ils ne voient et ne comprennent la Nation et le monde que déformés à travers leur frénésie. Leur entreprise conduit tout droit au désastre national (...) Voici l'État bafoué, la Nation défiée, notre puissance ébranlée, notre prestige international abaissé, notre place et notre rôle en Afrique compromis. Et par qui? Hélas, hélas, hélas par des hommes dont c'était le devoir, l'honneur, la raison d'être, de servir et d'obéir. Au nom de la France, j'ordonne que tous les moyens, je dis tous les moyens, soient employés pour barrer la route à ces hommes-là en attendant de les réduire. J'interdis à tout Français et d'abord à tout soldat d'exécuter aucun de leurs ordres (...) Français, aidez-moi. » Les unités suspectes cantonnées près de Paris ne bougent pas. L'appel du Général est entendu en Algérie au moyen des transistors et les rebelles comprennent vite qu'ils ne peuvent en aucune façon compter sur les soldats du contingent auxquels de Gaulle a ordonné de leur désobéir.

24. Grève générale d'une heure pour « barrer la route au fascisme », qui est à peu près unanimement suivie. Les rebelles comprennent qu'ils ont contre eux presque toute la population métropolitaine.

25. Effondrement de l'insurrection. Le général Challe, visiblement dépassé par la situation, se constitue prisonnier. Déclaration de l'ACA qui demande de « mesurer les conséquences incalculables pour la paix internationale des dissensions entre Français ».

Avril/mai. Dissolution de trois régiments de parachutistes, épuration de l'armée et de la haute administration. Création d'un haut tribunal militaire. L'article 16 sera maintenu jusqu'au 30 septembre. Le gouvernement cherche à minimiser le danger encouru pour ne pas faire apparaître l'appui populaire massif que les Français d'Algérie avaient apporté aux putschistes.

♦ *Mai.* 15. Jean XXIII publie l'encyclique *Mater et magistra.*

20/30. Conférence d'Évian au terme de laquelle on se sépare sans avoir rien conclu.

28/31. Procès des généraux Challe et Zeller (les généraux Jouhaud et Salan ont choisi la clandestinité). Ils comparaissent devant un haut tribunal militaire qui vient d'être créé à leur intention, ce qui est contraire à un principe fondamental du droit français qui veut qu'un accusé ne puisse être déféré qu'à une juridiction existant au moment du délit ou du crime. D'autre part, le maintien de l'article 16 permet au gouvernement de prendre des mesures exorbitantes de droit commun, notamment des arrestations sans mandat judiciaire et l'extension de la durée des internements administratifs. Ces violations évidentes des libertés publiques ne soulèvent que de faibles protestations parce que l'on espère que de Gaulle résoudra le problème algérien. D'ailleurs en Algérie se multiplient attentats OAS et FLN et, dans un tel climat, la notion de « liberté publique » perd toute signification. M. Challe et A. Zeller sont condamnés à 15 ans de détention : leur procès a duré trois jours alors que le procès des barricades avait duré quatre mois. *L'Humanité* écrit : « La caste militaire a voulu protéger les siens. Et le pouvoir issu de cette caste ne pouvait lui refuser cette protection ». *Le Figaro* parle d'un « procès douloureux » et cite cette déclaration de M. Challe : « Servir, obéir, oui jusqu'à la mort mais non jusqu'au parjure ». Il cite ce passage d'une lettre de P. Delouvrier, ancien Délégué général du gouvernement, lettre lue au cours des débats et qui dit du général Challe : « Je dois dire que le caractère élevé des mobiles de cet acte, la revendication hautement affirmée de ses responsabilités, tout cela me permet de ne pas perdre les sentiments personnels que j'avais pour les qualités morales de l'homme. C'est le propre hélas, des situations tragiquement difficiles que des amis se trouvent dans des camps opposés. »

31/2 *juin.* Voyage du président J.F. Kennedy en France.

♦ *Juin.* 20. Reprise des pourparlers avec le GPRA à Lugrin. Il semble que de Gaulle se résigne peu à peu à accepter que le Sahara soit placé sous la souveraineté du futur État algérien. L'essor de la production pétrolière saharienne est en effet remarquable et le GPRA fait de l'intégration du Sahara dans la future République algérienne une condition sine qua non de la poursuite des pourparlers.

♦ *Juillet.* Intervention des parachutistes à Bizerte, le gouvernement tunisien ayant établi des barrages autour de la base française. C'est Hassan II qui tend à remplacer H. Bourguiba comme médiateur entre la France et le GPRA.

5. Journée organisée en Algérie par le FLN contre le projet de « partage ». 70 morts.

♦ *Septembre.* 8. Tentative d'attentat contre de Gaulle sur la route de Colombey.

12. A l'occasion d'un débat agricole, les députés dénoncent les méthodes du gouvernement qui tendent à escamoter le rôle du parlement. M. Faure : « Prenons garde que la démocratie directe ne conduise à l'action directe ». Puisque ce débat ne peut avoir ni conclusion ni sanction, tous les députés quittent la séance sauf ceux de l'UNR, ce qui fait écrire à J. Fauvet dans *Le Monde* que « les députés sont passés eux aussi à l'action directe. En effet, la constitution, avec l'assentiment du Conseil constitutionnel, est de plus en plus interprétée dans un sens présidentialiste avec une restriction croissante des droits du Parlement et des libertés publiques. Ceci devant l'indifférence de l'opinion publique, comme l'ont montré les élections cantonales de juin qui n'ont profité à aucun parti d'opposition – sauf les communistes – qui dénoncent le péril fasciste. Plus présidentiel que parlementaire, le régime devient de plus en plus plébiscitaire. Certes l'Assemblée conserve le droit de renverser les ministères par une motion de censure. Mais, dans cette hypothèse, il y aura immédiatement dissolution et les nouvelles élections seront en fait un plébiscite pour ou contre de Gaulle. Donc, quoiqu'en dise l'article 20 de la Constitution, la réalité du pouvoir est détenue par le chef de l'État qui n'est pas constitutionnellement responsable. »

◆ *Octobre.* 17. Manifestation des travailleurs algériens à Paris (on voulait leur interdire toute circulation à Paris la nuit). Chiffres officiels : 2 morts, 64 blessés, 11 500 arrestations. Le bruit court que le nombre des morts est en fait beaucoup plus élevé et qu'on a retiré de la Seine de nombreux cadavres de manifestants. La violence de cette répression – à laquelle la mutation à Paris d'éléments de la police algéroise n'est sans doute pas étrangère – soulève une indignation d'autant plus générale que la politique officielle reconnait le droit à l'indépendance des Algériens.

L'année se termine donc pour le gouvernement dans un certain isolement. Étudiants et intellectuels ne comprennent pas la politique de répression à l'égard des partisans de la paix en Algérie. La classe politique est mécontente de son rôle de figurant, et il y a une violente hostilité des paysans. La Communauté n'est plus qu'un souvenir mais tous les pays devenus indépendants conservent de bons rapports avec la France, la Guinée exceptée. En fait, les grands intérêts économiques y sont sauvegardés parce que ces pays ont accédé à l'indépendance avant que ne s'y développent des luttes populaires de libération. Les équipes gouvernementales y sont presque toujours composées d'hommes politiques favorables à la France, dont certains ont fait partie de la classe politique française comme le montre l'exemple de F. Houphouët-Boigny. Certains parlent de « néocolonialisme ».

Champ économique et social

★ *Janvier/février.* Grèves tournantes dans l'enseignement pour la revalorisation des traitements.

★ *Mars.* 14. Grève générale des fonctionnaires.

★ *Juin.* 4. A l'occasion des cantonales, des urnes sont enlevées et brulées dans le Finistère par les paysans.

8. Des centaines d'agricuLteurs envahissent Morlaix et investissent la sous-préfecture. Dans toute la Bretagne des fils téléphoniques sont coupés, des trains arrêtés, des routes barrées. M. Debré reçoit J. Courau, président de la FNSEA qui réclame l'application totale de la loi d'orientation.

Un printemps précoce a provoqué la maturité simultanée des récoltes du Midi, de la Région parisienne et de la Bretagne tandis que l'abondance des récoltes des îles anglo-saxonnes prive les producteurs bretons de leur débouché anglais : d'où effondrement des cours.

En Loire-Atlantique, la CGT et la CFTC soutiennent les organisations paysannes. Le syndicalisme agricole tend à se partager en une tendance modérée et une tendance plus à gauche (le comité de Guéret) tandis que l'extrême-droite tente de dramatiser les manifestations.

29. Table ronde des représentants du syndicalisme paysan et de M. Debré. Quatre autres tables rondes ne donnent pas de résultat.

★ *Juillet.* 19. Discours de M. Debré sur la politique agricole. La FNSEA juge les mesures gouvernementales « très insuffisantes ».

★ *Août.* 24. Remaniement ministériel. E. Pisani remplace H. Rochereau à l'agriculture.

★ *Septembre.* Au conseil des œuvres universitaires, trois sièges sont retirés à l'UNEF pour être donnés à la FNEF créée en juin à Montpellier. D. Wallon, président de l'UNEF, se voit interdire de se présenter à l'ENA.

★ *Décembre*. Début de la grève avec occupation à Decazeville pour protester contre la fermeture des mines devenues non rentables.

La production industrielle augmente de 5 % (1952 = 100) : décembre 61 : 207.

L'excédent de la balance des paiements permet le remboursement de toute la dette extérieure à court terme.

La pénurie de main-d'œuvre et de techniciens qualifiés constitue un goulot d'étranglement qui pousse les employeurs à augmenter les salaires qui croissent de 9 % dans le secteur privé, les prix de détail n'augmentant que de 4,2 %.

En 1960, il y avait eu 1 million de journées de travail perdues pour fait de grève, il y en a eu 2,5 millions dans les onze premiers mois de 1961.

Le franc est une des monnaies les plus solides du monde et l'expansion économique a entraîné des plus-values fiscales qui ont suffi à aveugler l'impasse budgétaire.

Il y a eu 840 000 naissances, leur excédent sur les décès étant de 340 000, chiffre record depuis 1948.

Champ culturel

▶ *Prix littéraires* – Goncourt : *La pitié de Dieu* (J. Cau)
　　　　　　　　　Renaudot : *Les blés* (R. Bordier)
　　　　　　　　　Fémina : *Le promontoire* (H. Thomas)
　　　　　　　　　Médicis : *Le parc* (Ph. Sollers)
　　　　　　　　　Interallié : *L'ombre portée* (J. Ferniot)

▶ *Littérature* – Au niveau de la consommation, les grands succès sont les suivants : *Au nom du fils* (H. Bazin), *La force de l'âge* (2e tome des Mémoires de S. de Beauvoir), *La gloire des vaincus* (H. Troyat), *Les merveilleux nuages* (F. Sagan), *Le grand monde* (G. des Cars), *Citrons acides* (L. Durrell), *Le troisième Reich* (W.L. Schirer). Création d'*Astérix* (A. Uderzo et R. Goscinny).

▶ *Théâtre* – Le nouveau théâtre est désormais reconnu par l'establishment. A. Bourseiller monte *La soumission* et *Les chaises* d'E. Ionesco au Studio des Champs Élysées, le Théâtre de France reprend *En attendant Godot* de S. Beckett. La traduction française de la pièce de W. Gibson *Miracle en Alabama* remporte un grand succès au théâtre Hébertot.

Avec l'émission *« Au théâtre ce soir »* P. Sabbagh transporte chaque semaine des millions de téléspectateurs dans un « vrai » théâtre, avec un « vrai » public. Ils sont conviés à s'identifier aux spectateurs qu'ils voient passer au contrôle et s'installer dans la salle. Ils regardent des gens qui regardent. On a accusé cette émission d'être responsable de la désaffection du public à l'égard du théâtre « vivant ». On peut rétorquer que la télévision donne à *Hamlet* plus de spectateurs en un soir que depuis sa première représentation.

▶ *Cinéma* – J. Demy : *Lola*
　　　　　　J.L. Godard : *Une femme est une femme*
　　　　　　L. Malle : *Vie privée*
　　　　　　J.P. Melville : *Léon Morin prêtre*
　　　　　　J. Rivette : *Paris nous appartient*
　　　　　　A. Resnais : *L'année dernière à Marienbad*
　　　　　　R. Wise et J. Robbins : *West Side story*
　　　　　　W. Disney : *Les 101 dalmatiens*

L. Bunuel : *Viridiana*
M. Antonioni : *La nuit*
P. Pasolini : *Accatone*
I. Bergman : *De l'autre côté du miroir* et *Le silence*.

▶ *Musique* – Le grand pianiste soviétique S. Richter donne trois concerts à Chaillot. Au théâtre des Nations, grand succès du *Moïse et Aron* de A. Schönberg.

Premiers récitals de Ray Charles en France.

Au lendemain de la guerre le style de la chanson est renouvelé par l'usage systématique du microphone. Les vedettes de l'avant-guerre (Yvonne George, Damia, Marie Dubas, Lys Gauty, devaient avoir « de la voix »). Désormais, le micro rend possible des carrières pour des chanteurs sans voix et il transforme le comportement du chanteur en permettant notamment un style « intimiste ». D'autre part apparaît une succession d'auteurs-interprètes qui donnent tous en 1961 des récitals qui remportent de grands succès.

D'abord Ch. Trenet, célèbre depuis 1933 et qui avait rénové la chanson française en lui rendant sa dimension poétique grâce à un maniement du langage, onomatopées et allitérations – crée un comique du verbe qui rompt avec les traditions du comique troupier.

G. Brassens remporte un triomphe à l'Olympia. Découvert en 1952 par le chansonnier J. Grello, ses premiers disques : *Le gorille, Quand Margot, La mauvaise réputation* provoquent un scandale. Par la suite, il met en musique des poèmes de F. Villon *(La ballade des dames du temps jadis)*, de V. Hugo *(Gastibelza)* de P. Fort *(Le petit cheval)*, tout en restant fidèle à son inspiration première, anarchiste et individualiste, qui ne fait qu'égratigner la société qu'il critique.

L'itinéraire de J. Brel, qui devient célèbre en 1957, le conduit d'une sorte de personnalisme célébrant l'amitié et la fraternité à une thématique empreinte de déisme et d'anticléricalisme *(Les bigotes, A mon dernier repas)*. Son anticonformisme va croissant et c'est en 1961 qu'il chante *Les bourgeois*, peut-être son plus grand succès.

Né en 1916, chanteur de cabaret peu connu, L. Ferré doit attendre 1961 pour que son passage à l'Alhambra le révèle au grand public. Son œuvre oscille entre un pôle poétique *(L'étang chimérique*, mise en musique de poètes comme L. Aragon, P. Verlaine, A. Rimbaud, Ch. Baudelaire, G. Apollinaire et Lautréamont) et un pôle politique dont les thèmes sont ouvertement anarchistes *(Les temps difficiles, Les anarchistes, Ni Dieu ni maître)*. La gloire de ce contestataire célébré par la société consommationniste qu'il vitupère ne cessera de croître et, à partir de 1968, il modifiera son style en intégrant à son tour de chant de longs textes récités.

Le théâtre de 10 heures et l'ABC révèlent un nouveau chansonnier, H. Tisot, dont *Le discours sur l'autocirculation* pastiche avec beaucoup de finesse et de succès le style parlé du général de Gaulle.

▶ *Vie quotidienne* – Inauguration de la nouvelle aérogare d'Orly – La première laverie self-service est mise en place à Aubervilliers – En juin, catastrophe à Clamart et Issy-les-Moulineaux : la voute d'anciennes carrières ayant cédé, il se produit un effondrement d'un km², qui entraîne la chute de 25 pavillons et d'un immeuble : 19 morts, 45 blessés, 300 sans abri – Au Salon de l'auto, Renault présente la 4 L dont la longueur est la même que celle de la 4 CV mais dont l'habitabilité est beaucoup plus grande. Le but est de concurrencer la 2 CV dont les plans avaient été conçus à l'époque du Front populaire, dont les premiers exemplaires étaient sortis en 1948 et dont le succès ne se démentait pas – En novembre, B. Bardot porte plainte contre l'OAS pour tentative de chantage et d'extorsion de fonds : elle se refuse à verser à l'organisation terroriste les sommes que celle-ci exigeait d'un certain nombre de personnalités sous menace de mort – Le 13 décembre la télévision donne la première émission de R. Marcillac : « Les coulisses de l'exploit »

Champ politique

« Il nous paraît certain que le Général de Gaulle a conçu dès l'époque de son retour au pouvoir un programme dont il poursuit la réalisation étape par étape, tout en tenant le compte qu'il juge le meilleur des éléments favorables ou contraires qui lui sont fournis par le jeu des événements (...). Les confusions apparentes que l'histoire impose souvent à sa démarche ne font, pour un esprit attentif, qu'en souligner l'implacable rigueur. On a pu le comparer au cavalier du jeu d'échecs dont l'avance suppose des bonds brisés (...). Il ne nous semble guère possible de contester ce phénomène volontariste *au sommet,* ni la marque qu'il imprime au temps que nous traversons. » Ainsi s'exprime E. Faure dans la préface à *L'Année politique 1962* et, pour prouver l'efficacité volontariste du Général, il prend comme exemple l'attentat du Petit Clamart qui lui a offert la possibilité d'imposer l'élection du Président de la République au suffrage universel à laquelle il pensait depuis longtemps : « Nous assistons ici à un cas exemplaire d'interaction du planifié et de l'imprévu ».

♦ *Janvier.* Les attentats OAS se multiplient en métropole. Procès de l'abbé Davezies pour aide au FLN. Le cardinal Liénart, prélat de la « Mission de France » à laquelle appartient l'abbé Davezies, souligne : « La légitimité fondamentale du peuple algérien à son indépendance en même temps que la nécessité de sauvegarder les droits authentiques des Européens. » L'abbé Davezies est condamné à trois ans de prison ferme.

Malgré les affirmations de R. Frey, ministre de l'Intérieur, certains pensent que la lutte anti-OAS est menée avec une certaine mollesse. A Amboise, M. Debré déclare : « Il existe une sorte de psychose qui dépasse la réalité et il n'y a pas en France de graves problèmes d'ordre politique. »

7. Au camp de Satory, un commando OAS s'empare sans aucune difficulté de 15 mitraillettes et 4 fusils-mitrailleurs.

14. Manifeste de cent anciens membres de la Résistance dont trente Compagnons de la Libération, allant des communistes (Benoît Frachon) aux UNR (R. Capitant) invitant tous les anciens résistants : « à se retrouver et à agir au grand jour contre les factieux de l'OAS et leurs complices ». Toutefois, CFTC, FO, FEN, SFIO, Radicaux, UDSR, Ligue des droits de l'homme refusent l'action commune proposée par la CGT. Un communiqué de la CFTC déclare : « En cas de coup de force, les contacts seraient immédiatement pris avec la CGT pour barrer la route aux factieux. » G. Mollet : « Ces espèces de léninistes mal blanchis et mal destalinisés veulent utiliser la menace de l'OAS pour dédouaner le PC. Dans la conjoncture présente, l'action avec les communistes est impossible dans la lutte contre l'OAS ».

16. Le Tribunal permanent des Forces Armées siégeant à huis-clos déclare non coupables et acquitte trois officiers accusés d'avoir torturé une femme musulmane morte des suites de ses blessures. L'indignation est telle que, le 19 janvier, P. Messmer, ministre des Armées, fait déposer un pourvoi contre l'acquittement de ces officiers.

Nuit du 17 au 18. Dix-huit attentats au plastic à Paris contre « les traîtres à la cause de l'Algérie française » comme l'indiquent les tracts laissés sur les lieux des attentats. H. Beuve-Méry et Ph. Grumbach sont plastiqués mais les attentats OAS sont surtout dirigés contre les communistes : le 3 janvier, M. Locussol, ancien membre du PC algérien, a été assassiné à Alençon.

18. V. Giscard d'Estaing remplace W. Baumgartner au ministère des Finances.

♦ *Février.* – La lutte anti-OAS est insuffisante aux yeux de G. Defferre : « Je considère que M. Debré n'est pas qualifié pour lutter efficacement contre l'OAS; une grande partie des hommes qui sont à la tête ou dans les rangs de l'OAS était, il n'y a pas longtemps, des amis de M. Debré ». Un attentat qui devait atteindre A. Malraux éborgne une fillette de 4 ans.

5. Allocution télévisée de de Gaulle qui condamne l'OAS, « agitateurs qu'il faut réduire et châtier », et annonce une Algérie indépendante : « Nous sommes prêts à reconnaître sans nulle restriction ce qui ne manquera pas de sortir de l'autodétermination, c'est-à-dire un État souverain et indépendant ». On s'accorde à penser que la paix est imminente.

8. Manifestation anti-OAS. Huit manifestants meurent étouffés à l'entrée du métro Charonne. L'émotion est immense et, à minuit, le ministère de l'Intérieur publie un communiqué où l'on peut lire : « Le parti communiste, malgré l'interdiction des mouvements de rue, a organisé des manifestations sur la voie publique. Les émeutiers, en bandes organisées, ont attaqué avec une extraordinaire violence le service d'ordre se servant de matraques, de boulons, de grilles arrachées et de pavés ». Ce communiqué ne convainc personne.

13. Obsèques des victimes de Charonne : 150 000 personnes selon la Préfecture de police, plusieurs centaines de milliers selon la presse, plus d'un million selon les organisateurs. Une partie importante de l'opinion publique ne comprend pas pourquoi la police massacre des manifestants qui réclament la même chose que le gouvernement : la lutte anti-OAS et la paix en Algérie.

♦ *Mars.* 10. Une voiture piégée explose devant la mairie d'Issy-les-Moulineaux où va s'ouvrir le Congrès du Mouvement de la Paix. 3 morts et 47 blessés.

12. Grève générale d'une demi-heure dans la région parisienne pour protester contre cet attentat (unanimité des syndicats). Le haut clergé condamne les attentats et G. Bidault lui-même dénonce « les plastiquages en série et au hasard ».

18. Signature des accords d'Évian. De Gaulle en fait part aux Français à la télévision et annonce un référendum. Tout le monde se demande comment ils pourront être appliqués en Algérie où, dans les grandes villes, les deux communautés se livrent des batailles rangées.

19. *12 heures.* Le cessez-le-feu entre en vigueur, théoriquement.

20. Réunion du Parlement en séance extraordinaire. On y lit un message de de Gaulle qui rappelle habilement que sa politique algérienne « a été approuvée par le Parlement soit explicitement, soit du fait de la confiance qu'il n'a cessé d'accorder au gouvernement responsable ». Puis M. Debré fait une déclaration d'une voix triste. Suit un débat animé.

23. Insurrection de Bab-el-Oued où des commandos OAS attaquent des patrouilles françaises. Vingt morts.

25. Le général Jouhaud est arrêté à Oran. Nommé haut-commissaire de la République en Algérie, Ch. Fouchet s'adresse aux Français d'Algérie : « Je n'ai pas demandé à être ici (...). Ceux qui vous disent que votre avenir est de vous insurger contre la République, de protéger des assassins et de tirer sur des gendarmes et des soldats français

sont des fous et des criminels. Pour eux, qu'ils le sachent, il n'y a plus de salut. Mais vous, au nom du ciel, ne vous solidarisez pas avec eux. Chassez-les, car rien n'est perdu. »

26. Grande manifestation rue de l'Isly, à Alger, organisée par l'OAS. Les manifestants sont très souvent des familles entières. La troupe tire (peut-être a-t-on tiré sur elle du haut des toits?) : 46 morts, des centaines de blessés.

♦ *Avril.* 6. Dans une allocution radio-télévisée, de Gaulle demande aux Français de voter oui au référendum du 8 avril.

8. Référendum en France sur l'autodétermination en Algérie. 90 % des suffrages exprimés disent oui (24,39 % d'abstentions). Mais ce pourcentage est équivoque, puisque la gauche a fait voter oui sans être pour autant gaulliste. « La France a voté pour la paix, et contre le fascisme. Rien de plus, rien de moins » *(Le Populaire).* « La manœuvre plébiscitaire conçue par le Chef de l'État est déjouée. Même avec beaucoup de mauvaise foi, il sera difficile de prétendre que tous les oui d'hier sont des oui à de Gaulle » *(Libération).*

14. Démission de M. Debré. G. Pompidou est nommé Premier ministre. Ancien professeur, ancien maître des requêtes au Conseil d'État (1946-1954), ancien directeur du Cabinet de de Gaulle lorsque celui-ci fut le dernier Président du conseil de la IVe République (juin 1958-janvier 1959), directeur général de la Banque Rothschild depuis 1954, « c'est la première fois que le directeur d'une grande banque privée devient directement chef du gouvernement » *(Année politique 1962).* Le fait qu'il ne soit pas parlementaire est perçu comme un nouveau pas vers le régime présidentiel. Ce qui vaut à M. Debré dans le monde politique une surprenante popularité rétrospective. « Que l'on ne nous fasse pas dire que M. Debre était l'incarnation même de la démocratie. Mais l'ancien sénateur d'Indre-et-Loir était malgré tout un parlementaire » *(Libération),* « Debré était certes un serviteur docile, mais il était un homme politique » *(L'Humanité).* *L'année politique* commente : « Au moment même où la fin de la guerre d'Algérie pouvait amener une plue vraie et plus stricte application de la Constitution, le chef de l'État cherche visiblement à accroître encore en fait et en droit ses pouvoirs. »

11/13. Procès du général Jouhaud qui est condamné à mort.

20. Arrestation du Général Salan.

26/27. Débat d'investiture du gouvernement Pompidou qui recueille 259 voix contre 128 et 119 abstentions.

Premier ministre : G. Pompidou.
Ministres d'État : *Affaires culturelles :* A. Malraux – *Coopération :* P. Pflimlin (MRP) – *Dom-Tom :* L. Jacquinot (Ind) – *Affaires algériennes :* L. Joxe – *Recherche scientifique :* G. Palewski.
Ministres : *Délégué auprès du Premier ministre, chargé des relations avec le Parlement :* R. Dusseaulx – *Délégué auprès du Premier Ministre, chargé de l'aménagement du territoire :* M. Schumann (MRP) – *Justice :* J. Foyer (UNR) – *Affaires étrangères :* M. Couve de Murville – *Intérieur :* R. Frey (UNR) – *Armées :* P. Messmer – *Finances et affaires économiques :* V. Giscard d'Estaing (Ind.) – *Éducation nationale :* P. Sudreau – *Travaux publics et transports :* R. Buron (MRP) – *Industrie :* M. Bokanowski (Ind.) – *Agriculture :* E. Pisani – *Travail :* P. Bacon (MRP) – *Santé publique et population :* J. Fontanet (MRP) – *Construction :* J. Maziol (UNR) – *Anciens combattants :* R. Triboulet (UNR) – *PTT :* J. Marette (UNR).
Secrétaires d'État : *Information :* A. Peyrefitte (UNR) – *Fonction publique :* J. de Broglie (Ind.) – *Affaires étrangères :* G. Gorse (sans parti) – *Rapatriés :* R. Boulin (UNR) – *Commerce intérieur :* F. Missoffe – *Commerce extérieur :* G. Grandval (UDT) – *Travaux publics :* P. Dumas (UNR).

♦ *Mai.* Pendant tout le mois c'est la terreur en Algérie : le 2 mai, une voiture piégée explose sur le port d'Alger : 62 morts; le 3, un attentat au plastic détruit en partie la préfecture d'Oran. L'OAS fait une politique de la terre brûlée pour rendre impossible toute coopération entre la France et le futur État algérien.

15. Dans une conférence de presse, de Gaulle exprime son hostilité à l'intégration européenne : « J'ai déjà dit et je répète qu'à l'heure qu'il est, il ne peut y avoir d'autre

Europe que celle des États, en dehors naturellement des mythes, des fictions, des parades. » Les observateurs notent que, pendant la conférence de presse, le visage de P. Pflimlin se décompose. Les cinqministre MRP, P. Pflimlin, R. Buron, M. Schumann, P. Bacon, J. Fontanet démissionnent immédiatement. G. Pompidou remanie son gouvernement :

> G. Grandval devient *ministre du Travail* (à la place de P. Bacon)
> G. Gorse devient *ministre de la Coopération* (à la place de P. Pflimlin)
> P. Dumas devient *ministre chargé des relations avec le Parlement* en remplacement de R. Dusseaulx qui remplace R. Buron aux *Travaux publics.*
> R. Marcellin remplace J. Fontanet à la *Santé publique.*
> G. Pompidou se réserve les attributions de M. Schumann à l'*aménagement du territoire.*

Le groupe parlementaire Indépendant voudrait que les ministres indépendants se retirent pour protester contre la politique algérienne de de Gaulle. L. Jacquinot, R. Marcellin, J. de Broglie et V. Giscard d'Estaing refusent de quitter le pouvoir. Ils sont aussitôt exclus du groupe parlementaire Indépendant. Cette exclusion est à l'origine de la formation du groupe des « Républicains indépendants » (RI).

15/23. Procès R. Salan qui lit une déclaration et dit qu'il ne répondra à aucune question émanant d'un tribunal qu'il récuse : « J'ai été le 13 mai la dupe d'une comédie affreuse et sacrilège (...). Je n'ai pas à me disculper d'avoir refusé que le communisme s'installât à une heure de Marseille et que Paris fût mis à la portée de ses fusées courtes ». J. Morin, ancien délégué général en Algérie, témoin de l'accusation, définit en ces termes le comportement de l'OAS : « On tue, on va prendre l'anisette, on retue après ». Le verdict surprend même la défense : circonstances atténuantes, détention à perpétuité. « Désormais, toute action criminelle de l'OAS pourra invoquer comme mobile l'amour de la patrie et avancer comme excuse l'ordre reçu et exécuté » *(La Croix).*

27. Une ordonnance publiée au *JO* supprime le haut tribunal militaire dont de Gaulle n'apprécie pas la mansuétude.

30. Création d'une Cour militaire de justice composée de 5 officiers et de 5 sous-officiers. Le général de Larminat en accepte la présidence. Il se suicidera le 30 juin.

D'après R. Boulin, secrétaire général aux rapatriés, 100 000 personnes sont revenues en mai : « Ces gens ont pris dans leur esprit un billet d'aller et retour ». Appel des cardinaux de France aux rapatriés et à ceux qui demeurent en Algérie : « Cesser ou faire cesser les tueries sans nom ».

♦ *Juin.* Les rapatriés débarquent au rythme de 8 000 à 9 000 par jour.

5. De sa prison, le général Jouhaud lance un appel à l'apaisement : « L'indépendance est un fait pratiquement acquis (...). L'honneur est sauf (...). Il importe que l'action de l'OAS cesse au plus tôt. C'est son chef qui le demande à ceux qui se sont mis spontanément sous ses ordres. »

7. Dovcar et Piegts, deux légionnaires qui avaient assassiné le commissaire R. Gavoury, chargé de la lutte anti-OAS, sont exécutés. C'est la première fois que des sentences de mort prononcées contre des membres de commandos OAS sont exécutées. L'opinion publique comprend mal la clémence à l'égard de R. Salan.

8. Discours radio-télévisé de De Gaulle ouvrant la campagne pour le référendum sur l'autodétermination en Algérie : « En 1958, nous trouvions, qui a pu l'oublier (...), une entreprise d'usurpation se constituant à Alger ». Cette phrase est déclarée « stupéfiante » par un grand nombre d'observateurs. « Avancer qu'il s'est opposé en 1958 à une entreprise d'usurpation relève d'un cynisme proprement stupéfiant » écrit *L'Humanité* visiblement abasourdie.

17. Accord FLN-OAS pour faire cesser le terrorisme à Alger.

21. Même accord pour Oran.

22. Appel de R. Salan : « Que mes amis recueillent mon accord total pour avoir accepté que les combats prennent fin (...). Gardez votre beau pays dans une coopération serrée avec la France ».

♦ *Juillet.* 1ᵉʳ. Référendum en Algérie. L'indépendance est choisie par 99,72 % des suffrages exprimés et 91,3 % des inscrits. De Gaulle : « Le Président de la République reconnaît solennellement l'indépendance de l'Algérie ». Le Parlement, qui n'a même pas été consulté, est appelé le 3 juillet à prendre acte de l'ordonnance qui met fin aux mandats de 102 de ses membres (les élus des ex-départements algériens).

♦ *Août.* 22. Attentat du Petit Clamart contre de Gaulle.

♦ *Septembre.* 11. Pour la seconde fois, G. Pompidou remanie son ministère :

A. Peyrefitte est chargé des *rapatriés* en remplacement de R. Boulin qui devient secrétaire d'État au *budget*.
Ch. Fouchet remplace A. Peyrefitte au *secrétariat d'État à l'Information*.

12. De Gaulle annonce un référendum pour l'élection du Président de la République au suffrage universel.

17. Arrestation de tous les membres du commando qui ont perpétré l'attentat du Petit Clamart. Leur chef J.M. Bastien-Thiry, est un ingénieur militaire principal.

♦ *Octobre.* 2. Dépôt d'une motion de censure par les Indépendants, la SFIO et le MRP qui considèrent qu'il y a violation de la Constitution parce qu'une proposition de révision doit être votée par les deux chambres avant d'être soumise à référendum.

4. De Gaulle à la télévision : « Tout le monde peut constater quels résultats éclatants a atteint le peuple français sous ses institutions nouvelles (...). Que par un vote massif la Nation atteste qu'elle ne veut pas après de Gaulle revoir l'État livré à des pratiques politiques qui la mèneraient à une odieuse catastrophe. Mais, cette fois, sans recours (...). Vos réponses me diront le 28 octobre si je peux et si je dois poursuivre ma tâche. »

3/5. Débat sur la motion de censure. P. Reynaud, qui n'a jamais voté aucune motion de censure, déclare : « M. le Premier Ministre, allez dire à l'Élysée que nous ne sommes pas assez dégénérés pour renier la République ». Le 5 octobre, la censure est votée par 280 députés sur 480. « La République est sauvée » écrit J. Romains dans *L'Aurore.*

6. G. Pompidou démissionne.

10. Le général de Gaulle dissout l'Assemblée.

11. Ouverture de la première session du Concile de Vatican II qui durera jusqu'au 8 décembre.

18. Discours télévisé de De Gaulle. Il affirme que la Constitution lui donne le droit d'organiser ce référendum et précise que « si la majorité des oui est faible, médiocre, aléatoire, il est bien évident que ma tâche serait terminée aussitôt et sans retour. » L'opposition proteste violemment contre la monopolisation des ondes par de Gaulle, alors que les cinq partis qui se prononcent pour le « non » n'ont droit qu'à dix minutes chacun. G. Monnerville proteste auprès de Ch. Fouchet ministre de l'Information.

23. C'est le sommet de la crise de Cuba, dont les partisans du oui tirent argument en faveur « de la présence à notre tête d'un chef d'État comme le général de Gaulle qui assure à la France l'audience et le respect des nations » (G. Palewski). P. Mendès-France demande à de Gaulle d'ajourner le référendum. Son initiative passe inaperçue.

24. Entretien télévisé du premier ministre démissionnaire qui déclare : « Le jour où mon gouvernemnt a été renversé, j'ai senti physiquement que le mauvais génie d'autrefois était de nouveau présent dans l'hémicycle ».

26. Ultime appel de de Gaulle diffusé deux fois dans la même journée : « Si la Nation française venait à renier de Gaulle, ou même ne lui accordait qu'une confiance vague et douteuse, sa tâche historique serait aussitôt impossible et par conséquent terminée. »

28. Référendum : 23 % d'abstentions. Oui : 62,25 % des suffrages exprimés, mais 46,66 % des inscrits. Le oui recule partout par rapport aux référendums de 1958, 1961 et 1962. Mais parmi les non (37,75 % des suffrages exprimés et 28,29 % des inscrits) il y a les non de la gauche, les non des Indépendants et les non des rapatriés.

31. Communiqué du conseil des ministres : « Le chef de l'État a constaté qu'il se dégageait une large majorité résolument tournée vers la rénovation politique de la Nation. »
La campagne électorale commence immédiatement. De Gaulle y intervient directement. Volte-face de G. Mollet, qui déclare qu'il fera voter communiste pour barrer la route à l'UNR.

♦ *Novembre.* Les résultats du référendum faisant peser une incertitude sur les législatives, de Gaulle, le 7 novembre appelle les Français à voter « Pour ceux qui me défendent » et se déchaîne contre les partis.

18 et 25. Élections législatives. Le raz-de-marée gaulliste au premier tour entraîne souvent des accords socialo-communistes au deuxième tour : par exemple dans le Pas-de-Calais, les communistes se désistent en faveur de G. Mollet qui, avec M. Faure, est le seul dirigeant du cartel des non à ne pas être battu.

Résultats du deuxième tour (pourcentage et nombre de députés).

UNR + UDT	40,5 %	229
PCF	21,3 %	41
SFIO	15,2 %	65
CNI (Centre National des Indépendants) :	7,4 %	28
Radicaux + Centre gauche	7 %	42
RI (Républicains Indépendants ralliés à de Gaulle)	1,6 %	20
MRP	5,3 %	36
PSU	1,2 %	2
Centre républicain	0,4 %	1

Ce tableau indique les votes du deuxième tour et le total des députés élus aux deux tours. Le taux des abstentions est le plus élevé qui ait été enregistré dans toutes les élections législatives depuis la Libération. Le mode de scrutin a joué un rôle capital : avec la représentation proportionnelle intégrale, l'UNR-UDT aurait eu 150 élus et le PCF une centaine. Le succès de l'UNR est écrasant mais, avec 229 sièges sur 465, elle a besoin des RI pour avoir la majorité absolue. Tout Paris « appartient à l'UNR ». Sauf le PCF qui accroît légèrement le pourcentage de ses voix par rapport aux élections de 1958 et qui quadruple le nombre de ses sièges, toutes les autres forces politiques sont en recul. Pour le CNI, c'est un effondrement : leur participation au cartel des non leur a fait perdre 78 sièges. Tous les anciens UNR qui l'avaient quitté (P. Arrighi, L. Delbecque) et tous les leaders de l'extrême droite (J.M. Le Pen, A. Lacoste-Lareymondie) sont battus. Au deuxième tour, la bipolarisation de la vie politique s'est accentuée et il y a eu duel entre UNR et communistes dans 103 circonscriptions, duel qui a souvent profité à l'UNR. Toutefois, M. Debré – est-ce un symbole? – est battu en Indre-et-Loire par un radical soutenu par les communistes. Au total il y a un assez large renouvellement du personnel politique : on compte 225 nouveaux députés.

27. Obsèques du Président R. Coty décédé le 22 novembre. De Gaulle s'y rend et déclare en évoquant mai 1958 : « Qu'il manquât à ce moment de hauteur d'âme et de bon sens, qu'il s'accrochât à un système à la dérive, qu'il cherchât à se réfugier derrière le vide qui était alors le propre de sa fonction, nul doute que la crise eût jeté la France dans les pires épreuves. Mais c'est alors que, n'écoutant que son patriotisme, sa clairvoyance et son désintéressement (...), il adjura le régime aux abois de s'en remettre comme lui à la légitimité profonde ».

Décembre. 6. Première réunion de l'Assemblée nouvelle, qui réélit J. Chaban-Delmas président.

7. G. Pompidou, renommé Premier Ministre, remanie son ministère.

Premier ministre : G. Pompidou.
Ministres d'État : *Affaires culturelles :* A. Malraux – *Dom-Tom :* L. Jacquinot (UNR) – *Réformes administratives :* L. Joxe ** – *Recherche scientifique :* G. Palewski.
Ministres : *Justice :* J. Foyer (UNR) – *Affaires étrangères :* M. Couve de Murville – *Intérieur :* R. Frey (UNR) – *Armées :* P. Messmer – *Finances et Affaires économiques :* V. Giscard d'Estaing (RI) – *Coopération :* R. Triboulet ** (UNR) – *Éducation nationale :* Ch. Fouchet ** – *Travaux publics et transports :* M. Jacquet * (UNR) – *Industrie :* M. Maurice-Bokanowski (UNR) – *Agriculture :* E. Pisani – *Travail :* G. Grandval (UDT) – *Santé publique et population :* R. Marcellin (RI) – *Construction :* J. Maziol (UNR) – *Anciens combattants :* J. Sainteny* (UDT) – *PTT :* J. Marette (UNR) – *Information :* A. Peyrefitte ** (UNR) – *Rapatriés :* F. Missoffe ** (UNR).
Secrétaires d'État : *Auprès du premier Ministre, chargé des affaires algériennes :* J. de Broglie ** (RI) – *Auprès du Premier Ministre, chargé des relations avec le Parlement :* P. Dumas (UNR) – *Affaires étrangères :* M. Habib-Deloncle * (UNR) – *Budget :* R. Boulin (UNR).

*. Nouveau membre du gouvernement.
** Membre du gouvernement ayant changé d'attribution.

11. Message de De Gaulle à l'Assemblée dans lequel il dit que « la conception d'un parti unique ne saurait se justifier ». Ce même jour, querelle des places dans l'hémicycle, l'UNR ne voulant pas siéger à droite.
Désengagement progressif à l'égard de l'OTAN : les divisions modernes ramenées d'Algérie, contrairement aux engagements pris, n'ont pas été remises à la disposition de l'OTAN.

Champ économique et social

★ *Février.* Malaise dans la police à la suite de la révocation de M. Rouve, secrétaire du syndicat général de la police parisienne qui avait protesté contre l'interdiction d'une manifestation anti-OAS.
Nombreux accords d'entreprises, notamment à Nerpyc, qui reconnaît la section syndicale d'entreprise.
Le conflit de Decazeville trouve une issue : les mineurs licenciés sont embauchés dans des usines après formation professionnelle de 6 mois et en conservant leur salaire. Une indemnité de départ, supérieure à 3 mois de salaire, est versée à ceux qui acceptent d'aller travailler dans le Nord ou en Lorraine. Dans l'ensemble c'est un échec : les quelques-uns qui sont partis rentrent au bout de 3 mois.

★ *Avril.* 25. Grève de 24 h à la SNCF suivie à 80 % pour la revalorisation des salaires.

★ *Mai/juin.* Plusieurs journées revendicatives dans le secteur public mais le secteur privé reste calme.

★ *Juillet.* Vote de la loi complémentaire d'orientation de l'agriculture (dite « loi Pisani »). La FNSEA s'en déclare satisfaite mais proteste contre l'insuffisance du relèvement des prix à la production (le lait notamment). Révolte contre les « cumulards » – notamment contre J. Gabin qui dans le Calvados a acheté plus de 300 ha –, alors que « de nombreux jeunes agriculteurs ne peuvent pas trouver une exploitation ».

★ *Décembre.* 29. Nouvel accord d'entreprise chez Renault : 4 semaines de congés payés, réduction progressive des horaires.

La production industrielle progresse de 7 % (1952 = 100) : nov. 62 : 203. Ce sont les industries pétrolière, automobile, chimique, électrique qui progressent le plus vite.

Balance commerciale excédentaire : pourcentage de couverture des importations par les exportations : 111 %.

Balance des paiements également excédentaire.

Recensement du 7 mars 1962 : 46 530 000 habitants mais avec les rapatriés 47 500 000 en janvier 1963.

Les prix de détail ont augmenté de 4,8 % et la moyenne des salaires de 10 % mais cette hausse a été la plus forte dans le secteur privé, pour les cadres et le personnel très qualifié.

Niveau de l'emploi satisfaisant.

Champ culturel

▶ *Prix littéraires* – Goncourt : *Les bagages de sable* (A. Langfus)
                       Renaudot : *Le veilleur de nuit* (S. Jacquemart)
                       Fémina : *Le sud* (G. Berger)
                       Médicis : *Derrière la baignoire* (C. Audry)
                       Interallié : *Les pianos mécaniques* (H.F. Rey)

▶ *Littérature* –   Trois   publications importantes concernent le « nouveau roman » : *Mobile* et *Réseau aérien* de M. Butor, et le *Maintien de l'ordre* de Cl. Ollier.

Les grands succès de la consommation livresque sont *Les prétoriens* de J. Larteguy, *Les dames de Sibérie* d'H. Troyat, *Le jacassin* de P. Daninos et *La foire aux cancres* de J. Charles.

▶ *Théâtre* – E. Ionesco achève *Le roi se meurt* qui respecte l'unité de temps, puisqu'en une heure et demie on assiste à l'agonie d'un roi qui en fait n'est qu'un homme. Une seule chose semble échapper à la dérision, c'est la souffrance, comme le dit explicitement E. Ionesco dans *Notes et contre-notes :* « Je peux croire que tout n'est qu'illusion, vide. Cependant, je n'arrive pas à me convaincre que la douleur n'est pas (...). Le comique, étant l'intuition de l'absurde, me semble plus désespérant que le tragique. Le comique est tragique et la tragédie de l'homme est dérisoire. »

Mon Faust de P. Valéry, monté au Théâtre de l'Œuvre, séduit une partie de l'intelligenzia.

Aux programmes des théâtres de boulevard *Un fil à la patte* (G. Feydeau) *Hélène ou la joie de vivre* (A. Roussin), *La grosse valse* avec L. de Funès.

▶ *Cinéma* – J.L. Godard : *Vivre sa vie*
              A. Varda : *Cléo de 5 à 7*
              R. Dhéry : *La belle américaine*
              Chris Marker : *Cuba, Si*
              J. Ford : *L'homme qui tua Liberty Valence*
              S. Kubrick : *Lolita*
              O. Welles : *Le procès*
              D. Lean : *Lawrence d'Arabie*
              T. Richardson : *La solitude du coureur de fond*
              J. Losey : *Eva*
              M. Cacoyannis : *Electre*
              M. Antonioni : *L'éclipse*
              P. Germi : *Divorce à l'italienne*
              L. Bunuel : *L'ange exterminateur*
              I. Bergman : *Les communiants*

▶ *Expositions* – Au Musée d'Art moderne se succèdent *L'Art Yougoslave, 200 sculptures de Arp* et une rétrospective *J. Miro.* Le Petit Palais présente les *Chefs d'œuvre de l'art mexicain.*

▶ *Variétés* – Y. Montand au Théâtre de l'Étoile, J. Hallyday à l'Olympia et M. Amont à Bobino. G. Bedos s'impose à Milord l'Arsouille. Depuis la fin de 1961, on danse le twist lancé par Régine. L'Opéra comique donne la 1000ᵉ représentation de *Mireille* de Ch. Gounod.

▶ *Vie quotidienne* – En janvier, inauguration du paquebot « France » – Naissance et présentation de la R 8 par Renault.

1963

Champ politique

♦ *Janvier.* 3/4. L'Assemblée adopte le projet de loi instituant une Cour de Sûreté de l'État qui aura une très vaste compétence puisqu'elle devra connaître de tous les crimes et délits « de nature à porter atteinte à l'autorité de l'État ». C'est donc beaucoup plus vague que les crimes contre la sûreté de l'État (le concept d'autorité est flou). F. Mitterrand, dont c'est la rentrée de député (il avait été sénateur de 1959 à 1962), dénonce : « ce fleuron de nos lois scélérates (...). Le pouvoir a toujours obtenu tout ce qu'il désirait. Il a sa Constitution, son gouvernement, sa majorité, son référendum, sa télévision, sa force de frappe, son Europe. Il s'apprête à avoir son Sénat; peut-être voudrait-il avoir maintenant sa justice. » L'orateur termine en citant Napoléon : « Les grands pouvoirs meurent d'indigestion ».

9/10. Le Sénat amende profondément le projet de Cour de Sûreté de l'État. L'Assemblée l'adopte en seconde lecture.

14. Conférence de presse de De Gaulle qui se prononce contre l'entrée de la Grande-Bretagne dans le Marché commun.

♦ *Février.* 25. Enlèvement et transfert à Paris de l'ex-colonel Argoud (un des chefs de l'OAS).

♦ *Mars.* Ce sont les problèmes sociaux qui préoccupent l'opinion publique. A propos de la grande grève des mineurs, Mgr Huyghe déclare : « Demandons-nous, avant de jeter la pierre à qui que ce soit, si nous n'avons pas une part de responsabilité dans l'actuel climat social du pays minier. » Cette prise de position est approuvée quelques jours plus tard par l'Assemblée plénière de l'Épiscopat.

♦ *Avril.* Conflit entre l'Union des Étudiants Communistes (UEC) et le Comité Central du PCF. Plusieurs responsables de l'UEC sont exclus.

13. Mise au point de l'*Osservatore Romano* à propos de l'interprétation erronée de l'Encyclique *Pacem in terris* du 11 avril 1963, considérée par certains comme recommandant le dialogue avec les communistes.

19. Allocution radio-télévisée de De Gaulle qui prononce une surprenante autocritique : « Comme la vaste transformation (de la société française) se tient parfois à des habitudes d'antan, il n'est pas surprenant, bien que ce soit évidemment fâcheux, que se produisent chez nous comme ailleurs des tâtonnements et des erreurs. Cela vient d'être le cas avec la grève des Charbonnages ».

♦ *Mai.* 8/10. Réunion du Comité Central du PCF qui cherche à se rapprocher des socialistes et des chrétiens. M. Thorez : « La théorie du parti unique en régime socialiste était une erreur de Staline (...). Il n'est pas juste d'identifier révolution sociale et violence ». Faisant allusion à l'encyclique *Pacem in terris,* il ajoute : « Il apparaît qu'il devient licite por les travailleurs chrétiens de voter pour le PC. »

30/2 juin. Congrès de la SFIO à Issy-les-Moulineaux. G. Mollet est réélu secrétaire général. Toutefois, il déclare : « Il faut avec le PC un dialogue et un dialogue public » et se prononce pour la nationalisation des banques d'affaires. Ces avances aux communistes, pourtant timides, provoquent certaines démissions, dont celle de A. Conte.

♦ *Juin.* Mort de Jean XXIII. Élection de Paul VI.

5. La Fédération Protestante de France demande l'abolition de la peine de mort.

9. P. Balmigère, candidat communiste, est élu député de l'Hérault, contre A. Valabrègue, candidat UNR. Pour la première fois depuis 1936, gauche et extrême-gauche ont fait bloc dès le premier tour en faveur d'un candidat communiste. G. Mollet : « Les électeurs de l'Hérault se sont prononcés moins pour le candidat communiste que contre le candidat officiel du pouvoir ». Commentaire de J. Lecanuet : « Ne donner au citoyen que le choix entre l'UNR et le communisme, c'est assurer la victoire de ces derniers et à terme précipiter le pays dans l'aventure d'une démocratie populaire. »

♦ *Juillet.* Le mois est en partie consacré à la discussion d'un projet de loi réglementant le droit de grève dans les services publics. L'idée en est ancienne, mais la cause immédiate est une série de grèves-surprises à la RATP en mai et juin. Ces grèves ont mécontenté l'opinion publique et ont fait écrire à J. Fauvet dans *Le Monde* : « Lorsque les agents d'un service public jettent à l'improviste des millions de travailleurs sur le pavé et sous la pluie, ce n'est pas une grève, c'est de l'anarchie. » G. Pompidou : « De mauvaises habitudes ont été prises par les services publics. La notion de grève se dégrade et on généralise la pratique des grèves tournantes. » Après de rudes débats et une navette, la loi « pour la protection des usagers » est votée le 27 juillet : les grévistes doivent déposer un préavis de cinq jours ; les grèves tournantes sont interdites ; des sanctions sont prévues. L'UNEF décide de réintégrer l'Union Internationale des Étudiants (UIE) où l'influence communiste est forte, mais tout en restant membre de la Confédération Internationale des Étudiants (CIE) nettement anticommuniste.

♦ *Septembre.* 12. Conférence de presse de G. Pompidou et de V. Giscard d'Estaing annonçant le plan de stabilisation : « C'est au cours du printemps que la tendance s'est renversée, que l'expansion a repris. Nous n'avons donc plus peur pour l'expansion, mais nous avons le devoir de nous préoccuper de la stabilité. »

15. « Banquet des 1 000 » qui sont en fait 1 200 hommes politiques allant des communistes au centre droit et qui se réunissent à Saint-Honoré-les-Bains – dans la circonscription de F. Mitterrand – pour amorcer un regroupement de la gauche et de « l'opposition démocratique » en vue des élections présidentielles de 1965. F. Mitterrand : « A l'homme qui se dit providentiel, il faut opposer l'équipe de France, chercher le plus digne à qui nous ne poserons aucune condition sinon celle d'être républicain et de défendre la République que nous lui aurons confiée. » Les communistes préconisent l'élaboration d'un programme commun.

29/4 *décembre.* Deuxième session de Vatican II.

♦ *Octobre.* 4. En deuxième lecture, l'Assemblée vote le statut des objecteurs de conscience qui avait été âprement discuté en juillet. Un article tout à fait surprenant de cette loi considère comme délictuel le simple fait d'en diffuser le contenu.

Début octobre. *L'Express* lance la campagne en faveur de Monsieur X (G. Defferre) en cas d'élection présidentielle.

♦ *Novembre.* 27. Nombreuses manifestations dans toute la France contre la force de frappe.

♦ *Décembre.* 31. De Gaulle à la télévision : « Pour la France, l'année qui finit a été en somme favorable. »

Le désengagement progressif de l'OTAN se poursuit : les forces navales, qui étaient placées sous le commandement de l'OTAN, en sont retirées.

Champ économique et social

★ *Mars/5 avril.* Grève des charbonnages qui dure 34 jours. Les mineurs évaluent à 11 % le retard de leurs salaires sur le secteur privé et s'inquiètent de l'avenir de la mine. Grève unitaire – CGT, CFTC, FO – quasi unanimement suivie. Le 3 mars, le *JO* publie les décrets de réquisition. La grève continue. Malaise dans la majorité, certains comités UDR du Nord appuyant les grévistes. CGT, CFTC, FEN, UNEF créent un Fonds national de solidarité avec les grévistes qui sont soutenus par l'opinion publique et par des mandements d'évêques (*Le Figaro* : « Les mineurs ne sont pas des gréviculteurs »). Le 13 mars, le gouvernement crée un Comité des Sages, présidé par P. Massé, Commissaire au plan qui chiffre à 8 % le retard des salaires miniers. On négocie sur cette base et le travail reprend le 5 avril. La majorité est divisée : une partie veut élaborer une législation anti-grève (F. Missoffe écrit : « Pour n'avoir pas voulu croire que leur formule était périmée, les partis politiques ont été démolis. Parce qu'ils se cramponnent à des slogans dépassés, les syndicats subiront le même sort »); l'autre partie déplore les réquisitions. Toute la presse constate l'échec du gouvernement. P. Viansson Ponté : « La leçon est dure pour le gouvernement... Cette imprévoyance, cette réquisition dérisoire et non obéie, cette obstination, ces moyens dilatoires... s'inscrivent dans une tactique visant à casser les syndicats ».

★ *Juin.* 13/16. Congrès de la CFTC. Malgré l'opposition de la Fédération des mineurs, une majorité se dégage en faveur de la laïcisation sur laquelle se prononcera le congrès extraordinaire de 1964.

★ *Août.* 3. Décret créant les CES (Collèges d'Enseignement Secondaire). Le but de Ch. Fouchet, ministre de l'Éducation Nationale, est de réaliser un tronc commun à tous les enfants, quelle que soit leur origine sociale. Il s'agit de faire, pour le premier cycle de l'enseignement secondaire, ce qui a déjà été fait pour l'enseignement primaire avec la suppression des classes primaires des lycées. Les CES regroupent quatre sections : deux sections traditionnellement secondaires – l'une classique, l'autre moderne – et deux sections traditionnellement primaires – l'une reprenant sous le nom de « moderne court » l'enseignement des CEG, l'autre dite « classe de transition » et destinée à accueillir les élèves « inaptes » aux autres sections. Les intentions du ministre sont certes pures et démocratiques. Mais en fait les « classes de transition », dont le but est de réinsérer dans le circuit normal les enfants en difficulté, serviront de classes-dépotoirs où s'entasseront les enfants socialement et familialement défavorisés (enfants de travailleurs immigrés notamment) dont la presqu'unanimité ne parviendra jamais à réintégrer les autres circuits. C'est un exemple typique d'une institution à finalité démarginalisante qui conforte la marginalisation. En effet, méprisés par les élèves des sections nobles, privés de professeurs qualifiés, les élèves des classes de transition constitueront rapidement le prolétariat des CES.

★ *Novembre.* 20/24. Congrès FO qui condamne le régime capitaliste et la réunification avec la CGT. A. Bergeron remplace R. Bothereau au secrétariat général.

28. Création du Fonds national de l'emploi destiné à faciliter la mobilité de la main-d'œuvre.

La grande affaire de l'année est le *plan de stabilisation*. Poussée inflationniste (la masse monétaire augmente de 16,5 % en 12 mois, les prix montent). On décide la réduction des dépenses de fonctionnement, le retour au service militaire de 16 mois, la débudgétisation partielle des investissements du secteur nationalisé, des restrictions de crédit (limitation du crédit à la consommation, pour les automobiles notamment), un emprunt de 2 milliards pour éponger les liquidités, un encouragement à l'épargne sans mesures vraiment convaincantes, un blocage de certains prix, la « liberté contrô-lée » pour d'autres. En septembre, les prix continuent à monter (de 0,79 %), d'où de nouvelles mesures : la taxation des prix de détail de nombreux produits alimentaires (d'où grève des bouchers de quelques jours), et le relèvement du taux de l'escompte de 3,5 à 4 %.

La production industrielle a augmenté de 4 % par rapport à 1962, avec un tassement pour l'industrie lourde et les biens de production et un essor pour l'industrie de consom-mation.

La balance commerciale avec l'étranger est déficitaire : taux de couverture des impor-tations par les exportations : 91 %.

Avec la zone franc notre balance est tout juste équilibrée alors qu'elle était largement excédentaire les années précédentes.

Les salaires ont augmenté de 8,7 %, presque autant que les prix : donc le niveau de vie ne s'est guère amélioré ce qui explique l'agitation sociale.

Le plein emploi a été assuré. La durée hebdomadaire de travail dépasse partout 47 heures. Mais la durée annuelle a connu une réduction par suite de la généralisation, par voie de conventions collectives, de la quatrième semaine de congés payés.

Champ culturel

▶ *Prix littéraires* – Goncourt : *Quand la mer se retire* (A. Lanoux)
                      Renaudot : *Un chat qui aboie* (G. Jarlot)
                      Fémina : *La nuit de Mougins* (R. Vrigny)
                      Médicis : *Le procès-verbal* (J.M. Le Clézio)
                      Interallié : *La bête quaternaire* (R. Massif)

▶ *Littérature* – M. Foucault publie son *Histoire de la folie à l'âge classique* et *Naissance de la clinique.* Il s'attaque à la conception linéariste de l'histoire de la pensée et se pen-chant sur l'étude des discours, souligne les ruptures qui séparent les pratiques discursi-ves qui se succèdent dans le domaine des sciences sociales. « Mon problème est le suivant, écrit-il, substituer à la forme abstraite, générale et monotone du *changement,* dans laquelle si volontiers on pense la succession, l'analyse de types différents de trans-formations. Ce qui implique deux choses : mettre entre parenthèses toutes les vieilles formes de continuité molle par lesquelles on atténue d'ordinaire le fait sauvage du chan-gement, et faire surgir au contraire, avec obstination, toute la vivacité de la différence : établir méticuleusement l'écart. Ensuite, mettre entre parenthèses toutes explications psychologiques du changement (génie des grands inventeurs, crise de conscience, apparition d'une nouvelle forme d'esprit) et définir avec le plus grand soin les transfor-mations qui ont, je ne dis pas provoqué, mais *constitué* le changement. Remplacer en somme le thème du *devenir* (forme générale, élément abstrait, cause première et effet universel, mélange confus de l'identique et du nouveau) par l'analyse des transforma-tions dans leur spécificité. »

Auteur du *Degré zéro de l'écriture* (1953), de *Michelet par lui-même* (1954), des *Mythologies* (1957), c'est avec son livre *Sur Racine* (1963) que R. Barthes déclenche, au niveau universitaire, la querelle de la « nouvelle critique » dont les deux principes fondamentaux sont : 1° que le critique doit s'annoncer, c'est-à-dire préciser son parti pris, sa méthode et son idéologie; 2° que la critique est immanente, c'est-à-dire qu'on doit partir du texte et qu'ensuite on peut trouver accessoirement l'auteur et la société. Dans ses *Essais critiques* (1964), R. Barthes montre que la critique structuraliste travaille sur les significations internes et cherche à dévoiler l'immanence de la structure. Elle pose donc la question du « code » et non celle du « message ». « La littérature n'est qu'un langage, c'est-à-dire un système de signes : son être n'est pas dans son message mais dans son système... C'est l'attention donnée à l'organisation des signifiants qui fonde une véritable critique de la signification, beaucoup plus que la découverte du signifié et du rapport qui l'unit à son signifiant » (*Essais critiques*, pp. 264 et 268). Pour faire comprendre que la rencontre du *signifiant* et du *signifié* constitue le *signe,* on peut citer ce passage des *Mythologies* (pp. 219/220) : « Soit un bouquet de roses : je lui fais signifier ma passion. N'y a-t-il donc qu'un signifié et un signifiant, les roses et ma passion? Même pas : à dire vrai il n'y a ici que des roses passionnalisées mais, sur le plan de l'analyse, il y a bien trois termes car les roses chargées de passion se laissent très bien décomposer en roses et en passion : les unes et l'autre existaient avant de se joindre et de former ce troisième objet qui est le signe... le signifiant est vide, le signe est plein; il est un sens ».

Les plus forts tirages sont obtenus par *Sophie ou la fin des combats* et *Une extrême amitié* d'Henri Troyat et par *Ce que je crois* de F. Mauriac. Trois auteurs féminins remportent un vif succès : A. Philipe avec *Le temps d'un soupir,* F. Mallet-Joris avec *Lettre à moi-même* et Ch. Rochefort avec *Stances à Sophie.*

▶ *Théâtre –* B. Brecht publie en français ses *Écrits sur le théâtre,* dont le texte original date de 1930. A la *forme dramatique* du théâtre fondée sur l'illusion, l'identification et le sentiment, il oppose la *forme épique* fondée sur la lucidité, la distance et la raison et ayant pour but l'éveil de l'esprit critique. A un spectacle magique il entend substituer un spectacle critique. Cette thèse est reprise par L. Althusser dans *Note sur un théâtre matérialiste* (1962) où l'on peut lire : « La pièce est la production d'un nouveau spectateur, cet acteur qui commence quand finit le spectacle, qui ne commence que pour l'achever dans la vie ».

Au Théâtre de France, J.L. Barrault monte *Oh! les beaux jours* jouée par M. Renaud. Le tout Paris s'y précipite; pour S. Beckett, c'est la gloire... ou la récupération. P. Fresnay fait une tentative austère et intéressante en jouant *Le neveu de Rameau.*

Ouverture des premières Maisons de la culture au Havre, à Caen puis à Bourges. D'autres seront ouvertes à Amiens, Grenoble, Firminy, Saint-Étienne et Rennes. Le but est de mettre « la culture » à portée des couches populaires et de favoriser le développement d'une culture extra-universitaire. Chacune comportant une salle de spectacle, le théâtre y a tout de suite formé le noyau de la création. Mais elles sont financées à égalité par les municipalités et par le budget des Affaires culturelles. Les vues du Ministère, des notables locaux, et des animateurs (qui sont généralement des hommes de théâtre) coïncident rarement. Quand on fait appel pour les construire à de grands architectes (Le Corbusier à Firminy, A. Wogenscky à Grenoble, etc.), on a des bâtiments souvent remarquables architecturalement et fonctionnellement, mais qui impressionnent les travailleurs manuels. Les directeurs de ces maisons, qui sont presque tous des metteurs en scène, sont avides de recherches théâtrales qui peuvent séduire les étudiants et la bourgeoisie intellectuelle locale, mais qui font fuir « le public populaire » que l'on prétend précisément intéresser. Le conflit éclate alors entre le responsable de la maison, épris d'avant-gardisme, et la municipalité qui entend satisfaire les électeurs par des pièces de boulevard. Le Ministère des Affaires culturelles, où règnent des énarques possiblement cultivés, est beaucoup plus compréhensif que les municipalités en ce qui concerne la recherche dans l'expression théâtrale. Un grand nombre de municipalités profiteront de Mai 1968 pour dénoncer dans les maisons de la culture des « centres de subversion » et pour rompre avec leur directeur comme ce sera le cas à Caen, Bourges et Thonon. Les conseils d'administration des maisons de la culture deviennent rapidement un lieu d'affrontement entre le Ministère, les municipalités et les représentants des adhérents, ces derniers étant en position de faiblesse puisqu'ils sont demandeurs de crédits. En 1968, ils réclameront une véritable autogestion, ce qui coalisera immédiatement contre eux les représentants du gouvernement et des municipalités, c'est-à-dire les dispensateurs de crédits.

De 1951 à 1963, le TNP a donné 3 382 représentations devant 5 187 000 spectateurs. Il a représenté 57 pièces, dont 37 françaises.

Cette intense activité théâtrale n'a pas pour autant résolu le problème de la nature de la « culture » qu'elle s'efforçait de diffuser. Culture bourgeoise? ou culture prolétarienne? Le débat reste ouvert mais on a quelque peine à discerner la naissance d'une culture populaire.

En décembre, la pièce de R. Hocchuth *Le Vicaire,* qui dénonce les silences de Pie XII devant l'extermination des juifs, donne lieu à des incidents à Paris.

▶ *Cinéma* – B. Blier : *Hitler connais pas*
　　　　　L. Bunuel : *Journal d'une femme de chambre*
　　　　　Cl. Chabrol : *Landru*
　　　　　P. Étaix :　*Le soupirant*
　　　　　J.L. Godard : *Le petit soldat* (réalisé en 1961)
　　　　　L. Malle : *Feu follet*
　　　　　Chris Marker : *Le joli mai*
　　　　　A. Resnais : *Muriel.*
　　　　　A. Robbe-Grillet : *L'immortelle*
　　　　　S. Kramer : *Un monde fou, fou, fou*
　　　　　J.L. Mankiewicz : *Cléopâtre*
　　　　　O. Preminger : *Le cardinal*
　　　　　A. Hitchcock : *Les oiseaux*
　　　　　H. Hawks : *Le sport favori de l'homme*
　　　　　J. Lewis : *Le tombeur de ces dames*
　　　　　S. Kubrick : *Docteur Folamour*
　　　　　J. Losey : *Les criminels*
　　　　　T. Richardson : *Tom Jones*
　　　　　M. Jancso : *Cantate (hongrois)*
　　　　　F. Fellini : *Huit et demi*
　　　　　F. Rosi : *Main basse sur la ville*
　　　　　M. Forman : *L'as de pique*

▶ *Expositions* – Le Musée d'Art moderne organise quatre grandes rétrospectives : *J.M. Atlan, G. Mathieu, W. Kandinsky* et *M. Gromaire.* L'exposition des œuvres de *V. Vasarely* au Musée des Arts décoratifs popularise les recherches de l'Op-Art.

▶ *Musique et danse* – Grande représentation du *Tannhauser* de R. Wagner à l'Opéra de Paris avec Régine Crespin. Au théâtre des Champs-Élysées, M. Béjart remporte un grand succès en adaptant *Les contes d'Hoffmann.* Dans ce même théâtre des Champs-Élysées, Tessa Beaumont danse le *Cendrillon* de S. Prokofiev.

▶ *Variétés* – C'est l'époque de la chanson « yé-yé ». Claude François et Sylvie Vartan se succèdent à l'Olympia. Françoise Hardy et Richard Antony accèdent à la célébrité comme le prouve le nombre de leurs disques vendus.

▶ *Vie quotidienne* – On a pu écrire que « l'habitation est le dossier noir du gouvernement français ». De 1948 à 1966 la France a construit 4 826 000 logements, la République fédérale d'Allemagne 9 986 000 et la Grande-Bretagne 6 088 000. La France n'a donc pas été capable de construire les 5 à 600 000 logements annuels qui auraient permis de résoudre la crise. Ce retard français s'explique par le phénomène de rétention des terrains par leurs propriétaires. La spéculation foncière, c'est-à-dire la hausse constante du prix des terrains à bâtir, a encouragé les propriétaires à conserver leur terrain le plus longtemps possible. En effet, à l'étranger depuis des décennies, les municipalités des grandes villes ont acquis systématiquement des terrains pour constituer des réserves foncières dans lesquelles elles ont puisé au fur et à mesure de la montée des besoins. De ce point de vue, la ville de Stockholm constitue un exemple remarquable. En France, le droit d'expropriation et le droit de préemption aux fins de cession des terrains aux constructeurs n'ont été institués que dans des secteurs délimités : ZUP (zone à urbaniser en priorité), ZAC (zone d'aménagement concerté), ZAD (zone d'aménagement différé, etc). Il a fallu attendre la loi du 14 décembre 1963 pour que soit institué un impôt sur les plus-values foncières qui apparaissent lors d'une mutation. Cela veut dire qu'un individu qui a acheté un terrain un million en 1953 et qui le revend 10 millions en 1963 doit payer un impôt sur la plus-value de 9 millions qu'il a réalisée. Mais comme la demande de terrains à bâtir reste très pressante, ce vendeur inclut dans le prix de vente le montant de l'impôt et le résultat de la loi a été une augmentation du coût des terrains. Seul serait efficace un impôt assis sur la valeur vénale des sols et perçu périodiquement. Ce qui veut dire que le propriétaire paierait chaque année un impôt sur le terrain à bâtir qu'il possède et ne vend pas. Il s'agirait donc d'un impôt sur le capital. En l'absence d'une pareille législation, le coût du terrain entre parfois pour moitié dans le coût global d'un logement français. Une telle situation serait devenue explosive si l'aide de l'État n'était pas intervenue : en 1969, elle contribuera au financement de 384 000 logements sur les 459 000 qui seront construits. Mais il s'agit plus d'une « aide à la pierre » que d'une aide aux personnes, et les plus défavorisés ne parviennent pas à trouver des logements vraiment bon marché.

Cependant il ne s'agit pas seulement de construire mais également d'entretenir et d'améliorer l'habitat existant. Dans la France de 1970, 51 % des logements ont été construits avant 1919 et peu a été fait pour moderniser ces appartements anciens. D'après une statistique de 1968, 9 % des logements anciens n'ont pas l'eau courante, 48 % n'ont pas de WC particulier, 53 % n'ont pas de salle d'eau et 65 % n'ont pas de chauffage central. Mais ces anciens logements sont soumis à la loi du 1er septembre 1948 (« loyer calculé sur la surface corrigée ») c'est-à-dire que leur loyer est fixé par le gouvernement alors que le loyer des logements neufs est libre. Donc, paradoxalement un couple relativement âgé et disposant de revenus élevés qui a la chance d'occuper un appartement dans un vieil immeuble confortable soumis à la loi de 1948 paye un loyer faible, alors qu'un jeune ménage disposant de peu de ressources ne peut trouver qu'un logement dans un immeuble récemment construit dont le loyer est en conséquence cher.

1964

Champ politique

Le ministère Pompidou dispose de la majorité absolue à l'Assemblée (232 UNR et UDT + 35 RI, soit 267 sur 482). Les anciens partis restent majoritaires au Sénat mais d'après la Constitution, après navette, le dernier mot reste toujours à l'Assemblée.

♦ *Janvier.* 12. Devant la fédération SFIO des Bouches-du-Rhône, G. Defferre répète qu'il sera candidat aux présidentielles de 1965 si le Congrès SFIO l'investit : « L'opinion se rendra compte que ce n'est pas de Gaulle ou le néant, de Gaulle ou l'aventure, mais qu'il y a le choix entre deux politiques (...) si je suis désigné par le Congrès national de la SFIO, je n'engagerai pas de pourparlers avec le PCF, je ne négocierai pas avec lui, je n'accepterai pas de programme commun (...) cette attitude n'est pas utopique elle est réaliste ! » Cette candidature se heurte à des réticences à l'intérieur de la SFIO, qui en veut à Defferre d'être parti seul sans consulter la SFIO. *Le Populaire* est le seul quotidien parisien à ne pas publier un seul mot du discours prononcé par Defferre auquel *L'Humanité* réplique : « Il est contradictoire de prétendre obtenir les voix de millions d'électeurs communistes en même temps que l'on refuse catégoriquement d'avoir avec eux la moindre discussion. C'est le dialogue réduit au monologue ».

27. Reconnaissance de la Chine communiste.

31. Conférence de presse de de Gaulle qui lance la campagne présidentielle en défendant l'excellence de nos institutions. Réponse à un journaliste : « Vous m'avez demandé ce que je ferai dans deux ans, je ne peux pas et ne veux pas vous répondre. »

♦ *Février.* 1er/2. Congrès de la SFIO. Defferre propose un contrat national de progrès de 15 ans, avec pour objectif « l'horizon 1980 ». Avec mauvaise humeur, G. Mollet se rallie à la candidature Defferre : « Defferre risque de faire du gaullisme sans de Gaulle (...). Nous ne pouvons accepter un régime de caractère présidentiel contre lequel nous avons appelé l'opinion à se battre (...). Il faut montrer que l'on n'est pas l'anti-de Gaulle mais le contraire de de Gaulle ». Ce congrès a droit à trois minutes sur les écrans de la télévision, alors que de Gaulle, le 31 janvier, avait eu droit à trois heures.

7/9. Voyage de G. Defferre à Bordeaux. L'ORTF est là et enregistre, mais rien n'est diffusé.

20. G. Defferre écrit à de Gaulle pour protester. Dans sa lettre, il cite le général lui-même : « La RTF, service d'État financé par tous les contribuables, devrait répandre sans exclusive les courants de l'opinion ». De Gaulle fait répondre par son secrétaire général E. Burin des Roziers : « J'ai l'honneur de vous faire savoir que votre lettre est parvenue au Général de Gaulle, qui m'a chargé de vous en accuser réception ».

♦ *Mars.* 5/8. Congrès de l'UEC qui est très agité. Affrontement entre trois tendances : les « suivistes » d'accord avec la direction du PCF, les « Italiens » révisionnistes favorables à la candidature Defferre, les « dogmatiques » renforcés des « Chinois » hostiles à la fois à l'alignement sur Moscou et à la candidature Defferre. La scission est évitée de justesse. R. Leroy condamne violemment « le droit de tendance » qui a pourtant dominé le congrès.

8/15. Élections cantonales qui ne passionnent pas l'opinion puisqu'il y a 42 % d'abstentions. La gauche progresse légèrement. Le fait le plus intéressant est l'expression d'une certaine lassitude à l'égard de l'UNR. Au traditionnel duel droite-gauche tend à se substituer un duel majorité-opposition. De nombreux candidats UNR (même des parlementaires) sont battus par des coalitions gauches + centre + droite. L'anticommunisme semble s'atténuer. *Le Populaire* écrit que le danger principal n'est pas le communisme mais le gaullisme. *La Nation* rétorque que la majorité est le seul barrage contre le Front populaire. De ces élections, *Le Monde* tire deux conclusions : 1°. moins de Gaulle apparaît à travers une consultation, moins l'électorat est porté vers l'UNR; 2°. il y a une extension géographique du phénomène du Front populaire. Bref, les cantonales ont prouvé qu'une coalition antigouvernementale – certes très hétérogène – peut faire échec au candidat de la majorité.

♦ *Avril.* 16. De Gaulle à la télévision affirme que, depuis 1958, le niveau de vie des Français a crû de 4 % par an et que ce progrès profite surtout aux plus défavorisés. Il cite une avalanche de chiffres et annonce une politique des revenus. Conclusion : « Le débat national se ramène pour nous à cette question : la France doit-elle être la France? »

17. De Gaulle est opéré de la prostate. G. Monnerville, président du Sénat, successeur intérimaire éventuel, n'en a même pas été informé.

24. Grand discours de F. Mitterrand à l'Assemblée, qui dénonce les constantes violations de la constitution de 1958 : « Les articles de la Constitution aux termes desquels « le gouvernement détermine et conduit la politique de la Nation » et est responsable devant le Parlement sont aujourd'hui vides de sens. Je suis donc amené à vous demander, M. le Premier Ministre, à vous qui d'après la Constitution « dirigiez l'action du gouvernement » comment et pourquoi vous avez abandonné l'essentiel de vos prérogatives, privant ainsi le Parlement de son droit de contrôle et de décision politique, faute duquel un régime n'est plus que l'alibi du pouvoir personnel (...). Finissez-en avec ce régime d'autorité et d'irresponsabilité ». G. Pompidou rétorque : « M. Mitterrand, vous restez fidèle à le IVᵉ République (...), vous restez fidèle à une voie que pourtant les désastres, parfois les déshonneurs ont jalonnée (...). L'avenir n'est pas à vous, il n'est pas aux fantômes (...). Comme vient de le dire si bien F. Mauriac « Le peuple français ne sait pas toujours ce qu'il veut mais il sait ce qu'il ne veut pas ». Et ce qu'il ne veut pas : c'est retomber dans vos mains redoutables. » Toute la presse souligne l'importance de ce débat et voit en G. Pompidou le possible héritier de de Gaulle.

♦ *Mai.* 7/10. Congrès du MRP. J. Lecanuet, élu président, se prononce contre de Gaulle et contre G. Defferre.

14/17. Congrès du PCF dit « Congrès du rajeunissement. » M. Thorez devient président et Waldeck-Rochet secrétaire général. On y insiste sur la nécessité d'un rapprochement avec les socialistes. Le problème de l'UEC est longuement évoqué. R. Leroy dénonce le révisionnisme et l'opportunisme de certains de ses membres. Important discours de G. Marchais, secrétaire chargé de l'organisation,sur la réforme des statuts.

24 et 31. Élection législative à Longwy pour remplacer un UNR démissionnaire. Au deuxième tour, c'est un duel communiste-UNR. Le communiste Louis Dupont l'emporte. *L'Humanité* célèbre « ce test national », *La Nation* le conteste, *Le Figaro* y voit un avertissement.

Fin mai. commence le débat sur le statut de la RTF. Depuis 1958, il y a eu sept ministres de l'information et quatre PDG de la RFT. A. Peyrefitte, ministre de l'Information déclare : « L'archaïsme des structures, le désordre financier et administratif, le corporatisme et la politisation quotidienne des problèmes, sont les causes de l'anarchie qui règne dans l'entreprise. » Il propose une loi-cadre créant l'ORTF, établissement public disposant du monopole.

♦ *Juin.* 7. Devant un certain nombre de clubs réunis en une « convention préparatoire des institutions républicaines », F. Mitterrand se prononce pour G. Defferre et pour un regroupement « des forces de gauche à vocation socialiste » mais il ne mentionne pas les communistes.

19. Résultats de deux sondages de l'IFOP. En cas de présidentielles dans l'hypothèse de deux candidatures, de Gaulle recueille 43 % des intentions de vote et G. Defferre 23 %, le reste s'abstenant. Le second sondage envisage l'hypothèse d'une triple candidature : de Gaulle recueille 42 % des intentions de vote, G. Defferre 13 % et le candidat communiste 14 %. La gauche ferait donc un meilleur score que dans la première hypothèse (27 % contre 23 %) ce qui semble justifier l'affirmation de Waldeck-Rochet dénonçant l'impuissance à laquelle se condamne la gauche française en excluant les communistes.

♦ *Juillet.* 12. Mort de M. Thorez. Lettre de de Gaulle à J. Thorez, fils du défunt : « Je n'oublie pas qu'à une période décisive pour la France, le Président M. Thorez – quelle qu'ait pu être son action avant et après – a, à mon appel, et comme membre de mon gouvernement contribué à maintenir l'unité nationale ».

23. Conférence de presse de de Gaulle qui se félicite de la réussite du plan de stabilisation.

♦ *14 Septembre/25 novembre.* Troisième session du Concile Vatican II.

♦ *Octobre.* 15. Démission de N. Krouchtchev mis successivement en minorité par le bureau politique et par le Comité Central du PC d'URSS.

25. Le bureau politique du PCF demande des explications au Comité Central du PC de l'URSS.

28. A l'instigation de la FNSEA (Fédération Nationale des Syndicats d'Exploitants Agricoles), dépôt d'une motion de censure qui recueille 209 voix.

♦ *Décembre.* 31. Discours de de Gaulle qui s'attribue un satisfecit économique et qui célèbre l'indépendance de la France en dénonçant « le supra-national, l'intégration, l'atlantisme qui nous tiendraient sous l'hégémonie de qui on sait (...). Une conséquence évidente de notre redressement vis-à-vis du monde est que jamais tant d'hommes sur la terre n'ont tant attendu de nous ni éprouvé tant d'attrait pour la France ».

Champ économique et social

★ *Janvier.* Crise de l'emploi dans les chantiers navals de Loire-Atlantique. Les licenciements entraînent des occupations d'usines et des interventions policières.

★ *Février.* 5. Publication du rapport Toutée : réticence des syndicats quant aux remèdes proposés pour pallier la détérioration des rapports entre l'État-patron et ses salariés (contrats de progrès excluant le recours à la grève, sauf litige grave). Publication du rapport Massé, Commissaire général au Plan, sur la politique des revenus.

21. Manifestation d'étudiants à la Sorbonne à l'occasion de la visite du Président de la République italienne. Ils réclament : cours polycopiés gratuits; allocation d'études, création de sections syndicales de facultés.

★ *Mars.* 18/24. Série de grèves dans le secteur public contre le blocage des salaires, manifestations agricoles (pendant toute l'année), le gouvernement refusant toutes les revendications de la FNSEA et notamment l'augmentation du prix du lait.

30. Congrès de l'UNEF en perte de vitesse depuis l'indépendance de l'Algérie qui lui fournissait un objectif précis.

★ *Avril.* De Gaulle renonce au voyage qu'il devait faire en Picardie, peut-être par crainte de manifestations paysannes.

★ *Juin.* Nombreux conflits locaux dus à des licenciements provoqués par l'arrêt de l'expansion industrielle. Par exemple chez Peugeot, à partir du 1er juin, les horaires passent de 46 à 42 h 30. En septembre, nouvelles réductions d'horaires et deux journées chômées chez Renault. Faiblesse des réactions de la base qui contraste avec la vigueur des fédérations syndicales lançant le mot d'ordre « réduction de la durée de travail sans diminution de salaire ». La CGT voudrait lancer une grève générale dans la métallurgie et propose sans succès à la CFTC la création d'un cartel intersyndical.

★ *Septembre* 18/20 *octobre.* Grève du lait.

★ *Octobre.* Commencent à siéger à la SNCF, EGF, RATP les « commissions de constatation de salaires » dites Commissions Grégoire.

★ *Novembre.* 6/7. Congrès extraordinaire de la CFTC qui devient la CFDT (Confédération française et démocratique du travail). E. Descamps déclare qu'avec la CGT une action commune est possible, mais il rejette l'unité. Il dénonce l'évolution de FO qui, sous la direction de A. Bergeron, pratique « une politique illusoire » de dialogue et de discussion contractuelle avec le patronat. La déconfessionnalisation est votée par 70 % des suffrages. Les minoritaires quittent le Congrès et décident de « maintenir » la CFTC. E. Descamps estime les pertes de la CFDT à 10 %.

★ *Décembre.* 11. Grève quasi générale du secteur public pour protester contre l'insuffisance d'augmentation des salaires. Grâce à la participation d'EGF, le pays est privé d'électricité pendant 24 h.

Fixation des *grandes options du Ve Plan* : taux de croissance de 5 % par an; opération « vérité des prix » pour les services publics; rattrapage du retard pris par les revenus agricoles; priorité aux équipements collectifs; pas de réduction de la durée de travail, maintien de l'âge de la retraite, augmentation des salaires limitée à 3 % par an.

Le gouvernement annonce sa volonté de prolonger le plan de stabilisation qui a freiné, mais non arrêté, les tendances inflationnistes, mais au prix de l'arrêt de l'expansion.

Indice de la production industrielle (1959 = 100) : décembre 63 : 135,5; décembre 64 : 135,5.

Production agricole en hausse de 3 à 3,5 %.

Balance commerciale déficitaire : taux de couverture des exportations par les importations : 89 %.

Freinage de la hausse des prix de détail : (1962 = 100) : janvier 64 : 107,3; décembre 64 : 109,2.

Le freinage des investissements privés compromet la compétitivité de l'économie française : or c'est en janvier 1967 que l'ouverture des frontières doit être totale.

L'année sociale a finalement été assez calme. Dans le secteur privé, la récession et les licenciements ont incité les salariés à la prudence. Dans le secteur public, agressivité verbale mais un seul mouvement d'envergure : la grève du 11 décembre. Habilement le gouvernement, de commission Toutée en commission Grégoire, a temporisé en maintenant l'apparence d'un dialogue. Il a été aidé par les crises syndicales.

Champ culturel

▶ *Prix littéraires* – Goncourt : *L'état sauvage* (G. Conchon)
Renaudot : *L'écluse* (J.P. Faye)
Fémina : *Le faussaire* (G. Blanzat)
Médicis : *L'opoponase* (M. Wittig)
Interallié : *Paris au mois d'août* (R. Fallet)

▶ *Littérature* – Dans *Les mots,* J.P. Sartre relate l'autobiographie de son enfance.
Dans *Pour une sociologie du roman,* L. Goldmann, se présentant comme le continua-
teur de G. Lukacs, montre que, dans la création artistique, *un* individu n'est pas *seul*
concerné mais que l'œuvre est l'expression d'une conscience collective dont l'artiste
participe avec plus d'intensité que la majorité des individus. La sociologie de la création
littéraire tient l'œuvre pour un produit social tout autant ou même plus qu'une création
individuelle. G. Lukacs (in *Histoire et conscience de classe)* considère les structures
mentales comme des réalités empiriques élaborées au cours de l'évolution historique
par des groupes sociaux et notamment par des classes sociales. Dès lors les méthodo-
logies et perspectives de la sociologie de la littérature se trouvent radicalement changées : l'œuvre n'apparaît plus en premier lieu comme un *reflet* de la conscience collective et la relation essentielle ne se situe plus au niveau du contenu mais au niveau de
l'homologie structurale. De plus, même au niveau structural, l'œuvre n'est plus un reflet
de la conscience collective *réelle* (sauf peut-être pour les ouvrages de niveau esthétique
peu élevé, c'est-à-dire produits par des écrivains dépourvus d'imagination créatrice)
mais un développement jusqu'à l'extrême cohérence des tendances *virtuelles* de la
conscience collective et leur transposition dans un univers imaginaire. Par cette
méthode, on aboutit au concept central de la sociologie dialectique de la littérature :
celui de *maximum de conscience possible.*
    L. Goldmann donne un exemple de cette homologie structurale en étudiant Racine :
Andromaque qui doit épouser Pyrrhus pour sauver la vie de son fils et ne pas l'épouser
pour rester fidèle à Hector. Dieu est un spectateur qui exige de l'homme la réalisation
de valeurs irréalisables sans jamais lui indiquer les moyens d'y parvenir. Entre le monde
vain mais présent et l'absolu valable mais absent, la seule solution (littérairement) c'est
la mort. La structure de la tragédie racinienne reproduit le statut de la noblesse de robe
dont l'alliance est devenue inutile à la monarchie louis-quatorzienne qui a transformé
la noblesse frondeuse en noblesse courtisane. La création des intendants et autres
commissaires prive les Parlements de leur pouvoir politique et ils ne peuvent s'opposer
au pouvoir monarchique puisqu'ils ne sont que des fonctionnaires. Au contraire Molière,
dans la perspective de la noblesse de Cour, ridiculise le Bourgeois gentilhomme et
affirme la nécessité du bon sens, de l'adaptation, du savoir vivre et du compromis.

▶ *Théâtre* – Ariane Mnouchkine fonde le Théâtre du Soleil, organisé en coopérative
ouvrière. La troupe va occuper en France une place comparable à celle du Berliner
Ensemble ou du Piccolo Teatro de Milan. Elle se fera connaître en jouant rue Mouffetard
Les petits bourgeois de M. Gorki. Le succès viendra avec *La cuisine* d'A. Wesker, où
le réalisme est à la fois très précis (costumes, fourneaux, etc.) et paradoxal puisque
manque le matériau travaillé.

▶ *Cinéma* – Ph. de Broca : *L'homme de Rio*
J. Demy : *Les parapluies de Cherbourg*
A. Jessua : *La vie à l'envers*
J.L. Godard : *Bande à part* et *Une femme mariée*
F. Truffaut : *La peau douce*

M. Cacoyannis : *Zorba le Grec*
G. Cukor : *My fair lady*
A. Hitchcock : *Marnie*
E. Kazan : *America, America*
J. Losey : *Pour l'exemple*
M. Antonioni : *Le désert rouge*
B. Bertolucci : *Prima della revoluzione*

▶ *Peinture et Expositions* – *R. Rauschenberg* expose ses œuvres à la Galerie Sonnabend. Le Musée municipal d'Art moderne consacre une grande rétrospective à l'américain *F. Kline.*

▶ *Musique et Danse* – L'enregistrement du *Sacre du printemps* d'I. Stravinsky par P. Boulez et l'Orchestre national de la RTF constitue un événement musical. A l'Opéra, la diva Maria Callas remporte un triomphe en chantant *La Norma* de V. Bellini. Dans ce rôle difficilement jouable, sinon injouable, elle manifeste à la fois ses qualités de soprano et son tempérament d'exceptionnelle tragédienne. C'est également à l'Opéra que Maïa Plevikskaïa, danseuse étoile du Bolchoï, remporte un grand succès dans le *Lac des Cygnes.*

1965

Champ politique

Trois batailles électorales sont en perspective : les municipales en mars, les sénatoriales en septembre, les présidentielles en décembre. Le plan de stabilisation crée des mécontentements : arrêt de l'expansion et des investissements.

♦ *Janvier.* 6. Socialistes et communistes signent un accord de Front populaire dans la Seine en vue des municipales. En effet, d'après la nouvelle loi dans les 159 villes de plus de 30 000 habitants, les élections se feront au scrutin majoritaire avec listes bloquées, ce qui veut dire que toutes coalitions et ententes sont interdites entre les deux tours de scrutin. La SFIO se donne pour but de battre l'UNR par tous les moyens, c'est-à-dire en s'alliant pour le premier tour soit au PCF soit au centre, soit même à la droite. Par exemple, à Marseille, G. Defferre refuse de former des listes communes dès le premier tour avec les communistes et s'allie avec les indépendants et les modérés. Indignés par cette alliance avec « la réaction », une partie des socialistes marseillais décide de constituer des « listes d'union des forces démocratiques ». G. Defferre crie à la trahison. G. Mollet cherche l'apaisement : « Alliance immorale et contradictoire s'écrient les uns et les autres (...). Rassurons les uns et les autres : nous ne nous sentons devenir ni communistes ni réactionnaires. Nous ne cherchons pas à plaire. Nous voulons battre l'UNR ».

♦ *Février.* 4. Conférence de presse de de Gaulle. Pas un mot sur les municipales et quant à son éventuelle candidature à la présidence, à la question : « Comment vous portez-vous? », il répond : « Je ne vais pas mal, mais rassurez-vous, un jour je ne manquerai pas de mourir. » Il traite principalement de la politique des revenus : « Nous ne nous livrerons plus à la discrétion effrénée du capitalisme libéral et personne ne croit que nous nous soumettions jamais à la tyrannie du communisme totalitaire ». Commentaire de Sirius dans *Le Monde :* « Cours élémentaire d'économie sociale à l'usage des Français. »

19. En vue des municipales, le PSU participe aux accords SFIO/PCF.

♦ *Mars.* 9. Dans une causerie au coin du feu à la télévision, G. Pompidou apporte son soutien aux candidats UNR ce qui indigne l'opposition qui n'a pas eu la possibilité de s'exprimer sur les antennes pendant une durée égale. La phrase : « Ce que je souhaite, c'est que demain, dans toutes les mairies, souffle le même esprit qui a animé nos institutions et que chaque ville de France puisse marcher et progresser au même rythme que l'État », est interprétée comme un chantage : « Les municipalités pro-gouvernementales seront aidées, les autres non ». J. Fauvet dans *Le Monde :* « Le premier ministre a manqué de fair-play en se jetant dans la mêlée électorale sans que ses adversaires aient pu intervenir ni avant, ni après lui. Apres cet exploit, il reste au gouvernement à interdire toutes les autres affiches que les siennes. »

14. Premier tour des municipales : très grande stabilité. Les votes sont définitifs pour les deux tiers des villes de plus de 30 000 habitants et presque toujours les électeurs ont renouvelé leur confiance aux équipes sortantes.

21. Deuxième tour. G. Defferre l'emporte à Marseille. A Paris, le maintien des listes centristes donne de bons résultats pour les listes de Front Populaire. De façon générale, ce second tour marque un recul de l'UNR, qui perd des municipalités importantes : Grenoble, Le Mans, Colombes, Limoges, Angers, Toulon; et un progrès de l'extrême-gauche. Les communistes conquièrent Nîmes, Alès, Laon et Le Havre. Les progrès des communistes, qui gagnent neuf mairies de plus de 30 000 habitants, se font parfois au détriment des socialistes, qui perdent neuf mairies de plus de 30 000 habitants. J. Fauvet dans *Le Monde :* « Le second tour constitue un avertissement pour le pouvoir, ses soutiens et ses alliés. » On apprend qu'au conseil des ministres du 24 mars, de Gaulle a dit « ne pas être intervenu dans cette conjoncture électorale parce qu'elle ne mettait nullement en cause le destin national », déclaration surprenante étant donné l'effort déployé par l'UNR pour politiser les élections.

Élections municipales du 14 mars 1965 (Premier tour)

Formations	Villes de plus de 30 000 habitants	Villes de moins de 30 000 habitants
Coalitions où figure l'UNR	36,2 %	29,64 %
Front populaire	35,8 %	23,02 %
Coalitions centristes	21,84 %	22,15 %
Listes MRP, CNI, ALIM [1]	3,7 %	25,10 %
Extrême droite	2,4 %	0,06 %

1. ALIM = Action locale et intérêts municipaux. La grande stabilité du corps électoral et le succès de centre montrent que, contrairement à ce que souhaitait le gouvernement (avec la réforme du mode de scrutin et la politisation de ces élections) la France, au niveau local, refuse encore le système bipartiste.

25/26. Le conseil permanent de l'Épiscopat adresse un blâme à l'hebdomadaire *Témoignage chrétien* à propos de la publication de l'article « Chrétiens et marxistes parlent de Dieu », jugé irrecevable et dont la publication est « incompatible avec la responsabilité d'un journal chrétien ».

C'est en mars qu'a lieu le congrès de l'UEC où le droit de tendance est condamné : « Italiens » et « Chinois » sont écartés de tous les postes importants. Au même moment, crise à la JEC, qui refuse de répondre à des questions de la hiérarchie, laquelle déclare qu'elle ne considère plus les dirigeants de la JEC comme représentatifs.

♦ *Avril.* 24/25. Réunion de la Convention des Institutions Républicaines : soutien à G. Defferre, porte ouverte au MRP, refus d'entente avec le PCF; donc, tentative d'une union centre-gauche. G. Defferre confirme sa décision de ne pas accepter l'appui du PCF.

25. La « Convention Nationale Libérale », rassemblement assez flou qui va de P. Poujade à des partisans de J.L. Tixier-Vignancour décide de présenter P. Marcilhacy, sénateur non-inscrit de la Charente.

27. Allocution télévisée de de Gaulle sur l'indépendance nationale : « Le fait capital de ces dernières années, c'est que nous avons renoncé aux sirènes de l'abandon et choisi l'indépendance (...). Françaises, Français, vous le voyez, pour nous, pour tous, autant que jamais, il faut que la France soit la France. » Dans son ensemble, la presse conteste l'opportunité de ce discours où le Général réitère ses rancœurs à l'égard de Yalta. Seules *La Nation* et *L'Humanité* le commentent favorablement.

♦ *Mai.* 8. G. Defferre propose la création d'une « Fédération démocrate et socialiste » allant des socialistes aux démocrates chrétiens. Il prend contact avec J. Fontanet et

J. Lecanuet (MRP), M. Faure (Président du parti radical) et B. Motte du CNI. *L'Humanité* dénonce le glissement à droite de G. Defferre, *Le Populaire* mentionne à peine le projet de G. Defferre, *Force nouvelle* (hebdomadaire du MRP) en souligne l'intérêt. Le PSU dénonce cette solution néo-centriste.

27/29. Congrès du MRP qui se déclare prêt « à étudier la mise en application » de cette Fédération.

♦ *Juin.* 3/6. Congrès de la SFIO. Affrontement G. Defferre – G. Mollet, celui-ci reprochant à celui-là de sacrifier la laïcité : « La laïcité apparaît désormais comme une maladie honteuse dont on ne devrait plus parler ». Le Congrès donne à G. Defferre la liberté de négocier avec le MRP, ce qui lui sera difficile puisque G. Mollet impose que soient intégrés dans l'Éducation nationale « maîtres et écoles privés recevant des fonds publics » et fait voter une motion souhaitant « la réintégration dans la vie politique française des communistes ». Donc G. Mollet a conservé la maîtrise de l'appareil.

17/18. « Nuit mémorable » où quatre SFIO, quatre MRP, quatre Radicaux, deux représentants des clubs, deux représentants du Comité « Horizon 80 » constatent l'échec du projet de Fédération, le désaccord étant resté total sur les rapports avec les communistes et la laïcité.

16/20. Son voyage dans la région parisienne donne à de Gaulle l'occasion de prononcer une série de discours électoraux.

25. G. Defferre annonce le retrait de sa candidature.

♦ *Août.* J.L. Tixier-Vignancour fait une tournée électorale sur les plages de France.

♦ *Septembre.* 9. Conférence de presse de de Gaulle qui déçoit parce qu'il ne dit pas s'il sera ou non candidat. « On a parlé de pouvoir personnel. Si l'on entend par là que le Président de la République a pris personnellement les décisions qu'il lui incombait de prendre, cela est tout à fait exact (...). Qui a jamais cru que le Général de Gaulle, étant appelé à la barre, devrait se contenter d'inaugurer les chrysanthèmes? (...). Le Président de la République désigné par la majorité nationale est désormais comme la clef de voûte qui soude l'édifice de nos institutions. » Ce même jour, dans la matinée, F. Mitterrand rencontre G. Mollet, M. Faure et D. Mayer et, quelques minutes après la fin de la conférence de presse de de Gaulle dont il dit qu'elle souligne « une fois de plus l'incompatibilité d'humeur entre le Général de Gaulle et la démocratie », il annonce sa candidature en tant que personnalité individuelle : « J'appelle ceux et celles qui ne se résignent pas à l'abandon de leurs reponsabilités civiques à se joindre au combat pour une nouvelle espérance. »

10. Création de la Fédération de la Gauche Démocrate et Socialiste (FGDS) comprenant : SFIO, Radicaux, UDSR et Convention des Institutions Républicaines (c'est-à-dire une cinquantaine de clubs et de mouvements politiques). Il s'agit donc de la « petite fédération » dont G. Mollet avait défendu le projet après le retrait de Defferre. La FGDS accorde immédiatement son soutien à F. Mitterrand.

19. Élection législative partielle dans le XII\ :sup:`e` arrondissement (Picpus), quartier autrefois populaire mais devenu plus bourgeois. 49 % d'abstentions. R. Frey est réélu au premier tour avec 50,36 % des suffrages exprimés. La gauche désunie n'a donc pas pu mettre en échec le ministre de l'Intérieur.

21. Conférence de presse de F. Mitterrand, prononcée sur un ton très gaullien : « J'essaierai de montrer aux Français qu'il est une autre tradition que celle dont s'inspire le Général de Gaulle et que cette tradition-là, plus que l'autre, est conforme à leur véritable génie, à leurs intérêts profonds, à la sécurité de leur patrie et à la pérennité de son renom (...). Contre le régime du pouvoir personnel, il faut recréer la République des Citoyens ». Il présente un programme prudent : pour l'Europe mais contre les monopoles, contre la force de frappe, pour la laïcité. Il termine en souhaitant « que d'autres

trouvent dans mes déclarations assez de concordances pour estimer que mieux vaut se battre ensemble que d'aborder la lutte dans les conditions que désire le pouvoir. » Hostilité immédiate du PSU qui déclare ce discours « faible et habile, ou si l'on veut faiblement habile (...) banalité et indigence (...) résultat facile à prévoir : 5 à 6 millions de suffrages (...). C'est vers cette défaite que l'on s'achemine ».

23. Le comité central du PCF annonce son soutien à F. Mitterrand : « Nous, communistes, nous avons toujours été pour l'union de la gauche » déclare Waldeck-Rochet. Inquiétude du *Figaro :* « Qui peut croire que les communistes se contenteront de jouer un rôle d'appoint, de fournir la piétaille, qu'ils ne vont pas prendre en mains, à leur façon tapageuse, la campagne? » Le Comité des Démocrates est très embarrassé car les propos anti-européens tenus par de Gaulle lors de sa dernière conférence de presse rendent impossible le vote en sa faveur. Il tente de décider A. Pinay, qui se dérobe, et songe à une candidature J. Lecanuet.

26. 38 000 grands électeurs renouvellent le tiers du Sénat. Les résultats confirment les tendances des municipales de mars : recul de l'UNR et des Indépendants, maintien des autres partis :

Élections sénatoriales du 26 sept 1965. Nouvelle composition du Sénat

Partis	Nouveaux effectifs	Sénateurs sortants	Sénateurs élus ou réélus
Communistes	14	2	2
Socialistes	52 (– 1)	14	13
Gauche démocratique	50 (+ 3)	12	15
MRP et centre démocrate	38 (+ 4)	10	14
UNR	30 (– 2)	13	11
Indépendants	64 (– 3)	31	28
Paysans	17 (– 2)	7	5
Non inscrits	9 (+ 2)	1	3
	274	90	91

♦ *Octobre.* 9. Discours de F. Mitterrand devant la Convention des Institutions Républicaines. Il se présente comme le candidat unique de la gauche et affirme son indépendance à l'égard des organisations qui le soutiennent. Il se défend d'être un candidat de Front populaire. Dans sa campagne, il sera incisif mais imprécis car ceux qui se prononcent pour lui sont incapables d'élaborer un programme commun. S'il est élu, dit-il, il dissoudra l'Assemblée, la définition d'un programme incombant à une nouvelle majorité. Il commence son tour de France au cours duquel il reprendra les mêmes thèmes : nécessité de l'union de la gauche, restauration d'une démocratie équilibrée, faiblesse d'un régime appuyé sur un homme trop vieux, lutte contre la force de frappe, foi dans l'Europe et l'Alliance Atlantique. Le PCF le soutiendra vigoureusement, l'URSS ne cachant nullement qu'elle souhaite la victoire de de Gaulle (qui n'a toujours pas annoncé sa candidature).

17. Le conseil national du PSU, sans enthousiasme, se prononce pour le soutien de F. Mitterrand mais sans s'associer à la campagne.

23. Le Saint-Office ayant levé l'interdiction de 1959, l'épiscopat décide de reprendre l'expérience des prêtres-ouvriers tout en précisant bien qu'il s'agit « d'une mission essentiellement sacerdotale ». Le prêtre pourra se syndiquer mais s'abstiendra de prendre des responsabilités dans l'action syndicale.

24. Congrès des radicaux à Lyon. Vote de la motion finale : « Le parti apprécie la portée et la valeur de la candidature de J. Lecanuet et recommande à ses militants de soutenir la candidature de F. Mitterrand ».

26. Conférence de presse de J. Lecanuet qui annonce officiellement sa candidature. Il est soutenu par le MRP, le CNI, le Centre des Démocrates et certains radicaux grou-

pés autour de M. Faure. Il se présente comme un candidat démocrate, social et européen. On ne sait toujours pas si de Gaulle sera candidat, mais deux mouvements déjà se sont prononcés contre lui : la FNSEA, mécontente de la politique agricole du gouvernement, et l'ANFANOMA (association de rapatriés).

29. Enlèvement de M. Ben Barka, à Saint-Germain-des-Prés. Il était le leader de l'opposition à Hassan II.

♦ *Novembre.* 4. Allocution télévisée de de Gaulle qui annonce sa candidature : « Que l'adhésion franche et massive des citoyens m'engage à rester en fonction, alors, l'avenir de la République nouvelle sera décidément assuré. Sinon, personne ne peut douter qu'elle s'écroulera aussitôt et que la France devra subir – mais cette fois sans recours possible – une confusion de l'État plus désastreuse encore que celle qu'elle connut autrefois. « La presse souligne le caractère plébiscitaire de cette élection. La plus grande satisfaction s'exprime à Moscou où *La Pravda* censure certains propos de Waldeck-Rochet hostiles au général.

11. A. Peyrefitte profite d'un dialogue télévisé consacré aux modalités de la campagne pour développer le thème « moi ou le chaos » expression non employée par le Général. L'utilisation de la télévision par la seule majorité indigne l'opposition. P. Viansson-Ponté, dans *Le Monde :* « L'opposition peut se consoler en se disant que les propagandistes gouvernementaux en font beaucoup, peut-être trop, et qu'ils finiront bien par lasser, obtenant ainsi un effet contraire à celui qu'ils recherchent ».

12. R. Frey, ministre de l'Intérieur, affirme qu'aucun service français de police n'est impliqué dans l'enlèvement de M. Ben Barka.

13. Deux policiers, Souchon et Voitot, sont arrêtés pour complicité dans l'enlèvement de M. Ben Barka. Il apparaît que l'affaire a été montée par M. Oufkir, ministre de l'Intérieur du Maroc, avec la complicité de certains services de la police française et d'une partie du SDEC. C'est un camouflet pour de Gaulle.

17. Conférence de presse de F. Mitterrand, entouré des leaders socialistes et communistes. Il formule 28 propositions, dont l'abrogation de l'article 16 et de l'article 11 (référendum) de la Constitution et l'abrogation de la loi de 1964 restreignant le droit de grève.

19. Ouverture de la campagne officielle : l'opposition peut enfin s'exprimer à la télévision et sur les ondes. Entre le 19 et le 24 novembre, de Gaulle n'utilise pas son temps de parole.

24/30. Offensive gaulliste surtout orientée contre J. Lecanuet. Les gaullistes persuadent de Gaulle d'intervenir, les sondages révélant sa baisse de popularité, donc un probable ballottage.

30. Allocution de de Gaulle qui, sur le ton d'un homme qui s'ennuie, reprend ses thèmes habituels.

♦ *Décembre.* 3. Dernière allocution du Général qui a retrouvé tout son tonus.

5. Premier tour des élections présidentielles. Il y a ballottage.

Candidats et pourcentages des suffrages exprimés

De Gaulle	44	%
F. Mitterrand	32	%
J. Lecanuet	16	%
J.L. Tixier-Vignancour	5,3	%
P. Marcilhacy	1,75	%
M. Barbu	1,16	%

Il n'y a que 15 % d'abstentions, ce qui confirme l'attachement des Français à l'élection du Président de la République au suffrage universel. La mise en ballottage du

Général surprend. *La Nation* se contente de souligner la forte participation électorale. *Le Figaro* supplie de Gaulle de se présenter au deuxième tour car seul il peut l'emporter « en face de Mitterrand et de son Front Populaire reconstitué grâce à l'alliance de communiste. La surprise est générale à l'étranger, et notamment à Moscou où on semble découvrir la personnalité de F. Mitterrand.

8. De Gaulle fait savoir qu'il sera candidat au deuxième tour. J.L. Tixier-Vignancour « ravi d'avoir mis de Gaulle en ballottage » demande à ses électeurs « d'assurer sa défaite au deuxième tour en votant pour F. Mitterrand ». M. Barbu conseille également de voter pour F. Mitterrand. J. Lecanuet semble l'arbitre de la situation. M. Faure, qui l'avait appuyé au premier tour, conseille de voter F. Mitterrand. J. Lecanuet appelle à voter « pour la marche vers l'Europe unie » sans citer de candidat et, le 15 décembre, il conseille de ne pas voter pour de Gaulle sans préciser s'il convient de voter F. Mitterrand ou blanc.

Pour le deuxième tour, de Gaulle change de style. Habile, gouailleur, souvent drôle, il apparaît très en forme. On sent que le combat l'amuse. Il énumère l'œuvre sociale de son gouvernement : « Tout cela, je ne l'ai pas fait tout seul, je l'ai fait avec un gouvernement et je l'ai fait avec un Parlement ». Il sautille sur son fauteuil pour ridiculiser ceux qui « sautent sur leur chaise comme un cabri en disant : Europe, Europe, Europe ! ». De F. Mitterrand il dit : « Ce personnage est à la fois le candidat de la gauche et de la droite, je ne vous l'apprends pas : il est le candidat des partis, voilà la vérité. » Il conclut : « Françaises, Français vous avez assisté à notre dialogue, eh bien ! c'est votre affaire ce qui va se passer dimanche et ce qui va se passer plus tard ». F. Mitterrand s'efforce de réfuter point par point les affirmations de de Gaulle.

17. Dernières allocutions des deux candidats. De Gaulle : « Il y a d'une part le régime du passé où l'État, la Nation, le Destin étaient à la discrétion des partis (...). Ce régime a son candidat, je ne crois pas qu'aucun autre ne l'aurait été plus que lui (...). Il y a d'autre part la République nouvelle. Elle a son Président. C'est moi. Me voici tel que je suis. Je ne dis pas que je sois parfait et que je n'aie pas mon âge (...). Mais, avec le peuple français, il m'a été donné par l'Histoire de réussir certaines entreprises. » F. Mitterrand : « Le choix fondamental est entre le pouvoir personnel et la République des citoyens. »

19. Deuxième tour des présidentielles.

De Gaulle	54,5 % des suffrages exprimés
Mitterrand	45,5 % des suffrages exprimés

Par rapport aux inscrits, de Gaulle remporte 44,8 % des suffrages (Mitterrand : 37,4 %); on peut donc contester que la majorité du Général ait été « franche et massive ».

Champ économique et social

★ *Janvier*. 2/8. Grève du secteur public mais les syndicats, pour se concilier les usagers, s'efforcent d'en limiter les répercussions. Refus des syndicats de reconduire l'accord Renault ce qui est un échec pour la politique contractuelle. Publication par le CNPF d'une charte en 14 points : défense de l'économie libérale, dénonciation « des illusions d'un dirigisme systématique ». Le Centre National des Jeunes Patrons publie immédiatement une déclaration insistant sur la nécessité du plein emploi, de la concertation et de la participation des cadres tandis que M. Demonque, PDG des Ciments Laffarge démissionne du bureau du CNPF en déclarant : « Cette plongée dans le passé à laquelle s'évertue le CNPF me consterne ».

★ *Avril.* Abaissement du taux de l'escompte de 4 à 3,5 %.

★ *Avril/mai.* Grèves tournantes chez Peugeot qui s'étendent chez Berliet et dans des entreprises sous-traitantes. La direction de Peugeot décide qu'un arrêt de travail d'une heure sera sanctionné par le non-paiement d'1,5 journée de salaire. Le mouvement de grèves tournantes est brisé. Le 4 juin, l'ordre de grève est suspendu. Les syndicats dénoncent cette violation du droit de grève. Des négociations durent tout le mois de juin : très faibles concessions de la direction, donc échec pour les syndicats dû au soutien des pouvoirs publics au patronat, à la « neutralité » des cadres, à l'impossibilité d'étendre le mouvement à d'autres régions.

★ *Octobre.* Emprunt d'1 milliard de francs.

★ *Novembre.* 19. Vote du Ve plan : expansion de la PIB de 5 % par an, priorité aux équipements collectifs (la consommation privée augmenterait donc moins que la PIB), développement de la recherche scientifique; augmentation des crédits de l'Éducation Nationale.
    Au moment des présidentielles, la CGT prend parti pour F. Mitterrand, CFTC, CFDT et CGC ne donnent aucune consigne. La FNSEA invite à voter « contre le candidat du pouvoir », l'UNEF refuse de choisir ne considérant pas F. Mitterrand « comme un candidat valable pour le regroupement de la gauche ».

Le ralentissement de l'activité industrielle atteint surtout l'automobile et le textile. Il n'y a pas de reprise et le rapport de la Commission des comptes de la nation pour 1965, publié en mai, prévoit un taux de croissance de 2,5 % seulement pour la PIB.
    La production industrielle qui stagne au début de 1965 remonte légèrement à partir de juin.
    Les prix augmentent de 2,7 % avec de grandes différences sectorielles : 12 % pour les loyers, 0,2 % pour les produits manufacturés.
    Les salaires croissent de 6 %.
    L'augmentation du pouvoir d'achat est estimée à 2,8 % pour une famille de deux enfants.
    La balance commerciale est à peu près équilibrée et la balance des paiements est excédentaire, surtout à cause de l'entrée de capitaux américains.
    Les procédures Toutée fonctionnent mal, les syndicats refusant généralement de siéger dans les commissions de constatation de salaires présidées par R. Grégoire.

Champ culturel

▶ *Prix littéraires* – Goncourt : *L'adoration* (J. Borel)
                     Renaudot : *Les choses* (G. Perec)
                     Fémina : *Quelqu'un* (R; Pinget)
                     Médicis : *La rhubarbe* (R.V. Pilhes)
                     Interallié : *La confession mexicaine* (A. Bosquet)

▶ *Littérature* – Les plus gros tirages : *La chamade* (F. Sagan), *Les Juifs* (R. Peyrefitte), *Sainte colère* (M. de St-Pierre), *L'astragale* (A. Sarrazin), *Les années de chien* (G. Grass).

▶ *Philosophie* – Trois livres fondamentaux pour l'évolution de la pensée marxiste : *Pour Marx* de L. Althusser, *Lire le capital,* tome I, de L. Althusser, J. Rancière et R. Macherey; *Lire le Capital,* tome II. : L. Althusser, E. Balibar, R. Establet : L. Althusser n'a qu'un maître, qu'un référent : K. Marx qui n'a ni « dépassé, ni « renversé » la conception hégélienne mais a « rompu », » intégralement avec elle ainsi qu'avec toutes les formes d'empirisme ou d'idéalisme. Si tant de marxistes se sont empêtrés dans l'idéalisme c'est qu'ils n'ont pas su percevoir la « coupure épistémologique » que L. Althusser situe en 1844 dans une première étape de sa pensée et en 1867 dans sa *Réponse à John Lewis,* parue en 1973. Cette coupure inaugure le discours authentiquement scientifique de K. Marx dont les œuvres postérieures à cette coupure contiennent cependant des rémanences idéalistes. L. Althusser nous convie donc à une relecture de K. Marx, car c'est en le lisant que nous apprendrons à lire. En effet, en lisant S. Mill, D. Ricardo ou A. Smith, K. Marx a décelé dans leurs textes fondamentaux des absences, des malentendus, des failles qui avaient échappé à ces auteurs : par exemple les « classiques » de l'économie avaient commencé à dégager la notion de plus-value, mais sans la conceptualiser et en restant aveugles sur son rôle déterminant. K. Marx a donc détecté des concepts en train de naître, mais non explicités : « En certains instants, en certains lieux *symptomatiques,* ce silence surgit dans le discours et le force à produire, malgré lui, en de brefs éclairs blancs invisibles dans la lumière de la démonstration, de véritables lapsus théoriques, tels mots qui restent en l'air ». L. Althusser nous convie donc à lire K. Marx comme K. Marx a lu les classiques, puisqu'il nous a laissé « un protocole de lecture ».. Face à K. Marx nous sommes « devant un lecteur qui, devant nous, à haute voix, lit ». Il convient donc de déceler dans les textes de K. Marx les *symptômes* d'une pensée radicalement neuve qu'il (compte tenu de l'époque où il vivait) n'a pu conduire à son complet achèvement. C'est ce que L. Althusser appelle la « lecture symptômale » de K. Marx. C'est celle que K. Marx a faite de A. Smith et de D. Ricardo, c'est celle que J. Lacan à faite de S. Freud, c'est celle que M. Foucault a faite des pratiques discursives qu'il a lues.

Il ne s'agit donc plus d'un jeu assez grossier (superstructure/infrastructure) mais chaque instance ou niveau (économique, politique, éthique, esthétique, idéologique, etc.) non seulement est « relativement autonome » mais est structuré, possède ses propres déterminations et sa propre efficacité, donc réagit sur le tout dont il subit pourtant la détermination. Chaque « niveau » a son temps propre, sa scansion spécifique, sa « temporalité différentielle ». Mais l'instance « sur-déterminante » reste l'économique qui joue dans la pensée de L. Althusser un rôle comparable à l'inconscient chez S. Freud et J. Lacan. La référence à K. Marx – mais l'influence de S. Freud – apparaît clairement dans cette phrase : « Nous n'avons rien à faire d'autre que tenter d'appliquer à la lecture de K. Marx la lecture symptomale par laquelle K. Marx parvenait à lire l'illisible de A. Smith en mesurant le discours explicite de A. Smith à son discours latent » (*Lire le Capital,* T I, p. 32).

▶ *Théâtre – Qui a peur de Virginia Woolf?* d'E. Albee
        Un fil à la patte de G. Feydeau
        La collection et *L'amant* d'H. Pinter
        Soudain l'été dernier de T. Williams

Le nouveau théâtre présente deux pièces de M. Duras : *La musica* et *Des journées entières dans les arbres.* Dans l'esprit du théâtre engagé, J. Vilar monte *Le dossier Oppenheimer.*

A la télévision, J.C. Averty monte *Le père Ubu,* désormais reconnu comme « un grand classique » mais qui reste, selon le jugement de R. Barthes « une œuvre mal élevée dont la crasse doit déranger comme une ordure dans un salon ». J.C. Averty est sans doute le premier qui ait réalisé pour la télévision, à partir de textes théâtraux, des mises en image qui sont tout à fait autre chose que du théâtre filmé.

▶ *Cinéma* – R. Allio : *La vieille dame indigne*
        P. Etaix : *Yoyo*
        J.L. Godard : *Alphaville* et *Pierrot le fou*

      L. Malle : *Viva Maria*
      A. Varda : *Le bonheur*
      P. Schœndorffer : *La 317ᵉ section* (un des premiers films sur la guerre
      d'Indochine, 11 ans après la signature des accords de Genève. Contrai-
      rement au cinéma américain, le cinéma français pratique jusqu'à cette
      époque une prudente autocensure et évite les sujets politiques).
      G. Oury : *Le corniaud*
      Cl. Lelouch : *Une fille et des fusils*
      S. Kramer : *La nef des fous*
      W. Wyler : *L'obsédé*
      R. Lester : *The knack* et *Help* (avec les Beatles)
      R. Brooks : *Lord Jim*
      F. Fellini : *Juliette des esprits*
      P. Pasolini : *L'Évangile selon Saint Matthieu*
      M. Bellochio : *Les poings dans les poches*
      L. Visconti : *Sandra*
      L. Bunuel : *Simon du désert*
      M. Forman : *Les amours d'une blonde*

La Pologne produit deux films importants : *Walkover* de J. Skolimowski et *Cendres* d'A. Wajda. Le cinéma polonais, curieusement, n'a jamais trouvé en France un grand public, alors qu'il n'a rien d'obscur et que sa thématique est simple. Cet insuccès s'explique sans doute par l'importance des références à la culture polonaise ignorée des Français. Les seuls metteurs en scène polonais qui soient connus du grand public français se sont soit américanisés ou anglicisés comme R. Polanski, soit francisés comme W. Borowyczyk.

▶ *Peinture et Expositions* – Rétrospectives *J. Dubuffet, N. de Staël* et *Wols* (Wolgang-Schultze dit). Deux peintres américains *M. Tobey* et *A. Warhol.* Le Musée d'Art moderne expose des encres et des dessins de *H. Michaux.*

▶ *Variétés* – C'est la vague des *Beatles.* Les disques de *J. Ferrat* et de *J. Brel* connaissent de grands succès. J. Halliday épouse S. Vartan.

▶ *Sports* – C'est une année faste pour le ski français avec J.Cl. Killy, les sœurs Goitschel, A. Famose. Ces succès sportifs ont des conséquences économiques non négligeables : hausse spectaculaire des exportations du matériel de ski français. Les victoires de Christine Caron en natation lui valent une grande popularité.

1966

Champ politique

♦ *Janvier.* 5. Publication de la nouvelle traduction française du *Pater* adoptée par toutes les Églises catholiques, protestantes et orthodoxes des pays de langue française.

8. De Gaulle désigne G. Pompidou comme Premier ministre. La rentrée politique d'E. Faure, qui devient ministre de l'Agriculture (peut-être est-ce le mot d'ordre de la FNSEA qui a mis le Général en ballottage?), est très remarquée. Battu aux élections de 1958, élu sénateur du Jura en 1959, E. Faure s'était rapproché du régime et avait préparé, au cours d'un voyage à Pékin, la reconnaissance de la Chine populaire. Il passe pour favorable à l'Europe. Il est bien vu des paysans en déclarant dès sa nomination qu'il entend réaliser la parité des revenus agricoles avec ceux des autres CSP. L'éviction de V. Giscard d'Estaing semble due à l'impopularité du plan de stabilisation. L'ancien ministre des Finances refuse les autres postes ministériels qu'on lui propose. Les RI publient un communiqué réaffirmant « leur attachement au Président de la République et au Premier ministre », mais prennent leurs distances à l'égard de l'UNR, ce qui suscite la vive opposition de R. Marcellin, ministre RI de l'Industrie.

Premier ministre : G. Pompidou.
Ministres d'État : *Affaires culturelles :* A. Malraux – *Réforme administrative :* L. Joxe – *Tom-Dom :* Général P. Billotte (UNR).
Ministres : *Justice :* J. Foyer (UNR) – *Affaires étrangères :* M. Couve de Murville – *Intérieur :* R. Frey (UNR) – *Armées :* P. Messmer – *Économie et Finances :* M. Debré (UNR) – *Éducation Nationale :* Ch. Fouchet – *Équipement :* E. Pisani (Gauche démocratique) – *Agriculture :* E. Faure (Gauche démocratique) – *Industrie :* R. Marcellin (RI) – *Affaires sociales :* J.M. Jeanneney – *Recherche scientifique :* A. Peyrefitte (UNR) – *Anciens combattants et victimes de la guerre :* A. Sanguinetti (UNR) – *PTT :* J. Marette (UNR) – *Jeunesse et Sports :* F. Missoffe (UNR).
Secrétaires d'État : *Auprès du Premier ministre, chargé des relations avec le Parlement :* P. Dumas (UNR) – *Auprès du Premier ministre, chargé de l'information :* Y. Bourges (UNR) – *Affaires étrangères :* J. de Broglie (RI) – *Affaires étrangères chargé de la Coopération :* J. Charbonnel (UNR) – *Intérieur :* A. Bord (UNR) – *Budget :* R. Boulin (UNR) – *Commerce extérieur :* Ch. de Chambrun (Centre démocrate) – *Éducation nationale :* M. Habib Deloncle (UNR) – *Logement :* R. Nungesser (UNR) – *Transports :* A. Bettencourt (RI).

8. J. Lecanuet, ancien président du MRP, crée le Centre démocrate, qui veut regrouper MRP et CNI, qui se défend d'être à droite et se prononce pour l'Europe. La FGDS rejette aussitôt toute possibilité d'une double appartenance FGDS et Centre démocrate.

♦ *Février.* A la télévision, V. Giscard d'Estaing dit qu'au sein de la majorité, les RI entendent représenter une tendance européenne et « plus libérale au sens politique du mot. »

21. Conférence de presse de de Gaulle qui n'apporte rien de nouveau. A propos de l'affaire M. Ben Barka, il déclare : « Du côté français que s'est-il passé? Rien que de vulgaire et de subalterne. »

♦ *Mars.* Le gouvernement français demande au gouvernement américain de retirer du territoire français les bases et dépôts que celui-ci y entretenait, soit 29 bases et dépôts auxquels étaient attachés 26 000 hommes. Le gouvernement français décide de ne plus affecter à l'OTAN les divisions françaises en garnison en Allemagne et de retirer les officiers français des divers commandements intégrés de l'Organisation. Ces deux mesures constituent un désengagement militaire à peu près total à l'égard de l'OTAN. Cependant, des représentants de la France continuent à siéger au Conseil Atlantique et la France reste dépendante du système d'alerte et de détection de l'OTAN.

12/13. A l'occasion des assises de la Convention des Institutions Républicaines, F. Mitterrand propose la création d'un contre-gouvernement. Accueil réticent surtout de la part des communistes.

23. J.L. Tixier-Vignancour crée « L'alliance républicaine pour les libertés et le progrès ».

31. Interdiction du film *La religieuse* de J. Rivette en raison de multiples pressions exercées par certains secteurs de l'opinion catholique.

♦ *Avril.* 13/15. Grand débat politique à propos du retrait français de l'OTAN. R. PLeven (Centre démocrate) : « Une fois de plus, c'est le fait accompli; nous n'avons qu'à enregistrer et à nous tenir tranquilles; quant à nos alliés, ils n'ont qu'à déménager. » F. Mitterrand : « S'il me fallait définir votre politique de façon plus précise, je dirais que c'est une sorte de poujadisme aux dimensions de l'univers. » M. Couve de Murville répond que la France a quitté l'OTAN mais pas l'alliance atlantique. L'oppositon veut déposer une motion de censure, mais sur quel sujet? Car, sur le retrait de l'OTAN, elle n'aura pas les voix communistes. C'est pourtant le choix qui est fait, malgré les vives protestations de F. Mitterrand. la motion ne recueille que 137 voix. Les communistes ne l'ont pas votée, ce qui illustre la division de la gauche.

16. Conseil national de la SFIO où s'opposent G. Defferre, qui veut le développement rapide de la FGDS dans le cadre de la grande fédération à laquelle il n'a pas renoncé, et G. Mollet qui pense que toute fusion entre organisations membres de la FGDS serait prématurée. Une fois de plus, la tendance G. Mollet l'emporte mais elle doit accepter la poursuite de pourparlers pour la formation d'un contre-gouvernement.

28. Le comité exécutif du parti radical-socialiste reconnaît en F. Mitterrand « le leader de la fédération pour la campagne électorale » (des législatives doivent avoir lieu en 1967) mais, sur la pression de F. Gaillard et de M. Faure, dit « rechercher des accords ouverts à tous les républicains de progrès ». Ce qui veut dire qu'il n'abandonne pas l'idée d'un rapprochement avec J. Lecanuet.

30/1er*mai* : « Rencontres socialistes de Grenoble » où 500 personnalités de gauche (PSU, SFIO, dissidents communistes, etc.) se regroupent autour de P. Mendès-France qui se prononce en faveur d'un programme commun ce qui semble éloigné des positions de F. Mitterrand.

♦ *Mai.* 5. F. Mitterrand rend publique la composition du contre-gouvernement où l'on retrouve les dirigeants des formations composant la FGDS : G. Defferre et G. Mollet pour la SFIO, R. Fabre et R. Billières pour les Radicaux. *L'Humanité :* « Ce contre-gouvernement fera rire ses adversaires. » *Le Figaro :* « On se croirait en 1956 ». F. Mitterrand : « J'ai choisi des hommes dont la lutte contre le pouvoir personnel est implacable (...). Je ne romprai pas le courant populaire créé à la faveur de la campagne présidentielle, mais je ne passerai pas par le trou de serrure dessiné par le PCF. » Waldeck-Rochet propose à F. Mitterrand, qui refuse, un programme commun et des alliances électorales.

11. Première réunion du « Comité d'action pour la Ve République », chargé d'élaborer un programme en vue des prochaines législatives. V. Giscard d'Estaing écrit dans son journal *La France moderne :* « La France gardera son président, mais elle renouvellera ses députés. » Un peu plus tard, à Lyon, il déclarera : « Nous pensons que le centrisme

exprime une certaine manière d'appréhender les problèmes caractérisée par le refus des extrêmes et le choix délibéré de l'action ».

♦ *Juin.* 11/12. Devant la Convention des Institutions républicaines, F. Mitterrand déclare : « Qui peut dire que je tienne la balance égale entre le centre et la gauche? J. Lecanuet, par ses thèmes, par son anticommunisme, par son refus de toute finalité socialiste, s'est lui-même et délibérément placé à droite. » Protestation de G. Defferre qui dit qu'on doit mener en même temps des négociations avec le centre démocrate et les communistes. Réplique F. Mitterrand : « En m'accusant d'avoir cédé aux communistes Defferre a commis à la fois une faute politique et une profonde injustice. » F. Mitterrand est réélu président de la FGDS à l'unanimité.

21/23. Le conseil permanent de l'Épiscopat, poursuivant la mise en œuvre des orientations conciliaires, approuve un projet de nouveau catéchisme national et publie une mise en garde contre « la minorité qui conteste les principes du renouveau entrepris ».

Fin juin. Voyage de de Gaulle en URSS. Waldeck-Rochet affirme que les électeurs communistes n'en voteront pas pour autant pour l'UNR.

♦ *Juillet.* 4. A la télévision G. Pompidou dit qu'il importe qu'au premier tour des législatives il n'y ait qu'un seul candidat de la majorité par circonscription. C'est une réponse à V. Giscard d'Estaing qui avait déclaré le 1er juillet que les RI pourraient maintenir leurs candidats face à d'autres candidats de la majorité « pour éviter la perte de la circonscription en question ». Un entretien privé G. Pompidou/V. Giscard d'Estaing détend l'atmosphère.

14. Publication du programme de la FGDS : révision constitutionnelle mais pas de Constituante; suppression de l'article 16; contrat de législature entre le gouvernement et la majorité lors de l'investiture du Premier ministre; dissolution obligatoire en cas de crise ministérielle; renonciation immédiate à la force de frappe.

♦ *Août.* 30. Discours de de Gaulle à Pnom-Penh : il demande aux États-Unis d'évacuer le Vietnam.

♦ *Octobre.* 28. Conférence de presse de de Gaulle qui dit l'importance qu'il attache aux prochaines législatives. Sur le plan social, il estime que la réforme proposée par L. Vallon (intéressement des travailleurs aux profits des entreprises) exige des études, des choix, des délais.

♦ *Décembre.* Accord électoral FGDS-PCF : désistement au second tour en faveur du candidat le mieux placé. J. Montalat, député SFIO de la Corrèze et maire de Tulle, déclare aussitôt : « En aucune manière je n'accepterai de me désister au de me retirer au profit du candidat communiste. » Accord UNR-RI pour ne présenter qu'un seul candidat par circonscription.

8. Vote de la réforme électorale : il faudra avoir obtenu 10 % – et non plus 1 % – des suffrages exprimés au premier tour pour pouvoir se présenter au second. Cette même loi attribue un temps d'antenne égal à la majorité et à l'opposition pour la campagne. Vive polémique entre G. Pompidou et F. Mitterrand, qui demande si les interventions du Président de la République et du Premier ministre seront comptées dans le temps de parole de la majorité.

31. De Gaulle à la télévision : « Le peuple français va-t-il maintenir ou détruire par ses suffrages un régime aussi évidemment salutaire et efficace que celui qu'il s'est lui-même donné? »

Champ économique et social

★ *Janvier.* 7. Décret créant les IUT (Instituts Universitaires de Technologie). Leur but est de former en deux ans les techniciens et cadres moyens immédiatement utilisables dans la vie active. Les études sont sanctionnées par un DUT (Diplôme Universitaire de Technologie). Le secteur productif étant demandeur de salariés ayant ce profil, on pensait que les IUT connaîtraient un grand succès. Or il n'en fut rien. Ils furent considérés comme un enseignement supérieur de seconde zone et à l'heure actuelle (1975) les DUT ne sont pas encore reconnus dans les conventions collectives. Pendant l'année scolaire 1972-1973, sur un total de 735 500 étudiants, il n'y en aura que 37 000 dans les IUT, qui se recruteront dans des catégories sociales « modestes ».

10. Accords CGT-CFDT pour un programme revendicatif commun : amélioration du pouvoir d'achat, suppression des abattements de zones, extension des droits syndicaux dans l'entreprise, garantie du droit à l'emploi, refonte de la fiscalité. La FEN refuse de s'y associer parce que le SNI met en doute l'authenticité de la déconfessionalisation de la CFDT.

★ *Février.* 16. M. Debré, nouveau ministre de l'Économie, fait connaître son plan : maintien de la politique de stabilité; dispositions en faveur de l'investissement (avoir fiscal et mesures en faveur du leasing); amélioration des revenus agricoles; légère augmentation du SMIG, du SMAG, des allocations familiales et de l'allocation minimum aux personnes âgées.

★ *Février/mars.* Agitation à propos de la cessation d'activité des chantiers et ateliers de Provence : le 3 mars, une importante manifestation est conduite par l'archevêque d'Aix et le maire communiste de Port-de-Bouc.

★ *Mars.* 4. L'épiscopat publie des « réflexions sur la situation économique et sociale » qui posent le problème des modalités et de la finalité de la croissance. *Le Monde* titre : « L'épiscopat français remet en cause des fondements du capitalisme ».

15. Journées revendicative lancée par CGT, CFDT et FO dans la métallurgie. Pour la première fois depuis 1947, une déléation CGT est reçue au CNPF.

15/17. Grève dans l'enseignement supérieur contre le projet Fouchet.

★ *Mai.* 17. Réussite complète d'une journée revendicative CGT, CFDT, FO, CFTC, aussi bien dans le secteur public que dans le secteur privé. L'unité d'action a donc été réalisée. Le but est l'augmentation des salaires et l'ouverture de négociations véritables sur la politique des revenus.

★ *Juin.* Grèves à Air France, l'ORTF, la SNCF, dans la métallurgie, les chantiers navals. Cette agitation contraste avec le calme de l'agriculture, où E. Faure a prudemment modéré les réformes structurelles de son prédécesseur E. Pisani.

22 (et *janvier 1967*). Série de décrets réformant l'enseignement supérieur : la propédeutique est supprimée; les deux premières années d'enseignement supérieur conduisent au DUEL (Diplôme Universitaire d'Études Littéraires) ou au DUES (Diplôme Universitaire d'Études Scientifiques). A la fin de ce premier cycle de l'enseignement supérieur, l'étudiant peut soit entrer dans la vie active, soit effectuer un second cycle d'enseignement supérieur qui est divisé en deux branches : la licence d'enseignement qui dure deux ans, une année d'enseignement théorique et une année de stage pédagogique au sein des IPR (Instituts Pédagogiques Régionaux), et la maîtrise qui dure également deux années et qui conduit à la recherche.

★ *Juillet.* 12. Loi créant un régime d'assurances maladie des non-salariés, des professions industrielles, commerciales, artisanales et libérales. Elle concerne 1 500 000 cotisants, soit environ 4 500 000 de personnes.

★ *Novembre.* 14/15. Colloque de Caen sur l'enseignement supérieur et la recherche scientifique.

18. CNPF et tous les syndicats de cadres (CGT, CGC, CFDT, FO, CFTC) signent une convention réorganisant l'APEC (Association pour l'emploi des cadres) qui avait été créée en 1954 et qui doit maintenant faire face au reclassement des cadres âgés.

23. Nouvelle journée revendicative organisée par les seules CGT-CFDT.

★ *Décembre.* 20. Manifestation des aviculteurs bretons à Morlaix qui tourne à l'émeute. E. Faure, qui pense aux prochaines élections, annonce immédiatement la création d'une caisse de régularisation des marchés agricoles.

Le mouvement français pour le planning familial, créé en 1956, qui compte en 1966 110 000 adhérents, a formé 1 200 médecins qui donnent des consultations dans 180 points d'implantation. Lors des présidentielles de 1965, F. Mitterrand avait posé le problème de la révision de la loi de 1920. En 1966, le gouvernement demande à l'INED un rapport sur les conséquences démographiques d'une libéralisation de la loi de 1920 en faveur de la propagande anticonceptionnelle. Dans son rapport, A. Sauvy prévoit une baisse de 10 % de la natalité, sauf fort accroissement de l'aide aux familles nombreuses. En juin l'Assemblée a désigné une commission présidée par L. Neuwirth qui publie le 7 décembre son rapport pour une réforme de la prophylaxie anticonceptionnelle.

En gros l'économie a atteint les objectifs fixés par le Ve Plan. La production céréalière a baissé, la production d'élevage a augmenté de 3 %. La production industrielle a augmenté de 5,5 %. L'expansion moyenne est de 5 %, pourcentage qui est le résultat d'une pondération où l'industrie intervient pour 52,5 % dans le calcul de la PIB, l'agriculture pour 9 % et les services pour 36,5 %. Or ces derniers ont connu une forte augmentation, qui est moins due à une hausse d'activité qu'à une hausse des prix.

Les prix ont monté de 3 %, produits alimentaires et services étant en plus forte hausse.

Le niveau de l'emploi tend à se dégrader légèrement, l'augmentation de l'activité industrielle étant due à l'amélioration de la productivité.

Balance commerciale déficitaire : taux de couverture des importations par les exportations : 91 %.

Champ culturel

▶ *Prix littéraires* – Goncourt : *Oublier Palerme* (E. Charles-Roux)
                       Renaudot : *La bataille de Bordeaux* (J. Cabanis)
                       Fémina : *Nature morte devant la fenêtre* (I. Monesi)
                       Médicis : *Une saison de la vie d'Emmanuel* (M.C. Blais)
                       Interallié : *L'été finit sous les tilleuls* (Kl. Haedens)

▶ *Littérature* – Les gros tirages : *Paris brûle-t-il?* de D. Lapierre et L. Collins, *Les prêtres qui souffrent* de M. de Saint-Pierre,, *C'est Mozart qu'on assassine* (G. Cesbron), *Nos vingt ans* (Cl. Malraux), *Thérèse et Isabelle* (V. Leduc), *La Chine de Mao* (K.S. Karol), *De sang froid* (Tr. Capote), *Astérix chez les Bretons* (R. Goscinny et A. Uderzo).

▶ *Philosophie* – M. Foucault publie *Les mots et les choses, une archéologie des sciences humaines*. La question qu'il se pose n'est pas celle des codes mais la recherche de la loi d'existence des énoncés. En d'autres termes, nous recueillons des discours et M. Foucault cherche ce qui les a rendu possibles (eux et aucun autre à leur place), les conditions de leur émergence et leurs corrélations avec d'autres événements antérieurs ou simultanés. Il étudie donc trois jeux de dépendance : la dépendance intradiscursive (c'est-à-dire les objets, opérations et concepts que l'on rencontre dans un même discours); la dépendance interdiscursive (c'est-à-dire les corrélations, par exemple, entre l'histoire naturelle, l'économie, la grammaire, l'histoire de la folie); la dépendance extradiscursive (c'est-à-dire les corrélations entre une pratique discursive et le jeu des changements économiques, politiques et sociaux). Pour M. Foucault, l'histoire n'est pas linéaire (« le progrès de la raison est un mythe »), elle n'est pas totalisante (« l'esprit du siècle n'existe que dans quelques beaux esprits »). Une époque est caractérisée par son « épistêmé », c'est-à-dire non par la somme de ses connaissances ou « le style général de ses recherches » mais par l'écart, les distances, les oppositions, les différences, les relations de ses multiples pratiques discursives. L'épistêmé n'est donc pas une grande théorie sous-jacente (le noyau), c'est un espace de dispersion, c'est un champ ouvert et sans doute indéfiniment descriptible de relations, ce n'est pas un stade général de la raison progressant vers une compréhension totalisante, c'est un rapport complexe de décalages successifs. Donc M. Foucault privilégie « le fait sauvage du changement » et fait surgir « toute la vivacité de la différence » en établissant méticuleusement l'écart.

▶ *Théâtre* – On joue trois pièces de E. Ionesco : *Le roi se meurt, Mêlées et Démêlés* et *La soif et la faim.*
   Révélation de F. Arrabal avec *Le grand cérémonial.*
   Deux piécettes de F. Sagan *Le cheval évanoui, L'écharde.*
   La pièce d'A. Gatti *Champ public devant deux chaises électriques* maintient la tradition du théâtre engagé.
   Le succès d'H. Pinter se poursuit avec *Le retour.*
   Mais les deux événements de la saison théâtrale sont *Marat-Sade* de P. Weiss et surtout *Les paravents* de J. Genêt, montés au Théâtre de France. J. Genêt peut être considéré comme l'héritier spirituel d'A. Artaud bien qu'à l'époque où il écrivit ses principales pièces, *Le balcon, Les nègres, Les paravents,* c'est-à-dire aux environs des années 1950, il n'eût pas encore lu le grand livre d'A. Artaud : *Le théâtre et son double* (recueil de conférences faites en 1931-1933 et publié en 1939 où l'on peut lire : « Le théâtre, comme la peste, est à l'image de ce carnage, de cette essentielle séparation. Il dénonce des conflits, il dégage des forces, il déclenche des possibilités et si ces possibilités et ces forces sont noires, c'est la faute non pas de la peste ou du théâtre, mais de la vie (...). Et, de même que la peste, le théâtre est fait pour vider collectivement des abcès. » Célébrant le mal et la mort, la trahison et le vol et aussi l'homosexualité, l'œuvre de Genêt scandalisa, et *Les paravents* plus que les autres pièces, parce qu'elle exprime une idéologie antimilitariste et anticolonialiste et que les rapprochements avec la guerre d'Algérie encore proche s'imposaient à l'esprit. F. Mauriac qualifia cette œuvre d'« excrémentielle »; réplique de J. Genêt : « Je vis tête baissée et je poursuis mon destin dans le sens de la nuit. » Plus que toute autre peut-être, son œuvre contribua à ébranler le système des valeurs traditionnelles.

▶ *Cinéma* – R. Bresson : *Au hasard Balthazar*
   J. Eustache : *Le père Noël a les yeux bleus*
   J.L. Godard : *Masculin-Féminin*
   Cl. Lelouch : *Un homme et une femme*
   A. Resnais : *La guerre est finie*
   R. Vadim : *La curée*
   J.P. Melville : *Le deuxième souffle*
   F. Truffaut : *Farenheit 451*
   D. Lean : *Docteur Jivago*

A. Penn : *Miracle en Alabama*
J. Losey : *Modesty Blaise*
R. Polanski : *Cul de sac* et *Répulsion*
I. Bergman : *Personna*
V. Schloendorff : *Le désarroi de l'élève Toerless*
O. Welles : *Falstaff*
A. Delvaux : *L'homme au crâne rasé*

C'est des années 1965/66 qu'on peut dater la naissance du « jeune cinéma ». B. Bertolucci, A. Delvaux, M. Bellochio, J. Skolimovski vont montrer des personnages qui développent une stratégie de fuite à l'égard de la société (alors que « la nouvelle vague » tendait plutôt vers l'intégration). La « société », dans beaucoup de ces films, n'est plus qu'un référent-repoussoir. Le jeune, le marginal, l'enfant deviennent les supports privilégiés de ces phantasmes de fuite. D'autre part, alors que la « nouvelle vague » mettait surtout en scène des intellectuels, il n'en va pas de même pour le « jeune cinéma ».

Le développement du « nouveau roman » et les recherches du groupe *Tel quel* inspirent aux *Cahiers du Cinéma* le numéro spécial de décembre 66 sur *films et romans, problèmes du récit*, réalisé sous la direction de Cl. Ollier et J.A. Fieschi. Il s'agit d'un renouvellement de la critique cinématographique, au moment même où la revue *Communications* publie des travaux sur l'analyse structurale du récit, où Ch. Metz commence ses recherches (*Le cinéma, langue ou langage?*) et où se tient à Pesaro, en Italie, un colloque sur « sémiologie et cinéma ». Tout film est récit, c'est-à-dire réglé par un code, et ce qui est à lire dans le film ce n'est plus le réel mais un ensemble de signes qui a pour charge de le signifier. Donc voir un film, ce n'est pas déchiffrer les signes du vécu mais décoder le fonctionnement des images. « Comment fonctionne un film? » telle est la nouvelle question qui remplace la vieille interrogation de A. Bazin : « Qu'est-ce que le cinéma? »

▶ *Télévision* – En 1966, sur les 15 400 000 ménages français, 47,9 % ont un poste de télévision. Les principales émissions de l'année furent les suivantes : *5 colonnes à la une, La caméra invisible, Mémoires de votre temps, La caméra explore le temps, Les coulisses de l'exploit, Les émissions médicales* de P. Desgraupes et I. Barrère.

Gros succès du feuilleton *Cecilia, médecin de campagne* de G. Sire.

(L'Eurovision » permet désormais de suivre les compétitions sportives internationales.

▶ *Peinture et Expositions* – Comme les autres années les galeries privées jouent un rôle pionnier et présentent des peintres qui auront droit dix années plus tard à des rétrospectives dans les musées nationaux. Les galeries privées exposent : *P. Delvaux, V. Vasarely, R. Matta, A. Tapiès, J. P. Riopelle, R. Bissière, R. Ubac, P. Alechinsky, Ispouteguy, H. Bellmer, les Lalanne* (qui font des meubles sculptures), *D. Hockney* et surtout *F. Bacon* qui est révélé au public français.

Les musées nationaux exposent *Dans la lumière de Vermeer* (Orangerie), *Dada* (Musée d'Art moderne), *Balthus* puis les photographies de *H. Cartier-Bresson* au Musée des Arts décoratifs.

▶ *Musique* – *Montserrat Cabalé*, qui chante V. Bellini et G. Donizetti, est célébrée comme « une nouvelle Callas ». On joue de plus en plus les œuvres de *A. Schönberg, A. Brückner, Y. Xenakis, B. Bartok, G.P. Teleman*.

P. Boulez crée à Paris *Éclat*, où le jeu du chef d'orchestre avec ses musiciens devient un rite collectif. Dans ce « spectacle musical », un rapport (ou des rapports) nouveau s'établit entre celui qui ordonne, ceux qui répondent et ceux qui écoutent. Dans la mesure où chaque exécutant a une liberté de choix, chaque « spectacle musical » est unique et non répétable. L'attitude d'écoute est donc toute différente de celle d'un auditeur de disques.

▶ *Variétés – Catherine Sauvage* chante Aragon (il est intéressant de noter que l'interprète est privilégiée par rapport au parolier dont la célébrité est pourtant mondiale). *Joan Baez* chante des chansons engagées. « Les classiques » de la chanson française *Y. Montand, J. Greco, G. Brassens* poursuivent leur carrière brillante. Apparition de nouvelles étoiles : *M. Polnareff, S. Adamo et Antoine.*

Le Crazy Horse saloon fête son millième strip-tease et son millionième spectateur. Vogue des « boîtes » *Régine et Castel.*

▶ *Vie quotidienne* – Apparition des publicités pour Parly II, prototype du genre de vie idéale pour la société de consommation.

La cuisine tient toujours un rôle essentiel dans la vie des Français et alimente – si l'on ose dire – les conversations. Le Français aime manger en parlant de ce qu'il a mangé, de ce qu'il mange et de ce qu'il mangera. Toutefois, la cuisine, tout au moins familiale, se simplifie. Il s'agit d'une sorte de mouvement préécologiste. On préfère les grillades « aux herbes de Provence » aux sauces compliquées.

On commence à parler du problème de la drogue : le LSD fait l'objet d'un article de fond dans *L'Express.*

Apparition de l'inquiétude des cadres âgés, que la rapidité des transformations technologiques rendent rapidement « non performants » s'ils ne parviennent pas à se recycler régulièrement. *L'Express* consacre plusieurs numéros au problème des cadres de plus de 40 ans : leur vieillissement est présenté comme un des drames de la société industrielle.

Inventé en 1954, le tiercé a passionné les Français qui ne passent pas pour former un peuple particulièrement joueur. On estime à environ 4 millions le nombre de parieurs en France. Sur 100 fr. qui sont pariés, 73 sont répartis entre les parieurs qui ont gagné, 4 fr. vont au PMU (pari mutuel urbain), 3,30 fr. au propriétaire, 18 fr. à L'État, le reste aux sociétés d'encouragement pour l'amélioration de la race chevaline. En 1974, le montant des enjeux atteindra 12 milliards; donc l'État percevra, à titre d'impôts, environ 2,1 milliards. Pourquoi les gens jouent-ils? La première motivation est peut-être l'impression de « participer », car, pour gagner, il faut s'informer et le joueur a le sentiment de faire triompher son savoir sur le hasard. Contrairement à la roulette par exemple, où le hasard est tout, les courses de chevaux offrent aux joueurs la possibilité de penser qu'ils contrôlent le destin de leurs propres enjeux. En effet, il y a actuellement (1975) en France 34 journaux de courses qui tirent à 2 millions d'exemplaires. *Paris-turf*, le seul d'entre eux qui soit quotidien, tire à 200 000 exemplaires. Cette presse fournit aux joueurs une importante information : pedigree et biographie des chevaux, biographie des jockeys et des entraîneurs, qualité du champ de course (argileux, sableux...), etc. La seconde motivation concernant les parieurs est une sorte de sentiment de fraternisation. Le dimanche matin, dans les bistrots où le PMU enregistre les paris, les gens parlent entre eux, quels que soient leur origine sociale ou leur sexe (sur 100 joueurs il y a 70 hommes et 30 femmes). Une troisième motivation qui ne concerne que ceux qui se rendent sur les champs de course, c'est l'impression de vivre dans la richesse : les propriétaires sont là, on peut les approcher et leur parler (il faut également faire sa part au plaisir esthétique). Mais la motivation principale reste l'appât du gain : les mass media parlent beaucoup du tiercé et notamment de quelques gagneurs... Signalons qu'on ne paie pas d'impôt sur ce qu'on gagne aux courses, ce qui a donné lieu bien entendu à un certain nombre de fraudes. On estime à 150 000 le nombre de personnes qui vivent directement et indirectement des courses (éleveurs, lads, personnel des hippodromes et du PMU, etc.).

En ce qui concerne les casinos, les quatre premiers sont, par ordre d'importance décroissante, Divonne-les-Eaux (à cause de la proximité de la Suisse où tous les casinos sont interdits), Monte-Carlo, Cannes et Deauville.

1967

Champ politique

♦ *Janvier* 1er. Lettre ouverte de Mgr Schmitt, évêque de Metz, au cardinal Spellman, archevêque de New York, dans laquelle il s'élève contre les propos de ce dernier sur la guerre du Vietnam (« Toute autre solution que la victoire est inconcevable »).

6. La section française du mouvement « Pax Christi », présidée par Mgr Gouyon, publie un communiqué dans lequel il rappelle la pensée du Concile Vatican II sur le Vietnam, à savoir que la Paix résultera « de négociations inspirées par la justice, ce qui suppose la désescalade de toutes les hostilités et l'arrêt des bombardements ».

10. Conférence de presse de V. Giscard d'Estaing qui prend ses distances à l'égard de l'UNR. Selon lui, quatre attitudes sont possibles vis-à-vis de la situation politique : le « non » des communistes, le « non mais » du centre démocrate de J. Lecanuet; le « oui » de l'UNR-UDT, le « oui mais » qu'il préconise : « oui », parce qu'il approuve et soutient la politique du gouvernement (auquel il n'appartient plus depuis 1966), « mais », parce qu'il opte pour : un fonctionnement plus libéral des institutions; la mise en œuvre d'une véritable politique économique et sociale moderne; la construction de l'Europe; une plus large place faite au dialogue. Il reproche au régime tel qu'il fonctionne de perdre contact avec l'opinion, de brimer le Parlement, de mener une politique économique imprévoyante et une politique sociale insuffisante. Surprise et riposte de de Gaulle : « On ne gouverne pas avec des mais ». J. Lecanuet, tout en se déclarant prêt à discuter un contrat de majorité répond à Giscard : « On ne peut rien changer à l'intérieur de la majorité ».

4/8. Congrès du PCF que Waldeck-Rochet intitule « Congrès de l'ouverture », c'est-à-dire de la réintégration du PCF dans la vie politique. Il rappelle qu'il est prêt à appliquer l'accord électoral du 20 décembre 1966 conclu entre PCF et FGDS (désistement en faveur du candidat le mieux placé au premier tour dans le cas où c'est le candidat de la gauche qui vient en tête). Dans les autres cas, la question n'est pas tranchée.

31. Conférence de presse de F. Mitterrand qui n'rapporte rien de nouveau. Grand meeting de la Ve République au Palais des Sports, où sont présentés les 486 candidats de la majorité. Un spectacle est offert au public, intitulé « Les réussites de la France » et met en avant J. Cl. Killy, Ch. Caron, M. Jazy, l'usine de Pierrelatte et le pont d'Oléron. Intervention lyrique d'A. Malraux : « La Ve République n'est pas la IVe plus le Général de Gaulle. » G. Pompidou affirme que « la majorité ne peut perdre les élections » et termine par cette incantation : « O France, ressuscitée grâce à Charles de Gaulle, puisses-tu une fois encore répondre à son appel pour ton bonheur et pour ton honneur ! »

La situation préélectorale est donc la suivante : d'un côté les candidats de la majorité (UNR, UDT, RI); de l'autre ceux de la gauche (PCF, FGDS, c'est-à-dire SFIO + Radicaux + Convention des Institutions Républicaines); position ambiguë du centre démocrate : opposition à la majorité, mais moins absolue que celle de la gauche.

◆ *Février.* 9. Allocution télévisée de De Gaulle avant l'ouverture officielle de la campagne fixée au 13. « Ce qui va être en jeu, c'est la Vᵉ république (...). Nous voyons qu'à mesure qu'elle dure et qu'elle s'affermit, rassemblant un nombre grandissant de citoyens de toutes tendances, les profondes querelles qui, semées de drames et attisées par les partisans, divisaient gravement les Français, vont désormais en s'atténuant. Bref, sous l'égide de la République nouvelle, nous voyons que notre peuple s'élève et resserre son unité ». Riposte de F. Mitterrand : « Autrefois de Gaulle était de Gaulle. Il n'est maintenant qu'un gaulliste. »

18. Déclaration d'A. Peyrefitte, ministre de l'Information : « C'est le Président de la République qui est la source du pouvoir, il incarne la légitimité nationale ». Indignation d'une partie de la presse. Riposte de Ph. Tesson dans *Combat* : « Le Général de Gaulle ne peut concevoir une majorité parlementaire qu'à l'image d'une majorité présidentielle. Dans cette confusion se trouve le vice du régime, un vice qui lui sera fatal ».

22. A l'occasion de son tour de France électoral, G. Pompidou rencontre F. Mitterrand à Nevers. Il dit : « Il ne sert de rien de prétendre qu'on ne va pas revenir à la IVᵉ République alors qu'on réunit les conditions qui, fatalement, nous y ramènent ». Réponse de F. Mitterrand : « Hier, il y avait une majorité et des oppositions. Demain, il y aura une majorité et des gaullismes. »

27. A Grenoble, G. Pompidou rencontre P. Mendès-France, candidat PSU. Le débat se déroule dans une atmosphère passionnée. P. Mendès-France pose la question suivante : si la gauche gagne les élections, en tiendra-t-on compte pour former un nouveau gouvernement? G. Pompidou répond que c'est du ressort du chef de l'État et non du Premier Ministre. « Je fais exprès de ne pas le savoir. On verra bien. ». Mais, à titre privé et en tant que citoyen, et s'il était lui-même Président de la République, G. Pompidou déclare qu'il désignerait un gouvernement analogue à l'actuel en tenant compte « un peu » des changements intervenus au Parlement. Donc il refuse le « Président arbitre » que préconise P. Mendès-France.

L'annonce que de Gaulle interviendra de nouveau le 4 mars, c'est-à-dire après la clôture de la campagne et à la veille du premier tour, soulève l'indignation de l'opposition. P. Mendès-France : « Je ne vois qu'une explication : pour la première fois il a peur, il sent que la majorité lui échappe ».

◆ *Mars.* 5. Premier tour des élections législatives (en % des suffrages exprimés).

Partis

PCF	22,46
Extrême gauche (dont PSU)	2,26
FGDS	18,79
Vᵉ République	37,75
Centre démocrate	12,79
Divers	5,08
Extrême droite	0,87

12. Deuxième tour des élections (répartition des sièges).

Partis

PCF	73 élus	(+ 32)
PSU	4 élus	(+ 3)
Extrême gauche	1 élu	(Césaire)
FGDS	116 élus	(+ 25)
Centre démocrate	27 élus	
Divers modérés	15 élus	
Divers gauche	5 élus	
Vᵉ République	244 élus	(- 40)
Total	485 élus	

L'effectif théorique est de 487, mais on ne votera que le 17 mars en Polynésie. Donc la Vᵉ République n'a qu'une voix de majorité, et les 43 élus RI sont des alliés incertains.

Se sentant en position de force V. Giscard d'Estaing déclare : « Je prendrai des initiatives pour organiser la majorité parlementaire. » Les gaullistes de gauche attaquent vivement le gouvernement. R. Capitant : « Le gouvernement a effectivement mené une politique de droite ». L. Vallon : « Que de Gaulle constitue un gouvernement capable de s'évader des ornières du conservatisme » (la vie sociale est alors très agitée, cf. infra).

♦ *Avril.* 1er. Démission du gouvernement Pompidou.

3. Première séance de la nouvelle assemblée. H. Ducos, radical et doyen d'âge, demande dans le discours d'ouverture traditionnel la suppression de l'article 16. J. Chaban-Delmas est réélu président par 261 voix contre 214 à G. Defferre, une partie des centristes ayant voté pour lui.

6. G. Pompidou est renommé Premier ministre.

Premier ministre : G. Pompidou.

Ministres d'État : *Affaires culturelles :* A. Malraux – *Fonction publique :* E. Michelet (UNR) – *Tom-Dom :* Général P. Billotte – *Recherche scientifique :* M. Schumann (UNR) – *Relations avec le Parlement :* R. Frey (UNR).

Ministres : *Délégué auprès du Premier ministre, chargé du Plan et de l'aménagement du territoire :* R. Marcellin (RI) – *Justice :* L. Joxe (UNR) – *Affaires étrangères :* M. Couve de Murville (UNR) – *Intérieur :* Ch. Fouchet (UNR) – *Armées :* P. Messmer (UNR) – *Économie et Finances :* M. Debré (UNR) – *Éducation nationale :* A. Peyrefitte (UNR) – *Équipement et Logement :* F.X. Ortoli (qui, le 26 avril remplace E. Pisani démissionnaire) – *Agriculture :* E. Faure – *Industrie :* O. Guichard (UNR) – *Affaires sociales :* J.M. Jeanneney – *Transports :* J. Chamant (RI) – *Anciens combattants et victimes de guerre :* H. Duvillard (UNR) – *PTT :* Y. Guéna (UNR) – *Jeunesse et sports :* F. Missoffe (UNR) – *Information :* G. Gorse (UNR).

Secrétaires d'État : *Auprès du Premier ministre, chargé du tourisme :* P. Dumas (UNR) – *Affaires étrangères chargé de la Coopération :* Y. Bourges (UNR) – *Affaires étrangères :* A. Bettencourt (RI) – *Intérieur :* A. Bord (UNR) – *Économie et Finances :* R. Boulin (UNR) et R. Nungesser (UNR) – *Affaires sociales, chargé des problèmes de l'emploi :* J. Chirac (UNR).

Malgré l'arrivée ou le retour de huit personnalités et le départ de sept membres de l'ancien gouvernement, le ministère Pompidou exprime la continuité comme le prouvent les présences de M. Couve de Murville et de P. Messmer tous deux battus aux élections mais maintenus à leur poste.

18. Déclaration de politique générale de G. Pompidou. Au cours du débat, J. Duhamel, président du nouveau groupe « Progrès et démocratie moderne », déclare : « Nous vous reprochons de n'avoir pas, depuis cinq ans, procédé aux réformes de structure qui s'imposaient », et préconise « une sorte de *new deal* social » comportant un calendrier précis. F. Mitterrand : « On ne peut pas dire que nous venons d'entendre le discours du trône : celui-ci sera prononcé par un autre et hors de la sanction des représentants du peuple. » Il souligne l'importance de la fraude dans les DOM. Réplique vigoureuse de G. Pompidou. Débat tumultueux. G. Defferre traite R. Ribière (UD Ve) « d'abruti ». Il est provoqué en duel. Le « combat » aura lieu à Neuilly et se terminera par une estafilade.

25/26. Débat sur la protection du littoral après le naufrage du pétrolier *Torrey Canyon*.

26. Le conseil des ministres décide de demander à l'Assemblée d'agir par ordonnances dans le domaine économique et financier jusqu'au 31 octobre (article 38 de la Constitution). Surprise de V. Giscard d'Estaing qui préside la commission des finances et n'a pas été prévenu. E. Pisani, ministre de l'Équipement, démissionne et est remplacé par F. X. Ortoli, commissaire général au Plan.

♦ *Mai.* 16. Conférence de presse de De Gaulle sur les pouvoirs spéciaux. Il insiste sur leur caractère licite et nécessaire : « Après tantôt cent ans de pratique parlementaire et la constatation faite en 1958, littéralement in extremis, de certains errements désastreux, la constitution a fixé en toute raison ses règles, à défaut desquelles le régime représentatif risquerait lui-même fort de disparaître, emporté par les conséquences d'abus que ne supportent plus les caractères de notre temps. Il est d'ailleurs assez remarquable qu'en 1958, lorsque j'eus à élaborer avec plusieurs membres de mon gouvernement le projet de la Constitution, ceux des ministres – ils étaient trois – qui avaient été présidents du Conseil sous la IVe, se montrèrent particulièrement résolus à appuyer en la matière des règles bien déterminées. Sans doute était-ce parce qu'ils en avaient personnellement éprouvé la nécessité (...). Parmi ces règles tutélaires se trouve l'article 38. »

17. Grève générale (CGT, CFDT, FO, FEN) et grand défilé de la Bastille à la République contre les pouvoirs spéciaux et pour la défense de la Sécurité Sociale.

18. Débat sur la motion de censure déposée par l'opposition. Polémique P. Mendès-France/M. Debré. Puis intervention de F. Mitterrand : « Le général de Gaulle s'est flatté des réalisations de 1945, et il a eu raison. Mais en 1945 il avait le peuple derrière lui, tandis qu'aujourd'hui le peuple est dans la rue et c'est la grève générale. » 236 députés votent la motion de censure. Il fallait 244 voix. La motion de censure n'étant pas adoptée, le projet de loi sur les pouvoirs spéciaux est considéré comme adopté.

23. Débat sur les problèmes de la jeunesse. F. Missoffe, ministre de la Jeunesse et des Sports, donne les conclusions d'un très important rapport sur la situation de la jeunesse. Seuls sont présents quelques députés. Le Sénat ayant repoussé le projet de loi sur les pouvoirs spéciaux, le système de la double navette joue et le 16 juin la motion de censure revenue pour la troisième fois devant l'Assemblée recueille 237 voix.

31/1er juin. Débat sur l'éducation nationale qui ne semble pas passionner les députés. P. Juquin (PCF) préconise une cogestion de l'Université.

♦ *Juin.* 5/10. « Guerre des six jours. »

♦ *Juillet.* 26. Discours de De Gaulle à Montréal : « Vive le Québec libre ! » Retour immédiat du Général en France.

♦ *Août.* 10. Allocution télévisée de De Gaulle, portant surtout sur les problèmes extérieurs : « La France, en quittant le système des blocs, a peut-être donné le signal d'une évolution générale vers la détente internationale. Elle apparaît aux dévots de l'obédience atlantique comme condamnée à ce qu'ils appellent l'isolement, alors que dans l'univers une masse humaine immense l'approuve et lui rend justice. »

18. Trois ordonnances sur l'intéressement des salariés aux bénéfices des entreprises.

22. Quatre ordonnances réformant la Sécurité Sociale.

♦ *Septembre* 24. /1er *octobre.* – Élections cantonales. Elles ont lieu dans un canton sur deux, pour renouveler les conseillers élus en 1961. Dans la plupart des cas, la gauche reconduit implicitement l'accord conclu le 20 décembre 1966 en vue des législatives, c'est-à-dire qu'au second tour on fait bloc sur le candidat le mieux placé. Dans la majorité, il y a des rivalités entre UNR et Giscardiens. Au second tour, il y aura des duels entre candidats centristes ou modérés et candidats de la majorité malgré les appels pressants lancés par cette dernière pour « barrer la route au cartel marxiste ». Des résultats des deux tours se dégagent les conclusions suivantes : progrès du PCF, surtout spectaculaires dans la Région parisienne ; progression incontestable des candidats de la majorité, mais inférieure à ce qu'elle escomptait ; menace croissante que fait peser sur le centre la bipolarisation de la vie politique ; confirmation des tendances enregistrées à l'occasion des législatives. Les résultats du premier tour sont les suivants :

Partis	Voix	%
Inscrits	14 750 499	
Votants	8 456 392	57,33
Abstentions		42,67
Exprimés	8 221 673	

Partis	Voix	% des suffrages exprimés
PCF	2 166 966	26,33
PSU	167 793	2,04
FGDS	1 771 813	21,55
Divers gauche	513 165	6,24
UD Ve République	1 194 693	14,55
RI	329 039	4
Modérés	824 410	10,03
CD	665 635	8,10
Extrême droite	42 874	0,52
Action locale	545 295	6,63

♦ *Octobre.* 3. Dépôt d'une motion de censure par la FGDS et le PCF contre la politique économique du gouvernement. La motion est rejetée ne recueillant que 207 voix dont 10 centristes, tous les autres centristes s'étant abstenus ou n'ayant pas pris part au vote.

♦ *Novembre.* Le vote de la loi de finances pour 1968 donne l'occasion à V. Giscard d'Estaing, président de la commission des finances, de se prononcer contre le gouvernement.

23. Très spectaculairement, V. Giscard d'Estaing s'abstient dans le vote du collectif budgétaire critiquant un texte « où réapparaissent à la fois l'impasse et le déficit ».

27. Conférence de presse de de Gaulle sur les problèmes extérieurs. Interrogé sur l'après-gaullisme, il déclare que les pouvoirs du Président de la République « clef de voûte de l'édifice, restent combattus par ceux qui veulent inlassablement faire du pouvoir l'enjeu de leurs ambitions et de leurs combinaisons ou bien, par les conjurés de l'entreprise totalitaire qui visent à établir sur la France leur écrasante et morne dictature. »

♦ *Décembre.* 31. De Gaulle à la télévision : « L'année 1968, je la salue avec sérénité ». Mais il manifeste un optimisme très mesuré sur les perspectives de l'avenir économique et social.

Champ économique et social

★ *Février.* 1er. Grève d'ampleur nationale pour commémorer l'accord interconfédéral de 1966.

24. Grève des roulants de la SNCF. Lock-out de toutes les usines bordelaises de Dassault à la suite de manifestations visant à obtenir la parité des salaires avec Paris. Le travail reprend après 20 jours.

★ *Avril.* Les conflits sociaux sont si nombreux que certains y voient l'obéissance à une consigne nationale. E. Descamps affirme qu'il n'y a pas de chef d'orchestre clandestin, mais une profonde inquiétude chez les travailleurs quant à leur emploi ». Il a fallu en mars la médiation de J.M. Jeanneney, ministre des Affaires sociales, pour mettre fin au conflit chez Rhodiaceta après 23 jours de grève. Il y a eu jusqu'à 30 000 grévistes dans le textiles artificiel. Grève dans les mines de Lorraine, des sidérurgistes de l'Est et même des mensuels de St-Nazaire. Dans un tel climat, la décision du conseil des ministres du 26 avril de recourir aux pleins pouvoirs en matière économique est perçue comme une provocation malgré la création d'un Secrétariat à l'Emploi confié à J. Chirac.

13. Application du plan calcul : la Compagnie internationale d'Informatique (CGE + CSF + Schneider + Rivaux) signe avec l'État une convention de production de calculatrices dont ont besoin le CEA et l'armée.

★ *Mai.* 17. La manifestation nationale de protestation contre les pouvoirs spéciaux n'a droit qu'à deux minutes à la télévision.

★ *Juin.* 11/16. Congrès de la CGT où le secrétaire général Benoît-Frachon est remplacé par G. Séguy également membre du B.P. du PCF.

★ *Juillet.* 1er. Augmentation du SMIG (2,38 %) et du SMAG (2,78 %).
13. Ordonnance créant l'ANPE (Agence nationale pour le plein emploi).

★ *Août.* 17. Trois ordonnances sur l'intéressement des salariés. La CGT parle de duperie, la CFDT s'indigne qu'on présente une « réformette » comme une révolution sociale.

★ *Août – Septembre – Octobre.* Sept ordonnances et trois décrets réforment la Sécurité sociale : réorganisation administrative, augmentation des recettes (augmentation des taux de cotisation pour les salaires supérieurs au plafond); diminution des prestations : le ticket modérateur passe de 20 à 30 % sauf pour l'hospitalisation.

★ *Septembre.* 27. CGT et CFDT manifestent au Mans contre les ordonnances : plusieurs dizaines de blessés, 50 arrestations dont des étudiants.

★ *Octobre.* CGT et CFDT décident de boycotter les élections aux présidences et vice-présidences des nouvelles caisses de Sécurité sociale créées par les ordonnances.
19-20. Grève des postiers.
30. Grève des agents de conduite de la SNCF dans les dépôts du midi.

★ *Décembre.* 13. CGT et CFDT organisent une journée interprofessionnelle de protestation contre la politique sociale du gouvernement et du grand patronat. Nouvelle grève à Rhodiacéta à Lyon-Vaise contre la suppression de 2 000 emplois dans l'ensemble du groupe.
Il y a eu plus de 4 millions de journées perdues du fait de grève. Le mécontentement gagne les cadres, menacés dans leur emploi et mécontents d'une réforme fiscale modifiant le quotient familial dans le calcul de l'IRPP. A. Malterre, président de la CGC, termine un discours prononcé à Bordeaux par ces mots : « Il arrive toujours un moment où les moutons deviennent enragés et où la coalition des masses et des cadres devient une réalité. L'heure est plus proche qu'on ne croit. »
On voit donc que bien des événements de l'année 1967 annoncent la « crise » de 1968.

L'année 1967 est marquée par *plusieurs concentrations importantes;* Citroën prend le contrôle de Berliet. Dans la construction navale : Ateliers et Chantiers de Dunkerque-Bordeaux, de la Ciotat et de la Seyne concluent un accord de coopération technique, commerciale et sociale. Dans la mécanique lourde, regroupement des Chantiers de l'Atlantique, de Fives-Lille-Cail et de Babcock et Wilcox. Dans l'électronique, regroupement Thomson-Houston et CSF. En décembre, nouvelle concentration de Wendel, Sidélor et la Société mosellane de Sidérurgie.
En gros, *1967 est mauvaise économiquement :* en fin d'année, accélération de la hausse des prix, du chômage, détérioration de la balance commerciale. Seule la production agricole est en plein essor : 6 %. La production industrielle n'augmente que de 2 % avec de grandes disparités sectorielles : l'industrie chimique croît de 10 %, l'industrie textile décroît de 8,5 %, automobiles et bâtiment stagnent. Stagnation ou progression insuffisante de la consommation, de l'investissement et de l'exportation. Le Ve Plan postulait une hausse des prix de 1,5 % et elle a été de 3,5 %. Taux de couverture des importations par les exportation : 90 %.

Champ culturel

▶ *Prix littéraires* – Goncourt : *La marge* (A.P. de Mandiargues)
　　　　　　　　　Renaudot : *Le monde tel qu'il est* (S. Etchart)
　　　　　　　　　Fémina : *Élise ou la vraie vie* (C. Etcherelli)
　　　　　　　　　Médicis : *Histoire* (Cl. Simon)
　　　　　　　　　Interallié : *Oui, l'espoir* (Y. Baby)

▶ *Littérature* – Les plus gros tirages : *Les cavaliers* (J. Kessel), *L'aventure* (L. Bodard), *Ou tu porteras mon deuil* (D. Lapierre et L. Collins), *Béru et ses dames* (San Antonio), *Les antimémoires* (A. Malraux), *Le défi américain* (J.J. Servan-Schreiber), *20 lettres à un ami* (Svetlana Alliluyeva, fille de Staline), *Les assassins sont parmi nous* (S. Wiesenthal), *La tragédie du Général* (J.R. Tournoux), et *Bonaparte* (A. Castelot).
　　J. Ricardou publie *Problèmes du nouveau roman* qui constitue une analyse théorique fondamentale qu'il approfondira encore dans *Pour une théorie du nouveau roman*.
　　Avec le *système de la mode* R. Barthes écrit son premier essai explicitement structuraliste. Dans une interview donnée aux *Lettres françaises,* il expose clairement son but : « Depuis Marx, Nietzsche, Freud, la critique, la déchirure des enveloppes idéologiques dont notre société entoure le savoir, les sentiments, les conduites, les valeurs, est le grand travail du siècle... La portée idéologique des *contenus,* c'est une chose aperçue depuis très longtemps, mais le *contenu idéologique des formes* c'est une des grandes possibilités de travail du siècle ». Mais curieusement, pour approcher la signification figurative de la mode, R. Barthes délaisse la mode portée, la mode photographiée, la mode qui change avec le temps. Privilégiant une fois de plus le langage et la synchronie, R. Barthes se limite au dépouillement de *Elle* et du *Jardin des modes* de juin 58 à juin 59. Pour devenir significatif, le vêtement doit-il passer par le discours? Nous voilà renvoyés à la linguistique. F. de Saussure faisait de la linguistique une des branches de la sémiologie. Quand R. Barthes écrit : « La parole n'est-elle pas le relais fatal de tout ordre signifiant? » (*Système de la mode,* p. 9) il renverse la proposition saussurienne et prétend réduire toute la sémiologie à la linguistique.

▶ *Théâtre* – Théâtre d'avant-garde : *L'architecte et l'empereur d'Assyrie* (F. Arrabal), *Le cimetière des voitures* (F. Arrabal), *Tueur sans gages* (E. Ionesco), *Le silence et le mensonge* (N. Sarraute), *Antigone* (de Sophocle, mais monté par le Living Theatre, mise en scène de Julian Beck).
　　Confirmation des succès étrangers : *L'été* (R. Weingarten), *L'anniversaire* (H. Pinter), *La prochaine fois je vous le chanterai* (J. Saunders). A. Gatti monte *V. comme Vietnam* qui manifeste la poursuite de sa recherche dans la direction du théâtre engagé.
　　Les pièces qui enregistrent le plus grand nombre d'entrées restent traditionnelles : *Quarante carats* (P. Barillet et J.P. Grédy), *Interdit au public* (R. Dornes et J. Marsan), *L'escalier* (Ch. Dyer), *Pygmalion* (B. Shaw), *Frédéric* (R. Lamoureux) et *La puce à l'oreille* (G. Feydeau).

▶ *Cinéma* – L. Bunuel : *Belle de jour*
　　　　　　M. Duras : *La musica*
　　　　　　J. Rivette : *Suzanne Simonin, la religieuse*
　　　　　　E. Rohmer : *La collectionneuse*
　　　　　　J. Tati : *Playtime*
　　　　　　G. Oury : *La grande vadrouille*
　　　　　　M. Antonioni : *Blow up*
　　　　　　Ch. Chaplin : *La comtesse de Hong-Kong*
　　　　　　H. Hawks : *Eldorado*
　　　　　　S. Lumet : *Le groupe*

A. Penn : *Bonny & Clide*
R. Polanski : *Les vampires*
C. Saura : *Pippermint frappé* (programmé en France en 1973)
T. Gutiérez Alea : *Mémoires du sous-développement* (film cubain programmé en France en 1974)
J. Skolimowski : *Le départ* et *La barrière*
P.P. Pasolini : *Œdipe roi*
L. Visconti : *L'étranger*
M. Bellochio : *La Chine est proche*
A. Petrovic : *J'ai même rencontré des Tziganes heureux* (Yougoslave).

Pour la seule année 1967, les records d'entrées par ordre décroissant sont les suivants :

G. Oury : *La grande vadrouille* (1 180 000 entrées)
G. Oury : *Le corniaud* (650 000 entrées)
R. Dhéry : *La belle américaine* (380 000 entrées)
C. Lelouch : *Vivre pour vivre* (368 000 entrées)

▶ *Télévision* – Trois feuilletons à succès : *Vidocq, Maigret* (avec J. Richard) et *Chapeau melon et bottes de cuir*– Vogue des émissions de G. Lux *Un contre tous* et *Jeux sans frontières* – P. Bellemare et G. Lux : *Impossible n'est pas français* – Du seul P. Bellemare, un nouveau jeu : *Pas une seconde à perdre* – Un jeu pour cinéphiles *Monsieur Cinéma* (P. Tchernia) – Deux émissions de « qualité » : *Discorama* de Denise Glaser et *Au risque de vous plaire* de J.C. Averty.

▶ *Peinture et Expositions* – Le grand événement est l'extraordinaire succès de l'exposition *Toutankhamon et son temps* au Petit Palais. Les enquêtes faites par le Centre de Sociologie Européenne sur la fréquentation des musées montrent que le monde ouvrier reste étranger à ce genre de manifestation, mais que « voir l'exposition à la mode » commence à concerner les couches de la moyenne bourgeoisie. On peut certes s'interroger sur la perception des œuvres exposées en fonction du niveau culturel des visiteurs, mais ces derniers (indépendamment du plaisir esthétique qui est toujours affirmé mais qui n'est pas mesurable) accomplissent, ce faisant, un acte qui les situe socialement. Cet engouement extraordinaire pour les « grandes expositions » dont parlent les media est sans doute à corréler avec l'explosion scolaire et la hausse généralisée du niveau d'enseignement. Des classes entières s'y rendent, souvent accompagnées par leur professeur. Notons toutefois que ces grands déplacements ne se produisent que pour des expositions « de valeurs reconnues », c'est-à-dire de celles qui sont célébrées par l'histoire de l'art telle qu'elle existe dans notre système culturel. Et l'on pourrait concevoir – c'est évident – une autre histoire de l'art qui privilégierait d'autres valeurs. 1967 peut être considéré comme une année marquée par l'innovation dans le domaine de la consommation culturelle puisqu'on a enregistré plus d'un million d'entrées à Toutankhamon, 263 000 à l'Orangerie où étaient exposées des collections suisses, et même 148 000 au Musée d'Art moderne pour une exposition « d'avant-garde » : *Lumière et mouvements.*

Les musées officiels organisent de grandes rétrospectives : *M. Duchamp* et *Duchamp-Villon*, puis *C. Van Dongen*, puis *G. Mathieu*, puis *Sonia Delaunay*, puis *Suzanne Valadon* au Musée d'Art moderne; *P. Bonnard* à l'Orangerie; *J.A. Ingres* au Petit Palais.

Dans les galeries privées on peut voir : *R. Magritte, V. Brauner, P. Rebeyrolle, J. Mirô, M. Chagall, J.R. Soto, Soulages.*

▶ *Musique et Ballets* – A l'automne, début de l'Orchestre de Paris sous la direction de Ch. Munch – R. Noureev et M. Fonteyn dansent à Paris *Le paradis perdu* qu'ils viennent de créer au Covent Garden en février 1967 – Le festival d'Avignon voit le triomphe de M. Béjart qui crée *Messe pour le temps présent.*

▶ *Variétés* – R. Anthony chante « Aranjuez mon amour » inspiré du concerto d'Aranjuez qui vient en tête des disques de l'été. L. Ferré passe à Bobino et M. Polnareff à l'Olympia. C'est la vogue de J. Dutronc et de ses chansonnettes provocantes contre la publicité *(La publicité)* et contre le service militaire *(Les rois de la réforme).* C'est le début de l'ascension irrésistible de Mireille Mathieu, vigoureusement encadrée par J. Stark. La chanson politique (annonciatrice de mai 1968) est marquée par *Cuba, si* de J. Ferrat, *Che Guevara* d'E. Montry, et *Guérilla, guérilla* de F. Deguelt.

▶ *Vie quotidienne* – La presse souligne l'exaspération des Français contre le mauvais fonctionnement du téléphone et contre sa rareté – Le prêt-à-porter s'impose aux hommes et aux femmes, la haute couture se transformant en créant ses propres chaînes de « prêt-à-porter » (ce terme plus noble a remplacé l'expression trop triviale « confection »). Tailleurs et couturières tendent à disparaître – Début de la vulgarisation du yog ı – La bande dessinée remporte autant de succès auprès des adultes qu'auprès des enfants (1 200 000 exemplaires du dernier *Astérix* vendus en une semaine. *Astérix légionnaire, Barbarella* et *Jodelle* qui remportent un grand succès sont des bandes dessinées destinées aux adultes et provoquent l'engouement de l'intelligentzia).

1968

Champ politique

♦ *Janvier.* Début de l'agitation dans les lycées. Rôle des comités Viet-nam. 400 lycéens manifestent gare Saint-Lazare pour demander la réintégration d'un lycéen de Condorcet. Heurts avec la police. Échauffourées à Nanterre contre la présence de policiers en civil à l'intérieur de la Faculté et contre la « liste noire » où seraient consignés les noms des étudiants à exclure. D. Cohn-Bendit apostrophe F. Missoffe, ministre de la Jeunesse et des Sports, à l'occasion de l'inauguration de la piscine. Il est menacé d'expulsion. A Caen, A. Peyrefitte, ministre de l'Éducation Nationale, venu inaugurer la nouvelle faculté des lettres, est accueilli par « Peyrefitte, démission ! » Toujours à Caen, manifestation des grévistes de la Saviem auxquels se joignent des étudiants : 18 blessés, 86 interpellations.

Début janvier. – V. Giscard d'Estaing annonce qu'en sa qualité de président de la Commission des finances il fera, à la fin du mois, des propositions pour remédier aux difficultés économiques.

12. G. Defferre lance l'idée d'une fusion entre FGDS et SFIO.

13. Le comité national du PSU maintient son refus de toute association avec la FGDS.

18. R. Poujade est élu secrétaire général de l'UD V^e.

24. M. Debré, ministre des Finances, rend brusquement public « un plan de soutien de l'économie » adopté le matin même en Conseil des ministres. V. Giscard d'Estaing réplique en demandant une meilleure coopération entre l'exécutif et le législatif.

31. Réunion d'un groupe de travail FGDS-PCF chargé d'élaborer un programme commun.

♦ *Février.* 7. Manifestation au Quartier Latin pour protester contre une réunion à la Mutualité du « Front Uni de Soutien au Vietnam du Sud ».

11. A Bordeaux, manifestation commune d'ouvriers des usines Dassault et d'étudiants.

13. De la République à la Bastille, plusieurs dizaines de milliers de manifestants expriment leur solidarité avec les combattants vietnamiens.

21. Journée pour le Vietnam. Plusieurs rassemblements, dont le plus important a lieu au Quartier Latin.

24. Déclaration commune FGDS-PC : on s'attachera à réduire les divergences dans le cadre d'un dialogue permanent, mais Waldeck-Rochet souligne « que l'accord conclu ne débouche pas sur un programme de gouvernement ». La divergence essentielle entre les deux formations est la suivante : le PCF est d'accord pour accepter le contrat de

législature, mais il veut réduire très fortement les pouvoirs du Président de la République. Un sondage de l'IFOP (publié par *Le Nouvel Observateur*) révèle que 44 % des électeurs de la FGDS pensent que le PCF profiterait de sa participation au gouvernement pour chercher à s'emparer de la totalité du pouvoir. G. Pompidou qualifie la déclaration commune PCF-FGDS de « programme d'anarchie qui débouche sur la dictature ». Il lance un appel aux centristes et obtient une réponse conciliante de J. Duhamel président du PDM. Dans trois articles du *Monde,* V. Giscard d'Estaing présente : « Une politique économique pour la France », tout en affirmant que les RI ne voteront jamais une motion de censure.

26. Grève des enseignants du secondaire pour l'augmentation des crédits et pour une orientation démocratique. Premier meeting des Comités d'Action Lycéens (CAL) appelant les élèves à faire la grève avec les professeurs et à refuser la sélection.

♦ *Mars.* 22. A Nanterre, occupation de la tour administrative par des étudiants venant surtout du CLER (Comité de liaison des Étudiants Révolutionnaires) et des JCR (Jeunesse communiste révolutionnaire). Des inscriptions apparaissent sur les murs de Nanterre. P. Grappin, doyen de la Faculté des Lettres, suspend les cours jusqu'au 1er avril.

24. Conclusions du colloque « Christianisme et Révolution » : « Nous reconnaissons le droit pour tout chrétien comme pour tout homme de participer au processus révolutionnaire, y compris dans sa lutte armée. »

29. Occupation d'un amphithéâtre a la Sorbonne où les étudiants allemands, italiens, belges et hollandais font le récit des actions entreprises dans leurs universités. Manifestation de 400 lycéens des CAL. Publication par l'UNEF d'un communiqué désapprouvant les violences estudiantines.

♦ *Avril.* 1er. Réouverture de Nanterre.

2. Rentrée parlementaire. La motion de censure déposée par la gauche contre la politique de l'information recueille 236 voix sur les 244 requises. Le débat donne lieu à un vif incident entre G. Pompidou et V. Giscard d'Estaing : celui-ci reproche à celui-là d'avoir fait état d'une de ses interventions au Conseil des Ministres. A Nanterre, 1 000 étudiants d'extrême-gauche occupent un amphithéâtre. D. Cohn-Bendit : « Nous refusons d'être les futurs cadres de l'exploitation capitaliste. » Dans un amphithéâtre voisin, les militants de la FNEF (Fédération Nationale des Étudiants de France, de tendance modérée) demandent « le renvoi immédiat des agitateurs ».

Meeting de la CGC. A. Malterre : « Si l'on voulait réellement nous acculer au désespoir, alors il faudrait montrer une bonne fois à ce pays ce que représente une grève des cadres. Et, pour moi, une grève des cadres ne pourrait être un arrêt de travail de 24 heures, ce serait une grève complète, une grève totale. »

7. Congrès du Mouvement de la Jeunesse Communiste dont le secrétaire général F. Hilsum dénonce : « les jeunes qui se laissent séduire par les groupuscules et qui jouent à la guérilla comme d'autres aux soldats de plomb. » Waldeck-Rochet y dénonce les dangers de « l'aventurisme et du gauchisme ».

21. Assemblée générale de l'UNEF qui se termine par une violente bagarre entre droite et gauche.

23. Bagarre à Nanterre entre étudiants du « Mouvement du 22 Mars » et étudiants de la FNEF

26. A Nanterre P. Juquin, membre du Comité Central du PCF, est empêché de parler par les maoïstes.

27. Arrestation de D. Cohn-Bendit à la suite d'une plainte déposée par un étudiant de la FNEF blessé au cours de la bagarre du 23 avril.

Mgr F. Marty, succède au cardinal Veuillot comme archevêque de Paris.

♦ *Mai*. 2. Départ de G. Pompidou pour l'Iran. Incidents à Nanterre où le doyen P. Grappin suspend les cours.

3. J. Roche, Recteur de l'Académie de Paris, craignant un affrontement entre étudiants de gauche et de droite, demande à la police de faire évacuer la Sorbonne. SNE-Sup. et UNEF décident une grève illimitée. De 17 à 22 heures, bagarres au Quartier Latin, barricades, voitures incendiées, 600 étudiants interpellés et emmenés au centre Beaujon. 27 sont gardés à vue.

4. Suspension des cours à la Sorbonne.

5. Audience de flagrant délit : quatre manifestants sont condamnés à deux mois de prison ferme.

6. Manifestations à l'appel de l'UNEF contre ces condamnations. Les bagarres durent jusqu'à 1 heure du matin, opposant peut-être 20 000 étudiants à des milliers de policiers. 600 blessés, 422 arrestations dont 31 maintenues. Le mouvement de solidarité gagne la plupart des villes universitaires.

7. Grande manifestation au Quartier Latin. Bagarres toute la nuit. UNEF et SNE-Sup disent vouloir négocier à trois conditions : retrait de la police du quartier latin, amnistie des quatre Manifestants condamnés, réouverture des Facultés de Lettres de Paris et de Nanterre.

8. A. Peyrefitte, ministre de l'Éducation nationale, au Conseil des Ministres : « Le gouvernement ne peut admettre le fanatisme et la violence. » Cinq Prix Nobel français : F. Jacob, A. Lwoff, A. Kastler, F. Mauriac, J. Monod envoient un télégramme à de Gaulle lui demandant « de faire personnellement un geste susceptible d'apaiser les étudiants ». Débat à l'Assemblée. A. Peyrefitte laisse entendre que les cours reprendront le lendemain après-midi.

9. A. Peyrefitte oppose son veto à la décision prise par le recteur et le doyen de rouvrir les facultés. Il dit que la Sorbonne restera fermée « jusqu'au retour au calme ». On peut penser que sa volte-face est due à la volonté exprimée par certains étudiants d'occuper la Sorbonne.

Nuit du 10 au 11. Nuit des barricades. De nombreux lycéens se joignent aux étudiants. Les négociations entre le recteur J. Roche et les représentants des étudiants n'aboutissent pas. A 2 h 15 Ch. Fouchet, ministre de l'Intérieur, donne l'ordre « de rétablir l'ordre public. » Suivent cinq heures de combat : les 60 barricades sont reprises une à une. Près de 400 blessés dont 32 restent hospitalisés, 460 interpellations, 188 véhicules endommagés ou incendiés.

11. Pour protester contre la répression policière, les syndicats, et la FEN appellent à une grève générale le lundi 13 mai. Les RI eux-mêmes condamnent « la brutale répression policière indigne d'un pays démocratique. » Le soir, G. Pompidou, de retour d'Iran annonce la libération des manifestants arrêtés et le dépôt d'une loi d'amnistie.

13. La police évacue la Sorbonne aussitôt occupée par les étudiants. Immense défilé de la République à Denfert-Rochereau (200 000 participants selon la Préfecture de Police, un million selon les organisateurs). La police n'apparaît pas. Après l'ordre de dispersion, place Denfert-Rochereau, quelques étudiants parlent d'une prise d'assaut de l'Élysée mais se contentent d'un meeting au Champ de Mars. D'ailleurs CRS et gendarmes mobiles occupent tous les ponts coupant Paris en deux. Des défilés ont lieu dans toute la France.

14. Occupation de l'usine Sud-Aviation à Nantes. De Gaulle part pour la Roumanie. G. Pompidou à l'Assemblée se prononce pour une association des étudiants à l'organisation des universités. PCF et FGDS déposent conjointement une motion de censure. Partout, spontanément, sans consigne syndicale, les ouvriers se mettent en grève.

15. Occupation des usines Renault de Cléon et de l'Odéon.

16. Occupation des usines Renault de Flins, Billancourt, de Rhodiaceta et Berliet à Lyon, etc. Les jeunes ouvriers jouent un rôle déterminant dans le déclenchement de ces grèves avec occupation. La CGT dénonce « l'incroyable prétention des étudiants de discuter de la conduite des luttes ouvrières. » En effet, les étudiants organisent une marche sur Boulogne-Billancourt, mais la CGT leur refuse l'entrée de l'usine. *L'Humanité* accuse D. Cohn-Bendit « de faire le jeu de Pompidou ». Les grèves s'étendent partout : arrêt du trafic à la SNCF et à la RATP. A la télévision, G. Pompidou dénonce « les provocateurs qui veulent généraliser le conflit. »

18. Retour de de Gaulle de Roumanie.

20. On estime à 10 millions le nombre de travailleurs en grève ou dans l'incapacité de travailler faute de moyens de transport ou parce que leurs usines manquent de matière première ou d'électricité. Il est donc impossible de savoir avec précision le nombre des véritables grévistes. Quoi qu'il en soit, il n'y a plus de transports publics; aéroports, banques, postes, grands magasins sont fermés ou en grève. Paris s'ensevelit sous ses propres ordures. Le siège du CNPF est occupé quelques instants par des cadres. Mais alors que la CFDT demande un changement des structures (autogestion et cogestion), la CGT reste sur le terrain des revendications à court terme (augmentation des salaires, diminution de la durée hebdomadaire du travail, etc.)

21/22. Débat sur la motion de censure retransmis en direct par la télévision en grève. R. Capitant abandonne son mandat. E. Pisani annonce qu'il votera la censure et qu'il se démettra immédiatement de son mandat pour se représenter devant ses électeurs. La motion ne recueille que 233 voix.

21. Un appel est lancé aux chrétiens par une quinzaine de personnalités catholiques et protestantes pour soutenir le mouvement des étudiants et des ouvriers. Parmi les signataires : P. Ricœur, R. Davezies, A. Laurentin, G. Montaron.

22. Manifestation organisée par le « Mouvement du 22 mars » contre l'interdiction de séjour prise contre D. Cohn-Bendit (après son arrestation, il avait été expulsé en Allemagne, le gouvernement excipant de sa nationalité allemande). Après l'ordre de dispersion vers minuit, les bagarres continuent, désavouées par la CGT.

23. Les centrales syndicales se déclarent prêtes à négocier. Le gouvernement les invite aussitôt avec le CNPF à des négociations au ministère des Affaires sociales, rue de Grenelle. Le soir au Quartier Latin, violentes bagarres qui semblent échapper complètement aux organisations étudiantes.

24. Allocution télévisée de de Gaulle annonçant un référendum sur « la rénovation universitaire, sociale et économique ». Déception de l'opinion publique, dont une partie semblait attendre l'annonce de la dissolution de l'Assemblée et de nouvelles élections. Violentes manifestations à Paris et à Lyon, où un commissaire de police est tué par un camion lancé contre les forces de l'ordre. Dans la nuit du vendredi 24 au samedi 25, très violentes manifestations au Quartier Latin. Une partie des manifestants se répand dans Paris : incident à la Bourse, bris de vitres au ministère de la Justice. En tout, il y a 500 blessés. L'UNEF et le SNE-Sup ne semblent plus contrôler leurs troupes. On ne sait plus très bien qui se bat. Ch. Fouchet accuse « la pègre et les anarchistes organisés pour la guerre de rues ». A de Gaulle qui a dit dans son allocution : « Au cas où votre réponse serait non, il va de soi que je n'assumerais pas plus longtemps ma fonction », F. Mitterrand répond : « Nous refusons le plébiscite » et P. Mendès-France : « Un plébiscite cela ne se discute pas, cela se combat. » Mais le PCF accepte de jouer le jeu en appelant à voter « non ». Un peu partout apparaissent des CDR (Comité pour la Défense de la République).

25. Ouverture des négociations de Grenelle. Elles durent 25 heures et se terminent par un protocole d'accord rejeté par les grévistes. Déclaration du bureau de la Fédération Protestante et du Conseil National de l'Église Réformée de France, adjurant le gou-

vernement de rompre l'engrenage de violence, et demandant aux manifestants de toutes origines « de ne pas détruire par des gestes excessifs l'espérance de leur révolte
en vue d'une transformation radicale de la société ». Intervention télévisée de
Mgr F. Marty : « L'heure est venue de savoir renoncer à certaine situation privilégiée
pour réaliser ensemble la mutation de notre société. »

27. Meeting du stade Charlety organisé par l'UNEF et le PSU. A. Barjonet qui vient
de démissionner de la CGT et du PCF déclare : « Aujourd'hui, la révolution est possible
mais il faut s'organiser vite, très vite. » P. Mendès-France est présent et ne prend pas
la parole. Le meeting est très violent contre la majorité mais également contre le PCF.

28. Conférence de presse de F. Mitterrand. Il pense que la France répondra négative-
ment au référendum prévu pour le 16 juin et annonce sa candidature à la présidence
de la République. Il dit que s'il le faut « il formera un gouvernement provisoire de
10 membres ». Il ajoute : « En France, depuis le 3 mai 1968, il n'y a plus d'État et ce
qui en tient lieu ne dispose même pas des apparences du pouvoir. Tous les Français
savent que le gouvernement actuel est incapable de résoudre la crise qu'il a provoquée
et qu'il en est réduit à agiter la menace du désordre, dont il est le vrai responsable,
pour tenter de se maintenir en place quelques semaines encore (...) Mais notre pays
n'a pas le choix entre l'anarchie et l'homme dont je ne dirai rien aujourd'hui sinon qu'il
ne peut plus faire l'histoire. Il s'agit de fonder la démocratie socialiste et d'ouvrir à la
jeunesse cette perspective exaltante : la nouvelle alliance du socialisme et de la liberté.
Il dépend de notre imagination et de notre volonté que la question posée à Prague en
ce printemps 68 trouve sa réponse à Paris. » Parmi ceux « qui peuvent légitimement
prétendre » comme lui à la présidence de la République, il cite le nom de P. Mendès-
France.

Mais ce même jour lors d'une réunion commune PC-FGDS, Waldeck-Rochet manifeste ses réticences à l'égard de P. Mendès-France. « Il n'est pas sérieux de prétendre
aller au socialisme sans les communistes et encore moins en faisant de l'anticommunisme comme au stade Charléty ».

Démission d'A. Peyrefitte : G. Pompidou dit prendre lui-même la charge du ministère
de l'Éducation nationale. D. Cohn-Bendit, pourtant expulsé le 22 mai, revient clandesti-
nement et tient une conférence de presse à la Sorbonne.

29. En arrivant au Conseil des Ministres, ceux-ci apprennent que de Gaulle a quitté
Paris. On saura plus tard qu'il s'est rendu à Baden-Baden où il a rencontré le Général
Massu, commandant les troupes françaises en Allemagne puis a gagné Colombey.

Déclaration de P. Mendès-France : « Nous avons tous compris que le gouvernement
de transition à constituer demain devra ménager, à travers les décombres institution-
nels, politiques, universitaires, sociaux, économiques, un travail efficace pour garantir
les chances de nécessaires réformes dont nous ressentons tous le besoin ».

Grand défilé de la Bastille à la gare Saint-Lazare organisé par la seule CGT. Impression de force et de discipline. Durcissement des slogans : « Gouvernement populaire !
Adieu de Gaulle ! » Il semble que le PCF, qui a été jusqu'ici extrêmement prudent, est
ébranlé par le subit départ du Général et commence à croire à une vacance du pouvoir.

A 21 h 10, P. Mendès-France déclare aux journalistes qu'il accepte de prendre la direction « du gouvernement provisoire de gestion » préconisé par F. Mitterrand la veille.
J. Lecanuet déclare : « Si P. Mendès-France apporte la sauvegarde des libertés, s'il fait
une politique européenne et sociale, nous n'avons pas à discuter les hommes qu'il choi-
sira ».

30. Annonce d'une allocution télévisée de de Gaulle. A 11 heures V. Giscard
d'Estaing déclare souhaiter le maintien du président de la République, la constitution
d'un nouveau gouvernement et des élections législatives.

A 16 h 30, de Gaulle parle à la radio (et non à la télévision) : « Dans les circonstances
présentes, je ne me retirerai pas. J'ai un mandat du peuple, je le remplirai. Je ne chan-
gerai pas le Premier ministre (...). Je dissous aujourd'hui l'Assemblée Nationale (...). La
France est menacée de dictature. On veut la contraindre à se résigner à un pouvoir

qui s'imposerait dans le désespoir national, lequel pouvoir serait alors évidemment essentiellement celui du vainqueur : c'est-à-dire du communisme totalitaire. Naturellement, on le colorerait pour commencer d'une apparence trompeuse en utilisant l'ambition et la haine de politiciens au rancart. Après quoi, ces personnages ne pèseraient plus que leur poids, qui n'est pas lourd. »

Réaction de F. Mitterrand : « C'est la voix de la dictature, c'est un appel à la guerre civile ». J. Chaban-Delmas lit à l'Assemblée la lettre présidentielle de dissolution. Impressionnante manifestation gaulliste avenue des Champs-Élysées. Peut-être un million de manifestants conduits par M. Debré et A. Malraux. La foule scande : « De Gaulle n'est pas seul, Mitterrand c'est raté ».

31. Manifestations gaullistes dans toute la France. G. Séguy déclare : « La CGT n'entend gêner en rien le déroulement de la campagne électorale ». Waldeck-Rochet dénonce « les gauchistes qui voudraient fourvoyer le mouvement populaire en le jetant dans l'aventure ».

♦ *Juin.* 1er. L'UNEF organise un défilé Montparnasse-Austerlitz où l'on scande « Élections, trahison ». Par décrets, G. Pompidou porte le SMIG à 3 fr. l'heure, supprime les zones de salaire et remanie son ministère. C'est le samedi de la Pentecôte. L'essence revient. J. Duclos déclare : « Nous voulons aller à la lutte électorale dans un climat d'ordre et de tranquillité publics ».

Composition du nouveau gouvernement G. Pompidou :

Premier ministre : G. Pompidou.
Ministres d'État : *Affaires culturelles :* A. Malraux – *Sans portefeuille :* E. Michelet (UDR) – *Affaires sociales :* M. Schumann – *Sans portefeuille :* H. Rey (UDR).
Ministres : *Délégué auprès du Premier ministre, chargé du plan et de l'aménagement du territoire :* O. Guichard (UDR) – *Justice :* R. Capitant (UDT) – *Affaires étrangères :* M. Debré (UDR) – *Intérieur :* R. Marcellin (RI) – *Armées :* P. Messmer (UDR) – *Économie et finances :* M. Couve de Murville – *Éducation nationale :* F.X. Ortoli – *Équipement et logement :* R. Galley – *Agriculture :* E. Faure – *Industrie :* A. Chalandon (UDR) – *Transports :* J. Chamant (RI) – *Anciens combattants et victimes de la guerre :* H. Duvillard (UDR) – *PTT :* A. Bettencourt (RI) – *Information :* Y. Guéna (UDR) – *Jeunesse et sports :* R. Nungesser (UDR) – *Dom. Tom. :* J. Le Theule (UDR) – *Fonction publique :* R. Boulin (UDR) – *Recherche scientifique :* C. de la Malène (UDR).
Secrétaires d'État : *Affaires étrangères chargé de la coopération :* Y. Bourges (UDR) – *Intérieur :* A. Bord (UDR) – *Économie et finances :* J. Chirac (UDR) – *Éducation nationale :* Mlle M.M. Dienesch (UDR) – *Affaires sociales chargé des problèmes de l'emploi :* Y. Morandat – *Équipement logement :* Ph. Dechartre (UDR).

5. Reprise du travail à EDF, Charbonnages, sidérurgie lorraine. Les évêques de la Commission Sociale soulignent l'enjeu des élections et demandent aux chrétiens de bien s'informer pour acquérir « une solide compétence, condition d'une action lucide et efficace ».

6. Reprise du travail à la SNCF et à la RATP.

7. Reprise du travail dans les PTT mais violents incidents à Flins où des policiers se heurtent à des grévistes et à des étudiants. Un lycéen trouve la mort par noyade.

Entretien télévisé de Gaulle/M. Droit : « Oui, le 29 mai, j'ai eu la tentation de me retirer. Et puis, en même temps, j'ai pensé que si je partais la subversion menaçante allait déferler et emporter la République. Alors, une fois de plus, je me suis résolu. Vous savez, depuis quelque chose comme trente ans que j'ai affaire à l'Histoire, il m'est arrivé quelquefois de me demander si je ne devais pas la quitter (...). Cette explosion a été provoquée par quelques groupes qui se révoltent contre la société moderne, contre la société de consommation, contre la société mécanique, qu'elle soit communiste à l'Est ou capitaliste à l'Ouest. Des groupes qui ne savent pas du tout d'ailleurs par quoi ils la remplaceraient mais qui se délectent de négation, de destruction, de violence, d'anarchie, qui arborent le drapeau noir. Par contagion, à partir de là, il s'est produit la même chose dans certaines usines et naturellement, là aussi, parmi les jeunes. Mais alors, l'entreprise communiste et totalitaire, inquiète et furieuse à Paris (...) de voir ces fractions révolutionnaires se dresser en dehors d'elle et contre elle, a décidé tout à coup de noyer le tout dans une grève généralisée en utilisant des piquets et des équipes préparés de longue main. » De Gaulle explique ensuite que la participation est une révolution. « Si une révolution, ce sont des exhibitions et des tumultes bruyants, scandaleux et pour finir sanglants, alors non, la participation n'est pas une révolution. Mais si une révolution consiste à changer profondément ce qui est, notamment en ce qui concerne la dignité et la condition ouvrières, alors certainement c'en est une. Et moi, je ne suis pas gêné, dans ce sens-là, d'être un révolutionnaire comme je l'ai été si souvent; en déclenchant la résistance; en chassant Vichy; en donnant le droit de vote aux femmes et aux Africains; en créant à la Libération, par les comités d'entreprise, par les nationalisations, par la Sécurité Sociale, des conditions sociales toutes nouvelles (...); en réalisant la décolonisation; en changeant un système militaire périmé en un système de dissuasion et de défense moderne; en obtenant le commencement de la libération des Français du Canada... Oui! tout cela, c'était révolutionnaire et chaque fois que j'agissais dans ces différents domaines, eh bien! je voyais se lever autour de moi une marée d'incompréhensions, de griefs et quelquefois de fureurs. C'est le destin! (...) Et puis, il y a eu la crise de l'Université qui a étalé sa caducité, son impuissance à se réformer et, pour finir, son effondrement malgré la valeur intellectuelle très grande de beaucoup de ses maîtres. Il n'y a pas de doute que cette Université est à reconstruire complètement. Il s'agit de faire en sorte qu'elle ne vive plus pour elle-même en dehors des réalités. Mais il faut que la refonte et le fonctionnement de l'Université se fassent avec la participation de ses maîtres et de ses étudiants, de tous ses maîtres et de tous ses étudiants ».

Dans les jours qui suivent, tous les membres de l'OAS sont graciés et, soit rentrent en France comme G. Bidault, soit sortent de prison comme R. Salan. De Gaulle tient ainsi la promesse qu'il aurait faite le 29 mai aux militaires.

10. Nouvelles barricades au Quartier Latin pour protester contre la mort du lycéen survenue à Flins le 7 juin.

11. Bagarres à Montbéliard chez Peugeot. Un manifestant est tué par balles. A cette nouvelle, l'UNEF, le PSU et la CFDT appellent à manifester à 18 h, gare de l'Est. La manifestation est interdite. La police adopte une nouvelle tactique : elle arrête des groupes de manifestants au fur et à mesure de leur arrivée. Alors, dans la nuit du 11 au 12, des manifestations ont lieu dans tout Paris où sont érigées 72 barricades. A la suite de cette nuit chaude, le gouvernement interdit toute manifestation sur tout le territoire et dissout onze « groupuscules ». Seul le PSU se déclare solidaire des mouvements dissous.

14. L'essoufflement du mouvement étudiant s'accentue : la police fait évacuer l'Odéon.

16. La police fait évacuer la Sorbonne, où ne restent que quelques étudiants et un certain nombre de gens (« les katangais ») visiblement marginaux mais qui semblent sans rapport avec le milieu estudiantin. Dernière manifestation étudiante au Quartier Latin.

Fin juin. Le travail a repris à peu près partout. Vive polémique entre la CFDT et la CGT : G. Séguy accuse les dirigeants de la CFDT « de complaisance caractérisée à l'égard des groupes gauchistes ».

Seconde partie de juin. Le grand problème est celui des législatives. Les gaullistes centrent leur campagne sur la « subversion » et « le péril rouge ». L'UDR (Union pour la Défense de la République) remplace l'UNR comme sigle électoral. Le PCF, attaqué par l'UDR à droite et par le PSU à gauche, se présente comme un parti de l'ordre : « Nous agissons dans le cadre de la légalité avec la certitude de défendre les intérêts du peuple de France » (Mme M.C. Vaillant-Couturier). « Le parti communiste ne revendique pas le pouvoir. Il ne revendique même pas la direction du gouvernement » (E. Fajon, dans *L'Humanité*). La Fédération de la Gauche se présente comme une force stable, sérieuse, unie, apte à gouverner. La plateforme électorale du PSU est celle « d'un pouvoir populaire, préfiguration d'un nouveau type d'État ». Les centristes affirment leur anticommunisme et J. Duhamel, président du groupe parlementaire PDM, déclare au nom de l'entente centriste : « A aucun moment nous ne ferons élire des hommes qui puissent servir directement ou indirectement les communistes. » Les RI bénéficient du sigle UDR sans subir les inconvénients de l'inconditionnalité du gaullisme orthodoxe.

23. Premier tour des élections. Il y a 20 % d'abstentions. Les résultats sont les suivants :

Partis (pourcentages des suffrages exprimés)

PCF et apparenté	20,03 %
PSU et extrême-gauche	3,9 %
Fédération de la gauche	16,5 %
Divers gauches	0,7 %
UDR	43,65 %
RI	4,14 %
PDM	10,3 %
Extrême droite	0,1 %
Technique et démocratie	0,3 %
Mouvement pour la réforme (E. Pisani)	0,1 %

Par rapport aux législatives de 1967 : la poussée UDR est impressionnante, le centre est en léger recul (10,3 % contre 12,6 %), le PSU passe de 2,2 % à 3,9 % – L'échec de la gauche n'en est pas moins flagrant car le PSU est loin de recueillir toutes les voix perdues par le PC (20,03 % au lieu de 22,51 % en 1967) et par la FGDS (16,5 % contre 18,96 %) – L'extrême droite est absorbée par la majorité, sans doute après les mesures de grâce prises par le Chef de l'État en faveur des derniers détenus activistes.

29. G. Pompidou met en garde les électeurs gaullistes contre la tentation de partir en vacances avant le deuxième tour. De Gaulle prend la parole à la télévision : « Le 30 mai, sentant qu'enfin s'éveillait l'instinct national, j'en ai appelé au peuple. Il m'a répondu dans ses profondeurs. Du coup fut rompu le charme maléfique qui nous entraînait vers l'abîme (...). En votant demain, nous devons démontrer notre massive résolution et nous donner un parlement capable de soutenir par une forte, constante et cohérente majorité la politique nécessaire (...). Bref, il s'agit que la participation devienne la règle et le ressort de la France renouvelée. »

30. Deuxième tour des élections. La bipolarisation s'accentue : sur 316 circonscriptions métropolitaines donnant lieu à ballotage, 269 sont le théâtre de duels opposant un candidat de la majorité à un représentant de l'Union de la Gauche. Le net succès obtenu par la majorité au premier tour se renforce. A elle seule, l'UDR a 294 sièges et la majorité comprend 358 des 485 nouveaux députés. Par rapport à 1967, les gaullistes gagnent 97 sièges; les RI 21; la FGDS en perd 61 et le PC 39. Entre le premier et le second tour, les candidats de la gauche perdent 2,22 % des suffrages exprimés, ce qui veut dire qu'une partie de leurs électeurs du premier tour les ont quittés pour se rallier à la majorité au deuxième tour. Mais si nous parlons non plus en termes de sièges, mais en termes de voix, nous constatons que les 358 députés de la majorité qui représentent 74 % des députés de l'Assemblée ont été élus par 46,39 % des électeurs, alors que les candidats uniques de la gauche, avec 41,96 % des suffrages, n'ont que 91 sièges. Il y a donc dans cette « chambre introuvable » une sur-représentation des vainqueurs et une sous-représentation des vaincus.

R. Marcellin voit dans ces élections « un non catégorique à la subversion ». G. Pompidou, plus modéré, déclare : « L'étendue de notre victoire nous impose la discrétion ». La consternation règne dans l'opposition. F. Mitterrand parle de « truquage politique et psychologique »; Waldeck-Rochet de « pas important vers la fascisation du régime »; G. Marchais de « l'aboutissement d'un vaste complot gaulliste ». J. Duhamel, leader des centristes, qui passent de 42 à 32 députés, se console comme il peut : « Il ne faut pas dans un raz-de-marée penser seulement à l'immédiat. L'avenir commence aujourd'hui. »

♦ *Juillet.* 10. Démission du gouvernement Pompidou. La stupéfaction est générale quand on apprend que M. Couve de Murville lui succède. Malgré la lettre officielle de de Gaulle à G. Pompidou : « Je souhaite que vous vous teniez prêt à accomplir toute mission et à assumer tout mandat qui pourraient vous être un jour confiés par la Nation », la disgrâce est évidente. L'opinion publique comprend mal qu'un homme qui a tenu (dans la tourmente), qui vraisemblablement a insisté pour que de Gaulle annonce la dissolution le 30 mai, qui a conduit la majorité aux élections et qui lui a fait remporter une incontestable victoire électorale, soit alors écarté.

11. Première séance de la nouvelle Assemblée qui réélit J. Chaban-Delmas président.

13. Formation du ministère Couve de Murville.

Premier ministre : M. Couve de Murville.
Ministres d'État : *Affaires culturelles* : A. Malraux – *Affaires sociales* : M. Schumann (UDR) – *Relations avec le Parlement* : R. Frey (UDR) – *Sans affectation* : J.M. Jeanneney (UDR).
Ministres : *Justice* : R. Capitant (UDR) – *Affaires étrangères* : M. Debré (UDR) – *Intérieur* : R. Marcellin (RI) – *Armées* : P. Messmer (UDR) – *Économie et Finances* : F.X. Ortoli (UDR) – *Éducation nationale* : E. Faure (UDR) – *Délégué auprès du Premier ministre, chargé du plan et de l'aménagement du territoire* : O. Guichard (UDR) – *Délégué auprès du Premier ministre, chargé de la recherche scientifique* : R. Galley (UDR) – *Équipement et logement* : A. Chalandon (UDR) – *Industrie* : A. Bettencourt (RI) – *Agriculture* : R. Boulin (UDR) – *Transports* : J. Chamant (RI) – *Anciens combattants et victimes de la guerre* : H. Duvillard (UDR) – *PTT* : Y. Guéna (UDR).
Secrétaires d'État : *Auprès du Premier ministre, chargé de l'information* : J. Le Theule (UDR) – *Auprès du Premier ministre, chargé de la fonction publique* : Ph. Malaud (RI) – *Auprès du Premier ministre, chargé de la jeunesse et des sports* : J. Comiti (UDR) – *Auprès du Premier ministre, chargé des Dom. Tom* : M. Inchauspé (UDR) – *Affaires sociales* : Mlle M.M. Dienesch (UDR) et P. Dumas (UDR) – *Affaires étrangères* : Y. Bourges (UDR) et J.N. de Lipkowski (UDR) – *Intérieur* : A. Bord (UDR) – *Économie et finances* : J. Chirac (UDR) – *Éducation nationale* : J. Trorial (UDR) – *Équipement et logement* : Ph. Dechartre (UDR).

24/25. Le débat sur la réforme de l'enseignement clôt la session parlementaire.

♦ *Septembre.* 9. Conférence de presse de De Gaulle qui, parlant de G. Pompidou, déclare : « Il était bon qu'il fût, sans aller jusqu'à épuisement, placé en réserve de la République. C'est ce qu'il souhaitait ».

22. Élections sénatoriales portant sur 103 des 280 sièges de sénateurs. Renforcement du centre – qui gagne des sièges en province – et des communistes qui bénéficient du nouveau découpage de la région parisienne. Les élus se répartissent ainsi : 15 communistes (+ 4), 20 FGDS (– 1), 4 divers gauches (– 3), 22 centre démocrate (+ 1), 14 UDR (+ 2), 9 RI (inchangé), 13 divers modérés (+ 6).

♦ *Octobre.* Au cours du mois, agitation à la Sorbonne et au Lycée J. Decour. Le mouvement de solidarité avec les étudiants mexicains victimes d'une sanglante répression s'étend dans le monde étudiant.

5/6. Assises de la Convention des Institutions Républicaines. F. Mitterrand : « La gauche a été longtemps critiquée parce qu'elle ne proposait pas de solution de rechange, mais le jour où elle en propose une, quelle aventure ! (...) C'est le Général de Gaulle lui-même et non pas moi qui a posé le problème de son remplacement (...) Il a changé son fusil d'épaule et nous avons débouché sur les élections. » Il préconise la création d'un parti socialiste nouveau et annonce qu'il ne sera candidat à aucun poste.

11. L'Assemblée vote la loi d'orientation de l'enseignement supérieur dite « loi Edgar Faure » par 441 voix contre 0.

20/21. Réunion du comité central du PCF qui tente de tirer des conclusions des remous suscités par l'affaire tchécoslovaque.

25. Le Sénat vote la loi d'orientation de l'enseignement supérieur par 260 voix contre 0.

♦ *Novembre.* 2/3. Conseil national de la SFIO qui demande le remplacement de la FGDS par un parti résolument socialiste.

8. Note pastorale de l'Épiscopat à la suite de la publication de l'encyclique *Humanae vitae* qui confirme la désapprobation de la régulation des naissances.

13. Journée d'action des CAL. Succès mitigé. R. Marcellin dénonce « le complot permanent » contre la société.

23. Tous les journaux du matin annoncent que le franc sera dévalué au cours du conseil des ministres de l'après-midi.

24. Dans une allocution télévisée de Gaulle, à la stupéfaction générale, annonce qu'il n'y aura pas de dévaluation.

26. Incidents à Nanterre à l'occasion d'une soutenance de thèse : parmi les membres du jury figurent des professeurs considérés par les étudiants comme « fascistes ».

26/29. Adoption par l'Assemblée et le Sénat du plan de redressement économique et financier présenté par le gouvernement.

29. E. Faure à Europe 1 dénonce « les révolutionnaires en peau de lapin ».

C'est en novembre que l'affaire S. Markovitch semble perdre son caractère de complot contre certaines personnalités politiques de la majorité pour redescendre sur un plan plus pénal. L'assassinat inexpliqué d'un certain S. Markovitch, ami et garde du corps de A. Delon, a servi de prétexte à une campagne nettement diffamatoire à l'égard de Madame Pompidou. Beaucoup de gens ont pensé qu'il s'agissait de déconsidérer la personnalité de l'ancien Premier Ministre afin de lui interdire tout destin national. G. Pompidou n'oubliera jamais cette affaire et ne pardonnera jamais à ceux qui ont tenté de le déconsidérer moralement, alors même qu'il était politiquement en disgrâce, c'est-à-dire hors d'état de se défendre.

♦ *Début décembre.* L'agitation persiste dans les lycées, mais une crise éclate au sein des CAL opposant gauchistes et communistes.

10. J.M. Jeanneney confirme que la réforme régionale sera décidée par référendum conformément à l'annonce faite par de Gaulle dans son discours du 24 mai.

17. V. Giscard d'Estaing annonce qu'il mènera dans le pays une campagne contre le principe du référendum sur les régions et le Sénat. Ce projet de réforme est attaqué au sein même du l'UDR et aucun sénateur ne le soutient.

27. Le CDR de Dijon (dont le député est R. Poujade, secrétaire général de l'UDR) attaque E. Faure et qualifie la loi d'orientation de « bluff et de fiasco ». M. Couve de Murville doit intervenir pour calmer les CDR.

31. Allocution de de Gaulle à la télévision : « Portons en terre les diables qui nous ont tourmentés pendant l'année qui s'achève! Laissons à leurs complices et à leurs partisans la tristesse et la déception (...). Encore faut-il qu'en même temps nous surmontions le malaise moral qui, surtout chez nous, en raison de notre individualisme, est inhérent à la civilisation mécanique et matérialiste moderne. Faute de quoi, les fanatiques de la destruction, les doctrinaires de la négation, les spécialistes de la démagogie auraient encore beau jeu d'exploiter l'amertume pour provoquer l'agitation, sans que leur stérilité, qu'ils ont la dérisoire insolence d'appeler révolution, puisse d'ailleurs tendre à rien d'autre qu'à tout dissoudre dans le néant, ou bien, à pousser tout sous les broyeuses totalitaires. »

Champ économique et social

★ *Janvier.* 26. A Blainville-sur-Orne (banlieue de Caen, journée revendicative des ouvriers de la Saviem : la CFDT y est majoritaire et l'usine emploie 4 800 ouvriers, dont la moyenne d'âge serait de 28 ans. Après un rassemblement organisé en commun par CFDT, FO, CGT, FEN et UNEF, trois heures de bagarre avec la police.

★ *Février.* Grève des navigants d'Air Inter et des cheminots de Grenoble au moment de l'ouverture des Jeux Olympiques.

5. Grève des banques

★ *Mars/avril.* Forte agitation sociale.

★ *Mai.* 1er. Pour la première fois depuis 1954, la manifestation est autorisée. De la République à la Bastille, PCF et CGT défilent seuls, CFDT, FGDS et FEN ayant refusé de se joindre à eux.

3. Dans *L'Humanité,* G. Marchais déplore l'insuffisance des crédits de l'Éducation Nationale mais dénonce « les faux révolutionnaires du 22 mars dirigés par l'anarchiste allemand Cohn-Bendit ». Très vite, la CGT dénonce la répression policière contre les étudiants, mais G. Séguy ajoute « le mouvement ouvrier français n'a nul besoin d'encadrement petit-bourgeois ». En fait, c'est la nuit des barricades du 10/11 mai qui crée l'unanimité pour l'organisation de la grève générale du 13, à laquelle la seule CFTC ne se ralliera pas. Même la CGC demandera à ses adhérents « de marquer par un arrêt de travail la solidarité des cadres d'aujourd'hui avec ceux de demain ». La journée du 13 mai lance la dynamique de la grève : il y aura de nombreuses séquestrations que la CGT condamnera mollement devant les protestations de la CGC.

27. Résultats des accords de Grenelle : SMIG à 3 fr; augmentation des salaires de 7 % le 1er juin; réduction de la durée de travail d'ici 1970; augmentation de l'allocation minimum aux personnes âgées; ticket modérateur de la SS ramené de 30 % à 25 %; négociations immédiates au sujet du droit syndical dans les entreprises. G. Pompidou a parlé « d'accord ». En fait, il s'agit d'un constat traçant un cadre pour de futures négociations. Déception ouvrière et le travail ne reprend pas.

★ *Juillet.* 31. Le Conseil des Ministres décide de réorganiser l'ORTF et licencie 102 journalistes des actualités télévisées qui avaient fait grève, en précisant « qu'ils ne sont pas sanctionnés pour fait de grève mais que cette décision s'inscrit dans une révision des tableaux d'effectifs ».

★ *Août.* 21. Réprobation unanime des syndicats contre l'intervention russe en Tchécoslovaquie. La CGT « souhaite que, dans les plus brefs délais, le peuple tchécoslovaque puisse se déterminer en toute indépendance ». CFTC et FO lancent une consigne d'arrêt national de travail de 5 minutes pour le 26 août.

★ *Septembre.* 5. M. Schumann, ministre des Affaires sociales, réunit une table ronde sur le droit syndical dans les entreprises.

Octobre et novembre sont marqués par de nombreux conflits mais également par des négociations syndicats-patronat sur les problèmes de l'emploi et syndicats-gouvernement sur le droit syndical.

★ *Novembre.* 7. La loi d'orientation de l'enseignement supérieur, dite loi Edgar Faure, est définitivement adoptée. Les universités sont désormais autonomes et pluridisciplinaires. Elles sont divisées en UER (Unité d'Enseignement et de Recherches). Elles sont libres de définir leurs enseignements, leurs programmes, les modalités d'examens sous la réserve capitale « des règles communes pour la poursuite des études conduisant à des diplômes nationaux », règle fixée par le Ministère de l'Éducation nationale. On voit donc que l'autonomie qui est proclamée est toute relative puisque les UER dépendent doublement du ministère de l'Éducation nationale : pédagogiquement par le statut national des diplômes; financièrement, puisque c'est encore le ministère de l'Éducation nationale qui paie. Les UER sont cogérés par des comités où coopèrent enseignants, chercheurs, étudiants, personnel technique et administratif. Les membres de ces comités sont désignés au scrutin secret et par collèges distincts. Échappent à la cogestion la vérification des connaissances, le recrutement et la carrière des enseignants, la répartition des enseignants et le pouvoir disciplinaire vis-à-vis des enseignants qui relèvent des seuls enseignants. On voit donc que la participation des étudiants est soigneusement limitée, ce qui explique que l'extrême gauche ait boycotté les élections universitaires et que le « marais » estudiantin s'en soit rapidement désintéressé.

Plusieurs UER forment une université dont le président est élu pour cinq ans par l'ensemble du conseil de l'établissement et non immédiatement rééligible. Il doit être enseignant sauf dérogation.

Dans les conseils d'UER, dans les conseils d'université, dans le conseil national de l'enseignement et de la recherche, la participation de personnalités extérieures est facultative dans les deux derniers cas et obligatoire dans le premier.

La discussion politique est admise dans les UER mais ne doit pas porter atteinte aux activités d'enseignement et de recherches.

La loi favorise le travail collectif admettant par exemple des thèses collectives. Il est recommandé aux universités de s'ouvrir à la formation permanente.

8. Décret modifiant la gestion des établissements secondaires. Y sont créés des conseils d'administration où sont représentés, outre l'administration elle-même, des représentants des parents, des élèves, des professeurs et des personnalités « intéressées à leurs activités » (par exemple des représentants des employeurs de la région quand il s'agit d'un CET). Ces conseils d'administration rassembleront souvent plusieurs dizaines de personnes et les proviseurs ou directeurs, seuls à connaître les innombrables règlements, apprendront rapidement à présider lesdits conseils et à leur faire entériner les décisions de leur choix.

Ces réformes, qui ont suscité tant de passions, ont finalement changé assez peu de choses. La centralisation jacobine devait rester la plus forte dès lors que l'on décidait que les diplômes resteraient nationaux et que l'autonomie financière serait toute théorique. Le conservatisme catégoriel du corps enseignant – souvent masqué par une phraséologie de gauche, voire gauchiste – a également contribué à renforcer l'inertie institutionnelle. Les étudiants « anciens combattants des barricades » se sont jugés floués puisqu'ils n'ont eu aucun contrôle sur les enseignants (dans les universités américaines les professeurs sont « évalués » par les étudiants, et les conseils d'administration tiennent le plus grand compte de ces évaluations puisque – tout au moins dans les universités privées – les étudiants sont des clients qu'il faut attirer par la qualité des enseignants).

★ *Décembre.* 5. L'Assemblée adopte le projet de loi sur le droit syndical dans l'entreprise.

La crise monétaire de novembre n'est pas uniquement française. Début octobre, court le bruit d'une réévaluation du mark, d'où une énorme spéculation début novembre. De plus, accès de défiance vis-à-vis du franc, dont la dévaluation paraît inévitable. Donc les importateurs français multiplient leurs achats; capitalistes et gros épargnants placent leur argent en Allemagne et en Suisse puisque le contrôle des changes, institué en juin, a été supprimé en septembre. Le gouvernement restreint les crédits bancaires le 12 novembre, et rétablit le contrôle des changes le 25 novembre.

L'indice de la production industrielle croît de 2,5 % (fin 67, on escomptait une croissance de 5,7 %). Notre croissance est la plus faible de tous les pays industriels, Grande-Bretagne exceptée. Les prix augmentent de 5,3 %.

Champ culturel

▶ *Prix littéraires* – Goncourt : *Les fruits de l'hiver* (B. Clavel)
Renaudot : *Le devoir de violence* (Y. Ouologuen)
Fémina : *L'œuvre au noir* (M. Yourcenar)
Médicis : *Le mendiant de Jérusalem* (E. Wiesel)
Interallié : *Le petit matin* (Ch. de Rivoyre)

▶ *Littérature* – La production de l'année est marquée par les événements de mai-juin : *Le livre noir de l'UNEF et du SNE-Sup* tire à 200 000 exemplaires et *Les murs ont la parole* à plus de 100 000. Les autres grands succès sont Belle du Seigneur (A. Cohen), *Le singe nu* (D. Morris), *Les mémoires d'un architecte* (F. Pouillon).

▶ *Théâtre* – Pour certains, les événements de 1968 constituent un gigantesque happening. Ils renforcent la tendance à supprimer la dualité scène-salle, acteurs-spectateurs. En fait, c'est une très vieille idée puisque dans sa *Lettre à d'Alembert (...) sur les spectacles* (1758), D. Diderot, qui jugeait le théâtre dangereux et inutile, écrivait : « Ne faut-il donc aucun spectacle dans une république? (...). Au contraire, il en faut beaucoup (...). Plantez au milieu d'une place un piquet couronné de fleurs, rassemblez-y le peuple et vous aurez une fête. Faites mieux encore : donnez les spectateurs en spectacle, rendez-les acteurs eux-mêmes. » Au Festival d'Avignon, le Living Theatre joue *Paradise now* et tente de faire sortir le public de sa passivité en déclenchant une créativité postulée chez les participants. Il y a peut-être une corrélation entre les actes théâtraux de J. Beck et la contestation dont J. Vilar est la victime en Avignon malgré le succès de la reprise de la pièce de J.P. Sartre *Le diable et le Bon Dieu*. On crie « Vilar au musée » et un critique écrit : « Le pont d'Avignon est coupé entre l'adulte et le jeune ».

A Paris toutefois, le théâtre de boulevard se porte toujours bien : *Gugusse* (M. Achard), *Un amour qui ne finit pas* (A. Roussin), *La facture* (F. Dorin), *La puce à l'oreille* (de l'éternel G. Feydeau) remportent de grands succès.

Cependant le théâtre de recherche et d'exploration soulève l'intérêt d'un large public : *Rabelais* (monté par J.L. Barrault), *Le cimetière des voitures* (F. Arrabal), *Le songe d'une nuit d'été,* (monté par A. Mnouchkine au Cirque Médrano). Ouverture du Théâtre de la Ville dirigé par J. Mercure.

▶ *Cinéma* – J. Rivette tourne *L'amour fou* (qui sera programmé plusieurs années plus tard)
A. Resnais : *Je t'aime, je t'aime*
F. Truffaut : *Baisers volés*
L. Bunuel : *La voie lactée*
J.L. Godard : *Week-end*
A. Delvaux : *Un soir, un train*
S. Kubrick : *2001, l'odyssée de l'espace*
R. Polanski : *Rosemary's baby*
I. Bergman : *L'heure du loup*

▶ *Télévision* – Principaux feuilletons : *Les shaddoks, Les Hauts de Hurlevent, Chapeau melon et bottes de cuir, Belphégor.* Guy Lux demeure le grand amuseur de la France et déclare : « Il faut déculturiser la télévision, la désintellectualiser sans bêtifier. Il est plus difficile de distraire le public que de l'abrutir. » La série d'émissions consacrées aux *Chefs-d'œuvre en péril* attire l'attention des Français sur la richesse de leur patrimoine monumental et sur les problèmes posés par leur sauvegarde.

C'est vraiment grâce à la télévision que les Jeux olympiques deviennent un spectacle mondial. Les Jeux d'hiver ont lieu près de Grenoble et tous les Français peuvent voir la triple victoire de J.Cl. Killy et les performances de G. Périllat et des sœurs Goitschel. Mais ils peuvent également voir quelques mois après à Mexico les deux champions américains T. Smith et J. Carlos lever sur le podium leur poing ganté de noir pour prendre le monde à témoin de la condition aliénée de leurs frères de couleur.

▶ *Peinture et expositions* – Dans les musées officiels : *L'art russe* puis *L'art maya* au Grand Palais, *A. Magnelli* au Musée d'Art moderne, *R. Rauschenberg* au Musée d'Art moderne de la ville de Paris, *J. Dubuffet* au Musée des Arts décoratifs, *S. Francis* au C.N.A.C., *E. Vuillard* au Musée de l'Orangerie.

Dans les galeries, les bijoux de G. Braque, J. Fautrier, O. Debré, Tal Coat, J. Miró à la Fondation Maeght à Vence, Ispoutéguy et A. Tapiès. N. Schöffer remporte le grand prix de la biennale de Venise.

▶ *Musique et variétés* – La pop'music, dérivée du jazz par l'intermédiaire du Rock, accentue son orientation politique contestataire : Joan Baez et surtout Bob Dylan dont l'apogée peut se situer en 1968. Ils dénoncent la guerre du Vietnam et l'impérialisme américain. On peut s'interroger sur l'apport strictement musical de la pop'music que certains jugent de faible importance, mais le phénomène social ne peut être nié. Woodstock est une manifestation ambiguë, qui permet de poser la question fondamentale : la pop'music est-elle la musique de la jeunesse ou une musique pour la jeunesse fabriquée pour et diffusée par les media contrôlées par le système capitaliste?

Les « valeurs consacrées » sont toujours là : M. Chevalier, les Frères Jacques, Juliette Gréco, Mouloudji et J. Brel qui chante *L'homme de la Mancha*.

1969

Champ politique

♦ *Janvier.* Pendant tout le mois, vive agitation dans les lycées et universités. Les CDR attaquent E. Faure qui réplique dans un article du *Monde :* « A travers cette inspiration et ces méthodes, on distingue l'ordinaire comportement du fascisme tel qu'il se manifeste à ses débuts ». Quelques remous agitent également la classe politique. M. Poniatowski critique la politique du gouvernement et, à la suite d'un entretien avec de Gaulle, A. Poher, président du Sénat, déclare qu'un référendum sur le Sénat diviserait inutilement le pays.

11/12. Première Assemblée des prêtres contestataires d'*Échanges et Dialogue,* mouvement né le 3 novembre 1968. On y dénonce l'existence d'une caste cléricale et on se propose de « déclergifier » les prêtres en trois étapes : le célibat, le travail et le droit de prendre des options et des engagements politiques. Le Saint Siège permet à chaque évêque d'autoriser dans son diocèse la célébration des messes dominicales dès le samedi soir.

17. En voyage privé à Rome, G. Pompidou déclare : « Si le Général de Gaulle venait à se retirer, je me porterais candidat à sa succession (...). Ce n'est, je crois, un mystère pour personne (...), mais je ne suis pas du tout pressé ».

22. Réplique de De Gaulle en conseil des Ministres : « Dans l'accomplissement de la tâche nationale qui m'incombe, j'ai été le 19 décembre 1965 réélu Président de la République pour sept ans par le peuple français. J'ai le devoir et l'intention de remplir ce mandat jusqu'à son terme ». L'autoritarisme du Général semble se renforcer puisque le 3 janvier, sans même consulter le gouvernement, il a mis l'embargo sur les livraisons d'armes à Israël à la suite de l'attaque israélienne contre l'aéroport de Beyrouth.

♦ *Février.* 2. Discours de Quimper, où de Gaulle annonce pour le printemps le référendum sur la réforme des régions et sur celle du Sénat.

3. A. Poher dénonce l'amalgame très contestable qui consiste à poser deux questions et à ne demander qu'une seule réponse. Les communistes et J. Lecanuet se prononcent pour le non.

12. Déclaration de la commission d'éthique sexuelle et familiale de la Fédération Protestante de France, qui se prononce en faveur des moyens contraceptifs.

13. G. Pompidou à la télévision suisse : « Je ne crois pas avoir ce qu'on appelle un avenir politique. J'ai un passé politique. J'aurai peut-être, si Dieu le veut, un destin national, mais c'est autre chose. » Trente-quatre étudiants ayant été exclus pour un an de l'Université de Paris à la suite de l'occupation du Rectorat le 23 janvier, de nombreuses manifestations ont lieu dans le courant de février. La plus importante a lieu le 13 à la Gare de l'Est, pour protester contre le départ pour l'armée de onze des exclus dont

le sursis a été immédiatement résilié : 700 interpellations. Aux élections universitaires, la participation est très variable, les gauchistes boycottant les élections.

♦ *Mars.* 4/6. Congrès de l'Association des Maires de France où J.-M. Jeanneney est violemment attaqué par les communistes, par G. Mollet, par G. Monnerville (« Le référendum est un nouveau coup d'État légal »), par J. Lecanuet, par A. Poher. Le Congrès désapprouve dans sa majorité le recours au référendum.

6. Intervenant devant les parlementaires UDR, G. Pompidou dit qu'il participera activement à la campagne pour le oui. Dans *Le Monde,* R. Barrillon exprime son scepticisme en montrant que si le oui l'emporte, G. Pompidou pourra revendiquer « sa part de louanges et d'honneurs » et que si le non est majoritaire son avenir politique n'en sera pas compromis pour autant.

11. Le jour même de l'arrêt national de travail, de Gaulle à la télévision : « Il est clair que cette création des régions et cette transformation du Sénat forment un tout ». L'opposition parle de « nouveau plébiscite » et de « chantage ». RI et PDM réclament deux questions.

14/16. Congrès du PSU. M. Rocard affirme que les effectifs ont crû de 34 % de 1967 à 1968. Il dénonce tout rapprochement avec la gauche traditionnelle et M. Heurgon, secrétaire à l'organisation, évoquant l'action de P. Mendès-France en 1968 déclare : « Les Kerinsky s'insèrent dans l'histoire, mais il faut les appeler par leur nom. » M. Rocard et M. Heurgon voulant unir « les forces révolutionnaires du mois de mai » condamnent tout rapprochement avec la FGDS et préconisent l'abstention au référendum du 27 avril. Ils sont mis en minorité. M. Heurgon renonce immédiatement à ses fonctions de secrétaire à l'organisation, mais M. Rocard annonce qu'il restera secrétaire national pour trois mois.

17. Le Conseil d'État, saisi du projet de la loi référendaire, estime qu'il doit être amendé en ce qui concerne les régions et qu'il est inconstitutionnel pour la réforme du Sénat. Son principal argument est que l'article 11, qui organise le référendum, n'est pas applicable à la réforme du Sénat, qui doit être réalisée par la voie de l'article 89.

19. J.-M. Jeanneney, ministre d'État chargé de la réforme du Sénat et des régions, déclare à RTL : « Le Conseil d'État nous a donné des avis très utiles sur des points de sa compétence, c'est-à-dire sur l'aspect juridique des choses. Pour l'aspect politique, ce n'est qu'un avis de fonctionnaires et entre les fonctionnaires et le peuple souverain je ne balance pas. » CGT, FO, CFDT, PSU, PCF font campagne pour le non. J. Lecanuet qualifie le référendum d'« illégal, déloyal, trompeur et destructeur ». La FGDS se prononce pour le non. V. Giscard d'Estaing annonce sa prise de position pour le 10 avril, mais M. Poniatowski déclare le référendum « fâcheux et inopportun » et, ironisant sur le fait que G. Pompidou ait été invité à déjeuner le 12 mars, il écrit dans *L'économie :* « On en était arrivé au point qu'un nombre croissant de Français, jusqu'à présent les gaullistes, se disposaient à prendre le risque de voter non au prochain référendum uniquement parce que G. Pompidou offre maintenant une solution de rechange pour l'avenir. »

♦ *Avril.* 1er. A. Poher : « Le Sénat ne signera pas lui-même sa propre déchéance au profit d'une Assemblée donneuse d'avis qui n'a plus en fait aucun pouvoir. »

10. Entretien de Gaulle-M. Droit à la télévision : « De la réponse que fera le pays à ce que je lui demande va dépendre évidemment soit la continuation de mon mandat, soit aussitôt mon départ (...). Quand il s'agit du destin national, la confiance que se portent mutuellement le pays et le Chef de l'État est à la base de nos institutions. » Le Général dénonce « bon nombre de professionnels de la politique qui ne se résignent pas à voir le peuple exercer sa souveraineté par-dessus leur intermédiaire ». Le comité directeur des RI laisse la liberté de vote à ses fédérations.

14. V. Giscard d'Estaing se prononce pour le non alors que la majorité des parlementaires RI et quatre ministres RI font campagne pour le oui. Le *Times* écrit : « V. Giscard d'Estaing veut devenir le Président de la République française ». On rapporte cette confidence qu'il aurait faite à M. Bassi : « Le jour où nous sommes entrés dans la majorité, ce n'était pas pour en sortir mais pour succéder au Général de Gaulle. » Ouverture officielle de la campagne. A. Poher fait figure de leader national des « non ». Il souligne qu'en cas de succès du « non » l'ordre sera maintenu mais rappelle « que personne n'oblige le chef de l'État à renoncer à son mandat, la Constitution ne mettant pas sa responsabilité en cause. »

23. Grand meeting des partisans des « oui » au Palais des Sports. *La Nation* développe le thème connu « de Gaulle ou le chaos » en dénonçant ceux qui, en préconisant le « non », veulent amener G. Pompidou à l'Élysée : « Car il est bien léger de supposer que, pendant les 35 jours nécessaires à l'élection d'un nouveau Président, la situation sociale et économique de notre pays resterait intacte et que des troubles ne renaîtraient pas. La note risquerait d'être lourde à payer. Beau cadeau à faire à G. Pompidou à supposer qu'il réussisse à être élu. »

25. De Gaulle à la télévision répète qu'il se retirera immédiatement si les « non » l'emportent et que, si le « oui » est majoritaire, il poursuivra son mandat « jusqu'à son terme régulier » ce qui semble impliquer qu'il ne se représentera pas en 1972.

27. Référendum. Le « non » l'emporte par 53,17 % des suffrages exprimés, contre 46,83 % (par rapport aux inscrits : « non » : 41,67 %, « oui » : 36,69 %; abstentions ou nuls : 19,42 %).

28. 0 h 11. Communiqué de Colombey : « Je cesse d'exercer mes fonctions de Président de la République. Cette décision prend effet aujourd'hui à midi ». Commentaire du *Figaro :* « Entendrons-nous encore retentir cette grande voix qui a suscité tant d'enthousiasme et fait naître tant de haine? Gageons qu'elle nous parlera encore, même quand elle se sera tue. » A 15 heures, A. Poher arrive à l'Élysée vidé – dit-on – de toutes ses archives.

29. Déclaration de G. Pompidou : « J'ai résolu de me présenter aux suffrages des Français. En le faisant, j'ai le sentiment d'obéir à un devoir, la volonté de maintenir une continuité et une stabilité nécessaires, l'espoir de préparer l'avenir. » G. Defferre annonce sa décision d'être candidat. Il reçoit l'appui de la SFIO, mais la Convention, le PSU et le PCF dénoncent cette « procédure arrêtée unilatéralement ».

30. Les députés UDR et RI se rallient à la candidature de G. Pompidou.

◆ *Mai.* 1ᵉʳ. Pas de grand défilé, mais houleuse manifestation gauchiste à Belleville. 700 arrestations. Devant l'échec d'une candidature unique de la gauche, le PCF décide de présenter J. Duclos, le PSU M. Rocard, et la Ligue Communiste A. Krivine.

10. Départ de de Gaulle pour l'Irlande, où il séjournera pendant toute la campagne. Il prend ainsi ses distances vis-à-vis de G. Pompidou. Un sondage de l'IFOP, réalisé entre le 6 et le 12 mai, prévoit qu'en cas de candidature d'A. Poher, il recueillerait 34 % des voix au premier tour contre 43 % pour G. Pompidou et qu'au deuxième tour il l'emporterait avec 56 % des voix.

12. A. Poher annonce sa candidature. Il est aussitôt soutenu par les centristes, par de nombreux notables ruraux (puisqu'il a défendu le Sénat) et par les radicaux. Il apparaît comme le plus dangereux rival pour G. Pompidou et les gaullistes soutiennent qu'il aurait dû abandonner la présidence intérimaire puisqu'il est candidat.

G. Pompidou fonde sa campagne sur les deux thèmes de l'ouverture et de la continuité. R. Capitant et J. Duclos emploient la même formule : « Pompidou et Poher c'est bonnet blanc et blanc bonnet ». J. Duclos fait une très bonne campagne, la FGDS se résigne à la candidature de G. Defferre. A la veille du premier tour, les sondages révèlent une baisse des intentions de vote pour A. Poher.

♦ *Juin.* 1er. Premier tour des présidentielles.

Candidats et pourcentages des suffrages exprimés

G. Pompidou	43,95 %
A. Poher	23,42 %
J. Duclos	21,52 %
G. Defferre	5,07 %
M. Rocard	3,66 %
L. Ducatel	1,28 %
A. Krivine	1,06 %

G. Pompidou fait un meilleur score que de Gaulle au premier tour des élections de 1965 (43,71 %). J. Duclos retrouve le pourcentage des voix communistes des législatives de 1967. L'ensemble des voix de gauche ne retrouve pas le score de F. Mitterrand au premier tour de 1965 (31,33 % contre 32,23 %). Donc, quand la gauche est désunie, le PCF est le seul à ne pas pâtir de cette situation ce qui justifie les analyses de F. Mitterrand.

15. G. Pompidou est élu par 57,5 % des suffrages exprimés (de Gaulle en 1965 en a obtenu 54,49 %), mais 37,17 % des inscrits. A. Poher obtient 42,5 % des suffrages exprimés, et 27,37 % des inscrits. Il y a 31 % d'abstentions et 4,5 % de bulletins blancs ou nuls. De Gaulle envoie un télégramme de félicitations à G. Pompidou.

21. J. Chaban-Delmas est nommé Premier ministre.

22. Formation du gouvernement Chaban-Delmas.

Premier ministre : J. Chaban-Delmas (UDR).
Ministres d'État : *Défense nationale :* M. Debré (UDR) – *Affaires culturelles :* E. Michelet (UDR) – *Relations avec le Parlement :* R. Frey (UDR).
Ministres : *Justice :* R. Pleven (PDM) – *Affaires étrangères :* M. Schumann (UDR) – *Intérieur :* R. Marcellin (RI) – *Économie et Finance :* V. Giscard d'Estaing (RI) – *Éducation nationale :* O. Guichard (UDR) – *Délégué auprès du Premier ministre, chargé du plan et de l'aménagement du territoire :* A. Bettencourt (RI) – *Délégué auprès du Premier ministre, chargé des Dom. Tom. :* H. Rey (UDR) – *Développement industriel et recherche scientifique :* F.-X. Ortoli (UDR) – *Équipement et logement :* A. Chalandon (UDR) – *PTT :* R. Galley (UDR) – *Agriculture :* J. Duhamel (PDM) – *Transports :* R. Mondon (RI) – *Travail, emploi, population :* J. Fontanet (PDM) – *Santé et Sécurité sociale :* R. Boulin (UDR) – *Anciens combattants :* H. Duvillard (UDR).
Secrétaires d'État : *Auprès du Premier ministre :* L. Hamon (UDR), Ph. Malaud (RI), J. Comiti (UDR), J. Baumel (UDR) – *Défense nationale :* A. Fanton (UDR) – *Relations avec le Parlement :* J.-L. Tinaud (RI), J. Limouzy (UDR) – *Affaires étrangères :* Y. Bourges (UDR), J.-N. de Lipkowski (UDR) – *Intérieur :* A. Bord (UDR) – *Économie et Finances :* J. Chirac (UDR) et J.-M. Bailly (UDR) – *Développement industriel :* G. Kaspereit (UDR) et B. Lafay (app. UDR) – *Équipement et logement :* M. Anthonioz (RI) et R.-A. Vivien (UDR) – *Agriculture :* B. Pons (UDR) – *Travail, emploi, population :* Ph. Dechartre (UDR) – *Santé, Sécurité sociale :* Mlle M.-M. Dienesch (UDR).

La présence de M. Debré à la Défense nationale symbolise la continuité. L'entrée des PDM, l'ouverture et le retour de V. Giscard d'Estaing aux Finances exprime le rôle joué par les RI dans le vote négatif du référendum et dans l'élection de G. Pompidou.

26. J. Chaban-Delmas fait sa déclaration de politique générale devant l'Assemblée Nationale.

♦ *Juillet.* 10. Conférence de presse de G. Pompidou qui se présente comme un homme conciliant. Interrogé sur le départ d'E. Faure remplacé par O. Guichard, il déclare : « Il nous a semblé qu'à l'issue d'une telle expérience, qu'après une période d'imagination créatrice et de tentatives un peu... dans des directions souvent très diverses, l'heure était venue de faire un bilan, une mise au point, peut-être de procéder à certaines adaptations. Et il nous a semblé que, pour cette tâche, il valait mieux que ce ne soit pas le même homme qui l'entreprenne. »

11/13. Congrès d'Issy-les-Moulineaux, où la SFIO prend le nom de Parti Socialiste. La Convention des Institutions Républicaines refuse de participer au Congrès. La motion finale préconise : union de la gauche à l'exclusion de toute alliance centriste; ouverture d'un débat public avec le PCF; invitation au PSU et à la CIR de rallier le PS. A. Savary est élu premier secrétaire contre Pierre Mauroy (par 31 voix contre 29).

Fin juillet. Dans une interview à *Paris-Match,* V. Giscard d'Estaing annonce qu'il n'y aura pas de dévaluation.

♦ *Août.* 8. Le Conseil des Ministres décide une dévaluation de 12,5 %. Un plan d'accompagnement est élaboré, que V. Giscard d'Estaing expose le 3 septembre dans une conférence de presse. Ce plan d'austérité déclenche une grande agitation sociale.

♦ *Septembre.* 13. G. Séguy à la Mutualité critique ce plan et déclare : « L'action que nous entreprenons va user davantage le pouvoir. Nous pouvons, à plus ou moins brève échéance, connaître à nouveau une situation propre à l'alternative démocratique. »

16. Devant l'Assemblée réunie en session extraordinaire, J. Chaban-Delmas expose son projet de « nouvelle société ». Il obtient 369 voix contre 85.

17. En Conseil des Ministres, G. Pompidou déclare : « Les autorités sont déterminées à faire respecter la loi et à maintenir l'ordre républicain. » Ce propos est interprété comme une réplique au récent discours de G. Séguy.

22. Deuxième conférence de presse de G. Pompidou qui fait un appel à l'épargne, et qui insiste sur le caractère social des mesures annoncées.

♦ *Octobre.* 17/19. Congrès du Parti radical qui porte M. Faure à sa présidence. A la fin du mois, J.J. Servan-Schreiber est nommé secrétaire général du Parti radical et se donne trois mois pour élaborer une nouvelle plate-forme politique.

26. Au deuxième tour des élections partielles dans les Yvelines, M. Rocard bat nettement M. Couve de Murville (en septembre, P. Clostermann, député UDR des Yvelines, avait démissionné pour permettre à M. Couve de Murville de revenir siéger à l'Assemblée. Le moins qu'on puisse dire est que l'UDR n'a fait aucun effort pour aider l'ancien Premier ministre dans sa campagne électorale).

Fin octobre. L. Vallon est exclu de l'UDR pour avoir écrit *L'anti de Gaulle,* pamphlet contre G. Pompidou.

♦ *Novembre.* Vive agitation sociale, non seulement chez les ouvriers mais aussi chez les paysans et commerçants.

10/14. L'épiscopat français souligne l'apport original de l'école catholique, mais adresse un hommage à l'école publique. Il insiste pour qu'il y ait une répartition des tâches effectives entre laïques et religieux.

27. A la télévision, J. Chaban-Delmas reproche à la CGT d'en appeler « à la subversion par tous les moyens ».

♦ *Décembre.* 15. A la télévision, G. Pompidou fait l'éloge de la concertation, mais morigène les étudiants (« Le pays exige que l'Université soit un centre d'études et de travail et non pas de désordre et de bavardages infantiles ») et rappelle aux travailleurs que « chaque journée, chaque heure perdue pour la production est une cause d'appauvrissement général ».

24. Cinq canonnières commandées par Israël et placées sous embargo quittent Cherbourg pour Haïfa.

Champ économique et social

★ *Janvier.* 6. Circulaire relative à l'enseignement secondaire et recommandant de substituer aux compositions trimestrielles des exercices de contrôle continu. La même circulaire suggère de remplacer les notations de 0 à 20 par une échelle simplifiée et d'exclure les classements par rang. Certains professeurs ont adopté le système américain de la notation par lettre. Mais en affectant à chacune des 5 lettres (A, B, C, D et E) les signes + ou − ou l'absence de signes, on a retrouvé en fait une notation en 15 paliers. D'autre part, les notes étant publiquement communiquées aux élèves, ces derniers se sont empressés de reconstituer eux-mêmes les classements. Tant il est vrai qu'une circulaire est impuissante à abolir des comportements centenaires.

17 et 22. Grève du personnel de l'Assistance Publique.

★ *Février.* 10. Accord CGT-CFDT-FO-CFTC-CGC-CNPF sur la sécurité de l'emploi : délai d'information en cas de licenciement collectif, maintien du salaire pendant un certain temps pour le travailleur déclassé, puis indemnité temporaire dégressive.

★ *Mars.* 4/6. Entretiens de Tilsitt au Ministère des Affaires sociales, prévus par les accords de Grenelle. Échec; le CNPF repoussant la thèse des syndicats suivant laquelle le pouvoir d'achat des travailleurs peut être amélioré sans mettre en péril l'équilibre économique.

11. CGT, CFDT, FEN, FO organisent un arrêt de travail national plus suivi dans le secteur nationalisé que dans le secteur privé (90 % de grévistes à EGF). Grand défilé République-Bastille.

14/16. Congrès du SNE-Sup : la direction gauchiste B. Herzberg, successeur de A. Geismar, est battue et remplacée par une coalition PCF-Modérés. Le nouveau secrétaire général G. Innocent n'appartient à aucune formation politique.

★ *Avril.* 11. Violentes manifestations d'artisans et de commerçants à Bourgouin après l'arrestation de G. Nicoud.

★ *Mai.* 16. Accord sur le droit syndical à la Régie Renault qui améliore le crédit d'heures accordé aux délégués syndicaux par la loi du 27 décembre 68.

★ *Septembre.* Nombreux mouvements de grèves à la RATP. Pas d'accords sur les conditions de travail.

9/11. Nombreuses grèves à la SNCF : les roulants obtiennent une amélioration de travail.

25. La police investit La Tour du Pin où G. Nicoud et ses partisans ont pris en otages le maire et deux policiers.

★ *Octobre.* Grèves à la Sécurité sociale, aux PTT, Mines de fer, à Renault Billancourt et Renault Le Mans, où les 89 grévistes de l'atelier des traitements thermiques demandent une augmentation de 9 % et obtiennent satisfaction, leur grève ayant entraîné la fermeture de toute l'usine (8 000 ouvriers).

13. Meeting houleux des artisans et commerçants au Parc des Princes. Accrochages avec la police. Dans le secteur privé nombreux mouvements sociaux généralement soudains et brefs avec parfois séquestration du patron et grèves bouchons à des étapes clés de la production.

★ *Novembre.* 6. Accords RATP sur les conditions de travail.

12. L'annonce officielle de 2 600 licenciements sur les 30 000 salariés du CEA entraîne une série de grèves.

16. En Loire-Atlantique, les agriculteurs en colère « mettent en retenue » le ministre de l'Education nationale.

26. A 11 heures, les grévistes d'EGF suspendent un mouvement de grève largement suivi à la suite de manifestations publiques contre les grévistes (froid rigoureux et prématuré). Heureusement surpris, J. Chaban-Delmas, le 27 novembre, dénonce les dirigeants de la CGT « qui en appellent à la subversion par tous les moyens », ignorant volontairement que la CFDT avait participé au mouvement.

★ *Décembre.* 10. Contrat de progrès de deux ans à EGF, les syndicats s'engageant à ne pas entrer en conflit sur les salaires pendant deux ans. La CGT refuse de signer et fixe au 14 janvier un référendum par lequel les intéressés décideront eux-mêmes ».

18. Après l'Assemblée Nationale, le Sénat vote le projet d'actionnariat chez Renault.

19. CGT et CFDT refusent de signer chez Peugeot l'accord sur la participation accepté par FO, CGC et les indépendants.

L'augmentation de la production sur sa lancée de fin 1968 se poursuit au premier semestre 1969. En juin 69, le taux de progression de l'indice de la production industrielle par rapport à avril 68 est de 10 %.
Les prix ont augmenté de 6 %. De juillet 68 à juillet 69, le salaire moyen a crû de 7,6 %. L'INSEE estime que le pouvoir d'achat des salariés payés à l'heure, qui avait crû de 9,2 % au cours du deuxième semestre 68 n'a que très peu augmenté au cours du premier semestre 69 (entre 0 et 1 %).
Détérioration de nos échanges commerciaux : avec les pays hors zone franc le taux de couverture passe de 88 % en janvier 69 à 79,8 % en juillet.
Le plan de redressement, consécutif à la dévaluation du 8 août, donne de bons résultats : au deuxième semestre, le taux de progression de la production industrielle dépasse 10 %, démentant toutes les prévisions. Les prix augmentent moins que pendant le premier semestre (en 69, les prix ont augmenté de 5,9 %).
En fin d'année, rétablissement de notre commerce extérieur favorisé par la dévaluation et par le maintien d'une bonne conjoncture chez nos partenaires.
La concentration se poursuit : en février, le gouvernement fusionne les trois entreprises nationales de construction aéronautique (Sud Aviation, Nord Aviation et Cereb). En avril, Rhône Poulenc absorbe Progyl et, en juillet, Péchiney, St-Gobain et Naphta Chimie. Agache-Willot prend le contrôle du Bon Marché.

Champ culturel

▶ *Prix littéraires* – Goncourt : *Creezy* (F. Marceau)
　　　　　　　　　　Renaudot : *Les feux de la colère* (O. Lacamp)
　　　　　　　　　　Fémina : *La deuxième mort de Raymond Mercader* (J. Semprun)
　　　　　　　　　　Médicis : *Dedans* (H. Cixous)
　　　　　　　　　　Interallié : *L'adieu au roi* (P. Schœndoerffer)

▶ *Littérature* – Les grands succès de librairie : *Ecrits intimes* (R. Vailland). *Sexus* (H. Miller), *Le mois de Mai du Général* (R. Tournoux), *Dieu existe, je L'ai rencontré* (A. Frossard), *La vipère* (G. des Cars), *Les allumettes suédoises* (R. Sabatier), *Un peu de soleil dans l'eau froide* (F. Sagan), et *Madame et le management* (Ch. Collange); mais tous les records de tirages sont battus par *Papillon* d'H. Charrière.

▶ *Théâtre* – Dans *Je ne veux pas mourir idiot* Wolinski prolonge l'esprit de Mai 1968, A. Mnouchkine monte *Les clowns. Le concile d'amour* d'O. Panizza remporte un bon succès de scandale. J. Vilar monte *La résistible ascencion d'Arturo Ui* de B. Brecht. F. Arrabal continue son exploration théâtrale avec *Le jardin des délices* et J. Anouilh remporte son annuel succès avec *Cher Antoine*.

▶ *Cinéma* – R. Bresson : *Une femme douce*
　　　　　　　　Costa-Gravas (Constantin Gavras, dit) : *Z*
　　　　　　　　L. Malle :*Calcutta*
　　　　　　　　E. Rohmer : *Ma nuit chez Maud*
　　　　　　　　F. Truffaut : *L'enfant sauvage*
　　　　　　　　A. Téchiné : *Paulina s'en va* (qui ne sortira qu'en 1975)
　　　　　　　　D. Hopper : *Easy rider*
　　　　　　　　L. Anderson : *If*
　　　　　　　　G. Dunnings : *Le sous-marin jaune* (avec les Beattles)
　　　　　　　　J. Losey : *Cérémonie secrète*
　　　　　　　　F. Fellini : *Le satyricon*
　　　　　　　　P.P. Pasolini : *Porcherie* et *Théorème*
　　　　　　　　S. Leone : *Il était une fois dans l'ouest*
　　　　　　　　I. Bergman : *La honte*
　　　　　　　　A. Tanner : *Charles mort ou vif*
　　　　　　　　A. Tarkowsky : *Andrei Roublev*
　　　　　　　　G. Rocha : *Antonio das Mortes* (Brésil)

Les *Cahiers du cinéma,* après mai 68, virent à gauche et abandonnent la notion « esthétique » d'auteur-réalisateur pour tenter des analyses marxistes des structures filmiques. Leur discours devient de plus en plus abscons.

Dans *Praxis du cinéma* N. Burch abandonne toute référence au contenu ou au sens des films pour se pencher sur les structures purement filmiques et plus particulièrement sur l'articulation espace-temps. Il élabore une conception structurale du film à partir des différents paramètres cinématographiques : découpage, montage, durée des plans, netteté, couleurs, son, etc. Dès lors, s'appuyant sur le matérialisme dialectique, sur la psychanalyse (surtout lacanienne), sur la linguistique et la sémiologie, s'élabore une véritable science du texte filmique s'appuyant sur une critique de l'impression de réalité : ce qui veut dire que le film ne représente pas le monde tel qu'il est, mais donne à lire une « représentation » produite par l'idéologie dominante. En d'autres termes, l'*impression de réalité* n'est pas un fait ontologique comme le pensait H. Bazin, mais un effet des représentations idéologiques de la classe qui, par sa domination économique, dispose des moyens de production du savoir. Le discours matérialiste sur le film s'appuie sur le concept de *production du sens.* Le sens d'un film devient son processus de production. Le film est le résultat d'une pratique transformatrice d'une matière première et non plus le véhicule d'un contenu qui lui préexiste. Ce n'est plus le sens du film qui lui donne sa *valeur* mais le *travail* de production du sens. Le film est le résultat d'une pratique économique, de pratiques techniques et d'une pratique esthétique, la première sur-déterminant les deux autres. On retrouve donc l'épistémologie althussérienne. Le cinéma n'est pas un pur instrument technique, c'est un instrument de production idéologique, une pratique signifiante. On peut évidemment constater qu'à ce niveau de décodage le spectacle cinématographique devient l'apanage d'une « élite ». La « simple histoire que l'on raconte », c'est-à-dire la suprématie du « sujet », du « contenu » ressortit désormais à la pratique triviale des « dramatiques » à la télévision, dont les techniques de narrativité restent traditionalistes. Le cinéma n'est plus qu'un des secteurs de l'audio-visuel et celui qui est produit pour et consommé par l'élite. En ce sens on peut dire que le cinéma, originairement art populaire, a été « récupéré » par la bourgeoisie [1].

---

1. Ce développement doit beaucoup aux différents articles consacrés au cinéma dans l'*Encyclopaedia Universalis.*

▶ *Télévision* – Le grand événement est le reportage en direct du débarquement sur la lune des cosmonautes américains. On peut dire que toute la France est sur la lune avec la télévision et que ceux qui n'y sont pas sont avec Napoléon dont on célèbre le 200ᵉ anniversaire de la naissance. Les deux feuilletons qui remportent le plus de succès sont *Jacquou le croquant* de S. Lorenzi, d'après l'œuvre d'E. Leroy, et *D'Artagnan* de C. Barma. Le problème des personnes âgées est abordé par plusieurs réalisateurs, ce qui exprime bien les modifications de la pyramide des âges de la population française. L'émission consacrée à *Occitanie, Terre cathare,* exprime l'intérêt croissant porté aux problèmes des régions.

▶ *Peinture et Expositions* – Dans les musées officiels : *H. Hartung, J. Dewasne, Le Bauhaus, Vieira da Silva* et surtout *P. Klee* au Musée d'Art Moderne. *P. Mondrian* est exposé à l'Orangerie et Y. Saint-Laurent lance des robes imprimées inspirées du géométrisme de P. Mondrian. Y. Klein, P. Delvaux, (César Baldaccini, dit) César, *Qu'est-ce que le design?* au Musée des Arts décoratifs. *M. Chagall* au Grand Palais. Des peintures et des sculptures de *A. Giacometti* sont exposées à l'Orangerie. A la Salle des Ventes on assiste à une « ruée vers l'art qui est plus intéressant que la Bourse » (*L'Express,* 15/21 décembre).

Au musée Leverkusen en Allemagne, grande exposition intitulée : *Conception.* En fait *l'art conceptuel* vient des Etats-Unis et de la Grande-Bretagne et n'intéresse en France qu'une poignée de spécialistes. Il s'agit, pour l'artiste, de se situer en amont de la réalisation, au niveau de la conception. Les œuvres conceptuelles ont pour unique fonction de se définir elles-mêmes. J. Kossuth présente *painting :* c'est l'agrandissement photographique de la définition du mot « painting » tirée d'un dictionnaire. Dans *Une et trois chaises* Kossuth montre une chaise réelle, sa représentation photographique et la définition du mot chaise. Mais peut-on encore appeler « art » une activité où toute pratique artistique est abandonnée au profit d'une réflexion sur l'art?

▶ *Musique et Ballets* – A. Rubinstein donne de nombreux récitals et F. Reichenbach lui consacre un film : *Arthur Rubinstein, l'amour de la vie. Les Troyens* de H. Berlioz sont montés à l'occasion de la réouverture de l'Opéra de Paris qui connaît de grandes difficultés financières. M. Béjart présente son ballet *Baudelaire* et R. Noureev danse de nouveau à Paris.

▶ *Variétés* – *Hair,* spectacle plus que dévêtu, scandalise les bien-pensants et attire un public nombreux dont ils ne sont pas nécessairement absents. S. Reggiani, acteur chevronné, commence une carrière de chanteur; Barbara remporte un succès croissant. La vente massive des disques de Joan Baez exprime la politisation d'un grand nombre de jeunes.

▶ *Vie quotidienne* – On veut bien aller sur la lune mais on veut aussi sauver notre planète. La prouesse américaine est contemporaine du développement des thèmes écologiques. Certains se demandent s'il était vraiment nécessaire de dépenser des sommes fabuleuses pour débarquer dans la lune, alors que, sur la terre, la vie des hommes, des animaux et des végétaux est menacée par la croissance économique.

Les villes nouvelles commencent à sortir de terre (Cergy-Pontoise, Evry, etc.) et, sur la côte Languedoc-Roussillon, s'achèvent des villes pour l'été. Mais on commence à contester cet urbanisme trop rationnel et à Avoriaz on cherche une architecture non dépourvue d'esprit baroque et bien intégrée dans le cadre naturel.

Le racisme est toujours latent en France : Orléans connaît une vague d'antisémitisme à la suite de la prétendue disparition de jeunes filles à destination des harems et maisons closes du Moyen-Orient. E. Morin, dans la *Rumeur d'Orléans,* analysera ce phénomène irrationnel et inquiétant.

L'invasion érotique se précise. Le problème de la drogue commence à faire la une des journaux.

1970

Champ politique

◆ *Janvier.* Au début du mois, répondant aux vœux des journalistes, G. Pompidou avait constaté que la passation des pouvoirs s'était faite sans incident et avait dit penser qu'il n'y aurait pas de secousse en France en 1970. Pourtant, l'agitation reste vive dans le monde universitaire et surtout à Nanterre, où le doyen P. Ricœur, pourtant très libéral, est coiffé d'une poubelle lors d'une altercation avec les gauchistes. R. Marcellin et O. Guichard dénonce « les fauteurs de troubles et anarchistes itinérants » dont l'objectif serait l'avènement du totalitarisme.

Dans le cadre de la préparation du XIXᵉ Congrès du PCF, R. Garaudy publie un long article dans *L'Humanité* : « Le socialisme que notre parti veut instaurer en France n'est pas celui qui est aujourd'hui imposé militairement à la Tchécoslovaquie ». Les militants répondent dans les colonnes de ce même journal en le traitant de « révisionniste de droite, de dogmatique ou de rêveur ».

10. Les obsèques de cinq travailleurs africains intoxiqués dans un « foyer d'héberge-ment » d'Aubervilliers entraînent une brève occupation du CNPF.

16. Mgr Gérard Huyghe, évêque d'Arras, évoque le problème des ventes d'armes : « Nous venons de vendre 50 Mirage à la Libye. Nous chantons la victoire diplomatique... ma conscience me fait mal. »

18 et 21. A Lille, deux jeunes lycéens s'immolent par le feu pour exprimer leur dégoût pour la société qui est la nôtre.

21. Violents affrontements entre policiers et élèves du Lycée Michelet.

28. J.-J. Servan-Schreiber publie *Ciel et terre,* manifeste du parti radical où il pro-pose : « l'abolition de la transmission héréditaire de la propriété des biens de produc-tion ». Il veut « mettre notre pays à l'aise dans le monde de la croissance ».

◆ *Début février.* M. Poniatowski et J. Dominati attaquent vivement M. Debré, ministre de la Défense nationale, et le traitent de « marchand de canons et de fournisseur de morts » pour avoir livré des Mirages à la Libye.

4/8. Congrès du PCF à Nanterre. Dans un silence glacial, R. Garaudy soutient ses thèses : « Notre cause est juste, notre objectif sera atteint. Il le sera d'autant plus vite que nos méthodes seront plus rapidement et plus profondément changées. Et elles le seront car, si l'on écarte quelques-uns de ceux qui les posent, les problèmes n'en conti-nueront pas moins à se poser dans la vie. » R. Garaudy est exclu du bureau politique et du Comité Central. On lui reproche l'interprétation qu'il donne du fait religieux, notamment dans un article sur Jésus-Christ qu'il a fait paraître dans la revue francis-caine *Évangile d'aujourd'hui* (nº 64). Pourtant, le point 29 des projets de thèse du PCF affirme que : « de nouvelles possibilités d'action commune s'offrent entre le mouvement révolutionnaire et les larges couches des croyants. » Mais R. Garaudy est accusé « de laxisme philosophique » dans son dialogue avec les chrétiens. Bien que malade, Waldeck-Rochet est réélu secrétaire général, mais l'homme qui monte est très visiblement G. Marchais, qui devient secrétaire général adjoint.

15. Le congrès extraordinaire du parti radical adopte le manifeste de J.-J. Servan-Schreiber *Ciel et terre,* dans lequel M. Faure, président du parti, voit « l'anticipation pour une génération ».

Fin février. R. Garaudy publie *Toute la vérité. Le Figaro* lui consacre une page et la télévision une interview, ce que *L'Humanité* ne manque pas de souligner.

◆ *Mars.* 8 et 15. Élections cantonales dans la moitié des cantons. Gains de la majorité, du PCF et du PSU. Léger recul du reste de l'opposition.

	8 mars	15 mars	Nombre de sièges
Abstentions	38,22 %	38,96 %	
	% des suf. expr.	% des suf. expr.	
PCF	28,84	21,17	144 (+13)
PSU	3,14	1,48	22 (+ 2)
PS	14,80	18,76	263 (-13)
Divers gauches	10,52	10,80	292 (-31)
UDR	15,64	17,78	206 (+39)
RI	5,15	4,87	110 (+ 5)
CDP	-	1,42	42 (+ 2)
Divers modérés fav. maj.		3,40	287 (+12)
Divers modérés fav. oppos.	17,32	12,53	96 (-17)
CD	7,34	7,49	141 (- 7)
Extrême droite	-	0,25	6 (- 4)
Total			1609

Au cours des élections des Présidents des Conseils Généraux qui ont lieu peu après, 14 présidences sur 94 changent de titulaires : 5 au profit de l'UDR, 3 des RI: Élue à la Présidence du conseil Général du Tarn-et-Garonne, Madame Evelyne Baylet (radicale) devient la première femme à exercer cette fonction.

9. 30 000 commerçants et artisans se réunissent au Parc des Princes et occupent une partie du boulevard périphérique. G. Nicoud demande aux travailleurs indépendants de faire la grève de l'impôt et de retirer tous leurs fonds déposés dans les banques nationalisées, les CCP et les caisses d'épargne.

12. Entretien de G. Pompidou avec un journaliste de *France-soir.* Faisant allusion aux violents incidents qui, les 3 et 4 mars, ont eu lieu à Nanterre dont le campus a été « placé sous la protection de la police », le Président déclare : « Il n'est pas admissible, il n'est pas tolérable que l'on continue dans un certain nombre d'universités à empêcher tout le monde de travailler, à bafouer les professeurs et les doyens, à détruire le matériel et les équipements. Ce n'est pas tolérable et ce ne sera pas longtemps toléré, croyez-m'en. » Il ne fait aucune allusion à la nouvelle société ni à J. Chaban-Delmas. La presse parle d'un conflit entre le Président de la République, qui veut tout conserver, et son Premier ministre, qui voudrait changer la société. *Le canard enchaîné* écrit : « Le général trouvait que ses premiers ministres étaient secondaires, M. Pompidou semble trouver le sien superflu. »

14. Démission de P. Ricœur.

19, 20, 21. Les chauffeurs de camions bloquent les portes de Paris pour protester contre l'interdiction qui leur est faite de circuler pendant le week-end de Pâques.

23. Dans plusieurs villes de province, les commerçants bloquent la circulation.

24. G. Nicoud et 33 commerçants sont gardés à vue. Le CID et l'UNATI décident de se regrouper. Au sein de cette vive agitation, G. Séguy annonce la relance des reven-

dications dans le secteur nationalisé : « Si toutes les organisations syndicales étaient mobilisées en même temps que les forces de gauche, la relève démocratique serait prête et la petite phrase que j'ai prononcée sur l'écourtement du septennat pourrait se trouver confirmée par les faits plus rapidement qu'on ne le pense. »

Fin mars. – PS et PCF décident de créer des groupes de travail commun pour examiner « les voies de passage au socialisme ». Certains se demandent si les revendications catégorielles ne vont pas entraîner l'anarchie à court terme et un régime musclé à moyen terme. En effet, l'opinion publique est frappée par le fait que quelques centaines de chauffeurs de camions puissent paralyser la vie du pays.

♦ *Avril.* 7. Au cours d'un entretien télévisé avec P. Desgraupes, J. Chaban-Delmas, faisant allusion aux étudiants, aux commerçants et aux chauffeurs routiers, déclare : « Il est nécessaire que les casseurs soient les payeurs ». Les troubles continuent.

8. Grève générale des commerçants – inégalement suivie – pour la libération de G. Nicoud. Attaques contre de nombreux magasins restés ouverts. Au Parlement, débat passionné sur la loi anticasseurs.

21. *Le Figaro* publie un sondage de la SOFRES : 70 % des enquêtés estiment que le pays traverse une période anormale d'agitation, mais 41 % pensent qu'il est souvent indispensable de manifester pour défendre ses intérêts. Au cours du débat sur la loi anticasseurs, M. Rocard, député PSU des Yvelines, déclare : « Vous vous accrochez à la répression parce que vous avez peur. Et vous avez peur parce que vous ne comprenez rien à ce qui vous arrive. Il vous reste alors la ressource d'essayer de faire peur pour y gagner quelques voix ».

30. L'Assemblée adopte le projet de loi anticasseur par 386 voix contre 94.

♦ *Mai.* Au cours des procès, les condamnations se font plus lourdes et les condamnés sont presque tous des gauchistes. Le plus célèbre de ces procès est celui de Le Dantec et de Le Bris, directeurs de *La cause du peuple,* avant que J.-P. Sartre en ait pris la direction. Inculpé de provocation à divers crimes et délits et d'apologie de la violence, Le Dantec compare l'époque actuelle à celle de la Résistance : « La logique de l'ordre à défendre n'est pas la nôtre. Nous avons le droit de nous révolter, de retourner la violence exercée contre nous. » Son avocat, Maître M. Courrégé : « Cette République a débuté avec le bazooka et, à ce moment-là, MM. Chaban-Delmas et Debré n'étaient pas contre la violence. »

1er. Grand défilé République-Bastille. Les cégétistes scandent : « Les casseurs sont derrière ». La CGT n'a pas admis les gauchistes dans son défilé. La Ligue communiste, le PSU et l'UNEF refusent d'obéir aux ordres de dispersion et se battent avec la police.

Nuit du 3 au 4. Série d'attentats à Grenoble. Pendant tout le mois de mai, il y en a dans toute la France : Explosions, incendies, déprédations diverses. Aucune victime. R. Marcellin les impute aux gauchistes. Or, on arrête les auteurs d'un attentat contre le Palais de justice de Besançon : l'un est un ancien OAS, l'autre un membre de l'UDR; l'auteur d'alertes à la bombe à Saint-Ouen est un employé de la préfecture de police; les attentats de Grenoble sont le fait de militants du CID.

6. On apprend que R. Garaudy a été exclu par sa cellule. R. Souchal, député UDR de Nancy, ayant démissionné parce que l'autoroute Paris-Strasbourg doit passer par Metz, JJ. Servan-Schreiber fait savoir qu'il sera candidat.

8. Attaque de l'épicerie de luxe Fauchon par un commando maoïste qui distribue les produits « récupérés » dans les bidonvilles.

10. Manifestation à Vincennes pour la paix au Vietnam. PCF, CGT, CFDT, UNEF, PSU, y participent sans incident mais le PS est absent, n'acceptant pas « d'avoir été invité à la dernière minute. »

19. Mlle F. Delange, qui a participé à l'attaque contre Fauchon, est jugée et condamnée à 13 mois de prison ferme et 3 000 frs d'amende pour vol. Le substitut : « C'est une puérilité de croire que l'on peut réformer le monde avec d'aussi piètres moyens. Mais c'est aussi une lourde erreur (...). En l'occurrence, on arrive à précipiter les pauvres dans l'amertume plus qu'à leur apporter un espoir et un idéal. »

28. Le Dantec est condamné à un an de prison et Le Bris à huit mois. Commentaire de *L'Humanité :* « De tels aventuriers sont étrangers au mouvement ouvrier et démocratique et rejeté par lui. » A. Geismar, dirigeant de la Gauche Prolétarienne, avait écrit au Président du Tribunal où il était cité comme témoin en le priant d'excuser son absence car : « Je témoignerai dans la rue. » Effectivement, l'agitation est vive au Quartier Latin les 27 et 28 mai, mais la police met au point une action répressive efficace à savoir l'infiltration de policiers en civil parmi les manifestants. Le 27 mai, le gouvernement a dissous la Gauche Prolétarienne et, le 28, R. Marcellin à la télévision parle de la possibilité d'un complot international ajoutant qu'il est « facile d'imaginer qui peut être le chef d'orchestre du maoïsme et du marxisme-léninisme. »

Fin mai. P. Gaxotte écrit dans *Le Figaro :* « L'ordre français tombe en loques. » Mais on commence à s'interroger sur l'origine de ces désordres, et A. Finet se demande dans *Réforme* si « les différents attentats que la presse signale avec minutie (...), loin d'alerter les citoyens sur les vices évidents de la société, ne contribuent pas à fortifier l'ordre établi. » *Hebdo T.C.* montre que cette agitation permet au gouvernement de prouver l'opportunité de la loi anticasseurs. Pour *L'Humanité* les enfants de mai sont devenus les instruments de la provocation, ils sont manipulés par la police : « Le nom de gauchistes-Marcellin leur sied à merveille » écrit L. Salini.

En voyage dans le Cantal, G. Pompidou prononce un discours rassurant à Murat : « Il faut faire la part de l'intoxication (...). On voit même des gens faire des attentes pour empêcher les attentats (...). Restons calmes et ne croyons pas que la révolution est à nos portes. »

Le Sénat amende profondément la loi anticasseurs, ce qui fait dire à R. Pleven, garde des Sceaux, que son texte est « ruiné ». Les sénateurs sont hostiles aux gauchistes, mais « il y a des casseurs dans toutes les catégories sociales » (L. Martin, non inscrit) et ils estiment que le droit de manifester est une liberté fondamentale.

♦ *Juin.* Deux élections législatives partielles : à Paris, G. de Bénouville (UDR) est élu le 14 juin. Dénoncé par ses adversaires comme le candidat de l'argent, il rétorque : « La direction d'affaires importantes donne une connaissance exacte du monde des affaires, du commerce et des problèmes de travailleurs. » A Nancy, JJ. SS. est élu le 28 juin contre R. Souchal.

4. La loi anticasseurs revient devant l'Assemblée qui la vote définitivement après avoir supprimé les atténuations introduites par le Sénat.

8. Meeting gauchiste à la Mutualité où on entend un message enregistré d'A. Geismar annonçant : « un été chaud qui portera l'insécurité chez les bourgeois. »

19/20. Congrès extraordinaire du Parti socialiste. F. Mitterrand y est invité et, au nom de la CIR, préconise une union de la gauche. R. Garaudy, J. Pronteau et Ch. Tillon publient : *Il n'est plus possible de se taire,* où ils dénoncent les abus du centralisme démocratique, l'approbation de la « normalisation » à Prague, l'incompréhension du PCF à l'égard de la jeunesse et la nomination au poste de secrétaire général adjoint de G. Marchais » qui n'a participé à aucun des combats vitaux du parti. »

25. A. Geismar est arrêté alors que, le 26, J.P. Sartre qui distribue *La cause du peuple* est interpellé et immédiatement relâché, « preuve dit-il qu'il y a deux poids deux mesures pour les diffuseurs de *La cause du peuple ».* J.P. Sartre, Ch. Tillon et G. Montaron fondent « Le secours rouge » pour venir en aide aux militants révolutionnaires frappés par la répression. Le mouvement n'admet que des adhésions à titre individuel à condition que les militants soient engagés dans la lutte des classes.

♦ *Juillet.* Le rapport de la Cour des Comptes souligne que les abattoirs de la Villette ont coûté quatre fois le prix prévu au moment même où une commission ad hoc nommée par J. Chaban-Delmas propose la fermeture des abattoirs parce que non rentables et leur transfert à Rungis.

Contrairement aux affirmations d'A. Geismar, l'été n'est pas chaud, mais le moindre incident fait la une des journaux. M. Postel-Vinay est exclu de l'école polytechnique pour avoir fait de la propagande maoïste au cours d'un stage dans une entreprise (ce qui n'est pas prouvé); un professeur, M. Bolo, est arrêté sous l'accusation d'avoir mis le feu à une colline provençale. Une partie de la presse se déchaîne contre lui mais il est bientôt relâché faute de preuve. Mais il est sociologue, gauchisant et enseigne à la FPA (Formation professionnelle des adultes) à Boulogne-Billancourt.

2. Conférence de presse de G. Pompidou, qui nie toute divergence avec son Premier Ministre, ne reconnaissant que des nuances différentes à propos de la « nouvelle société ».

♦ *Septembre.* J. Chaban-Delmas est réélu député de Bordeaux (son suppléant étant mort d'une crise cardiaque) et JJ. SS., qui se présente contre lui n'obtient que 17 % des suffrages exprimés.

29 gauchistes emprisonnés, (A. Geismar, Le Dantec, Le Bris, etc.) font la grève de la faim pour obtenir le régime politique. Ils obtiennent des améliorations.

♦ *Octobre.* Plusieurs gauchistes sont condamnés à des peines de prison ferme pour avoir été trouvés en possession de *La cause du peuple,* journal non interdit.

14. Le Cardinal Villot envoie au nom du pape un message au Congrès International des Médecins Catholiques réuni à Washington : « L'Eglise n'ignore pas que des cas angoissants se présentent (...) mais elle ne saurait pour autant admettre l'avortement thérapeutique. »

20/22. A. Geismar est condamné à dix-huit mois de prison.

25. Message œcuménique du Conseil permanent de l'Épiscopat, du Comité des Evêques orthodoxes, du Conseil de la Fédération Protestante demandant des conditions plus justes pour les travailleurs immigrés, la renonciation à la course aux armements et un accès plus large pour le tiers-monde à la connaissance.

29. Prise de position collective de l'Épiscopat à propos du commerce des armes qui risque de devenir : « commerce de mort (...). Il faut passer d'une dialectique de la peur à une dynamique de la paix. » Pour cela, trois solutions sont proposées : partage du pain avec les nations pauvres, désescalade des armements, participation active à une conférence du désarmement.

♦ *Novembre.* 7/8. Assemblée des « silencieux de l'Église » organisée par le « Comité français pour l'unité de l'Église », créé par P. Debray en opposition au mouvement européen des « prêtres solidaires ». Les silencieux de l'Église se proposent « d'apporter une contribution positive à la vraie réforme catholique voulue par le second Concile du Vatican et par le Souverain pontife. »

9. *19 heures :* mort du Général de Gaulle.

10. Allocution de G. Pompidou : « Le Général de Gaulle est mort, la France est veuve ».

12. « Deuil planétaire » célébré à Notre-Dame et cérémonie simple à Colombey où 50 000 personnes sont venues.

8. Aux journées nationales de la CIR, F. Mitterrand propose la fusion du PS et de la CIR. Il pense que le renforcement de la gauche non communiste est indispensable et qu'un équilibre PS-PC est nécessaire pour que la gauche arrive au pouvoir électoralement.

15. *Hara-kiri* est interdit à la vente aux mineurs de 18 ans et à l'affichage. Le prétexte est la présence de bandes dessinées « pornographiques », mais en fait le journal est sanctionné pour avoir titré au lendemain de la mort de De Gaulle : « Bal tragique à Colombey : 1 mort ». Le 20 novembre, la direction d'*Hara-kiri* fait paraître le premier numéro de *Charlie-hebdo* avec le titre : « Il n'y a pas de censure en France ».

19. Dans une interview à *La Croix*, G. Marchais réaffirme la politique de main tendue aux catholiques et déclare que, si la France devenait un État socialiste, toutes les libertés religieuses seraient garanties par « un accord comportant la définition des droits et des devoirs de l'Église et de l'État. » Refus de prêtres de la région de Carcassonne de célébrer, à la demande des des dirigeants locaux de l'UDR, une messe à la mémoire du Général de Gaulle. Ils justifient leur refus par le souci de dissiper la confusion entre une célébration eucharistique et une cérémonie officielle à caractère politique.

♦ *Décembre.* Les conversations socialo-communistes sont difficiles : dans un débat télévisé, G. Marchais et F. Mitterrand s'affrontent sur l'interprétation de mai 1968. 48 prêtres de la Mission ouvrière de Roubaix suivis quelques jours plus tard par une centaine de religieuses dénoncent les situations de violence faites aux travailleurs des usines de la région et constatent la réalité de la lutte des classes.

13. La CIR approuve le projet de F. Mitterrand d'unification avec le PS.

Champ économique et social

★ *Janvier.* 14. Référendum organisé par la CGT à EGF : 54 % des inscrits refusent la convention. Promulgation de la loi sur l'actionnariat à la Régie Renault. Sabotages ou accidents provoquent quatre morts aux chantiers navals de Dunkerque. La CGT accuse la gauche prolétarienne qui réplique qu'elle est pour le sabotage à condition de ne pas mettre en péril la vie des ouvriers.

★ *Mars.* Accord salarial dans les charbonnages signé par la CFTC, FO et la CGC mais la CGT et la CFDT refusent de signer. Échec d'une tentative contractuelle à la RATP.

★ *Avril.* Grève des enseignants et des éboueurs parisiens.

23 et 29. Série de meetings pour protester contre la loi anticasseurs.

★ *Mai.* 1er. Pour la première fois depuis 47, CGT, CFDT, FEN et partis de gauche participent au défilé de la République à la Bastille.

6/10. Congrès de la CFDT : contre le capitalisme, pour le socialisme; prise de distance à l'égard du gauchisme, condamnation de la politique américaine au Vietnam.

Fin mai. Nombreuses grèves dans les services publics : RATP, douaniers, postiers, personnel du Ministère des Finances.

★ *Juin.* Poursuite de ces mouvements.

★ *Juillet.* 23. Le gouvernement algérien relève unilatéralement le prix de son pétrole.

★ *Octobre.* Le gouvernement assouplit les conditions de vente à crédit pour relancer l'économie.

★ *Décembre.* 17/18. Grève chez Ferodo.

La PIB augmente de 5,75 %, les prix de détail de 5,4 %, les salaires horaires de 10,5 %, chiffres de l'INSEE contestés par la CGT qui affirme que les prix de détail ont augmenté de 7,6 %.

Balance commerciale hors zone franc à peu près équilibrée.

L'année 70 a été socialement assez calme. Si la participation est d'une faible ampleur (542 000 actions distribuées à 45 000 salariés chez Renault), la mensualisation est en plein développement : 75 % des ouvriers sont sur la voie d'être mensualisés.

1970 a été l'année de la prise de conscience et d'un début d'action politique en matière de pollution. Quelques mesures de protection de l'environnement ont été prises, notamment en matière de pollution des eaux.

Champ culturel

▶ *Prix littéraires* – Goncourt : *Le roi des Aulnes* (M. Tournier)

Renaudot : *Isabelle ou l'arrière-saison* (J. Freustié)

Fémina : *La crève* (F. Nourrissier)

Médicis : *Sélinonte ou la chambre impériale* (C. Bourniquel)

Interallié : *Les poneys sauvages* (M. Déon)

▶ *Littérature* – Livres à succès :*Je suis mal dans ta peau* (G. Cesbron), *Tout homme est une guerre* (J. Lartéguy), *Les bienheureux de la désolation* (H. Bazin), *L'entremetteuse* (G. des Cars), *Le parrain* (M. Puzo), *Les choses de la vie* (P. Guimard).

Dans une ligne plus politique les livres suivants connaissent de gros tirages : *L'âme du combat* (E. Faure), *La vieillesse* (S. de Beauvoir), *Lettres de prison* (G. Russier) et surtout *L'aveu* (A. London).

Deux livres d'accès difficile connaissent un grand succès peut-être dû au snobisme : *Le hasard et la nécessité* (J. Monod) et *La logique du vivant* (F. Jacob) Les deux auteurs sont des prix Nobel et on peut se demander, là encore, si tous les acheteurs sont des lecteurs.

La réédition de *La dynastie des Forsyte* (J. Galsworthy) est la conséquence du succès du feuilleton programmé cette même année avec une immense écoute sur le petit écran.

▶ *Théâtre* – Dans la ligne traditionnelle du théâtre de boulevard – ou proche de ce théâtre – les grands succès sont *Les poissons rouges* (J. Anouilh), *Un piano dans l'herbe* (F. Sagan), *Voulez-vous jouer avec moâ?* (reprise de la pièce de M. Achard), *Un chapeau de paille d'Italie* (avec J. Fabbri qui remporte un triomphe au Théâtre de la ville).

Aux programmes du nouveau théâtre *Le roi se meurt* (E. Ionesco), *Haute surveillance* (J. Genêt), *Eva Peron* (Copi). On reprend *En attendant Godot* (S. Beckett). Du même auteur, *Oh les beaux jours!*, joué au théâtre de France, donne à Madeleine Renaud l'occasion de faire une de ses plus intéressantes créations.

La plus originale création de l'année est peut-être *Orlando furioso* d'après l'Arioste, joué par le théâtre libre de Rome dans l'un des pavillons Baltard et qui, suivant les thèses à la mode interpelle le spectateur en le conviant à participer au spectacle. Mais, là encore, comme au Living Theatre, on peut se demander avec B. Dort si « les spectateurs promus acteurs ne sont pas autre chose que de piètres comédiens manipulés par les animateurs du spectacle? ».

On peut se demander qui sont les spectateurs? Nous ne disposons pas d'enquête précise permettant de distinguer le public traditionnel du théâtre de boulevard du public « intellectuel » du théâtre dit d'avant-garde. D'après les chiffres globaux donnés par la Société des Auteurs, il y a eu en 1960, 4 290 000 entrées, et, en 1965, 3 575 000. Si on imagine qu'un amateur de théâtre s'y rend en moyenne quatre fois par an, on peut penser qu'un peu moins d'un million de Français fréquentent le théâtre, leur nombre tendant à décroître. Il semble cependant que si diminue le public traditionnel, augmente faiblement mais régulièrement le public des théâtres nouveaux. Ce dernier public plus jeune, plus masculin, plus diversifié socialement que le public du théâtre de boulevard, ressemble de plus en plus au public cinématographique. Par diversité sociale, il faut entendre professions libérales, cadres supérieurs, enseignants, cadres moyens et étudiants à l'exclusion des ouvriers et des paysans. Le public théâtral reste donc élitiste.

▶ *Cinéma* – Cl. Chabrol : *Que la bête meure* et *Le boucher*
  Cl. Sautet : *Les choses de la vie*
  E. Rohmer : *Le genou de Claire*
  J.P. Melville : *Le cercle rouge*
  Costa-Gavras (Constantin Gavras, dit) : *L'aveu*
  R. Altman : *Mash*
  M. Antonioni : *Zabriskie point*
  G. Roy Hill : *Butch Cassidy et le kid*
  M. Wadleigh : *Woodstock*
  K. Russel : *Women in love*
  J. Losey : *Figures in a landscape*
  B. Bertolucci : *La statégie de l'araignée*
  P.P. Pasolini : *Le décaméron*
  L. Bunuel : *Tristana*
  C. Saura : *Le jardin des délices*
  J.L. Bertucelli : *Rempart d'argile*
  I. Bergman : *Une passion*

▶ *Télévision* – Les feuilletons qui remportent le plus grand succès évoquent des histoires familiales à travers plusieurs générations. Ce sont *La dynastie des Forsyte* et *Mauregard*. Le feuilleton radiophonique *Noëlle aux Quatre vents* est refait pour la télévision. D. Saint-Alban le publie alors en volumes et le tirage dépasse 600 000 exemplaires (il y a quatre volumes).
  La télévision parle de plus en plus de la femme et de ses « problèmes ». Un *A armes égales* lui est consacré intitulé : « Décoloniser la femme » et qui oppose F. Giroud à J. Foyer. L'émission d'E. Victor *Les femmes aussi*, remporte un grand succès.

▶ *Peinture et Expositions* – Dans les musées officiels, *Rembrandt et son temps* au Louvre et *Le siècle de Rembrandt* au Petit Palais – *L'art flamand*, les *Trésors de l'art roumain*, puis les *Fresques de Florence* au Petit Palais – *H. Matisse* et *H. Cartier-Bresson* au Grand Palais, ainsi que *M. Chagall* – *S. Poliakoff* et *Bram Van Velde* au Musée d'Art moderne – *L'art arménien* au Musée des Arts décoratifs. Dans les galeries privées : *V. Vasarely, Niki de Saint Phalle* (dans un des pavillons des Halles), *E. Kienholz, Zao Wou Ki* et *A. Warhol.*

▶ *Musique* – Nombreux concerts L. van Beethoven à l'occasion du bicentenaire de sa naissance. W. Kempf vient jouer 32 sonates de ce compositeur à Pleyel. D. Barenboïm les interprète au Théâtre des Champs Elysées. L'orchestre de Paris, sous la direction de L. Bernstein exécute la 3e symphonie de G. Mahler.
  Journées de musique contemporaine dans les pavillons des Halles. J. Cage définit ainsi le musicircus : « L'abolition des frontières entre l'art et la vie commence par la libération des sons : bannir d'abord toute distinction entre son et bruit. La Ve symphonie de Beethoven n'est pas plus importante ni plus belle que le vrombissement d'un moteur ».
  P. Henry compose *Ceremony*, première messe électronique avec un jeune groupe anglais de pop-music, les Spoky-Tooth.

▶ *Variétés* – *Les Rolling Stones* font leur première apparition en France, d'abord au Palais des sports à Paris, puis à Lyon – *G. Bedos* et *S. Daumier* à Bobino – *J. Martin* à l'Olympia. *Barbara* à la Tête de l'Art.

Certains chanteurs comme *J. Ferrat, L. Ferré, G. Brassens* choississent pour chanter des lieux souvent voués aux meetings contestataires : Mutualité (L. Ferré) gymnases de la banlieue (G. Brassens).

▶ *Vie quotidienne* – Le thème de la pollution tient une place grandissante dans la presse. Il en va de même pour le problème de l'avortement et l'on s'étonne que les règlements d'application de la loi L. Neuwirth (relative à la contraception) ne paraissent toujours pas. – Début des campagnes anti-tabac. – L'élection de JJ. SS. à Nancy confirme l'introduction en France des techniques de persuasion politique américaines qui avaient fait leur première apparition en 1965 lors de la campagne présidentielle de J. Lecanuet. – Madame Soleil et Ménie Grégoire tiennent une place importante dans les émissions d'Europe n° 1 et de RTL. – On parle de plus en plus de libération sexuelle et on s'étonne (avec espoir ou indignation) de la pratique américaine des échanges de couples spontanés du vendredi soir.

1971

Champ politique

♦ *Janvier.* Pendant les vacances de Noël, l'autoroute du Sud est bloquée par des chutes de neige – Création d'un ministère de l'environnement, confié à R. Poujade qui est remplacé par R. Tomasini au secrétariat général de l'UDR.

21. Conférence de presse de G. Pompidou qui semble très à l'aise, « comme si une ombre silencieuse mais pesante avait disparu » (J. Fauvet). Il affirme ne tenir sa légitimité ni d'un héritage ni d'une filiation mais de l'élection libre du peuple français qui demeure son seul juge.

Fin janvier. Les détenus gauchistes commencent une grève de la faim pour obtenir le régime politique.

♦ *Février.* 9. Place Clichy, manifestation du Secours Rouge qui est interdite. Des policiers arrêtent G. Guiot, élève du Lycée Chaptal, qu'ils prétendent reconnaître comme un des manifestants.

10. G. Guiot est condamné à six mois de prison, dont trois fermes.

11. Ch. Fouchet et J. Vendroux (beau-frère du Général de Gaulle) démissionnent du groupe UDR dont ils désapprouvent les alliances électorales centristes. Dans les jours qui suivent, de nombreuses manifestations ont lieu à Paris pour la libération de G. Guiot. Elles revêtent souvent la forme de sit-in, auxquels participent parfois des professeurs et des parents d'élèves. G. Guiot est un bon élève « apolitique » et l'opinion publique s'étonne qu'on ait cru, sans qu'il apparût nécessaire de faire la moindre vérification, les témoignages des policiers affirmant l'avoir vu dans la manifestation gauchiste.

16. R. Tomasini souligne « la lâcheté des magistrats ».

17. Manifestation des magistrats qui estiment que la magistrature n'est pas aux ordres de l'exécutif et encore moins du secrétaire général d'un parti politique.

18. Visiblement désapprouvé par la présidence de la République, R. Tomasini fait amende honorable. Manifestations à Paris pour la libération de G. Guiot.

19. Alors qu'un gigantesque sit-in occupe tout le boulevard Saint-Michel, la Cour d'appel relaxe G. Guiot. Il s'ensuit une détente dans les lycées. Ce mouvement lycéen est intéressant par le fait que les élèves ont nettement exprimé la volonté de leur communauté de prendre ses distances à l'égard de celle des étudiants. Ces derniers ont en partie assuré le service d'ordre des manifestations mais ils n'ont pas véritablement encadré le mouvement lycéen.

Fin février. CIR et PS annoncent un congrès de l'unité socialiste pour Juin. En prévision des élections municipales des accords socialo-communistes se font au « coup par coup » car il n'a pas été possible de signer un accord sur le plan national.

♦ *Mars.* Journée d'action des policiers qui dialoguent partout dans la rue avec la population et notamment avec les gauchistes. Un seul incident à Beaujon. Dans ces premiers jours de mars, les manifestations dans les lycées entraînent la fermeture d'un grand nombre d'entre eux.

9. Meeting d'« Ordre Nouveau » au Palais des Sports. Vifs affrontements avec les gauchistes. R. Marcellin est vivement critiqué - notamment par G. Monate, secrétaire général de la Fédération Autonome des Syndicats de Policiers – pour avoir laissé les militants d'Ordre Nouveau se casquer et s'armer sans donner l'ordre à la Police d'intervenir.

12. « Note doctrinale » de la Commission Épiscopale française de la Famille. Elle renouvelle la condamnation de principe de l'avortement mais invite les catholiques à se souvenir en face de certains cas dramatiques que « si la réalité est intransigeante, la charité est sans limite ». Elle réclame la mise en œuvre d'une politique de la famille.

14 et 21. Élections municipales. La campagne avait commencé tragiquement par la fusillade de Puteaux, qui avait entraîné l'arrestation du beau-frère du maire sortant Ch. Ceccaldi-Raynaud. Elles avaient été l'occasion d'un grand meeting unitaire PC-PS-CIR au Palais des Sports. Les résultats expriment une assez grande stabilité en terme de voix sur le plan national. Bonne tenue de la majorité, et succès de la gauche lorsqu'elle se présente de façon unitaire. Par contre, elle perd des voix quand elle se présente en ordre dispersé, ce qui confirme une fois de plus les thèses de F. Mitterrand. Les grands perdants sont les centristes d'opposition et les modérés d'opposition. Sauf l'incident signalé plus haut, la campagne a été peu animée mais fortement politisée en raison de la candidature de 36 membres du gouvernement (sur 41) dont la moitié ne détenait encore aucun mandat municipal. Deux types de scrutins coexistent depuis la réforme de 1964 : le scrutin majoritaire à deux tours avec liste bloquée pour les villes de plus de 30 000 habitants; le scrutin majoritaire de liste plurinominal avec panachage pour les communes de moins de 30 000 habitants.

Résultats d'ensemble (14 et 21 mars) pour les 193 villes de plus de 30 000 habitants

Il y a 36,3 % d'abstentions, 2 % de votes blancs ou nuls, 5 582 216 suffrages exprimés :

Partis	Nombre de voix	% des suffrages
Gauche unie	1 375 177	24,6
Extrême gauche	599 933	10,7
Centre gauche	642 696	11,5
Total gauche	2 617 806	46,9
Centre droit	106 346	1,9
Droite « pure »	653 332	11,7
Total droite oppos.	759 678	13,6
Alliés de la majorité	366 402	6,6
Majorité	1 838 430	32,9
Total majorité _ alliés	2 204 732	39,5

Résultats d'ensemble (14 et 21 mars) : répartition des sièges pour l'ensemble des communes

Partis	Nombre de sièges	%
PCF	20 316	4,3
Extrême gauche	9 536	2
PS	42 175	9
Radicaux	20 187	4,3
Divers gauche	87 878	18,8
UDR	48 583	10,4
RI	26 694	5,7
CDP	10 229	2,1
Div. modérés majorité	141 891	30,4
CD	15 520	3,3
Div. modérés opposition	43 673	9,3

Le nombre des sièges obtenus par le PCF est faible (4,3 %) pour l'ensemble des communes, mais l'électorat communiste étant plus urbain que rural, les scores faits par les communistes dans les villes de plus de 30 000 habitants leur permettent de gagner six villes de plus de cette importance. L'UDR parvient à s'implanter durablement au sud de la Loire et l'on parle d'une « radicalisation » (par quoi on entend une concurrence victorieuse faite au parti radical) de l'UDR. La leçon générale qui se dégage du scrutin est un renforcement de la bipolarisation.

17. En conseil des ministres, G. Pompidou invite O. Guichard « à rétablir sans retard dans les lycées, avec compréhension mais fermeté, la discipline nécessaire à la bonne marche des études ». JJ. SS. propose la dissolution du ministère de l'Éducation nationale et la suppression de la direction nationale du parti radical au profit de structures fédérales. Il est vivement attaqué au sein de son propre parti et « mis en congé de parti » sur sa demande.

31. Réforme de la police parisienne : les préfets des départements périphériques sont responsables du maintien de l'ordre. Le Préfet de police n'est plus compétent que pour le Paris intra muros. M. Grimaud, préfet de police depuis 1967, est limogé et nommé secrétaire général de l'aviation civile. Il semble qu'on lui reproche un certain manque de fermeté à l'égard des manifestants. Pourtant, en mai-juin 1968, il avait « rétabli l'ordre » en évitant le pire.

Fin mars. Pendant tout le mois, la presse a longuement parlé du centenaire de la Commune. Les autorités et l'ORTF sont restées muettes. Le 18 mars, un grand meeting à la Mutualité a réuni PS, CIR, Radicaux, CFDT, FO, FEN. Les gauchistes tentent d'organiser « une fête communarde » sur la butte Montmartre le 21 mars. Elle est interdite. Ils s'efforcent alors de donner leur fête au marché aux puces : elle se déroule sous forme d'une kermesse bon enfant qui est brutalement interrompue par les charges des CRS.

Fin mars, début avril. Divisions au « Secours Rouge », dont la plupart des adhérents militent dans des groupes gauchistes opposés. Scission à l'Action française avec la création de la Nouvelle Action française. Agitation constante à l'École Normale Supérieure, ce qui entraîne la démission de son directeur R. Flacelière qui affirme que l'école est devenue « une véritable base rouge ».

♦ *Avril.* L'École Normale Supérieure est évacuée par la police et fermée.

20. Déclaration de politique générale de J. Chaban-Delmas.

21. Une motion de censure déposée par les socialistes le 8 avril est rejetée. Treize jeunes gens, qui avaient occupé le Sacré Cœur en février, sont condamnés à des peines de prison ferme. Mgr Marty déclare « regretter la sévérité des peines infligées par le tribunal ». J.L. Tixier-Vignancour lui reproche « de faire plus pour la subversion que 10 000 gauchistes ».

22. Le Sénat décide de rendre public le rapport sur la Villette rédigé par la Commission d'enquête présidée par P. Marcilhacy. Les conclusions en sont accablantes pour les ministères de tutelle « soumis à toutes sortes de pressions » et la conclusion est que « le renom et l'autorité de l'État ne pourraient pas résister à une deuxième affaire de la Villette ».

24. Commentant ce scandale, *Le Monde* écrit : « Sous les régimes précédents les gouvernements n'y eussent pas résisté. Les faits révélés par cette commission parlementaire, la première depuis les débuts de la Ve République, obligent à se demander si la stabilité gouvernementale garantit vraiment, comme on l'a dit en haut lieu, la bonne gestion et la responsabilité. »

27. L'Assemblée vote le renouvellement de la loi Debré par 376 voix contre 192, malgré une campagne d'opposition très vive.

♦ *Mai.* 1er. A Paris, il y a un cortège gauchiste le matin, un autre communiste et cégétiste l'après-midi. Les tombes de M. Cachin et de M. Thorez sont profanées. *L'Humanité*
en impute la responsabilité   aux gauchistes fascistes, provocateurs et profanateurs,
avec leur violence, leur aventurisme, leur anticommunisme virulent ».

22. Pour le centenaire de la semaine sanglante, il y a trois défilés à Paris : PS, FO,
FEN, CIR; CFDT; PCF, CGT. Les gauchistes ont manifesté quelques jours avant. Jamais
la gauche n'a paru plus divisée et pourtant, pendant tout le mois de mai, PS et CIR
préparent le congrès de l'unification qui doit se tenir en Juin. A la fin du mois, l'ACO
se prononce pour une société socialiste et se déclare « partie prenante de la lutte des
classes ».

♦ *Juin.* De nombreux magasins du Quartier Latin sont détruits par des groupes « mi-
voyous, mi-gauchistes » selon la préfecture de police. Tous les mouvements gauchistes
démentent leur participation, or la police partout présente n'est pas intervenue. Le chef
de district est relevé de son commandement pour « erreur d'appréciation ». *Combat*
constate : « Tout se passe comme si on voulait nous donner le choix entre une police
aux libres sévices ou pas de police du tout ».

10. L'Assemblée adopte le « code du service national ». Le service militaire qui
s'étend jusqu'à 35 ans se décompose en trois périodes : « le service actif » fixé à
12 mois; « la disponibilité » pendant les 4 années consécutives au service actif; « la
période de réserve » qui va de la fin de la disponibilité jusqu'à 35 ans. Les deux cas
d'exemption – déjà prévus par la loi de 1965 – sont confirmés. Il s'agit de ceux dont
le père, la mère, un frère ou une sœur sont morts pour la France ou en service
commandé et des soutiens indispensables de famille. L'âge d'accomplissement du service national est fixé à 19 ans. La loi contient deux innovations : l'instauration d'un service féminin recruté selon le principe du volontariat : la possibilité pour les appelés qui
en font la demande de servir dans la gendarmerie départementale, le nombre de ces
appelés ne pouvant excéder 10 % des effectifs de la gendarmerie.

11, 12 et 13. L'événement majeur du mois est sans doute le Congrès d'Épinay, qui
marque l'aboutissement d'un effort de plusieurs années pour « rassembler dans un seul
parti tous ceux qui se réclament en France de la démocratie socialiste » selon l'expression de « L'appel au peuple français » adopté à l'unanimité le dernier jour. Le nouveau
parti s'appellera le Parti Socialiste. Il résulte de la fusion de la SFIO et de la CIR. Dans
cette dernière, nombreux sont les éléments issus de la gauche, du MRP, de la « Jeune
République » (héritière du « Sillon »), des « amis de Témoignage Chrétien ».F. Mitterrand
est élu Premier secrétaire en remplacement de A. Savary, démissionnaire. Le nouveau
Premier secrétaire insiste sur la nécessité de réformer les structures de la société et
manifeste son intention de renouer avec le PCF. C'est ce qui apparaît clairement dans
« l'Appel au peuple français » où l'on peut lire : « Le capitalisme est installé dans l'État.
Il en contrôle l'administration. C'est là qu'il doit être attaqué. C'est pourquoi le parti
socialiste revendique le pouvoir pour réaliser les réformes fondamentales qui permet-
tront d'entreprendre la construction d'une société socialiste. Cet objectif ne peut être
atteint que par l'union de toute la gauche et d'abord des organisations qui expriment
les aspirations des travailleurs. De cette union, le parti socialiste sera l'ardent animateur ».

24. L'Assemblée est saisie d'un si grand nombre de projets de loi gouvernementaux
qu'elle n'a pas le temps de les examiner sérieusement : des députés RI, et même UDR
protestent contre ce rythme de travail excessif. Le cas le plus scandaleux est celui du
projet de loi sur les associations, qui donne à l'autorité préfectorale le droit de saisir
le tribunal afin que celui-ci détermine a priori si une association demandant la
reconnaissance de son existence « est fondée sur un objet licite, non contraire aux lois
et aux bonnes mœurs,ne portant pas atteinte à la forme républicaine du gouvernement ». C'est porter atteinte au principe de la liberté d'association en introduisant celui

de l'autorisation préalable. R. Marcellin exige la procédure d'urgence. L'Assemblée déli-
bère le 24 juin à 4 heures du matin, « heure des mauvais coups » comme l'écrit R. Barrillon dans *Le Monde*. Le gouvernement refuse de modifier l'ordre du jour et J. Chaban-
Delmas refuse de venir présenter le projet. Vives protestations de F. Mitterrand et de
D. Rousset, député UDR. Le gouvernement remporte une complète victoire : seuls 97
députés votent contre – Entretien télévisé G. Pompidou-J. Ferniot, qui n'apporte rien
de nouveau sinon un vif hommage rendu à la police.

27/28. Congrès du PSU. M. Rocard obtient sont troisième mandat de secrétaire
général : il représente la tendance qui veut prendre ses distances à l'égard des gauchistes « irresponsables et aventuristes ».

♦ *Juillet.* 3. On apprend le scandale de la Garantie foncière.

7. Une délégation conduite par F. Mitterrand rencontre les dirigeants communistes.
On décide de lancer une campagne sur les libertés publiques. Elle paraît d'autant plus
nécessaire que le Conseil de Paris vient d'interdire le Bois de Vincennes pour la fête
de *L'Humanité*, prévue pour le 11 septembre.

10. On apprend le scandale du Patrimoine foncier. Dans cette affaire, comme dans
celle de la Garantie foncière des responsables UDR sont mis en cause. A. Rives-Henry,
député UDR, sera inculpé le 19 juillet. *Combat* écrit que la corruption « est devenue
une composante de la prise de possession de la France par le pouvoir gaulliste. »

13. « Bataille des Halles » : la police disperse brutalement des manifestants qui veulent défendre les pavillons Baltard.

16. Saisi par A. Poher, le Conseil constitutionnel déclare que la nouvelle loi sur le
régime des associations, qui avait été votée à la sauvette le 24 juin à 4 h du matin,
n'est pas conforme à la Constitution. C'est un camouflet pour R. Pleven, et plus encore
pour R. Marcellin. J. Foyer, président UDR, de la commission des lois, dénonce dans
La Nation « l'intoxication » du Conseil constitutionnel. *L'Aurore* dit ne pas comprendre
la bruyante indignation de J. Foyer. *Le Monde* parle d'« heureuse surprise ». La loi,
amputée de son article 3, c'est-à-dire dépouillée de tout son contenu, paraît le 21 juillet
au *JO* : « Le secours rouge » reçoit immédiatement son récépissé de déclaration jusqu'ici refusé. Dans une lettre remise au Président de l'Assemblée Nationale, et à tous
les députés UDR, six leaders UDR dont J. Charbonnel, A. Peyrefitte et A. Sanguinetti
critiquent vivement la tendance du gouvernement à légiférer en tout, l'abus de la procédure d'urgence, l'attente des textes d'application, l'emprise des structures bureaucratiques. On murmure que l'Élysée ne serait pas étranger à cette initiative et le bruit court
d'une disgrâce de J. Chaban-Delmas.

Courant juillet. Vives controverses concernant le rôle politique de l'Église. La thèse
du Cardinal Marty est que l'Église à travers ses membres, participe à la vie politique
mais qu'elle ne constitue pas en elle-même une puissance politique. La position des
catholiques est assez ambiguë parce que, d'une part la hiérarchie leur laisse la liberté
de vote, mais d'autre part elle prend position sur des problèmes qui sont à la fois
moraux et politiques (avortement, contraception, etc.). De son côté, A. Sanguinetti
déclare : « L'Église a le droit et le devoir de dénoncer les injustices sociales et humani-
taires, mais (...) l'ordre social ne lui appartient pas ». Quant à Mgr Matagrin, avec beaucoup de subtilité, il déclare qu'on ne saurait « identifier l'Église à une seule Nation, à
une seule culture, à un seul parti », mais s'élève aussitôt contre « l'Église désincarnée ».
D'après un sondage effectué par la Sofres sur les préférences politiques des catholiques, 79 % pensent que l'on peut être chrétien et socialiste, 74 % chrétien et libéral,
52 % chrétien et capitaliste, 26 % chrétien et gauchiste, 20 % chrétien et communiste,
11 % chrétien et fasciste.

♦ *Septembre.* 6. R. Marcellin présente un plan de modernisation de la police.

9. Les syndicats de police tiennent leur congrès à Evian. Ils manifestent dans la rue

contre le projet Marcellin et, dans une motion finale, préconisent l'occupation du minis-tère des Finances et de Matignon. JJ. SS. reprend son mandat actif de secrétaire géné-ral du parti radical et M. Faure, président du parti, se met momentanément en congé de parti. JJ. SS. veut faire du parti radical une grande formation, alors que M. Faure incline pour un rapprochement avec le PS.

14. R. Marcellin révoque cinq dirigeants syndicaux.

22. Drame de Clairvaux. C. Buffet et R. Bontens assassinent deux membres de l'administration pénitentiaire.

23. Négociations Marcellin-Syndicats de police : une seule révocation est mainte-nue. Conférence de presse de G. Pompidou. Il manifeste son indifférence à l'égard de la décentralisation et à propos des scandales financiers, précise qu'il dispose « d'une réserve inépuisable de mépris vis-à-vis de la calomnie et des calomniateurs ». Il fait une distinction entre majorité présidentielle et majorité législative. En abordant tous les sujets, il réfute implicitement la théorie du « domaine réservé » puisqu'il apparaît comme le seul patron.

26. Renouvellement triennal du Sénat. 40 nouveaux élus pour 85 sièges à pourvoir; 20 sénateurs ne se représentent pas, 20 sont battus.

Répartition politique des élus

Partis	Sortants 23/9/1962	Elus ou réélus 26/9/1971	Gains ou pertes
PCF	1	1	–
PS	23	22	– 1
Radicaux	14	11	– 3
Divers gauche	6	3	– 3
UDR	2	6	+ 4
RI	5	13	+ 8
CDP	1	1	–
Modérés favorables à la major.	10	12	+ 2
CD	13	10	– 3
Modérés d'opposition	10	6	– 4

Les résultats font apparaître une évolution favorable à la majorité puisque UDR, RI et leurs alliés modérés gagnent 14 sièges. R. Marcellin et R. Tomasini manifestent leur satisfaction.

♦ *Octobre.* 6. J.M. Jeanneney quitte l'UDR, sans doute pour protester contre l'enter-rement de la réforme régionale dont il avait été le père.

9/10. Congrès des RI, qui mettent au premier plan M. Poniatowski. Celui-ci propose la création d'une « grande fédération » regroupant tous les centristes, qu'ils soient ou non de la majorité; il dénonce « l'affairisme qui hante certaines antichambres ministé-rielles ». V. Giscard-d'Estaing avalise ces propos en parlant de la « nécessité de laisser s'exprimer ceux qui font l'option libérale » et lançant un appel « à ceux qui se trouvent aux frontières de la majorité ».

12. G. Marchais présente « le programme pour un gouvernement démocratique d'union populaire ». Il s'y prononce pour un contrat de législature et affirme, ce qui est nouveau, « que la France ne rompra pas unilatéralement les liens avec le Marché Commun ».

15/17. Après des débats houleux, JJ. SS. est porté à la présidence du parti radical. Il semble qu'on aille vers une scission chez les radicaux.

23. J.Cl. Barreau, ancien prêtre marié civilement, se voit refuser sans explication par le Vatican sa demande de réduction à l'état laïque.

♦ *Novembre.* 3. Les radicaux favorables à JJ. SS. et le Centre Démocrate et J. Lecanuet décident la création du Mouvement Réformateur. Cette décision suscite les réticences des partisans de M. Faure, favorables à l'union de la gauche.

16. Nouveau scandale : un haut fonctionnaire du SDECE, M. Fournier, est inculpé par les autorités américaines pour trafic de stupéfiants. Parution du livre du Général J. Massu, *La vraie bataille d'Alger*, où il justifie la torture. Vive polémique avec le Général P. de Bollardière et Germaine Tillion.

♦ *Décembre.* Vive agitation dans les lycées à la suite de la parution de la circulaire Guichard, théoriquement confidentielle mais dont le contenu a été divulgué et qui conseillait aux chefs d'établissements le rétablissement de la discipline.

4. Arrestation de E. Dega, inspecteur des impôts, dont le frère avait été chargé de mission au cabinet de J. Chaban-Delmas.

9 et 13. Mutinerie à la prison de Toul. Le syndicat de la magistrature en profite pour poser le problème du statut du détenu qui doit conserver des droits, notamment les droits au travail normalement rémunéré, au respect de la parole donnée, à une véritable procédure disciplinaire au cours de sa détention. R. Pleven nomme une commission d'enquête.

13. M. Clavel quitte théâtralement le débat *A armes égales* qui l'opposait à J. Royer. A la suite de l'affaire de Clairvaux et du meurtre d'un surveillant à la prison de Lyon, R. Pleven supprime les colis de Noël.

18. Publication d'un document de travail de la Fédération Protestante de France : « Eglise et pouvoirs », qui juge inacceptable la société actuelle et se prononce pour un réformisme hardi.

Champ économique et social

★ *Janvier.* Un sondage de l'IFOP auprès des chefs d'entreprises témoigne de « leur opposition toujours aussi vive à l'accroissement du pouvoir syndical dans l'entreprise, aux 40 heures, au rétrécissement de la hiérarchie, à des hausses excessives de salaires ».

L'année commence mal : enneigement de l'autoroute A7; fuite de gaz à Avignon, et il s'en faut de peu que ne saute le Palais des Papes; naufrage du paquebot *Antilles* dont tous les passagers sont sauvés.

7. Les ouvriers de l'usine des Batignolles de Nantes séquestrent des membres de la direction. Lock-out. La CFDT veut riposter par la grève illimitée, la CGT propose la reprise du travail. La base décide la poursuite de la grève. Débrayage de solidarité dans l'ensemble de la métallurgie nantaise.

9. Séquestration du directeur d'une blanchisserie de Rueil-Malmaison qui vient de déposer son bilan. A propos des élections universitaires, affrontement entre les deux tendances de l'UNEF : UNEF-Renouveau (PCF) et AJS (trotskyste lambertiste).

21/22. Violentes manifestations du CID-UNATI à Rennes, et Lyon.

★ *Février.* Série de grèves : PTT, houillères de Lorraine, ORTF, enseignement supérieur, recherche. L'UNEF éclate en deux tendances, dont l'une (AJS) tient son congrès à Lyon, l'autre (Renouveau), à Paris. Le conflit des Batignolles dure tout le mois de février, le travail ne reprenant que le 2 mars.

★ *Mars.* Un fait divers « exemplaire » : meurtre d'un adolescent par un cafetier de la Courneuve, ce qui pose le problème des jeunes et des grands ensembles.

★ *Avril*. 2. Commencement au Mans, chez Renault, d'une grève de 82 OS. Le mouvement se propage. Le 12 mai, à la télévision, P. Dreyfus dit que la firme ne pourra pas supporter un nouvel accroissement des charges salariales. L'accord du 22 mai ne donne que partiellement satisfaction aux ouvriers, mais le problème des OS est posé devant l'opinion publique. La CFDT estime que la combativité ouvrière aurait permis d'aller plus loin, la CGT que l'aventurisme gauchiste a été déjoué. Le gouvernement a refusé de s'en mêler pour ne pas « déroger au jeu normal des responsabilités » (J. Fontanet)... Les syndicats dénoncent la pseudo-neutralité du gouvernement et demandent pourquoi une émission télévisée consacré à la grève à été supprimée et remplacée par un film sur la compétition spatiale. Les jeunes ont joué un rôle-clé dans cette grève en refusant aussi bien l'usine-caserne que la bureaucratie syndicaliste.

5. 340 femmes « célèbres » font paraître dans *Le Nouvel Observateur,* un appel en faveur de l'avortement et déclarent avoir avorté.

22. E. Maire est élu secrétaire général de la CFDT.

★ *Juin*. Dix jours de grève à la SNCF. Le gouvernement refuse d'intervenir. Conflit entre jeunes et vieux : au Havre, de jeunes cheminots, se couchent sur la voie pour empêcher le départ d'un train. Grève dans une compagnie d'assurances du Mans. Campagne CGT-CFDT contre le racisme et la xénophobie : en effet les incidents se multiplient (notamment lors des bals du 14 juillet) dont les Algériens sont régulièrement les victimes.

★ *Juillet*. O. Guichard, prudent successeur d'E. Faure, fait voter une loi apportant « quelques retouches » à la loi d'orientation de 1968, afin de permettre « un meilleur fonctionnement des nouvelles institutions ». Entre autres choses, la loi offre aux universités la possibilité d'organiser le recrutement des étudiants en médecine « dans des conditions garantissant à la fois la qualité de leur formation pratique et le respect du malade ». La loi Guichard permettra aux UER de médecine de rétablir une stricte sélection par le biais d'un examen difficile à la fin de la première année, alors que l'entrée des autres UER, restera ouverte à tous les bacheliers. On verra dont fonctionner concomitamment deux systèmes : celui de la médecine et de la pharmacie, système traditionnel avec sélection en amont et peu ou pas de problème d'emploi à l'issue des études : celui du « reste » (les grandes écoles exceptées), où la sélection est faite en aval par les employeurs qui n'ont que l'embarras du choix à partir du moment où, l'Education nationale ayant fait le plein de ses effectifs, réduira massivement les places mises aux différents concours de recrutement d'enseignants.

16. Loi d'orientation sur l'enseignement technologique et professionnel et sur la formation continue. Elle tente de revaloriser l'enseignement technologique, en ouvrant notamment l'accès à certains emplois de la fonction publique aux détenteurs d'un DUT. Mais l'essentiel est la concrétisation du droit à la formation professionnelle continue, dont le principe était inscrit dans une loi du 3 décembre 1966. Désormais, les travailleurs ont droit à des congés de formation et obligation est faite aux employeurs de participer au financement de cette formation. Le but était de donner une seconde chance à celles et ceux qui , socialement défavorisés, n'avaient pas pu faire d'études techniques ou supérieures. L'application de la loi suscitera de vives polémiques. Le gouvernement affirmera qu'elle contribue à égaliser les chances sociales; les syndicats contesteront ce point de vue et rétorqueront que les cadres seront les grands bénéficiaires de la formation continue et que les entreprises rentreront largement dans leurs frais de financement de ladite formation puisque grâce à elle, elles rendront leurs salariés plus productifs.

★ *Août*. Crise monétaire déclenchée par les décisions annoncées par R. Nixon le 15 août : suspension de la convertibilité or-dollar, blocage des salaires et des prix pendant 90 jours, surtaxe de 10 % sur les importations, réduction de 10 % de l'aide à l'étranger, possibilités d'amortissement accéléré pour les investissements des entreprises américaines à condition que les matériels soient américains. R. Nixon n'a consulté aucun de ses partenaires européens. Les marchés des changes sont fermés pendant 8 jours.

★ *Septembre.* Les pays producteurs de pétrole réclament une hausse des prix. La France présente Concorde en Amérique du Sud sans obtenir une seule commande, mais reçoit une mission chinoise qui laisse espérer une commande de trois appareils.

★ *Octobre.* 5/14. Grève des conducteurs de métro. Les media font campagne contre les grévistes dont l'action est qualifiée par J. Chaban-Delmas « d'injustifiable et dangereuse ». Devant l'impopularité de leur mouvement et le retour du mauvais temps, les grévistes reprennent le travail le 14. *France Soir* et *Le Figaro* estiment le moment venu de limiter le droit de grève.

27. Accord avec l'URSS. Renault participera à la construction de l'usine de camions de Kama.

28. La Chambre des Communes vote l'adhésion à la CEE.

★ *Novembre.* 5. L'Iran, au nom de l'OPEP, demande le relèvement des prix pétroliers.

★ *Décembre.* 21. Explosion de gaz à Argenteuil : 10 morts, 100 blessés. Vaste mouvement de solidarité organisé par l'UD-CGT.

Taux de croissance économique 5,6 % ce qui place la France en tête de tous les pays de l'OCDE.
Hausse des prix de détail de 6 %.
Le SMIC a augmenté de 12 %.
Malgré la hausse des prix l'augmentation du pouvoir d'achat est incontestable : les chiffres officiels disent 8 % ce qui est peut être optimiste.
Taux de couverture des importations par les exportations 104,3 %.
Démarrage du VIᵉ plan qui prévoit notamment un effort sur l'Education Nationale.
Au début de l'année, l'Algérie supprime son tarif préférentiel avec la France et les pays exportateurs de pétrole décident de fixer unilatéralement les prix. Il y a donc pour les pays de l'OCDE des inquiétudes pétrolières tempérées par la découverte de gisements en mer du Nord.

Champ culturel

▶ *Prix littéraires* – Goncourt : *Les bêtises* (J. Laurent)
Renaudot : *Le sac du palais d'été* (P.J. Rémy)
Fémina : *La maison des Atlantes* (R. Rinaldi)
Médicis : *Irrévolution* (P. Lainé)
Interallié : *Castell* (P. Rouanet)

▶ *Littérature* – *La gloire de l'Empire* (J. d'Ormesson), *Les chênes qu'on abat* (A. Malraux). *O Jérusalem* (D. Lapierre et L. Collins). *Au nom de tous les miens* (M. Gray), *Les femmes dans le monde moderne* (E. Sullerot), *Lettre ouverte aux gens heureux* (L. Pauwels), *Histoire de la République gaullienne* (P. Viansson-Ponté), *Jamais dit* (J.-R. Tournoux), *Ni Marx, ni Jésus* (J.F. Revel). Le livre de M. Mességué, *Des hommes et des plantes*, s'inscrit dans le mouvement écologiste. L'auteur préconise des thérapeutiques naturelles à base de plantes; ce retour à ce que certains appellent avec mépris des « remèdes de bonne femme » suscite une vive polémique avec le corps médical.

▶ *Philosophie* – Avec la publication de *L'homme nu*. Cl. Lévi-Strauss achève sa tétralogie intitulée *Mythologiques* (*Le cru et le cuit* 1964, *Du miel aux cendres* 1967, *L'origine des manières de table* 1968). A la fin de *L'homme nu*, dans des pages assez surprenantes. Cl. Lévi-Strauss laisse entendre que le structuralisme lui a permis d'atteindre le but qu'il s'était fixé jadis : « Réduire l'arbitraire à un ordre pour découvrir une nécessité immanente à l'illusion de la liberté ». On peut en effet y lire : « Le structuralisme propose aux sciences humaines un modèle épistémologique d'une puissance incomparable à ceux dont elles disposaient avant. Il découvre en effet derrière les choses une unité et une cohérence que ne pouvait révéler la simple description des faits... Mon analyse des mythes sait rendre compte à la fois d'elle-même et de toutes les autres » (*L'homme nu*, p. 561). Cette dernière affirmation est surprenante sous la plume d'un homme qui avait plusieurs fois affirmé que « toute interprétation d'un mythe doit être tenue pour une « variante de ce mythe », la théorie freudienne n'étant qu'une version du mythe d'Œdipe ». La fin de *L'homme nu* annonce le « crépuscule des hommes » dans un style plus incantatoire que scientifique. L'historien se pose alors deux questions : Cl. Lévi-Strauss ne débouche-t-il pas sur la métaphysique qu'il avait si vigoureusement condamnée? Si les comportements humains sont réductibles à quelques fonctionnements structurels, pourquoi n'a-t-on pas écrit : « Les structures élémentaires de la société industrielle »?

▶ *Théâtre* – L'événement de la saison est la création de *1789* à la Cartoucherie de Vincennes par le Théâtre du Soleil. *O Calcutta* marque une nouvelle étape dans la progression de l'érotisme (ou de la pornographie). On reprend au Théâtre de la Ville *La guerre de Troie n'aura pas lieu* de J. Giraudoux. J. Anouilh remporte son annuel succès avec *Ne réveillez pas Madame* et F. Dorin fait de même avec *Sale égoïste*. *L'Express* ouvre une rubrique « café-théâtre ». Ces derniers se sont multipliés depuis quelques années et ont révélé de nombreux acteurs qui connaîtront la gloire quelques années plus tard. Principaux spectacles de café-théâtre : *Des boulons dans mon yaourt* au café de la Gare, B. Haller à la Vieille grille, Jean Bois au Sélénite.

Mort de J. Vilar fortement contesté depuis mai 1968. J. Vilar s'est interrogé sur l'aptitude du théâtre à transformer la société. Il disait : « Il s'agit de faire une société humaine, après quoi nous ferons peut-être du bon théâtre ». Il a rêvé de faire venir les ouvriers au théâtre et, sur ce point, il a en grande partie échoué. En fait reste vraie l'affirmation du *Manifeste :* « Les idées dominantes d'une époque n'ont jamais été que les idées de la classe dominante ». L'école – même laïque et gratuite, même si les enseignants s'affirment de gauche – impose les modèles de la classe dominante. C'est ce que constatait R. Rolland lorsqu'il écrivait : « Un art du peuple ne fleurit pas aisément sur une vieille terre dont le peuple s'est laissé peu à peu conquérir par les classes bourgeoises, pénétré par leurs pensées et n'a pas de désir plus vif que de leur ressembler ». Thèse familière à R. Barthes qui écrit dans *Mythologies* (paru en 1965) que : « Les adversaires politiques de la bourgeoisie négligent de condamner profondément ses représentations : ils vont même souvent jusqu'à les partager ». Toutes les enquêtes sur « les ouvriers et la culture » montrent que l'image du théâtre dans « les couches populaires » est dominée par deux choses : d'abord par l'aspiration au divertissement et sur ce point le théâtre de boulevard typiquement « bourgeois » satisfait cette aspiration; ensuite, par une sorte de frustration à l'égard du théâtre dit « classique » que les ouvriers n'ont pas connu puisque la plupart d'entre eux n'ont pas dépassé le CEP. Le grand espoir de J. Vilar et de B. Brecht de transformer le théâtre pour en faire non plus un spectacle magique mais un spectacle critique a été réalisé... mais uniquement pour le public bourgeois qui a pris davantage conscience des problèmes des autres. Mais pas plus que les tentatives du Living Theatre, il n'est parvenu à mobiliser les masses populaires pour faire la révolution.

▶ *Cinéma* – J. Ophüls, A. de Sédouy et Harris : *Le chagrin et la pitié.* Ce film, réalisé pour la télévision et non programmé par elle, passe dans une salle du Quartier Latin où il remporte un tel succès qu'il est finalement programmé dans plusieurs autres salles).

F. Truffaut : *Les deux anglaises et le continent*

M. Drach : *Elise ou la vraie vie,* (un des rares films qui se passe en milieu ouvrier)

L. Malle : *Le souffle au cœur*

A. Cayatte exploite le succès à la fois dramatique e ambigu de l'affaire Russier et remporte un triomphe avec *Mourir d'aimer* qui fait pleurer toute la France.

La fécondité de Cl. Chabrol ne se dément pas puisqu'il réalise deux films *La décade prodigieuse* et *Juste avant la nuit.*

Y. Boisset : *Un condé*

Cl. Sautet : *Max et les ferrailleurs*

A. Penn : *Little big man*

R. Mulligan : *L'été 42*

R. Corman : *Bloody mama*

M. Forman : *Taking off*

K. Russel : *Music lovers* et *Les diables*

F. Fellini : *Les clowns*

A. Tanner : *La salamandre*

L. Visconti : *Mort à Venise*

B. Bertolucci : *Le conformiste*

I. Bergman : *Le lien*

▶ *Télévision* – Feuilletons : *La dame de Montsoreau, Les saintes chéries* et le retour de Vidocq avec *Les nouvelles aventures de Vidocq.* L'émission *Le troisième œil* diffuse les dossiers sur la drogue avec le Docteur Cl. Olievenstein. En effet, l'opinion publique est de plus en plus sensibilisée à ce problème. Une série d'émissions est consacrée aux *Grandes batailles de l'histoire.*

A la radio, les *Radioscopies* de J. Chancel remportent un vif succès. Les auditeurs sont de plus en plus invités à exposer sur les ondes leur problème personnel. J. Paoli, à Europe n° 1, s'adresse aux « mal dans leur peau ».

▶ *Peinture et expositions* – G. Mathieu dessine les affiches pour la Loterie nationale. Dans les musées officiels : *A. Warhol* à l'ARC; *M. Ernst* et *V. Van Gogh* à l'Orangerie; *H. Moore* au Musée Rodin; *G. Morandi, S. Charchoune, G. Rouault, Naoum Gabo* au Musée d'Art Moderne; *J. Tinguely* au CNAC; *F. Léger, F. Bacon* au Grand Palais; *Le bain turc* (*J.A. Ingres,* ses inspirateurs, ses imitateurs) et *P. Picasso* au Louvre; *A. Gaudi* et *J.M. Folon* au Musée des Arts décoratifs.

De belles expositions sont organisées en province : *A. Masson* (Amiens), *J. Dewasne* (Antibes), *S. Poliakoff* (Mulhouse).

▶ *Musique* – R. Liebermann prend la direction de l'Opéra de Paris – *The rake's progress* de I. Stravinski est joué à l'Opéra de Lyon – Les disques d'opéra se vendent de plus en plus, la presse consacre de longs articles aux divas mortes ou vivantes. On réédite des enregistrements de E. Caruso, pourtant mort en 1921; si les représentations d'opéra en France sont rares, si le déficit de l'Opéra de Paris est chronique, il y a cependant un public fanatique dont les éléments les plus fortunés n'hésitent pas à se déplacer à Bayreuth, Salzbourg, Milan... Les fins connaisseurs affirment que le spectacle (lorsqu'il est réussi, ce qui est exceptionnel) ajoute encore au plaisir de l'audition. C'est pourquoi le (ou la) possesseur de cinq ou six enregistrements du même opéra est encore incité à se rendre aux représentations – Récitals de W. Kempf et Y. Menuhin.

▶ *Ballet* – M. Béjart remporte un grand succès à New-York malgré la sévérité de la critique locale. Il monte à Bruxelles *Nijinski, clown de Dieu.* La troupe de ballets de la Maison de la culture d'Amiens danse *Hymnen* de K. Stockhausen, chorégraphie de M. Decombey.

▶ *Variétés* – S. Gainsbourg, J. Halliday qui monte un show au Palais des Sports, J. Dutronc, Barbara, G. Béart. Cinq disques sont consacrés à la Commune. Les chansons engagées de M. Le Forestier connaissent une grande vogue.

▶ *Vie quotidienne* – On parle beaucoup de l'avortement libre : sur les jeunes filles enceintes du Foyer de Plessis-Robinson, 19 sur 23 sont issues de familles ouvrières, ce qui implique que celles qui proviennent de milieux socialement plus favorisés ont des possibilités de « voyages » en Angleterre ou en Suisse puisque la loi de 1920, toujours exécutoire en France, interdit l'avortement. A Tours, où le maire J. Royer censure à la fois les spectacles cinématographiques et les expositions de peinture, une grande fête anti-censure a lieu avec la collaboration du Grand Magic Circus et de ses « filles gaiement dévêtues ».

Inauguration du premier tronçon du RER : le Paris intra-muros ne cesse de se dépeupler et les gagne-petit sont déportés vers les banlieues.

Les media consacrent une place considérable aux sports et aux jeux. La finale du championnat du monde d'échecs, qui oppose l'américain R. Fischer au russe T. Petrossian, passionne les téléspectateurs joueurs ou non-joueurs. Il convient de souligner que la grande pensée de P. de Coubertin qui, à la fin du 19e siècle, espérait fondre les oppositions nationalistes dans une grande communion internationale et sportive renouant avec les traditions grecques, se trouve détournée puisque les reporters insistent toujours sur la dimension nationale des compétitions. Par exemple, le combat Fischer-Petrossian n'est pas présenté comme opposant les deux meilleurs joueurs d'échecs du monde, mais comme un des chapitres de la lutte soviéto-américaine. Dans les stades les spectateurs, même gauchistes, retrouvent le fil de leur fureur nationaliste et n'hésitent pas à applaudir les fautes de l'étranger plutôt que les prouesses des meilleurs.

« La grande Borne » de Grigny, construite par l'architecte E. Aillaud, est présentée comme le modèle de la réussite d'un grand ensemble. Des enquêtes menées par la suite auprès de ses habitants révèlent chez ceux-ci un enthousiasme moins prononcé que celui de l'architecte.

La France conteste le « système », mais l'américanisation du pays se poursuit : il y a, paraît-il, 20 000 majorettes en France et des concours de majorettes sont organisés. B. Bardot ne tourne plus que des films sans succès mais elle paraît souvent à la télévision et son mythe se perpétue. *L'Express,* qui lui consacre de nombreux articles, écrit que « son image est plus glorieuse que jamais, bien que le charme soit rompu à l'écran ».

1972

Champ politique

♦ *Janvier.* 10. Publication du rapport R. Schmelck sur la condition pénitentiaire. Il confirme les affirmations du Dr Rose, psychiatre de la prison de Toul ainsi que les enquêtes menées par le GIP (Groupe d'Information sur les Prisons) et par le Syndicat de la Magistrature. Ce même jour (coïncidence?), mutineries dans les prisons de Loos-lez-Lille et Amiens.

11. Publication du programme de gouvernement du PS, préparé par une équipe animée principalement par J.P. Chevènement. Ce programme est assez vague, mais semble avoir été conçu pour être compatible avec celui du PCF. Ce dernier dénonce l'insuffisance des propositions socialistes tout en préconisant l'union de la gauche.

15. Incidents dans les prisons de Nancy, Fleury-Mérogis, Ecouvres.

19. *Le canard enchaîné* publie les déclarations d'impôt de J. Chaban-Delmas de 1966, 1967, 1968 et 1969. Il n'a payé aucun impôt grâce à l'avoir fiscal, à l'exonération partielle de l'indemnité parlementaire et à l'exonération totale de l'indemnité accordée au Président de l'Assemblée. *Le nouvel Observateur* laisse entendre que V. Giscard d'Estaing n'est pas étranger à ces divulgations.

♦ *Février.* 2. Tous les députés communistes publient leur relevé d'impôt : tous ont payé des impôts, aucun n'a bénéficié d'avoir fiscal.

8. P. Bas, député UDR, dépose un rapport sur le bureau exécutif de son parti où il s'inquiète de la politisation de l'Église. Ce même jour, des personnalités protestantes conservatrices s'élèvent contre le document « Église et Pouvoirs » qui conduit selon elles à « faire prêcher la révolution au nom de l'Evangile ».

11. Devant le Comité Central de l'UDR, J. Chaban-Delmas se dit « décidé à ne pas se laisser atteindre par la calomnie »; A. Sanguinetti dénonce une « entreprise de subversion » qu'il compare à l'OAS et à la crise de 1968.

15. Entretien télévisé, P. Desgraupes-J. Chaban-Delmas, où ce dernier apparaît austère et proche de la fureur.

25. A la porte des usines Renault de Billancourt, un jeune militant maoïste, P. Overney, est abattu d'un coup de revolver par un membre du service de sécurité de la régie.

28. Une manifestation de protestation rassemble des milliers de jeunes (peut-être 30 000) du métro Charonne à la Place Stalingrad.

♦ *Mars.* 1er. L'ordre de grève lancé par la CFDT aux travailleurs de Renault pour témoigner leur solidarité « avec un frère de classe assassiné » n'est presque pas suivi, la CGT ne s'y étant pas associée.

4. Obsèques de P. Overney. Plus de 100 000 personnes – presqu'exclusivement des jeunes – suivent son cercueil : les moments de silence alternent avec des slogans plus anticommunistes qu'antigouvernementaux.

9. R. Nogrette, membre de la direction du personnel de Renault, est enlevé par un commando prétendument maoïste et libéré le lendemain. La télévision consacre beaucoup de temps à cet enlèvement que G. Pompidou appelle « un acte absolument inqualifiable et digne d'un pays de sauvages ». Il n'a pas un mot de commisération pour la victime des services de sécurité de la régie. On ne retrouvera jamais les ravisseurs de R. Nogrette, ce qui accréditera l'hypothèse d'une manœuvre de diversion montée par la police pour détourner l'attention du meurtre d'un jeune militant gauchiste.

16. Conférence de presse de G. Pompidou, qui annonce pour avril un référendum sur l'Europe. Cette nouvelle inattendue, applaudie par la majorité, a sans doute pour but de « piéger la gauche et les centristes ». En effet les socialistes sont européens et les communistes ne le sont pas, et tous les centristes, même d'opposition, ne peuvent pas dire non. *Le Monde* admire l'habileté tactique du Président. Les communistes se prononcent pour le non et les socialistes pour l'abstention.

17. Mgr Huyghe, accusé par certains d'avoir pris position en faveur de militants chrétiens engagés dans l'action pour la défense de l'emploi dans le Nord répond : « L'Église fait de la politique », déclaration d'autant plus remarquée que le 3 janvier 1969, il avait déclaré : « Il faut, pour éviter les erreurs du passé, veiller à ne pas mêler la politique à la foi. »

26. *Le Pèlerin* publie les résultats d'un sondage effectué par la SOFRES sur le comportement des Français de plus de 15 ans à l'égard de la foi et de l'Église : 84 % disent qu'ils sont catholiques; 96 % qu'ils sont baptisés, 22 % qu'ils vont à la messe tous les dimanches.

♦ *Avril.* 2. Déclaration de soutien de Mgr Ménard à l'occasion du jeûne effectué en liaison avec l'affaire du Larzac (l'extension du camp militaire du Larzac doit se faire par l'achat de quelques fermes dont les propriétaires ne veulent pas se dessaisir. La défense du Larzac s'inscrit à la fois dans le mouvement écologiste qui ne cesse de se fortifier, et dans la tendance de protestation contre une armée conventionnelle dont l'existence est mise en question). M. Debré, à l'Assemblée, qualifie cette déclaration de « dévergondage des idées ».

11 et 21. Deux discours télévisés de G. Pompidou en faveur du oui. Mais, contrairement au Général de Gaulle, il ne lie pas son sort à la réponse du pays. La campagne pour le référendum ne suscite aucun enthousiasme.

23. Référendum sur l'Europe : 40 % d'abstentions, 7 % de blancs ou nuls. Les 10 millions de oui représentent 67,70 % des suffrages exprimés et 36,11 % des inscrits. Les socialistes qui avaient conseillé l'abstention, triomphent, mais *Le Figaro* conseille à F. Mitterrand d'attendre les prochaines législatives « pour compter ses voix réelles et non celles de ses militants mêlées à celles des indifférents ou des amateurs de week-end ensoleillé ».

♦ *Mai.* La commission de l'Assemblée sur l'ORTF publie un rapport dénonçant la publicité clandestine et affirmant l'impossibilité de gérer une maison trop grande. Ph. Malaud, secrétaire d'État à la Fonction publique, est chargé de préparer un rapport thérapeutique. J.J. de Bresson, directeur de l'ORTF, démissionne le 13 mai.

1er. Le matin, défilé gauchiste dans une atmosphère de fête avec de pittoresques délégations du MLF (Mouvement de Libération des Femmes) et du FHAR (Front Homosexuel d'Action Révolutionnaire). L'après-midi, défilé cégétiste très discipliné. G. Séguy : « Nous ne pouvions accepter dans notre manifestation des groupes gauchistes qui n'ont d'autres objectifs que la gesticulation pour la gesticulation ». Mais il regrette l'absence de la CFDT.

17. J. Chaban-Delmas obtient du Conseil des ministres l'autorisation, « s'il le juge utile », de poser la question de confiance.

23/24. Débat sur la question de confiance accordée par 368 voix contre 96 et 6 abstentions.

♦ *Juin.* Se précisent les rumeurs d'un désaccord profond entre G. Pompidou et J. Chaban-Delmas. C'est à G. Pompidou que Ph. Malaud a rendu compte de sa mission à l'ORTF alors que c'était au Premier Ministre d'en connaître.

15/16. Terne débat sur le rapport Malaud à l'Assemblée nationale. Son projet de réforme de l'ORTF est adopté.

18. Inauguration du mémorial de Gaulle à Colombey (une immense croix de Lorraine en granit visible de plusieurs kilomètres). Allocution de G. Pompidou, qui fait le serment de demeurer fidèle à la leçon du Général. Cette profession de foi d'un gaullisme orthodoxe irrite quelque peu les vieux compagnons du Général qui ont toujours reproché à G. Pompidou de n'avoir pas fait de résistance et d'avoir joué un rôle ambigu lors du référendum d'avril 1969, entraînant le départ de de Gaulle.

24/25. Congrès du parti radical à Lille, où les radicaux de gauche refusent de se rendre.

26. Un accord socialo-communiste est conclu sur un programme commun en vue des prochaines élections législatives. G. Marchais : « C'est un événement politique d'une portée considérable, qui fera date dans l'histoire du mouvement ouvrier et démocratique. » Ce programme est beaucoup plus précis que le pacte d'unité d'action socialo-communiste de 1934. Les communistes ont fait de larges concessions puisqu'ils ont accepté « l'alternance du pouvoir, le cadre du traité de Rome, le maintien des forces militaires françaises dans le système de sécurité européenne, la réduction de 25 à 13 des groupes industriels qui seront nationalisés ». Ce même jour les radicaux de gauche se rendent au siège du PS et se rallient au programme commun.

♦ *Juillet.* 2. Le parlement achève sa session de printemps.

5. On apprend la démission de J. Chaban-Delmas et son remplacement par P. Messmer. Tout le monde comprend que cette décision est celle de G. Pompidou et non celle de J. Chaban-Delmas, qui avait clairement manifesté sa volonté et sa certitude de mener la majorité à la bataille des législatives de 1973. D'autre part, J. Chaban-Delmas ayant obtenu de l'Assemblée une très large confiance le 24 mai, son renvoi apparaît comme un camouflet à l'égard du Parlement. L'attitude de G. Pompidou est d'autant plus surprenante que son gouvernement, dans les universités et même dans les lycées, s'efforce de développer un système représentatif que le Président de la République vient de ridiculiser et d'humilier sur le plan national. L'opposition demande immédiatement la convocation de l'Assemblée en session extraordinaire, puisque d'après l'article 49 de la Constitution, le Premier Ministre engage devant l'Assemblée la responsabilité du gouvernement sur son programme ou sur une déclaration de politique générale. G. Pompidou fait savoir que le Parlement ne sera pas convoqué et rappelle que les démissions des gouvernements Debré en 1962 et Pompidou en 1968 sont intervenues en dehors des sessions parlementaires et sans convocation de l'Assemblée. F. Mitterrand peut facilement ironiser sur « le simulacre de confiance du vote du 24 mai. »

6. Constitution du gouvernement P. Messmer.

Premier Ministre : P. Messmer (UDR).
Ministres d'Etat : *Défense nationale :* M. Debré (UDR) – *Affaires sociales :* E. Faure (UDR).
Ministres : *Justice :* R. Pleven (PDM) – *Affaires étrangères :* M. Schumann (UDR) – *Intérieur :* R. Marcellin (RI) – *Économie et Finances :* V. Giscard d'Estaing (RI) – *Éducation nationale :* J. Fontanet (PDM) – *Aménagement du territoire, équipement, logements, tourisme :* O. Guichard (UDR) – *Affaires culturelles :* J. Duhamel (PDM) – *Délégué auprès du Premier Ministre, relations avec le Parlement :* R. Boulin (UDR) – *Délégué auprès du Premier Ministre, chargé de la nature et de l'environnement :* R. Poujade (UDR) – *Délégué auprès du*

Ministre des affaires étrangères : A. Bettencourt (RI) – *Agriculture et développement rural :* J. Chirac (UDR) – *Développement industriel et scientifique :* J. Charbonnel (UDR) – *Santé publique :* J. Foyer (UDR) – *Transports :* R. Galley (UDR) – *PTT :* H. Germain (UDR) – *Commerce et artisanat :* Y. Bourges (UDR) – *Anciens combattants et Victimes de la guerre :* A. Bord (UDR).

Secrétaires d'État auprès du Premier Ministre : *Fonction publique et information :* Ph. Malaud (RI) – *Jeunesse, sports et loisirs :* J. Comiti (UDR) – *Porte-parole du gouvernement :* J.P. Lecat (UDR) – *Tom. Dom.* X. Deniau (UDR).

Secrétaires d'État : *Affaires sociales :* Ch. Poncelet (UDR) – *Coopération :* P. Billecocq (UDR) – *Budget :* J. Taittinger (UDR) – *Territoire, logement, tourisme :* Ch. Bonnet (RI) – *Agriculture et développement rural :* B. Pons (UDR) – *Action sociale :* Mlle M.M. Dienesch (UDR).

« Les cinq grands » restent : M. Debré, M. Schumann, R. Pleven, R. Marcellin, V. Giscard d'Estaing. Promotion de J. Chirac qui passe des relations avec le Parlement à l'Agriculture. Rentrée d'E. Faure.

♦ *Août.* Début de la polémique au sujet des tours de la Défense que J. Duhamel et V. Giscard d'Estaing veulent raccourcir mais qu'O. Guichard veut conserver. La dynamique de la gauche commence à inquiéter la majorité.

12. Le Conseil des Ministres nomme les 14 membres du Conseil d'Administration de l'ORTF. Il désigne A. Conte comme PDG.

♦ *Septembre.* Augmentation du SMIC et des pensions de deux millions de personnes âgées. Il s'agit, semble-t-il, de faire comprendre que le gouvernement Messmer sera aussi « social » que celui de J. Chaban-Delmas.

Un nouveau scandale éclate à Lyon, où une partie de la police est accusée d'assistance à proxénétisme. E. Charret, député UDR de Lyon, est compromis. R. Marcellin reconnaît « quelques déplorables défaillances ». Tous ces scandales compromettent le régime, et les ripostes du Président de la République paraissent faibles. L'opposition s'en trouve grandie et la fête de *L'Humanité* à La Courneuve remporte les 11 et 12 septembre un grand succès. L'UDR remplace son secrétaire général R. Tomasini, qui ne paraît pas au-dessus de tout soupçon, par A. Peyrefitte. Elle se réjouit de l'annulation du projet de voyage de F. Mitterrand en URSS à la suite d'une lettre d'Abrassimov, ambassadeur d'URSS à Paris, réfutant les affirmations du Premier Secrétaire du PS concernant la situation des juifs en URSS et les procès de Prague.

14. Dans une lettre au *Monde,* G. Aranda, ancien chargé de mission au Cabinet d'A. Chalandon, alors ministre de l'équipement, menace le gouvernement de publier des documents compromettants si des Mirages continuent d'être livrés à la Libye. Déclarant « vouloir nettoyer les écuries du royaume », G. Aranda fait état de nombreuses interventions de parlementaires UDR auprès du ministre de l'Équipement pour favoriser certaines entreprises ou certains projets douteux réalisés en violation de tous les règlements. G. Seguy accorde à la Vᵉ République « la médaille d'or des scandales ». On murmure que V. Giscard d'Estaing et M. Poniatowski ne seraient pas mécontents de salir le parti dominant. G. Aranda est inculpé de vol, recel et complicité, mais non sans avoir communiqué à la presse des photocopies de lettres venant à l'appui de ses dires. Silence en haut lieu.

21. Conférence de presse de G. Pompidou. Interrogé sur ce qu'il ferait dans le cas où la gauche l'emporterait aux législatives de 1973 il répond : « Nous ne savons pas ce que seront les élections, je doute qu'elles soient ce que vous annoncez; je ne sais pas ce que je ferai et, si je le savais, je ne le dirais pas ». Il juge le comportement de G. Aranda déshonorant et exprime son dégoût devant « les odeurs d'égout actuelles (...). Quand on lance de la boue au visage de l'adversaire, on l'atteint quelquefois, ou on le manque quelquefois, mais on se salit toujours les mains. Attention ! Ne créons pas ce climat pestilentiel que nous avons connu en France à plusieurs reprises ». Il attaque vivement F. Mitterrand : « Ce n'est pas un jeune espoir des futures olympiades législatives ou présidentielles (...). Sur les vingt-deux gouvernements que la IVᵉ République s'est offert en onze années, il a fait partie de onze, un sur deux. C'était le jeu de l'époque : un coup pour toi, un coup pour moi ».

◆ *Octobre.* Pendant tout le mois, PCF et PS se manifestent des égards réciproques. Un sondage portant sur les intentions de vote en cas d'élections immédiates donne 22 % des voix aux communistes. 21 % aux socialistes et radicaux de gauche, 45 % à la majorité et 12 % aux réformateurs.

2. Accusé de corruption par G. Aranda, le député UDR de la Drôme, G. Sibeud, démissionne. Un autre député UDR, H. Modiano, démissionne de l'UDR mais refuse sa position d'accusé dans sa *Lettre aux gaullistes trahis.*

3. P. Messmer expose son programme devant l'Assemblée sans engager la responsabilité du gouvernement. La gauche dépose une motion de censure et, après un débat médiocre, ne recueille que 94 voix.

4. Les radicaux hostiles à JJ.SS. forment « le mouvement de la gauche radicale-socialiste », présidé par R. Fabre.

7. Conférence de presse d'A. Peyrefitte qui attaque violemment les communistes. Pour lui, le problème de l'alternance au pouvoir ne se pose pas, car elle est exclue par l'existence d'un PC puissant.

8. Discours de V. Giscard d'Estaing à Charenton devant les responsables de la Fédération RI de la région parisienne. C'est sa première déclaration depuis un an. Il se prononce pour le maintien de la majorité actuelle et pour la solidarité totale des partis la composant, *mais* estime « que la France souhaite être gouvernée au centre » et que l'anticommunisme grossier n'est pas le meilleur moyen de gagner les futures élections. Il donne l'image d'un leader conservateur modéré mais compréhensif, et beaucoup de commentateurs estiment qu'il pense moins aux législatives de 1973 qu'aux présidentielles de 1976.

24. Des prêtres et des militants catholiques se déclarent solidaires de la grève organisée par les mineurs d'Alsace.

◆ *Novembre.* Les RI tentent de profiter des scandales qui salissent l'UDR pour développer leur influence. Ils réclament « des élections primaires » dans 80 circonscriptions et M. Poniatowski réitère ses appels aux centristes d'opposition de J. Lecanuet. Une grève de la faim organisée par les étudiants basques dans la cathédrale de Bayonne dure deux mois : octobre et novembre.

2. J.M. Jeanneney annonce son adhésion au mouvement réformateur.

17. *Le Figaro* publie un « appel aux gaullistes » de Ch. Fouchet, qui dénonce « ceux qui occupent l'Etat et leur agitation affairiste ».

◆ *Décembre.* 1er. Au Palais des sports, grand succès du rassemblement national pour le soutien du programme commun. Des dizaines de milliers de personnes acclament G. Marchais, F. Mitterrand et R. Fabre.

8. Au centenaire de la Fondation Nationale des Sciences Politiques organisé au Théâtre des Champs Élysées et non à l'Institut de la rue Saint-Guillaume, sans doute par peur d'interventions « intempestives » des étudiants, G. Pompidou dénonce « les sirènes de l'opposition animées d'un appétit successoral » et vante l'équilibre des institutions de la Ve République.

11. Un sondage SOFRES publié par *Le Figaro* donne 45 % des intentions de vote en faveur de l'union de la gauche, contre 43 % en novembre.

13. Pour tenter de faire mieux connaître P. Messmer aux Français, une émission de la télévision lui est consacrée. Elle est jugée au mieux « médiocre », au pire « ridicule ».

13/17. Congrès du PCF. G. Marchais est nommé secrétaire général.

20. La date des élections législatives est fixée aux 4 et 11 mars.

Champ économique et social

★ *Janvier.* Soirée débat à Boulogne-Billancourt CGT-UNEF (Renouveau) – UNCAL.

21. Adhésion de principe à la CEE de la Grande-Bretagne, Eire, Norvège, Danemark.

★ *Mars/mai.* La CFDT reproche à la CGT sa mollesse dans les conflits locaux. A Pennaroya (Lyon), les immigrés se mettent en grève, soutenus par l'UD-CFDT. La CFDT, seule présente dans l'établissement, soutient en mai la grève des Nouvelles Galeries à Thionville. La grève du Joint français commence le 10 mars et dure 8 semaines. Des 3 000 grèves de l'année 72, c'est la plus importante. Occupée le 13 mars, l'usine (sise à Saint-Brieuc) est évacuée par la police le 17. Les négociations échouent. L'approche du référendum incite la section locale de l'UDR à déclarer « l'attitude de la direction insoutenable ». Le Conseil général vote un crédit exceptionnel d'aide aux grévistes. Un accord intervient le 6 mai, le travail reprend le 9. C'est un succès pour les grévistes, dont le comité de soutien comprenait PS, Ligue communiste, comités de lutte lycéens, la CGT ayant refusé de s'y associer.

★ *Avril.* 1er. Hausse des tarifs marchandises à la SNCF et des transports routiers.

18/21. Congrès de la CGT. Une journée spéciale est consacrée à la jeunesse, en présence de représentants de l'UNCAL et de l'UNEF-Renouveau. Violent conflit CFDT-FO, la fédération FO de la Chimie ayant fait scission et ayant constitué une fédération unie avec les fédérations de la chimie CFDT.

★ *Mai.* 18. L'Irak menace de couper l'approvisionnement de l'Europe en pétrole.

★ *Juin.* 2. Nationalisation de l'Irak petroleum Cie.

7. Grève organisée par la seule CGT. 80 % des trains ne fonctionnent pas, aucun quotidien parisien ne paraît. Plusieurs dizaines de milliers de personnes défilent dans Paris mais pas de coupure de courant, la RATP fonctionne normalement. La droite souligne l'échec de la grève, CGT et PCF son succès. La CFDT considère qu'il s'agit d'une « journée éteignoir ». Donc la CGT est accusée de freiner les mouvements locaux et la CFDT de s'opposer aux mouvements nationaux. La grève de trois mois aux Nouvelles Galeries de Thionville se termine par un échec. Beaucoup de militants CFDT auraient désiré s'associer à la grève du 7 juin, notamment les UD-CFTC de la Loire et Seine maritime. D'où rapprochement avec la CGT.

23. Journée nationale organisée de concert par CGT et CFDT : arrêts nombreux et brefs.

★ *Juillet.* Les grévistes de Nerpyc trouvent un appui auprès de l'évêque de Grenoble Mgr Matagrin.

★ *Août.* 9. Conférence de presse de la CFT. Son secrétaire général prétend avoir 400 000 adhérents, salue P. Messmer, « Chaban ayant depuis longtemps démissionné en faveur de J. Delors militant réformiste CFDT et technocrate irresponsable ». On se demande si on ne va pas vers une reconnaissance de la CFT. E. Faure, ministre des Affaires sociales reçoit toutes les centrales syndicales, mais ne peut rien accorder sinon le refus de reconnaître la CFT.

★ *Septembre.* Sortie de prison de G. Nicoud qui est reçu par E. Faure.

6. Le gouvernement fait connaître son plan social qui fait quelques concessions, mais n'accorde ni le SMIC à 1 000 F, ni la retraite à 60 ans.

7. G. Seguy à la Mutualité : « Il faut changer de régime pour obtenir satisfaction ». Il considère le programme social « comme du vent », ce qui lui vaut d'être traité de « farceur » par P. Messmer qui rappelle que ce programme coûte 2 milliards.

14/15. Le bureau national de la CFDT apprécie comme un « événement important le programme commun », mais comme FO et la FEN, ne s'associera pas aux déclarations et comités de soutien. Ce programme, trop imprécis sur l'autogestion, « présente un risque de déviation vers un centralisme étatique ».

24. J. Charbonnel, ministre du Développement industriel et scientifique, se déclare favorable à la constitution d'un grand syndicat professionnel regroupant syndicats autonomes et indépendants, ce qui repose le problème de la reconnaissance de la CFT. Quelques jours plus tard, il déplore la politisation des fonctionnaires et fait un véritable appel à la délation dénoncé par CGT, CFDT, FO et FEN.

★ *Octobre.* 16/20. Semaine d'action CGT-CFDT, qui se termine par une grève très suivie à la SNCF.

★ *Novembre.* 16. Arrestation du commissaire Tonnot pour assistance à proxénétisme.

22. Le tribunal de Bobigny juge quatre prévenues dans l'avortement d'une jeune fille de 17 ans. Déposition du Prof. P. Milliez, qui se prononce pour l'avortement, alors que J. Foyer dénonce « un retour aux excès de l'hitlérisme et au massacre des Innocents ».

28. Exécution de Cl. Buffet et R. Bontens.

★ *Décembre.* Légère reprise de la politique contractuelle : accords signés à EGF, SNCF, RATP.

19. F. Ceyrac est élu Président du CNPF.

Croissance économique 5,3 %.
Augmentation des prix de détail 7 %, les hausses les plus fortes portant sur les produits alimentaires.
Indice général de hausse des taux de salaires horaires : 12 %.
Croissance du SMIC : 18 %.
Balance commerciale équilibrée.

Champ culturel

▶ *Prix littéraires* – Goncourt : *L'épervier de Maheux* (J. Carrière)
       Renaudot : *La nuit américaine* (F. Christopher)
       Fémina : *Ciné-Roman* (R. Grenier)
       Médicis : *Le tiers des étoiles* (M. Clavel)
       Interallié : *Des vols de Vanessa* (G. Walter)

▶ *Littérature* – La littérature « féminine », par quoi nous entendons aussi bien les livres écrits par les femmes que ceux les concernant, connaît un grand succès : *La part des choses* (B. Groult), *Tout compte fait* (S. de Beauvoir), *Si je mens* (F. Giroud), *La déprime* (Jacqueline Michel, un livre important parce que de plus en plus nombreux sont celles et ceux qui sont – ou se croient – en dépression nerveuse), *Manouche* (la biographie tumultueuse d'une certaine dame par R. Peyrefitte), *L'histoire des françaises* (A. Decaux), *Des bleus à l'âme* (F. Sagan), *Je suis née grecque* (M. Mercouri), *Sept ans de pénitence* (où Nicole Gérard raconte ses sept années de prison consécutives à l'assassinat de son mari à propos de la garde de leur enfant). Parmi les best-sellers : *Le cri de la chouette* (H. Bazin), *Les valseuses* (B. Blier) et surtout *Août 1914* de A. Soljenitsyne.

▶ *Théâtre* – A côté de la production habituelle (*Les œufs de l'autruche* d'A. Roussin, *Tu étais si gentil quand tu étais petit* d'Anouilh, etc.) deux courants se précisent. L'un concerne Jésus-Christ avec *Godspell* (John Michael Tebelak) qui remporte un grand succès au Théâtre de la porte St-Martin, et *Jésus-Christ super star* adaptation française d'une super-production américaine qui reçoit un accueil très mitigé au palais de Chaillot. L'autre courant concerne l'érotisme : *Nus et Bleus* spectacle « érotico-poétique » avec nu intégral des deux partenaires dont l'auteur J.L. Philippe, *L'homo-sexuel ou la difficulté de s'exprimer* de Copi. B. Brecht continue à remporter de grands succès : M. Maréchal monte *Maître Puntila et son valet Mati* et le théâtre de l'Est parisien : *Sainte Jeanne des abattoirs*. Avec *1793*, présenté à la Cartoucherie de Vincennes, A. Mnouchkine n'atteint pas à la réussite de son *1789*. *Le grand magic circus* de J. Savary attire un public nombreux, qui semble se satisfaire du spectacle d'acteurs déshabillés qui présentent des gauloiseries françaises revues et améliorées par S. Freud.

Dans *Mohammed prends ta valise* monté à la Maison des jeunes et de la culture de Viry-Châtillon, Kateb Yacine, auteur algérien d'expression française, pose une fois de plus le problème du racisme.

La fréquentation théâtrale continue à baisser. *L'Express* du 18 décembre souligne que « chaque année, Noël fait monter de 30 % l'indice de fréquentation des théâtres. Dès le 3 janvier, tout retombe ».

▶ *Cinéma* – Pialat : *Nous ne vieillirons pas ensemble*
　　　　　　　L. Bunuel : *Le charme discret de la bourgeoisie*
　　　　　　　Cl. Sautet : *César et Rosalie*
　　　　　　　E. Rohmer : *L'amour l'après-midi*
　　　　　　　F. Truffaut : *Une belle fille comme moi*
　　　　　　　Y. Boisset : *L'attentat*
Le cinéma ouvertement politique, fréquent dans la production américaine, apparaît désormais chez certains réalisateurs français qui renoncent à s'autocensurer. C'est bien entendu le cas de J.L. Godard avec *Tout va bien*. Le film de R. Vautier *Avoir vingt ans dans les Aurès* ose poser le problème de la guerre d'Algérie, il est vrai dix ans après son achèvement.
　　　　　　　W. Borowscyk : *Blanche* (avec M. Simon, son dernier film avant la série
　　　　　　　　érotique avec alibi culturel qui par la suite fera sa célébrité et sa for-
　　　　　　　　tune).
　　　　　　　S. Pollack : *Jeremiah Johnson*
　　　　　　　J. Boorman : *Délivrance*
　　　　　　　E. Kazan : *Les visiteurs* (film tourné en 16 mm, avec un tout petit budget
　　　　　　　　et agrandi en 35 mm pour les besoins de la distribution)
　　　　　　　W. Friedkin : *French connection I*
　　　　　　　F.F. Coppola : *Le parrain*
　　　　　　　R. Polanski : *Macbeth*
　　　　　　　S. Leone : *Il était une fois la révolution*
　　　　　　　R. Bakshi : *Fritz, the cat* (dessin animé érotique pour adultes est plein de
　　　　　　　　références au monde underground de New-York)
Deux films anglais révèlent profondément les préoccupations du moment : *Orange mécanique* de S. Kubrick pose le problème de la violence, et *Family life*, de K. Loach, instruit le procès de la psychiatrie traditionnelle et fait l'apologie de l'antipsychiatrie dans une présentation très simpliste et manichéenne d'un problème fort complexe.
　　　　　　　F. Fellini : *Fellini Roma*
　　　　　　　D. Risi : *Au nom du peuple italien*
　　　　　　　F. Rosi : *L'affaire Mattei*
　　　　　　　N. Oshina : *La cérémonie*
　　　　　　　M. Jancso : *Psaume rouge*
　　　　　　　C. Saura : *Anne et les loups*.

▶ *Télévision* – L'événement de la saison est *André Malraux ou la légende du siècle*, série d'émissions de C. Santelli et de F. Verny. L'attention du public est mobilisée par quatre feuilletons : *Quentin Durward* (W. Scott), *Les rois maudits* (M. Druon, premier feuilleton en couleurs), *Les Thibault* (R. Martin du Gard), *La famille Boussardel* (Ph. Heriat). Succès confirmé de l'émission de J. Chancel *Le grand échiquier*. Sur la seconde chaîne, le *Ciné-club* voit croître le nombre de ses téléspectateurs : il projette en version originale des films pour cinéphiles mais programmés à 22 h 30, il demeure une émission pour « l'élite ».

▶ *Peinture et Expositions* – Dans les musées officiels *G. de la Tour* à l'Orangerie, *La tenture de David de Bethsabée* et *Douze ans d'art contemporain* au Grand Palais, qui présente également : *Peintres de l'imaginaire symbolistes et surréalistes belges; Picasso dans les musées soviétiques, M. Rothko, J. Dubuffet, Victor Brauner, Alberto Burri, W. Kandinsky, J.P. Riopelle* au Musée d'Art moderne, *J.M. Folon* au Musée des Arts décoratifs; *D. Spoerry* au CNAC. La Bibliothèque nationale expose des dessins de *A. Dürer* et de *L. Marcoussis.*

▶ *Musique* – G. Solti prend la direction de l'Orchestre de Paris – P. Boulez fait un tour de France à la tête de l'Orchestre symphonique de la BBC – A Paris, P. Henry donne cinq concerts au Cirque d'Hiver et Y. Xenakis donne son *Polytope,* « monde spatio-lumino-musical ».

▶ *Variétés* – Cl. François reste une valeur sûre du « showbiz », M. Polnareff passe à l'Olympia – R. Petit monte *Zizi je t'aime* au Casino de Paris. A la tour Eiffel, un festival de jazz voit se succéder sept des plus grands orchestres étudiants américains – Une innovation dans le monde du disque avec la sortie d'un album *Mao Tsé-toung,* où à des chants révolutionnaires en chinois répondent en écho des citations en français du Président Mao. C'est le premier disque d'une série dont le but annoncé est de « mettre à la portée de tous la connaissance de la pensée universelle. » Paraissent ensuite *Jésus-Christ, Bouddha, Mahomet, Karl Marx.*

▶ *Vie quotidienne* – On se dénude de plus en plus : la publicité montre des hommes en slip et des femmes nues. Dans un numéro spécial de *L'Express* sur « L'Amour à vingt ans » (12.3.) on peut voir en première page une jeune fille aux seins nus dans les bras d'un garçon.

La campagne antipollution se poursuit et le rapport du MIT pour le Club de Rome pose le problème fondamental de la croissance économique. Une émission *A armes égales* oppose S. Mansholt à A. Roux. L'option en faveur d'une croissance zéro, qui préserverait le capital écologique de la planète, pose des problèmes très complexes (principalement celui des inégalités entre riches et pauvres dans les pays industrialisés, entre pays riches et pays sous-développés sur le plan mondial) sur lesquels se divisent experts et intellectuels. Mais si la mode est au procès d'une croissance tenue pour suicidaire pour notre planète, on ne doit pas sous-estimer les améliorations apportées dans la vie quotidienne par les progrès techniques. Une fois encore, il convient de distinguer les discours de la pratique. « Moulinex champion des cuisines est aussi champion de la Bourse » note *L'Express* du 23 octobre en constatant la hausse des actions de cette société.

Cependant, l'aide apportée aux ménagères par les différents gadgets n'innocentent pas les hommes, qui restent sur la sellette avec *Le livre de l'oppression de la femme* ouvrage collectif, et avec *La prostitution* de Kate Millet. La remarquable performance d'Anne Chopinet, reçue major à l'X dont le concours est pour la première fois ouvert aux femmes, retire aux « phallocrates » un de leurs principaux arguments qui consistait à affirmer l'incompétence féminine en matière d'abstraction mathématique.

La France se passionne pour le grand match Fischer-Spassky qui se déroule en Islande. On pose le problème : un ordinateur pourrait-il battre un champion d'échecs? Pour l'heure, la réponse est négative tant qu'un délai limité est imposé entre les coups. Mais pour l'avenir? Les progrès de l'informatique inquiètent l'opinion publique qui se demande s'ils n'aboutiront pas à la fin de la vie privée. Que se passera-t-il quand les fichiers des différentes administrations (Intérieur, Santé publique, Finances, Education nationale, etc.) fusionneront en un fichier unique à partir duquel on pourra tout savoir ou presque sur chaque individu. Les pouvoirs publics ne cessent d'affirmer qu'ils ne procèderont pas à une telle fusion qui serait contraire aux libertés publiques, mais l'opinion demeure sceptique. On s'interroge de plus en plus sur : « des loisirs, pour quoi faire? » Dans l'hypothèse d'une croissance zéro, la durée de travail serait réduite et ce qu'on appelle avec pessimisme le problème des loisirs (avec pessimisme, parce que c'est sous-entendu que l'individu est incapable d'organiser ses propres divertissements) devient une préoccupation majeure qui mobilise hommes politiques et chercheurs mais qui apporte bien des espoirs aux organisateurs (G. Trigano).

L. Neuwirth continue à se battre pour que paraissent les règlements d'application de la loi qui porte son nom.

L'exécution de Cl. Buffet et R. Bontens, approuvée par la majorité de l'opinion publique, pose une fois de plus le problème de la peine de mort et de son exemplarité.

1973

Champ politique

♦ *Janvier.* Le Programme Commun est la bête noire de la majorité, qui lui fait une forte publicité en ne cessant de le dénoncer. Plusieurs membres de la majorité préconisent l'élaboration d'un programme pouvant être opposé à celui de l'Union de la gauche. En effet, les législatives sont prévues pour mars et une victoire de la gauche est crédible, d'autant plus que la hausse des prix, les scandales et le renvoi de J. Chaban-Delmas ont créé un malaise. Lorsque, le 31 décembre 72, le Président Pompidou a présenté ses vœux aux Français, il a agité le spectre d'un nouveau mai 1968. Le 1er janvier, recevant les corps constitués, il adresse une sévère mise en garde aux fonctionnaires parmi lesquels – même au niveau le plus élevé – il y a des partisans de la gauche.

7. Devant tous les candidats de la majorité réunis sous l'étiquette URP (Union des Républicains de Progrès) à Provins, P. Messmer, dans un discours de deux heures, présente enfin le programme de la majorité. Il promet : 6 % de croissance économique en 1973, l'aide aux petits commerçants contre les grandes surfaces, le plein emploi, le développement de la FPA, des autoroutes, l'automatisation totale du téléphone, la réforme de la loi de 1920 sur la répression de l'avortement, la création de 2 000 crèches, la retraite à 60 ans, l'abaissement à 19 ans de la majorité civique, etc. Mais il ne donne pas de calendrier. Suit un procès du Programme Commun de la gauche, dont les ténors de la majorité montrent qu'il est irréaliste.

9. Conférence de presse de G. Pompidou qui ne répond pas à la question clef : que fera-t-il en cas de victoire de la gauche? Il attaque vivement F. Mitterrand.

10-16. Sondage SOFRES sur les intentions de vote : 46 % pour la gauche, 38 % pour la majorité, 14 % pour les Réformateurs.

18. Prise de position de V. Giscard d'Estaing qui prône l'ouverture vers les Réformateurs. Il parle « de société de sujets devant faire place à une société de responsables » et préconise « un statut de l'opposition ».

♦ *Février.* La poussée de la gauche continue et des sondages révèlent une légère avance du PS sur le PC qui réagit en faisant de la stricte application du Programme Commun le thème central de sa campagne. Ceci parce qu'il craint qu'un PS revigoré ne revienne aux combinaisons de la troisième force (c'est-à-dire d'une alliance allant des socialistes au centre droit). La campagne électorale dure du 12 au 28; celle de la majorité est fondée sur l'anticommunisme. Tout le monde se demande ce que fera G. Pompidou en cas de victoire de la gauche. F. Mitterrand réaffirme que la gauche s'inclinera devant les résultats, que l'alternance est possible et que G. Pompidou « doit aller au terme de son mandat ».

6. Incendie du CES Pailleron à Paris. Il y a 21 morts. Ce drame révèle la non-observance des normes de sécurité dans la construction des bâtiments scolaires.

8. Entretien télévisé de G. Pompidou. Il met en jeu son mandat et entend faire de ces élections législatives une confirmation de sa propre élection de 1969. Il dresse un tableau apocalyptique des conséquences d'une victoire de la gauche, et semble ignorer l'article 3 de la Constitution : « La souveraineté nationale appartient au peuple qui l'exerce par ses représentants et par la voie du référendum. »

♦ *Mars.* 2. Dernier sondage IFOP avant le premier tour. La gauche obtient 47 % des intentions de vote (23 % pour le PS), mais beaucoup pensent que la gauche unie fera le plein de ses voix dès le premier tour et qu'au deuxième, une partie de sa clientèle socialiste et radicale fera défection par peur des communistes.

4. Premier tour des législatives. 18,75 % seulement d'abstentions

Partis	% des suffrages exprimés
PCF	21,34 %
PSU + Extrême gauche	3,29 %
UGSD (PS + apparentés)	20,65 %
Divers gauche	1,26 %
Réformateurs	12,50 %
URP	34,74 %
Divers majorité	3,28 %
Divers droite	2,86 %

La majorité résiste mieux que ne le laissaient prévoir les sondages, mais elle subit des échecs dans ses fiefs traditionnels de l'Est ou de l'Ouest. L'UDR est plus atteinte que les RI ou les CDP. Sur trente ministres candidats, treize seulement sont réélus au premier tour. Les socialistes font une percée, mais viennent après le PCF. Déception des réformateurs auxquels l'apport radical semble faible, puisqu'en 1967 le seul Centre Démocrate avait recueilli 12,6 % des suffrages exprimés. Les commentateurs insistent sur deux points : le vrai vainqueur, c'est le PS et F. Mitterrand; l'UDR n'aura pas la majorité absolue dans la future assemblée.

10. *13 heures,* c'est-à-dire après la clôture de la campagne : discours télévisé de G. Pompidou, entièrement fondé sur l'anticommunisme : « Le choix est simple, je l'ai dit il y a un mois, et personne, quel que soit son opinion, ne le discute. Ici, le communisme marxiste et les alliés qu'il s'est assurés; là, tous les autres. D'un côté une société qui ignore ou qui supprime les libertés individuelles, la liberté politique, le droit de propriété et qui soumet la vie de chacun à l'autorité d'un parti et d'une administration totalitaires. De l'autre, une société libre, avec ses imperfections et ses injustices, certes... »

11. Deuxième tour des législatives. Répartition des sièges :

Partis	Sièges 1973	Sièges 1968	
PSU · Extrême gauche	3	1	(+ 2)
PCF	73	34	(+ 39)
PS	89	41	(+ 48)
Radicaux de gauche	11	8	(+ 3)
Réformateurs	31	15	(+ 16)
UDR	184	273	(− 89)
RI	54	61	(− 7)
CDP	23	26	(− 3)
Divers	19	24	(− 5)

Parmi les personnalités battues : A. Sanguinetti (UDR), M. Schumann (UDR), R. Pleven (CDP), A. Griotteray (RI), M. Rocard (PSU). L'ensemble de la gauche passe de 91 à 176 députés. Les réformateurs, grâce à des négociations discrètes avec la majorité, remportent un succès inespéré et, grâce à leurs 31 députés, peuvent constituer un groupe parlementaire. En termes de voix, on constate que la gauche a rallié 11 090 000 voix et la majorité 9 009 000. Donc l'URP (UDR + RI + CDP) a la majorité des sièges bien qu'ayant la minorité des voix. Cela est dû au scrutin majoritaire à deux tours adopté en 1958, appliqué depuis lors et qui avait été établi... à la demande de la SFIO. R. Pleven et M. Schumann démissionnent immédiatement. M. Debré démissionne également, bien qu'il ait été réélu, ce qui donne à penser que G. Pompidou lui a demandé de se retirer parce qu'il est le principal obstacle à « l'ouverture ».

23. Alors que J. Chaban-Delmas semble bien placé pour être élu président de l'Assemblée, on apprend brusquement que l'Élysée soutient E. Faure. J. Chaban-Delmas renonce à se présenter.

Pendant tout le mois et jusqu'au 2 avril, il y a de nombreuses manifestations de lycéens contre la loi Debré. C'est la quatrième mobilisation lycéenne depuis quelques années : affaire Guiot en février 71, circulaire Guichard (décembre 71), meurtre de P. Overney (février 72). La loi dite « loi Debré » avait été votée le 10 juin 1970 après concertation avec la commission « Armée-Jeunesse ». Ells supprimait les sursis longs (sauf pour les étudiants en médecine) considérés comme favorisant la bourgeoisie. Elle avait été votée par toute la gauche, sauf par les communistes. Le mouvement se déclenche au début de mars 73, lorsqu'un certain nombre de jeunes gens reçoivent leur feuille de route. Par rapport aux mobilisations lycéennes précédentes, la lutte contre la loi Debré présente des caractères nouveaux : 1. les feuilles de route ont joué le rôle de catalyseur, alors que dans les cas de G. Guiot et de P. Overney le catalyseur avait été affectif; 2. non seulement la provincialisation du mouvement est évidente, mais aussi sa ruralisation : il y a des manifestations dans de petits établissements de chefs-lieu de canton; 3. participation active des CET qui restent cependant isolés des lycéens parce que leurs revendications sont beaucoup plus concrètes; 4. entrée massive dans « la lutte » des établissements privés, notamment confessionnels, ce qui pose tout le problème de l'attitude des prêtres (les jeunes notamment) dans les crises politiques actuelles; 5. gauchistes et communistes mènent des actions communes et veulent éviter de se couper de la base par l'étalage de leurs divisions. Cependant les mouvements lycéens de 1973, comme les précédents, ont montré l'impossible fusion avec le mouvement ouvrier. En effet, le 21 mars commence la grève de 400 OS travaillant aux presses des Usines Renault à Billancourt et les deux « combats » – celui des lycéens et celui des OS – se sont déroulés parallèlement.

♦ *Avril.* 2. Alors que se déroule à Paris, la plus vaste manifestation lycéenne contre la loi Debré, E. Faure est élu président de l'Assemblée nationale. Le contraste est frappant entre les préoccupations des jeunes et les savantes combinaisons de la classe politique.

3. P. Messmer est renommé Premier ministre.

E. Faure lit à l'Assemblée le message de G. Pompidou que l'opposition écoute assise pour protester contre les interventions du Président de la République à la télévision pendant la campagne. Dans son message, G. Pompidou propose une réduction à ciq ans de la durée du mandat présidentiel.

6. La composition du nouveau ministère est connue.

Premier ministre : P. Messmer (UDR).
Ministres : *Justice :* J. Taittinger (UDR) – *Affaires étrangères :* M. Jobert – *Intérieur :* R. Marcellin (RI) – *Armées :* R. Galley (UDR) – *Économie et Finances :* V. Giscard d'Estaing (RI) – *Éducation nationale :* J. Fontanet (CDP) – *Aménagement du territoire, équipement, logement, tourisme :* O. Guichard (UDR) – *Réformes administratives :* A. Peyrefitte (UDR) – *Nature et environnement :* R. Poujade (UDR) – *Affaires culturelles :* M. Druon (UDR) – *Agriculture et développement rural :* J. Chirac (UDR) – *Développement industriel et scientifique :* J. Charbonnel (UDR) – *Commerce et artisanat :* J. Royer – *Relations avec le Parlement :* J. Comiti (UDR) – *Travail, emploi, population :* G. Gorse (UDR) – *Santé publique et Sécurité sociale :* M. Poniatowski (RI) – *Transports :* Y. Guéna (UDR) – *Information :* Ph. Malaud (RI) – *PTT :* H. Germain (UDR) – *Tom. Dom. :* B. Stasi (CDP) – *Anciens combattants et victimes de la guerre :* A. Bord (UDR).
Secrétaires d'État : *Auprès du Premier ministre :* P. Dijoud (RI) et P. Mazeaud (UDR) – *Affaires étrangères :* J.-N. de Lipkowski (UDR) et X. Deniau (UDR) – *Intérieur :* A. Achille-Fould (CDP) – *Armées :* J.-Ph. Lecat (UDR) – *Économie et Finances :* P. Vertadier (UDR) – *Éducation nationale :* J. Limouzy (UDR) et Suzanne Ploux (UDR) – *Aménagement du territoire, équipement, logement, tourisme :* Ch. Bonnet (RI) et A. Paquet (RI)– *Développement industriel et scientifique :* A. Torre (UDR) – *Relations avecc le Parlement :* O. Stirn

(UDR) – *Travail, emploi, population :* Ch. Poncelet (UDR) – *Santé publique et sécurité sociale :* Mlle M.-M. Dienesch (UDR) – *Transports :* P. Billecocq (UDR).

Les deux surprises sont les nominations de M. Jobert et de M. Druon. J. Taittinger, le nouveau Garde des Sceaux, passe pour très libéral. Pour le reste c'est la continuité, même quand il y a changement d'homme (par ex. R. Galley remplaçant M. Debré).

10-12. Débat de politique générale. P. Messmer reprend le programme de Provins en « oubliant » : le droit de vote à 19 ans, la libéralisation de la loi de 1920, l'égalité des salaires masculins et féminins et le libre accès des femmes à tous les emplois. Il condamne l'agitation scolaire et appelle les Français à la discipline. On croit entendre G. Pompidou parler par sa voix. Après un morne débat, il obtient la confiance.

13. Le Conseil permanent de l'Épiscopat et le Conseil de la Fédération Protestante de France publient en commun une importante *Note de réflexion sur le commerce des armes* dans laquelle ils dénoncent « l'engrenage diabolique » dans lequel la France est prise et proposent la création d'une Commission ad hoc créée dans le cadre de l'élaboration du 7e Plan.

♦ *Mai.* 5. Manifestation en faveur de la liberté de l'avortement. Congrès de l'association « Laissez-les vivre ».

8. Le Docteur Annie Ferrey-Martin, militante du mouvement « Choisir » est arrêtée et inculpée d'avortement à la suite d'une plainte déposée par le père d'une lycéenne de 17 ans.

11. Débat au Parlement sur la révision de la loi de 1920. Plus de 10 000 personnes manifestent à Grenoble. J. Taittinger et M. Poniatowski confirment la prochaine révision de cette loi. Les partisans de la liberté de l'avortement établissent des centres qui fonctionnent ouvertement. Les passions se déchaînent.

15. J. Taittinger promet que la révision de la loi de 1920 sera soumise au Parlement avant la fin de la session. Les trois partis de gauche déposent une proposition de loi allant dans le sens d'une liberté totale de l'avortement. La majorité est divisée. – R. Galley prend vigoureusement la défense de l'armée « dénigrée criminellement par la jeunesse ».

♦ *Juin.* 5. L'Élysée annonce que le Président de la République doit réduire ses activités. Commence alors une véritable précampagne présidentielle. Interrogé par des journalistes, G. Pompidou répond : « Vous m'embêtez ».

12-13. L'Assemblée modifie le régime des sursis, mais le gouvernement parvient à éviter le grand débat sur le service national réclamé par l'opposition.

17. Le « commando du Pacifique » avec le Général de Bollardière et l'abbé J. Toulat s'envole pour le Pacifique où doivent avoir lieu des expériences nucléaires françaises.

18. Un document de la commission « Justice et paix » et de la Fédération Protestante de France proteste contre l'égoïsme national qui se manifeste dans le commerce des armes.

21. Un meeting d'Ordre nouveau à la Mutualité entraîne une contre-manifestation de neuf organisations d'extrême-gauche, dont la Ligue Communiste. Dans des conditions étranges la police est surprise et 73 policiers sont blessés.

23. Trois ecclésiastiques (l'abbé J. Toulat, le Père Avril, et le pasteur Richard-Mollard) participent au mouvement international de protestation contre les essais nucléaires.

22/24. Congrès du PS. Lutte de tendances menées notamment par le CERES qui voudrait que le PS opte pour l'autogestion et qui reproche à F. Mitterrand de tendre « au pouvoir personnel ». Appuyé par G. Defferre, P. Mauroy et A. Savary, F. Mitterrand l'emporte et est réélu Premier secrétaire. Des autogestionnaires du CERES il dit « qu'ils veulent faire un faux PS avec de vrais petits bourgeois ». En fait, F. Mitterrand a besoin du CERES pour lutter contre la vieille garde de la SFIO et les militants du CERES veulent éviter une scission qui les conduirait à une sorte de PSU. Décidés à changer le PS de l'intérieur, ils reprennent la vieille tactique de « l'entrisme ». Bien qu'il y ait des exceptions, la plupart des militants du CERES sont des jeunes et il y a une certaine opposition inter-générationnelle au sein du PS. C'est particulièrement net au niveau des sections où les récents adhérents, jeunes pour la plupart, rallient majoritairement la tendance CERES alors que les vieux militants sont plus modérés.

28. Ordre nouveau et la Ligue Communiste sont dissous et on se demande si les responsables du maintien de l'ordre n'ont pas amené leurs hommes rue Monge dans un guet-apens pour pouvoir dissoudre la Ligue. Cette hypothèse est soutenue par plusieurs responsables des syndicats de police. Arrestation d'A. Krivine.

♦ *Juillet.* Le Général de Bollardière, membre avec JJ. SS. de l'association « Les Français contre la bombe », renvoie au Président de la République sa plaque de grand officier de la Légion d'Honneur et lui demande dans une lettre ouverte de le rayer de l'Ordre de la Légion d'Honneur : « Il faudra aller jusqu'à des actions de désobéissance civile pour venir à bout de l'arrogance des princes qui nous gouvernent. » – J. Lecanuet prend ses distances à l'égard de JJ. SS. qui est de plus en plus critiqué par son propre parti – Polémique entre Mgr O. Riobé, évêque d'Orléans, qui se prononce « contre tout projet d'escalade atomique » et l'amiral M. de Joybert qui, à la télévision, invite les gens d'Eglise « à se mêler de leurs oignons ».

4. Meeting unitaire de protestation contre la dissolution de la Ligue communiste avec la participation des communistes. J. Duclos y prend la parole.

10. Vote d'une loi assouplissant certaines dispositions du Code du service national. On peut demander à être appelé au service actif dès l'âge de 18 ans. On peut également demander un report d'incorporation jusqu'à l'âge de 22 ans. Un report supplémentaire d'incorporation d'un an peut être sollicité dans certains cas : concours universitaires, formation professionnelle, situation familiale ou sociale grave. Le régime des sursis pour raison d'études permettait précédemment à certains de retarder jusqu'à 27 ans leur incorporation, d'où une division de fait des appelés en deux groupes d'âge différent ne permettant pas « l'osmose souhaitable entre tous les éléments du contingent ». D'où également le maintien à l'intérieur de l'institution militaire de disparités dans l'accomplissement d'obligations communes; le régime des sursis privilégiait les jeunes Français qui avaient la possibilité de poursuivre de longues études, c'est-à-dire dans la plupart des cas ceux qui étaient issus de milieux socialement favorisés. Mais il contribuait également et de façon contradictoire à poser à beaucoup de ces derniers, du fait de leur âge tardif d'incorporation, de graves problèmes personnels ou familiaux. Les effectifs militaires sont alors les suivants : forces armées : 503 600 hommes dont 271 000 conscrits; forces paramilitaires : 85 000 hommes; réservistes « entraînés » : 540 000 hommes; nombre d'hommes mobilisables (entre 18 et 45 ans) : 10 000 000.

Le juge d'instruction décide la mise en liberté provisoire d'A. Krivine. Le parquet fait appel. La chambre des mises en accusation rejette l'appel du parquet. A. Krivine sort de prison et déclare : « M. Marcellin reçoit pour la première fois et publiquement une gifle très sonore ». Réplique de R. Marcellin : « Je réprimerai toute violence même si, en cas de nécessité, il fallait mettre hors d'état de nuire quelques centaines de petits Krivine. »

♦ *Août.* Dans une interview aux *Échos,* M. Debré critique vigoureusement la politique économique de V. Giscard d'Estaing. Réplique de R. Chinaud (RI) : « On ne gouverne pas la France avec une légion d'anciens combattants ».

6. Retour d'un voyage en URSS, E. Faure déclare à *L'Express :* « Du point de vue de la défense nationale, le fait que nous ayons une bombe ou que nous n'en ayons pas n'a strictement aucune importance. »

14. La police fait évacuer l'usine Lip.

25. A Marseille, le meurtre d'un conducteur d'autobus par un malade mental algérien provoque une flambée de racisme. L'UJP des Bouches-du-Rhône (désavouée par la direction nationale) demande « l'élimination de la pègre nord-africaine et anti-française ».

Fin août. Vive polémique entre P. Daix et le PCF, dont il est toujours membre, au sujet de la libéralisation du parti.

♦ *Septembre.* En fait, tout est dominé par le putsch chilien qui, le 11 septembre, renverse le gouvernement S. Allende. M. Lancien, secrétaire général des CDR : « Allende a payé de sa vie d'avoir voulu concilier l'inconciliable : le marxisme et la liberté. » A. Peyrefitte : « Allende joua à l'apprenti sorcier ». J. de Montalais dans *La Nation* : « Les méthodes socialistes ne sont parvenues qu'à conduire le Chili en trois ans au désordre, aux protestations permanentes, à la ruine et maintenant au drame. » J. Soustelle : « Les chefs militaires se sont décidés à mettre fin à une entreprise qui sortait de plus en plus des voies de la légalité. » *Le Figaro* : « Il serait profondément injuste de considérer l'armée comme une armée putschiste ». Silence du gouvernement français qui reconnaît la junte présidée par le Général Pinochet parce que la France « prend en considération les Etats et non les régimes. » B. Stasi est le seul membre du gouvernement à condamner le putsch. Celui-ci pose le problème de l'arrivée au pouvoir de la gauche en France et de la position de l'armée dont R. Galley avait dit au printemps « qu'elle demeure le dernier recours de notre société libérale ».

5. G. Séguy dénonce « La décadence de ce régime, avec tout ce qu'elle entraîne de scandales, de vénalités, de pornographie et même de criminalité (...). On assiste à une véritable invasion de corruption, de perversion et d'immoralité (...). Il n'est pas exclu que, sans attendre une échéance électorale décisive, une volonté majoritaire de notre peuple porte légalement la gauche au pouvoir. » Au *Monde,* il déclare : « Des éléments semblables à ceux qui précédèrent mai 1968 existent incontestablement dans la situation actuelle. »

9. G. Marchais reprend le même thème à la fête de *L'Humanité,* mais lui-même et G. Séguy affirment qu'ils respecteront « le verdict du suffrage universel direct et proportionnel ».

20. Le Général Ph. Maurin, chef d'Etat-major des armées : « L'armée française n'est pas au service du capitalisme mais de la Nation pour garantir son indépendance ».

26. Journée de soutien aux grévistes de Lip à Besançon organisée par la gauche et l'extrême-gauche.

27. Conférence de presse de G. Pompidou retour de son voyage en Chine. Interrogé par R. Andrieu sur le coup d'Etat chilien, le Président lui oppose la Tchécoslovaquie et ajoute : « C'est une affaire intérieure (...). L'expérience tentée par le Président Allende, s'il n'y avait pas eu de putsch, allait probablement et j'ose dire, certainement, à l'échec. » Il affirme que la France est profondément antiraciste mais n'annonce aucune mesure précise. Sur l'affaire Lip, qu'un sondage SOFRES a révélée être l'événement le plus important de l'été pour la moitié des Français, il déclare : « Parler d'autogestion est une plaisanterie (...). Il est bien évident que vivant sur les stocks, ne payant ni les fournisseurs ni les sous-traitants, ni la sécurité sociale, ni les impôts, eh bien! on pouvait vivre quelques mois, mais cela ne s'appelle pas l'autogestion. » Il constate cependant « une insuffisance de notre législation sociale en matière de faillite ». Rappelant qu'il a été pendant vingt ans le plus proche collaborateur du Général de Gaulle il dit : « Je n'ai de leçon de gaullisme à recevoir de personne (...). Comme le disait le Cardinal de Retz : « Les grands hommes sont de grandes raisons pour les « petits génies ».

23 et 30. Élections cantonales dans la moitié de la France. 46,6 % d'abstentions.

Stagnation des communistes, de la majorité et du centrisme, progression du PS. Les résultats marquent la transposition des mécanismes de la bipolarisation aux scrutins locaux. « Il y a reproduction des législatives dans le puzzle cantonal » (A. Lancelot). Le système des partis a fonctionné comme aux législatives de mars : une gauche divisée au premier tour, mais unie au second; une majorité unie dès le premier tour.

Résultats du premier tour (23 septembre 1973)

Inscrits 15 913 5515 – Exprimés 8 280 918 – Abstentions 46,6 %.

Partis	Voix	% des suffrages
Extrême gauche	81 248	1
PCF	1 877 371	22,7
PS	1 818 668	21,9
Radicaux de gauche	164 712	2
Divers gauche	531 796	6,4
Réformateurs	537 034	6,5
Div. modérés opposition	352 165	4,2
Div. modérés majorité	1 187 166	14,3
CDP	173 544	2,1
RI.	513 831	6,2
UDR	1 050 383	12,7

♦ *Octobre.* 4. La gauche dépose une motion de censure. P. Messmer : « Je vais leur rentrer dedans ».

6. A. Sanguinetti succède à A. Peyrefitte au secrétariat général de l'UDR – Offensive syro-égyptienne contre Israël. M. Jobert : « Est-ce que tenter de remettre les pieds chez soi constitue forcément une agression imprévue? » Cette guerre menace la cohésion de la gauche. Alors que PCF et PSU sont pro-arabes, la direction du PS est divisée. Le CERES publie seul un texte de solidarité avec les pays arabes, désavoué par le bureau exécutif du PS. *El Mudjahid* accuse F. Mitterrand et G. Defferre d'être au service de la cause sioniste.

9. Discussion de la motion de censure déposée par la gauche. Brillant discours de F. Mitterrand : « La liberté est indivisible dans le monde comme elle l'est dans l'esprit (...). Personne ne la sauvera en invoquant Prague contre Santiago du Chili ou l'inverse. On n'excuse pas le crime par le crime. » Tout le monde applaudit sauf les communistes. La motion de censure ne recueille que 181 voix.

16. Débat sur la réforme constitutionnelle. Par 270 voix contre 211, l'Assemblée opte pour la réduction de 7 à 5 ans du mandat présidentiel. Le 19, le Sénat l'adopte par 162 voix contre 112. Mais en vertu de l'article 89 après ce double vote le projet doit être adopté par le Parlement réuni en congrès à la majorité des 3/5. Le 20 octobre, G. Pompidou annule la convocation du congrès et décide de prendre le temps de la réflexion – Le Cardinal F. Marty adresse un rappel à l'ordre aux responsables de la revue *Études* à propos d'un article publié dans le numéro d'octobre sur l'avortement : « L'enjeu est trop sérieux pour que nous puissions laisser croire aux catholiques que la position de l'Eglise est remise en cause » – A. Conte, PDG de l'ORTF, à la suite du refus de la commission des finances d'autoriser la perception de la redevance, dénonce le chantage financier exercé contre lui. Il vient d'obtenir une audience de G. Pompidou qui l'a assuré de sa confiance totale. Ph. Malaud, ministre de l'Information, qualifie « France culture » de « tribune réservée en permanence au PC » et affirme que l'office est aux mains « de soviets autogérants ». *Le Figaro* constate : « Il n'existe apparemment plus de politique gouvernementale ».

19. Vote de la loi Royer par l'Assemblée. Le 11, l'Assemblée avait adopté un amendement de J. Poperen n'accordant qu'un tiers des sièges des Commissions départementales d'urbanisme commercial aux représentants des petits commerçants. Le lendemain, G. Nicoud avait proclamé : « Mobilisation générale, maintenant c'est la guerre! » Le 17, de nombreuses exactions sont commises dans toute la France, notamment à

Lyon où le siège du PS est incendié. L'amendement Poperen est supprimé. Les représentants des petits commerçants auront donc la moitié des sièges. La loi est votée à l'unanimité, mais il y a 180 abstentions.

23. A. Conte est limogé alors que statutairement son poste lui était garanti pour trois ans. Ph. Malaud passe à la Fonction publique et J. Ph. Lecat passe à l'Information.

29. Déclaration de G. Nicoud : « Notre victoire fera date. Désormais on sait qu'un groupe de pression peut intervenir directement et imposer une décision. »

♦ *Novembre.* 2. P. Messmer annonce la taxation de certains prix alimentaires.

8. Grève des détaillants de fruits et légumes – Le Sénat à l'unanimité décide de rendre public le rapport de la Commission Marcilhacy sur le contrôle des écoutes téléphoniques. C'est un sujet qui préoccupe fortement la classe politique. Or, la Commission souligne que tous les ministres et hauts fonctionnaires lui ont refusé leur concours.

14. F. Mitterrand menace de démissionner si le bureau politique du PS n'approuve pas massivement sa politique européenne (envoi d'émissaires auprès des partis socialistes des pays membres du Marché Commun). Il l'emporte le 17 novembre. – Le gouvernement confirme que les approvisionnements pétroliers ne sont pas menacés.

15. Grève générale des commerçants qui est très suivie dans toute la France. Les grandes surfaces qui restent ouvertes connaissent une très forte affluence, ce qui donne à certains acheteurs l'occasion de constater que les prix y sont inférieurs à ceux du petit commerce. On peut donc se demander – au moins en ce qui concerne l'alimentation – si le succès de cette grève ne s'est pas finalement retourné contre le petit commerce alimentaire.

17. Assises de l'UDR à Nantes avec beaucoup de jeunes participants. Grande froideur à l'égard de G. Pompidou. Le Congrès fait une ovation à M. Debré et à J. Chaban-Delmas, ce dernier ayant déclaré au *Point* quelques jours avant : « Je me prépare, car je pense avoir à un moment ou à un autre un rôle à jouer ».

22. V. Giscard d'Estaing est contraint « d'aménager » la taxation des prix alimentaires annoncée par P. Messmer trois semaines avant. C'est donc un échec pour le gouvernement et l'on apprend qu'en octobre les prix ont augmenté de 1,1 %. Mais la souplesse de V. Giscard d'Estaing lui épargne l'hostilité des petits commerçants, ce qui lui sera profitable quelques mois plus tard.

26. Donnant les résultats d'une enquête SOFRES, *Le Figaro* titre : « La France bascule dans le pessimisme. » En effet, 63 % des personnes interrogées pensent que les choses « ont tendance à aller plus mal ». Ce même jour paraît *Hommes libres,* souvenirs d'A. Conte qui est un réquisitoire « contre la République des brouillards ». F. Giroud dans *L'Express :* « s'il y avait un gouvernement, le moment ne serait pas mal choisi pour gouverner ». F. Mitterrand : « La France n'est pas gouvernée ». Silence du gouvernement.

♦ *Décembre.* 4. Découverte de micros dans les bureaux du *Canard enchaîné.* Les sources d'informations du journal satirique intriguaient visiblement le gouvernement. Cette violation de la liberté de l'information scandalise les milieux journalistiques. P. Viansson-Ponté demande à R. Marcellin de s'en aller. P. Messmer et A. Sanguinetti laissent entendre que l'affaire a été montée par *Le canard enchaîné* lui-même.

5. P. Messmer à la télévision annonce qu'en 1974 « Nous aurons à nous battre contre un monstre à deux têtes : le chômage et la vie chère ».

14. Très violente déclaration de R. Marcellin à l'Assemblée, qui reprend ses thèmes habituels (complot, subversion, etc.). Il donne l'impression de ne plus se maîtriser.

13/14. Débat très confus à la Commission des affaires sociales, qui tente d'élaborer le projet de loi sur l'avortement formellement promis par le gouvernement. Le texte gouvernemental apparaît trop restrictif à la gauche, trop libéral à une partie de la majorité. Au cours du débat qui se déroule le 13 décembre à l'Assemblée, J. Taittinger, ministre de la Justice, soutient le projet. J. Foyer affirme que « l'avortement est un fléau social ». P. Messmer et V. Giscard d'Estaing accordent la liberté de vote à leur groupe respectif. Par 255 voix contre 212, l'Assemblée décide le renvoi en Commission du projet. Donc, la loi de 1920 est toujours théoriquement exécutoire, et c'est un nouvel échec pour le gouvernement qui avait promis sa révision.

15. R. Barrillon dans *Le Monde :* « Peut-on dire que le pouvoir pompidolien n'est pas à prendre mais à ramasser? ».

16. F. Mitterrand : « Notre pays est aux mains d'une équipe affolée mais ceux qui ont le pouvoir se retrouveront lorsqu'il s'agira de frapper. »

17. *Le Point* titre : « Messmer doit partir ». G. Suffert écrit : « qu'il ne fait pas le poids ». On avance deux hypothèses : cette attaque est inspirée par les partisans de J. Chaban-Delmas ou (*La Nation* le dit explicitement) par le grand patronat hostile à la participation.

20. Entretien télévisé, G. Pompidou – J. M. Cavada : le président renouvelle sa confiance à P. Messmer.

31. Adressant ses vœux à la nation, G. Pompidou constate : « L'année 73 s'achève dans une atmosphère moins sereine. Les perspectives sont plus sévères. »

Champ économique et social

★ *Janvier.* 4. Loi prévoyant l'attribution d'actions au personnel des banques et compagnies d'Assurances nationalisées.

10. Accord Renault ratifié par les syndicats : pré-retraite possible à 62 ans.

13. J.A. Tramoni, meurtrier de P. Overney, est condamné à quatre ans de prison.

★ *Février.* 3. Manifeste signé de 331 médecins déclarant pratiquer l'avortement.

20. Début de la grève des aiguilleurs du ciel CFTC.

★ *Mars.* 5. Collision de deux avions espagnols que les aiguilleurs du ciel toujours en grève imputent à l'incompétence des militaires.

15. Abandon du plan Clément Marot (remplacement des aiguilleurs du ciel civils par les militaires).

20. Reprise du travail par les aiguilleurs du ciel.

21. Grève de 400 OS émigrés aux presses de Renault à Boulogne.

29. 7.000 ouvriers de Renault sont mis en chômage technique.

★ *Avril.* 5. Révolte à la prison Saint-Paul de Lyon.

11. Reprise du travail des OS de Renault et début du mouvement « anticadence ».

15. Tension chez Lip. L'usine est occupée le 12 juin. Le 31 juillet, le tribunal de commerce de Besançon ordonne la cessation d'exploitation

17. Renault ferme les usines de Flins et Sandouville.

Fin avril. Le conflit Renault semble se terminer par la victoire de la Direction.

★ *Mai.* 1er. Défilé maoïste le matin; défilé PCF-PS-CGT-CFDT-FEN-UNEF l'après-midi et un peu plus tard défilé PSU-Ligue com.-L.O. et mouvements régionalistes.

★ *Juin.* 3. A Grasse, des travailleurs émigrés sont attaqués par une partie de la population soutenue par la police.

★ *Août.* 1ᵉʳ. J. Charbonnel présente un plan de réorganisation pour Lip : trois sociétés autonomes seront créées, 500 licenciements.

2. Paye sauvage.

7. Arrivée de H. Giraud, médiateur nommé par le gouvernement.

14. Les forces de police investissent Lip; 10 000 manifestants à Besançon, dont la municipalité met un local à la disposition des grévistes.

16. Meeting de solidarité à Paris CGT, CFDT, FEN, PCF, PS, PSU. Le conflit Lip devient « l'affaire Lip. »

28. Pendant que se poursuivent les négociations avec A. Giraud, mise en route d'un atelier clandestin de montage.

26. 50 000 manifestants au Larzac contre le projet d'extension du camp militaire.

31. Nouvelle paye sauvage.

★ *Septembre.* 29. Marche nationale sur Besançon pour soutenir « les Lip ».

★ *Octobre.* 9. Rupture des pourparlers entre A. Giraud et les Lip. La CFDT veut le réemploi de tous les salariés, la CGT estime qu'il faut transiger. E. Maire, qui conseille la modération, est désavoué par Ch. Piaget.

23. La police perquisitionne à Palante, QG des grévistes. Immédiatement, l'unité syndicale se ressoude. Vingt livres sont publiés ou annoncés sur « l'affaire Lip ». Les presses soviétique et chinoise mentionnent le conflit. A. Bergeron (FO) dénonce « le syndicalisme de cinéma. »– Aux élections professionnelles au « joint français », la CGT gagne 60 voix et la CFDT en perd 30, ce qui surprend.

★ *Novembre.* S'ébauchent de nouveaux plans pour « sauver Lip ».

21/23. Colloque Fontanet pour préparer la réforme du secondaire. Aucun consensus ne s'en dégage.

★ *Décembre.* 5. P. Messmer à la télévision expose ses mesures anti-inflationnistes et déconseille la grève.

6. Grève générale contre la vie chère organisée par CGT-CFDT-FEN. Imposants défilés dans toute la France. On scande « Messmer c'est raté, on passera à la télé, Messmer, c'est raté, on est tous au défilé » – Chez Lip, J. Bidegain élabore une solution possible.

14. Quatre morts et 22 blessés dans l'attentat perpétré contre le consulat d'Algérie à Marseille. Les crimes contre les émigrés se multiplient à Marseille et dans la région parisienne.

27. La loi Royer, outre ses dispositions protégeant le petit commerce contre la concurrence des grandes surfaces, porte atteinte au principe de la scolarité obligatoire jusqu'à 16 ans qui est effectif depuis 1972. En effet, les enfants sortant de la classe de 5ᵉ ont la possibilité de suivre un enseignement alterné : lorsqu'ils sont âgés de 15 et de 16 ans, ils font des stages en milieu professionnel tout en continuant à suivre certains cours en milieu scolaire et en restant placés sous la surveillance de l'Éducation nationale. Le gouvernement a justifié cette disposition en montrant que les enfants issus de cette filière trouvaient facilement un emploi compte-tenu de leurs compétences concrètes. La gauche a protesté en remarquant que les enfants qui participaient à cet enseignement alterné étaient comme par hasard ceux qui étaient socialement pénalisés, ce qui contribuait à perpétuer la reproduction des inégalités sociales par le système scolaire.

Augmentation du PNB 6,2 %.

Augmentation de la production industrielle de 9 %, des prix de détail de 8,5 %, des salaires de 15 à 16 %, du pouvoir d'achat de 6,5 %.

La balance commerciale reste équilibrée.

Champ culturel

▶ *Prix littéraires* – Goncourt : *L'ogre* (J. Chessex)
Renaudot : *La terrasse des Bernardini* (S. Prou)
Fémina : *Juan Maldonne* (M. Dard)
Médicis : *Paysage de fantaisie* (T. Duvert)
Interallié : *Monsieur le Consul* (L. Bodard)

▶ *Littérature* – Best-sellers : *Le taxi mauve* (M. Déon), *Le temps qui reste* (J. Daniel) et *Ça suffit* (J. Ferniot), *Science et bonheur des hommes* (L. Leprince-Ringuet). H. Charrière avec *Banco* ne retrouve pas le succès de son *Papillon*. La Chine est à la mode : elle fascine et elle inquiète. L'extraordinaire succès du livre d'A. Peyrefitte *Quand la Chine s'éveillera*, écrit au retour d'un voyage de quelques semaines en Chine mais avec les conseils de sinologues éminents, souligne l'originalité du « modèle chinois » mais insiste sur sa spécificité qui le rend inexportable en Europe occidentale. Cl. Manceron publie *Les vingt ans du Roi,* premier tome d'une suite (*Les hommes de la liberté*) qui exprime une approche originale de la période révolutionnaire : en s'appuyant sur les archives (c'est donc un travail scientifique), l'auteur étudie les biographies de personnes célèbres ou obscures qui ont vécu avant et/ou pendant la Révolution française.

▶ *Théâtre* – En dehors du *Métro-fantôme,* de Le Roi Jones et d'*Isma* de N. Sarraute, il n'y a pas de créations originales. La Comédie française reprend le *Richard III* de W. Shakespeare, et le théâtre national de l'Odéon l'*Antigone* de Sophocle.

Les succès du théâtre de boulevard sont : *La cage aux folles* de J. Poiret, *Le plus heureux des trois* de E. Labiche, *Les quatre vérités* (M. Aymé), *Les amants terribles* (N. Coward)

Le théâtre érotique tente de se faire sa place. Un journaliste constate : « Rive droite, rive gauche, c'est le sexe sur scène. Mais la chair y est triste et prétentieuse ».

▶ *Cinéma* – A. Robbe-Grillet : *Glissements progressifs du plaisir*
M. Ferreri : *La grande bouffe*
J. Eustache : *La maman et la putain*
F. Truffaut : *La nuit américaine*
Y. Boisset : *R.A.S.* (film très politique sur et contre la guerre d'Algérie)
Cl. Chabrol : *Les noces rouges* (utilisation d'un fait divers intelligente et commerciale)
P. Thomas : *Les zozos* (qui exprime la nostalgie des années 60 dans un style néo-réaliste)
Y. Robert : *Le grand blond avec une chaussure noire*
R. Polanski : *Quoi*
P. Newman : *L'effet des rayons gamma sur les marguerites*
G. Cukor : *Voyage avec ma tante*
J. Losey : *Maison de poupée*
L. Visconti : *Le crépuscule des dieux*
M. Lebo : *La villegatura*
M. Bellochio : *Au nom du père*
F. Rosi : *Lucky Luciano*
B. Arcand : *Réjeanne Padovani* (film canadien qui dénonce entre les milieux d'affaire les milieux politiques et la police dans l'état du Québec)
I. Bergman : *Cris et chuchotements.*

Le cinéma suisse continue à passionner surtout les cinéphiles avec *Le retour d'Afrique* de A. Tanner et *L'invitation* de Cl. Goretta.

Dans Paris et la région parisienne, 109 films pornographiques totalisent 3 780 000 entrées (non compris *Le dernier tango à Paris* qui bénéficie d'un alibi culturel). Sont programmés 36 films karatés et 39 westerns spaghetti.

Très tôt certains auteurs de cinéma voulurent dégager le cinéma muet de l'influence du roman. Ce fut, par exemple, la réaction surréaliste de L. Bunuel contre « le typhus sentimental et les bacilles naturalistes ». Ce fut en 1928 l'expérimentation par S.M. Eisenstein dans *Octobre* d'un film libéré de tout l'héritage dramatique et psychologique « devenu passablement suspect ». Les *Glissements progressifs du plaisir,* quel que soit le jugement « esthétique » que l'on porte sur ce film, permettent de saisir la démarche convergente du roman et du cinéma contemporain et, dans le cas cité, d'un romancier devenu metteur en scène. A. Robbe-Grillet, après M. Proust et J. Joyce, dans le roman d'abord, dans le film ensuite, substitue au récit d'une histoire, l'histoire de ce récit. Déjà avec Resnais dans *L'année dernière à Marienbad* et comme A. Resnais dans *Muriel* ou M. Antonioni dans *Blow up* il affirme avec d'autres que le refus des significations conditionne désormais aussi bien l'écriture du roman que l'écriture filmique. On peut même penser (et ils nous incitent à le faire) que si A. Robbe-Grillet et Marguerite Duras abandonnent le roman pour le film, c'est parce qu'ils veulent trouver dans les techniques de prises de vue et de son, la possibilité d'enregistrer la présence du monde dans l'absence de sens. Le montage intervient alors pour rappeler l'illusion de sens supportée par l'image. Cette dernière devient le produit du montage et non l'inverse. La signification n'intervient plus dans les images mais dans l'organisation structurale qui les relie : peut être est-ce là « la cinécriture » définie par la dialectique du montage dans laquelle S. Eisenstein, « le Léonard de Vinci du Cinéma » voyait un moyen de lutter contre l'inférence du roman traditionnel.

▶ *Télévision* – Apparition de la troisième chaîne. Principaux feuilletons : *L'éducation sentimentale,* adaptation de M. Cravenne et F.R. Bastide avec J.P. Léaud et F. Fabian. Le feuilleton américain *Colombo* avec P. Falk atteint l'indice de satisfaction de 77, *La porteuse de pain* remporte un succès presqu'égal.

▶ *Peinture et Expositions* – Dans les musées officiels, l'*École de Fontainebleau, J. Dubuffet* au Grand Palais; Sculptures africaines, *Soutine* à l'Orangerie, *K. Malevitch, A. Magnelli, O. Zadkine, La peinture anglaise aujourd'hui* au Musée d'Art Moderne; *Les trésors de l'art chinois* au Petit Palais; Les autoportraits de *G. Courbet* au Louvre; *Cinq siècles d'imagerie française* au Musée national des Arts et Traditions populaires (un des plus beaux musées de la région parisienne).

▶ *Musique et danse* – En janvier, R. Liebermann prend ses fonctions d'administrateur de la réunion des théâtres lyriques nationaux. A l'Opéra, *Les noces de Figaro,* direction G. Solti; *Moïse et Aaron,* de A. Schönberg. *Orphée et Eurydice,* de C.W. Gluck, dirigé par le chorégraphe G. Balanchine, remporte un très grand succès.

▶ *Variétés* – Les chanteurs régionalistes sont célébrés comme « de nouveaux troubadours » et remportent des succès à Paris. A Bobino, *G. Brassens* obtient un triomphe de trois mois (125 000 spectateurs). *M. Polnareff* passe deux fois en une même année à l'Olympia. Sheila et Ringo se marient.

▶ *Vie quotidienne et faits divers* – Importance des affaires de fraudes fiscales. Après une longue détention préventive, E. Dega est mis en liberté provisoire tout en restant sous le coup de trente-trois inculpations. Sur plainte de la Direction générale des impôts, le chanteur Cl. François est accusé d'avoir dissimulé près de deux millions de francs.

La France continue à détenir le record mondial de la mortalité routière avec 8,5 tués pour 100 millions de km parcourus contre 6,6 en RFA et 3 aux États-Unis. Pendant le seul week-end de Pâques, il y a 144 morts et 4 210 blessés. En dehors des fautes des conducteurs, le rapport d'un expert met directement en cause les responsabilités du corps des ingénieurs des Ponts et Chaussées dans les accidents de la route. Un comité interministériel élabore un plan anti-accidents. La vogue de la moto se confirme avec l'apparition des motos tout terrain. La Fiat 126 remplace la Fiat 500. Le 1er février à Saint-Amand-les-Eaux (Nord), à la tombée de la nuit, un cycliste gêne un camion citerne qui se renverse : 18 000 l. de propane explosent. Il y a sept morts – F. Cevert le champion automobile qui trouvera peu après une mort accidentelle est célébré comme un héros des temps modernes.

Deux faits divers posent des problèmes politiques : « l'affaire » de Bruay-en-Artois (Le notaire Maître P. Leroy est-il soupçonné parce que riche? Est-il relaxé parce qu'issu de « la classe dirigeante »? Le juge H. Pascal a-t-il raison ou tort de vouloir révéler au grand jour le fonctionnement de la justice?) – « La révolte des orphelins » : dans deux orphelinats, à Meudon et à Auteuil, des médecins et des laboratoires testaient sur les pensionnaires des produits cosmétiques.

En juin, le Salon Aéronautique voit le Concorde voler et son concurrent le Tupolev 144 s'écraser sur Goussainville.

Au stade de Colombes, au mois d'août, rassemblement de 60 000 témoins de Jéhovah.

Les tours de la Défense et celles du Front de Seine continuent à susciter de vives polémiques.

1974

Champ politique

♦ *Janvier.* 4. Recevant les vœux du corps diplomatique, G. Pompidou déclare : « Nous sommes entrés dans l'ère des incertitudes. Peut-être est-ce l'occasion de comprendre que la destruction systématique de tous les cadres, qu'ils soient religieux, social, national, familial, ne mène et ne peut mener qu'à la table rase à partir de laquelle il est bien vain d'imaginer de nouvelles perspectives. »

23. La gauche dépose une motion de censure contre la politique économique du gouvernement.

26. La motion de censure est repoussée : elle ne recueille que 208 voix (dont 28 des réformateurs) au lieu des 246 nécessaires à son adoption.

31. Le gouvernement dissout quatre mouvements autonomistes.

♦ *Février.* 1er. P. Messmer annonce la création d'une « délégation à l'information », ce qui inquiète les journalistes.

4. Marceau Long fait connaître son projet de décentralisation de l'ORTF.

7. Communiqué de la Présidence de la République annonçant que G. Pompidou est atteint « d'une infection grippale ». Commentaire de P. Viansson-Ponté : « La fatigue du Président, la transparence du Premier Ministre, l'impatience des candidats, une majorité toute bruissante de rumeurs, de manœuvres, d'hypothèses, une presse qui en est le reflet. Tel est, au moment où la crise exigerait que l'imagination soit au pouvoir, l'état de la société politique. »

14. Le Front de Libération de la Bretagne fait sauter le pylône de l'émetteur de l'ORTF à Roc Trédudon.

20. A. Sanguinetti : « La question d'élection présidentielle ne se pose pas ».

26. Le projet de loi Fontanet est remis aux différents conseils consultatifs.

27. Le matin, démission du ministère Messmer. A 18 heures, P. Messmer est chargé de former le nouveau gouvernement.

28. La conférence des présidents d'universités approuve le projet Fontanet.

♦ *Mars.* 1er. Formation du troisième cabinet Messmer.

Premier Ministre : P. Messmer (UDR).
Ministres d'État : *Justice :* J. Taittinger (UDR) – *Économie et Finances :* V. Giscard d'Estaing (RI) – *Aménagement du territoire, équipement et transports :* O. Guichard (UDR).
Ministres : *Affaires étrangères :* M. Jobert – *Intérieur :* J. Chirac (UDR) – *Armées :* R. Galley (UDR) – *Éducation nationale :* J. Fontanet (CDP) – *Agriculture et développement rural :* R. Marcellin (RI) – *Affaires culturelles et environnement :* A. Peyrefitte (UDR) – *Industrie, commerce et artisanat :* Y. Guéna (UDR) – *Relations avec le Parlement :* H. Germain (UDR) – *Travail, emploi, population :* G. Gorse (UDR) – *Santé publique et Sécurité sociale :* M. Poniatowski (RI) – *PTT :* J. Royer (non inscrit) – *Information :* J.Ph. Lecat (UDR).

Secrétaires d'État : *Auprès du Premier Ministre chargé des Tom-Dom* : J. Comiti (UDR) – *Auprès du Premier Ministre chargé de la Fonction publique* : Ch. Poncelet (UDR) – *Auprès du Ministre de l'Économie et des Finances, chargé du budget* : H. Torre (UDR) – *Auprès du Ministre de l'Aménagement du territoire, chargé du logement* : Ch. Bonnet (RI) – *Auprès du Ministre de l'Aménagement du territoire, chargé des transports* : A. Achille-Fould (CDP) – *Auprès du Ministre des Affaires étrangères* : J. de Lipkowski (UDR) – *Auprès du Ministre des Armées, chargé des anciens combattants et victimes de la Guerre* : A. Bord (UDR) – *Auprès du Ministre de l'Éducation nationale, chargé de la jeunesse et des sports* : P. Mazeaud (UDR) – *Auprès du Ministre de l'Éducation nationale* : J. Limouzy (UDR) – *Agriculture et développement rural* : X. Deniau (UDR) – *Relations avec le Parlement* : O. Stirn (UDR) – *Auprès des affaires culturelles et de l'environnement, chargé de l'environnement* : P. Dijoud (RI) – *Santé publique et Sécurité sociale* : Mlle M.M. Dienesch (apparentée UDR).

Commentaire de R. Barillon dans *Le Monde* : « Le petit Robert définit les simagrées comme une petite comédie destinée à tromper. »

8. Hôte à déjeuner de *La revue des Deux Mondes,* V. Giscard d'Estaing déclare : « Je lis parfois dans la presse, et notamment récemment, que je nourris telle ou telle ambition (...) ma véritable ambition ce serait une ambition littéraire. Si j'avais la certitude de pouvoir écrire en quelques mois ou en quelques années l'équivalent de l'œuvre de Maupassant ou de Flaubert, il est hors de doute que c'est vers cette sorte d'activité qu'avec joie je me tournerais. » P. Messmer inaugure l'aéroport Charles de Gaulle.

25. On apprend que le voyage de G. Pompidou au Japon est ajourné sine die. J. Chirac : « Mes préoccupations, croyez-le bien, n'ont rien d'électoral ». *La Nation* : « C'est toujours le Président qui décide et il vaudrait mieux que tant de spéculations et de supputations cessent. »

27. Le conseil des Ministres approuve le projet Fontanet. Trois directions de la Police et de la DST changent de titulaires. Mouvement préfectoral portant sur vingt postes.

♦ *Avril.* 1er. Devant les instances de direction de l'UDR, M. Debré déclare : « La seule hypothèse de travail dans laquelle nous devons nous placer est celle du Président de la République allant jusqu'au bout de son mandat. »

2. Décès de G. Pompidou à 21 heures.

3. Le Conseil Constitutionnel, conformément à l'article 7 de la Constitution, déclare la vacance de la présidence de la République et confie à A. Poher, Président du Sénat, l'intérim. F. Mitterrand, Premier Secrétaire du PS : « L'heure est à la réflexion et au recueillement. » A. Sanguinetti, Secrétaire Général de l'UDR : « Après le départ du Général de Gaulle, une majorité de Françaises et de Français a permis à G. Pompidou de continuer l'œuvre de redressement entreprise par la Ve République. En ces heures tragiques où la disparition brutale du Chef de l'État émeut les Français et ajoute aux graves périls du moment, l'intérêt national commande le maintien et l'extension de ce grand rassemblement qui a tant fait pour la France depuis seize ans. » La presse rappelle ce jugement du Général de Gaulle (in *Mémoires d'espoir*) : « Bien que son intelligence et sa culture le mettent à la hauteur de toutes les idées, il est porté par nature à considérer surtout le côté pratique des choses. Tout en révérant l'éclat dans l'action, le risque dans l'entreprise, l'audace dans l'autorité, il incline vers les attitudes prudentes et les démarches réservées, excellant d'ailleurs dans chaque cas à en embrasser les données et à dégager une issue (...). Il se saisit des problèmes en usant suivant l'occasion de la faculté de comprendre et de la tendance à douter, du talent d'exposer et du goût de se taire, du désir de résoudre et de l'art de temporiser qui sont les ressources variées de sa personnalité. »

Le médiateur A. Pinay rend public son premier rapport annuel où il écrit en conclusion : « Ce qu'on peut dire et il faut y insister c'est que, si quelque chose de grave se passe dans l'administration, le médiateur n'en a pas eu connaissance. »

4. Obsèques du Président défunt. Déclaration de candidature de J. Chaban-Delmas,

E. Faure, Ch. Fouchet, J.M. Le Pen et Arlette Laguillier. Le PC se déclare « décidé à tout faire pour parvenir à une candidature commune de la gauche ».

6. J. Chaban-Delmas reçoit l'appui de P. Messmer et de J. Duhamel.

8. V. Giscard d'Estaing annonce sa candidature et lance un appel « aux électeurs UDR, RI, centristes, réformateurs, pour créer une nouvelle majorité présidentielle élargie. » F. Mitterrand sera le candidat unique de la gauche. A. Krivine annonce sa candidature. Le comité central et les parlementaires UDR font de J. Chaban-Delmas « le seul héritier du gaullisme capable de battre la gauche. »

9. P. Messmer se propose comme candidat unique de la majorité si J. Chaban-Delmas et V. Giscard d'Estaing se retirent. Devant le maintien de V. Giscard d'Estaing et de J. Chaban-Delmas, P. Messmer fait savoir qu'il ne sera pas candidat. R. Dumont annonce sa candidature, son but étant « de proposer aux Français un certain nombre d'idées qui sans cela seraient passées sous silence pendant la campagne qui s'annonce. »

10. J. Lecanuet, président du CD annonce son soutien à V. Giscard d'Estaing.

11. J. Royer annonce sa candidature et démissionne de son poste de ministre des PTT alors que V. Giscard d'Estaing a décidé de conserver ses fonctions gouvernementales. F. Mitterrand a déjà reçu le soutien du PC, de la CGT, de la CFDT et la FEN.

13. A l'instigation de J. Chirac, ministre de l'Intérieur UDR soutenu par J.Ph. Lecat, J. Taittinger et O. Stirn, est lancé un appel dit « des 43 » (Les quatre personnalités précitées et trente-neuf députés) rédigé avec une extrême subtilité et qui, au nom de l'union de la majorité, apparaît comme une invitation à soutenir V. Giscard d'Estaing, seul capable de battre F. Mitterrand qui viendra sûrement en tête au premier tour. Bien entendu, cela n'est pas dit explicitement, mais personne ne se trompe sur le sens précis de cet appel à savoir que J. Chaban-Delmas, s'il venait en seconde position au premier tour, n'aurait pas un prestige national le mettant en position de vaincre le candidat unique de la gauche au second tour.

15. Ch. Fouchet se retire au profit de J. Chaban-Delmas.

18. Le Conseil Constitutionnel rend publique la liste des douze candidats officiellement retenus : J. Chaban-Delmas, R. Dumont, V. Giscard d'Estaing, G. Héraud (professeur de droit à la Faculté de Pau, candidat du Parti Fédéraliste Européen), A. Krivine (Front communiste révolutionnaire), Arlette Laguillier (Lutte ouvrière), J.M. Le Pen (Front national), F. Mitterrand, E. Muller (Mouvement démocrate socialiste de France), B. Renouvin (Nouvelle action française), J. Royer, J.C. Sebag (avocat au barreau d'Aix, candidat du Mouvement Fédéraliste Européen).

19. Ouverture officielle de la campagne. Sanguinetti : « Le succès de Giscard au premier tour entraînera celui de F. Mitterrand au deuxième tour. »

20. P. Messmer confirme son soutien à J. Chaban-Delmas.
Devant une salle houleuse, J. Royer présente son programme à Nantes : « Je suis contre l'avortement, je le dirai partout (...). Je suis contre l'information sexuelle de masse qui déflore l'acte d'amour (...). Je suis pour la maîtrise masculine car, par la maîtrise du corps, l'homme dépasse l'animalité. »

21. M. Poniatowski : « Il convient d'opposer un candidat sans fragilité à M. Mitterrand ».

22. O. Guichard proteste contre ces propos de M. Poniatowski.
Débat à Radio Monte-Carlo entre A.Peyrefitte et G. Marchais qui déclare que si la gauche arrive au pouvoir : « Au mieux les communistes auront dans ce gouvernement, s'il comprend 20, 21 ministres, 6 ou 7 ministres. Ils seront minoritaires. Par conséquent il n'y a pas de risque pour que demain les communistes établissent leur hégémonie. »

23. V. Giscard d'Estaing rend public son plan social : priorité absolue de l'aide aux personnes âgées, généralisation de l'assurance maladie, projet de loi sur les handicapés, sécurité de la femme et de la famille, sécurité de l'emploi, « association plus active des travailleurs à l'organisation de leur travail », meilleure information des cadres dans l'entreprise, abaissement de l'âge de la retraite, etc.

25. Face-à-face V. Giscard d'Estaing-F. Mitterrand sur les ondes d'Europe 1. 100 000 personnes au meeting unitaire de la gauche à Paris. Soulèvement militaire au Portugal : début de la « révolution des œillets ».

26. M. Jobert appelle à voter pour J. Chaban-Delmas.

29. Un sondage révèle que V. Giscard d'Estaing accentue fortement son avance sur J. Chaban-Delmas qui déclare : « M. Giscard d'Estaing nous conduirait à un retour à la IVᵉ République ».

♦ *Mai*. 1ᵉʳ. Plus de 20 000 militants d'extrême-gauche défilent le matin dans Paris. Dans leur campagne télévisée, A. Laguillier et surtout A. Krivine n'ont cessé d'attaquer F. Mitterrand. L'après-midi, à La Courneuve, CGT, CFDT et FEN rassemblent plus de 100 000 personnes en présence des délégations des partis de gauche qui soutiennent F. Mitterrand.

5. Premier tour des élections présidentielles. Il n'y a que 15,67 % d'abstentions. Sur 25 321 685 suffrages exprimés, les résultats sont les suivants :

Candidats	Suffrages exprimés	% des suffrages exprimés
F. Mitterrand	10 979 612	43,36 %
V. Giscard d'Estaing	8 296 883	32,76 %
J. Chaban-Delmas	3 739 895	14,76 %
J. Royer	810 142	3,20 %
A. Laguillier	594 120	2,35 %
R. Dumont	337 190	1,33 %
J.M. Le Pen	190 326	0,75 %
E. Muller	176 025	0,69 %
A. Krivine	93 662	0,37 %
B. Renouvin	43 344	0,17 %
J.C. Sebag	41 578	0,16 %
G. Héraud	18 908	0,07 %

6. F. Mitterrand estime que « la victoire est à porté de la main ». L'UDR et le CDP apportent leur soutien à V. Giscard d'Estaing.

7. Soutien de Royer à V. Giscard d'Estaing. Soutien d'A. Laguillier et d'A. Krivine à F. Mitterrand.

8. Le Bureau politique du PCF proteste contre la visite que l'ambassadeur soviétique a rendue la veille à V. Giscard d'Estaing. M. Jobert apporte son soutien à V. Giscard d'Estaing.

10. Face-à-face V. Giscard d'Estaing-Mitterrand à la télévision. Il dure deux heures. On estime à trente millions le nombre de téléspectateurs qui le regardent. Un sondage IFOP du 9 mai annonçait les intentions de vote suivantes : Mitterrand 50 %-Giscard 50 %. Un sondage SOFRES du 11 mai donne 48,5 % des intentions de vote pour Mitterrand et 51,5 % pour Giscard. On peut donc penser que ce face-à-face « historique » a déplacé des voix. On peut cependant en douter puisqu'un sondage SOFRES du 14 mai donne à nouveau 50 % des intentions de vote pour chacun des candidats.

14. J.J. Servan-Schreiber se rallie à la candidature de V. Giscard d'Estaing.

16. Meeting en faveur de V. Giscard d'Estaing au Parc des Expositions : 100 000 personnes. Présence de P. Messmer, J. Royer, J. Chirac, A. Sanguinetti et J. Lecanuet.

19. V. Giscard d'Estaing est élu Président de la République par 50,81 % des suffra-

ges exprimés (13 396 203 voix) contre 49,19 % (12 971 604 voix) pour F. Mitterrand. Il n'y a que 12,66 % d'abstentions.

27. Installation de V. Giscard d'Estaing à l'Élysée : « De ce jour date une ère nouvelle de la politique française (...). C'est moi qui conduirai le changement mais je ne le conduirai pas seul (...). Parce que j'écoute et j'entends encore l'immense rumeur du peuple français qui nous a demandé le changement. Nous ferons ce changement avec lui, pour lui, tel qu'il est dans son nombre et sa diversité, et nous le conduirons en particulier avec sa jeunesse qui porte comme des torches la gaîté et l'avenir. » J. Chirac est nommé Premier Ministre.

28. Formation du ministère Chirac.

Premier Ministre : J. Chirac (UDR).
Ministre d'Etat et ministre de l'Intérieur : M. Poniatowski (RI).
Ministres : *Justice :* J. Lecanuet (Réformateur) – *Défense nationale :* J. Soufflet (UDR) – *Affaires étrangères :* J. Sauvagnargues – *Économie et Finances :* J.P. Fourcade – *Éducation :* R. Haby – *Coopération :* P. Abelin (Réformateur) – *Équipement :* R. Galley (UDR) – *Agriculture :* Ch. Bonnet (RI) – *Qualité de la vie :* A. Jarrot (UDR) – *Travail :* M. Durafour (Réformateur) – *Santé :* Mme S. Veil – *Industrie :* M. d'Ornano (RI) – *Commerce et artisanat :* V. Ansquer (UDR) – *Réformes :* J.J. Servan-Schreiber (Réformateur).
Secrétaires d'Etat autonomes : *Anciens combattants :* A. Bord (UDR) – *PTT :* P. Lelong (CDP) – *Transports :* M. Cavaillet (apparenté RI) – *Culture :* M. Guy – *Commerce extérieur :* N. Segard (apparenté UDR) – *Universités :* J.P. Soisson (RI) – *Tom-Dom :* O. Stirn (UDR).
Secrétaires d'Etat auprès du Premier Ministre : *Relations avec le Parlement :* R. Tomasini (UDR) – *Fonction publique :* R. Poudonson (Réformateur) – *Formation professionnelle :* P. Granet (apparenté UDR) – *Porte-parole du gouvernement :* A. Rossi (Réformateur).
Secrétaires d'Etat auprès d'un ministre : *Auprès du Garde des Sceaux, chargé de la condition pénitentiaire :* Mme H. Dorlhac – *Auprès du ministre de l'Éducation, chargée de l'enseignement pré-scolaire :* Mme A. Lesur – *Auprès du ministre des Affaires étrangères :* B. Destremeau (RI) – *Auprès du ministre de l'Économie et des Finances, chargé du budget :* Ch. Poncelet (UDR) – *Auprès du ministre de l'Équipement, chargé du logement :* J. Barrot (PDM) – *Auprès du ministre du Travail, chargé des travailleurs immigrés :* A. Postel-Vinay – *Auprès du ministre de la Santé, chargé de l'action sociale :* R. Lenoir – *Auprès du ministre de la Qualité de la vie, chargé de l'environnement :* G. Perronet (Réformateur); *chargé de la jeunesse et des sports :* P. Mazeaud (UDR); *chargé du tourisme :* G. Ducray (RI).

J.J. Servan-Schreiber « est démissionné » une semaine après et le ministère de la Réforme est supprimé. A. Postel-Vinay n'ayant pu obtenir des crédits suffisants pour le logement des immigrés démissionne le 22 juillet et est remplacé au secrétariat d'Etat aux Travailleurs immigrés par P. Dijoud.

29. Premier conseil des Ministres où V. Giscard d'Estaing annonce des mesures libérales : suppression des écoutes téléphoniques, développement du droit d'asile politique, etc.

30. Message de V. Giscard d'Estaing au Parlement : continuité de la politique extérieure gaulliste; il n'y aura pas d'élections législatives anticipées.

◆ *Juin.* 5. Déclaration de politique générale du gouvernement Chirac. Quatre points essentiels : l'indépendance nationale demeure « l'objectif intangible », l'union européenne sera réalisée avant 1980, l'âge du droit de vote sera abaissé, les plus-values résultant de l'inflation seront stérilisées.

6. Le gouvernement Chirac obtient la confiance par 297 voix contre 181.

8/9. Réunion du Comité Central de l'UDR qui décide de préparer son rajeunissement doctrinal et son renouvellement structurel. A. Fanton demande que l'UDR « cesse d'être le Musée Grévin du gaullisme ».

10. Le conseil des Ministres se prononce pour l'abaissement à 18 ans de la majorité électorale.

12. J. Chirac reçoit G. Séguy et E. Maire afin d'entendre leur point de vue sur les mesures sociales à prendre. Le conseil des ministres décide un important mouvement de personnel à la tête du ministère des Finances et à la Banque de France où le gouver-

neur O. Wormser est remplacé par B. Clappier. Important mouvement préfectoral concernant 21 postes.

13. Election du Président du Conseil de Paris Y. Milhoud (CDP), grâce aux voix UDR (abstention des RI et des centristes qui appuyaient la candidature de J. Dominati, président sortant.)

17. Déclaration de G. Marchais : « Notre but c'est le socialisme (...) mais nous irons au socialisme quand la majorité du peuple en décidera par la voix du suffrage universel (...). Il n'y a pas actuellement une majorité en France pour le socialisme. »

19. Adoption par le conseil des Ministres d'un plan social qui comprend des mesures immédiates (SMIC porté à plus de 1 200 F; allocations familiales majorées de 12 %; allocations minimales aux personnes âgées majorées de 21 %; pensions et retraites majorées de 6,7 %) et des mesures à long terme portant « sur le licenciement, l'emploi des jeunes, les conditions de travail, la réforme de l'entreprise et les conditions d'existence ». V. Giscard d'Estaing à la télévision : « La réforme conduite dans la liberté est sans doute le meilleur chemin pour la justice. »

♦ *Juillet.* 3. La réforme de l'ORTF est décidée en conseil des Ministres : fin de la centralisation de l'office; établissement d'un système concurrentiel entre les trois chaînes; le service technique de la diffusion sera confié à un organisme public d'Etat; les moyens de production seront rassemblés dans une société à capital public.

12. Les signataires de « l'appel des 100 » (demandant une amélioration des conditions de vie des soldats du contingent) sont mutés ou mis aux arrêts.

14. Le défilé traditionnel a lieu de la Bastille à la République, V. Giscard d'Estaing voulant renouer avec « la gaîté populaire ».

16. F. Giroud, qui avait invité à voter Mitterrand au deuxième tour, est nommée secrétaire d'Etat chargée de la condition féminine.

17. Nomination du comité chargé de la réforme de l'entreprise, présidé par P. Sudreau.

25. L'Assemblée, réunie en session extraordinaire, adopte par 290 voix contre 183 le projet de loi réorganisant la radiodiffusion et la télévision (éclatement de l'ORTF en sept établissements autonomes). Dans une « réunion de presse » V. Giscard d'Estaing déclare : « Notre objectif est d'être toujours en avance sur l'événement ».

30. R. Haby annonce l'abandon du projet Fontanet et la mise au point d'un nouveau projet de loi d'orientation.

♦ *Août.* 8. J. Chirac à Radio Monte-Carlo : « Le gouvernement actuel est vraiment un des meilleurs que nous ayons eus (...). Il n'y aura pas de crise économique française, n'en déplaise à M. Séguy. »

10. A la suite d'une agitation extrêmement vive et meurtrière dans les prisons, V. Giscard d'Estaing effectue une visite surprise dans deux prisons de Lyon et s'entretient avec des détenus.

18. Fête au Larzac. F. Mitterrand est pris à parti. Lettre de soutien de Mgr Ménager aux paysans du Larzac : « Si elle doit surgir, la résistance est dans l'âme d'un peuple. L'expérience de la non-violence (...) ouvre un chemin dans cette direction. »

19. M. Poniatowski rejette préventivement sur « les groupes et groupuscules qui ont pour doctrine essentielle le désordre » la responsabilité de troubler « une oasis de calme et de paix. » Dans une interview au *Point,* R. Chinaud (RI) déclare : « Les grandes centrales syndicales sont en situation de monopole, c'est intolérable. »

30. Parution du dernier numéro du journal *Combat* à la suite du décès de son directeur H. Smadja.

♦ *Septembre.* 10. Manifestation de 200 appelés du XIXᵉ régiment d'artillerie de Draguignan, ayant pour but d'appuyer l'appel des 100 et de protester contre le racisme dont seraient victimes les appelés antillais.

19. J. Chirac à France-Inter : « La France est le seul pays à ne pas être touché par la crise. »

22. Élections sénatoriales portant sur 88 sièges : PCF + 2, PS + 2, Radicaux de gauche – 1, divers gauche + 1, Réformateurs + 4, CDP + 2, UDR – 3, RI – 4, modérés apparentés à la majorité – 3.

30. Élections législatives partielles : P. Messmer et O. Guichard sont réélus, mais quatre anciens ministres du gouvernement Messmer sont en ballotage : H. Torre, Y. Guéna, J.Ph. Lecat, J. Fontanet. Ces ballotages indiquent qu'une importante fraction de l'électorat réformateur n'a pas définitivement opté pour la majorité.

♦ *Octobre.* 6. Au deuxième tour de ces législatives partielles, H. Torre et Y. Guéna sont réélus, J. Fontanet est battu par un socialiste et J.Ph. Lecat par un radical de gauche ce qui exprime un succès pour la gauche non communiste qui mord sur l'électorat centriste. A l'issue du conseil national du PSU, M. Rocard et les partisans d'un regroupement avec le PS, quittent la direction du PSU parce qu'ils sont désavoués par le conseil national.

21. Approbation par le Congrès réuni à Versailles (Assemblée nationale et Sénat) par 488 voix contre 273 du projet de réforme du Conseil Constitutionnel qui prévoit que 60 députés ou sénateurs pourront saisir sur la constitutionnalité des lois ledit Conseil.

24/25. Congrès du PCF qui insiste sur la nécessité de consolider l'union de la gauche tout en dénonçant « toute démarche qui participe aux tentatives de réduire l'influence du PCF ».

29. M. Poniatowski au Sénat : « Le PC est un parti totalitaire de caractère fascisant. »

♦ *Novembre.* 13. Poursuite de la polémique PCF-PS relative aux législatives partielles. Constatant le développement des mouvements sociaux le bureau exécutif du PS juge « inacceptable » toute division de la gauche et laisse le PC « devant la responsabilité qu'il a prise » – Adoption par le conseil des Ministres du projet de loi sur l'interruption volontaire de grossesse. C'est un adversaire déclaré de la libéralisation de l'avortement, A. Bolo (UDR), qui a été élu rapporteur du texte à l'Assemblée par la commission des affaires culturelles, familiales et sociales.

25. V. Giscard d'Estaing à la télévision : « Le gouvernement fera le nécessaire à temps pour vous protéger du chômage. Il en a la volonté et il en a les moyens. »

29. La loi sur l'interruption volontaire de la grossesse est adoptée par l'Assemblée par 284 voix contre 189, grâce au concours des députés de l'opposition : en effet, seuls 99 sur les 291 députés de la majorité l'ont votée.

♦ *Décembre.* 4/7. Rencontre Brejnev-Giscard à Rambouillet.

12. Arrivée de V. Giscard d'Esstaing aux Antilles. Il s'engage : « à faire disparaître les séquelles du colonialisme. »

14/15. Conseil national de l'UDR. Démission d'A. Sanguinetti, élection surprise au secrétariat général de J. Chirac. J. Chaban-Delmas parle de « coup de force ».

22. Référendum aux Comores : Oui à l'indépendance 94,56 %; non 5,44 %. Mais à Mayotte, le non l'emporte par 63,82 % contre 36,18 % oui.

31. Présentant ses vœux à la Nation, Giscard annonce qu'il ira périodiquement dîner dans une famille française.

Champ économique et social

★ *Janvier.* Dans tous les pays du monde, hausse des prix due à la crise pétrolière – Multiplication des attentats contre les travailleurs immigrés. L'indifférence de la majorité des ouvriers français devant le racisme apparaît « tout simplement suicidaire à plus ou moins long terme » aux yeux de J. Dauphinet dans une libre opinion du *Monde.*

16. Divergence P. Messmer-J. Charbonnel à propos de la mission de « Neuschwander dans l'affaire Lip. P. Messmer déplore la position prise par J. Charbonnel qui a donné à cette affaire la caution gouvernementale.

19. Le gouvernement décide de laisser flotter le franc pendant six mois. Il perd aussitôt entre 2 et 5 % et la Banque de France doit vendre massivement des dollars à Paris et à Londres pour enrayer sa baisse.

23. Incendies criminels dans trois magasins Prisunic.

29. L'assemblée générale des salariés de Lip approuve le protocole conclu entre J. Bidegain et les représentants syndicaux. Ch. Piaget : « Nous avons obtenu le maximum de ce qui était possible ». Cet accord met fin à un conflit qui a duré 9 mois et 12 jours. Ce conflit est interprété soit comme un conflit classique exprimant la volonté des travailleurs de ne pas payer la note d'une mauvaise gestion dont ils ne sont pas responsables, soit comme le début de la révolution autogestionnaire.

★ *Février.* Grève tournante au Crédit Lyonnais. La hausse des prix atteint 1,7 % pour le seul mois de janvier.

★ *Mars.* 7. Après l'intervention des forces de l'ordre, les syndicats décident une grève illimitée à la Banque de France. Compromis en fin de journée mais appel à la grève générale dans les banques nationalisées.

8. Plus de 15 000 lycéens et étudiants manifestent contre le projet Fontanet. Nombreux établissements en grève.

11. Scènes de violence à Paris, à l'issue d'une manifestation de protestation contre l'exécution de Salvadore Puig Autich. Les incidents ont lieu après l'ordre de dispersion. « Rouge » y voit la main de provocateurs alors que les anarchistes dénoncent les « flics chefaillons du service d'ordre de Rouge ».

12. 8 000 personnes manifestent à La Courneuve pour soutenir les grévistes de chez Rateau.

13. Grèves et manifestations se multiplient contre la loi Fontanet. Embarras de la FEN où le SNES est hostile au projet alors que le SNI lui est favorable.

14. CGT-CFDT-CFTC de l'EGF décident une grève pour le 21 mars pour une augmentation immédiate des salaires. Nombreuses manifestations dans toute la France contre la loi Fontanet. ˉ

15. Importante manifestation des employés de banque dans Paris.

19. Les revendications salariales s'étendent à tout le secteur nationalisé.

21. Grève de l'EGF – Manifestation des élèves du technique contre la loi Fontanet – Le gouvernement fait connaître son plan de lutte contre l'inflation : blocage du pouvoir d'achat des salariés, majoration du deuxième tiers provisionnel, ajournement de la hausse des tarifs publics. La CFDT parle de « véritable déclaration de guerre ».

22. Début des vacances de Pâques. Fin de l'agitation lycéenne – Nombreux conflits sociaux : les grévistes des banques en appellent à V. Giscard d'Estaing. Les négociations se poursuivent chez Rateau – Troisième semaine de grève chez Grundig, 9 000 ouvriers sont lockoutés par la direction des Chantiers de l'Atlantique à Saint-Nazaire.

28. Nouvelle manifestation des employés de banque à Paris.

★ *Avril.* 1ᵉʳ Échec des négociations chez Rateau après consultation de la base – Dans les banques, les fédérations CGT-CFDT-CFTC-FO et CGC se sont rendues à l'association professionnelle des banques pour obtenir la réouverture de négociations paritaires. – A Cherbourg, la direction des Constructions Mécaniques de Normandie a licencié 260 personnes à la suite d'une grève qui durait depuis quinze jours.

2. Grèves tournantes aux Chantiers de l'Atlantique.

4. Négociations rompues entre syndicats et direction aux Chantiers de l'Atlantique. Grève des étudiants en droit de Nanterre.

9. Cinq grands hôtels parisiens sont « mis en panne » par leur personnel : les revendications sont d'ordre salarial. Grève des navigants d'Air France. Fin de la grève des étudiants de Nanterre. Le mouvement de grève dans le secteur bancaire semble en voie de résorption.

11. L'accord entre la direction de l'entreprise et les syndicats a été approuvé par la base aux Chantiers de l'Atlantique.

16. L'activité redevient normale dans l'ensemble des banques grâce à des accords particuliers signés dans chaque banque.

17. Reprise des vols à Air France. A Air Inter, le personnel au sol continue la grève.

19. Fin de la grève du personnel au sol d'Air Inter.

29. Deux importants conflits qui se prolongeaient, l'un depuis le 1ᵉʳ février aux Usines Rateau, l'autre depuis le 1ᵉʳ mars à Senne-Trigano en Loire-Atlantique, viennent de se terminer par des accords largement favorables aux salariés.

★ *Mai.* 9. Après six semaines de chômage forcé, la Bourse reprend son activité – Grève des ouvriers de la chaussure pour protester contre le manque d'emploi d'ouvriers licenciés.

17. Grèves aux Aciéries du Furan à Saint-Étienne employant 460 salariés, la plupart ouvriers nord-africains.

29. Première manifestation importante depuis l'élection présidentielle : 8 000 instituteurs manifestent à l'appel du SNI pour protester contre une politique de l'éducation nationale « malthusienne et rétrograde ».

30. Déclenchement du conflit à l'ORTF.

★ *Juin.* 1ᵉʳ. Après deux mois de grève, les 170 salariés de l'Usine Hexa-Limbourg à Marseille, mise une semaine plus tôt en règlement judiciaire, ont repris le travail. A l'exemple de Lip le personnel de l'entreprise organise lui-même la production.

8/9. 2 000 femmes militantes ou sympathisantes du MLF se mettent en grève.

12. Mise en place d'un plan de « refroidissement » de l'inflation : forte majoration des impôts sur le revenu des particuliers et le bénéfice des entreprises; mesures pour économiser l'énergie; dispositifs visant à ralentir les importations; crédit légèrement renchéri; épargne mieux rémunérée.

12/16. Série de consultations entre le Premier ministre et les représentants des principaux syndicats.

13. Grève administrative des assistants en droit et science économique d'une vingtaine d'UER à Paris et en province, appuyée par le SNE-Sup et le syndicat général de l'éducation nationale CFDT.

17. Après un accident qui a coûté la vie à un jeune ouvrier, les 400 fondeurs d'Usinor-Dunkerque refusent de reprendre le travail; la direction a riposté par un lock-out affectant 1 700 personnes.

21. La grève générale des techniciens de l'ORTF se poursuit et le conflit a pris une dimension nouvelle avec l'entrée du syndicat CGT dans le mouvement. Désormais la démarche des syndicats s'étend au fond du problème : l'avenir de l'ORTF.

24. Le principe d'une grève générale à l'ORTF est accepté par le personnel.

25. A Usinor-Dunkerque, les fondeurs ont voté la poursuite de leur mouvement pour « la sécurité du travail » – Michelin et Peugeot entreprennent le regroupement de leurs activités automobiles.

28. Les fondeurs d'Usinor-Dunkerque ont voté la reprise du travail.

★ *Juillet.* 5. 3 000 personnes ont défilé dans les rues d'Annonay afin de protester contre la fermeture des usines des Tanneries Françaises Réunies.

9. Le désarmement du *France* est annoncé pour octobre. Il entraînerait le licenciement d'environ 2 000 personnes. Le syndicat des marins CGT lance un mot d'ordre de protestation et de grève.

18. Importantes manifestations paysannes. Elles se poursuivront durant tout l'été en France.

19. Mutinerie à la prison de Clairvaux : deux morts-quinze blessés. L'agitation s'étendra les jours suivants à de nombreux établissements pénitentiaires.

23. Les syndicats d'enseignement affiliés à la FEN, à la CFDT, et à la CGT ont annoncé qu'ils quittaient les groupes de travail rassemblant les experts et des usagers que le ministre de l'Éducation nationale avait réunis en vue de la réforme de l'enseignement.

29. J. Lecanuet met en place « des missions d'urgence » qui apporteront leur soutien et leur conseil au personnel pénitentiaire.

★ *Août.* 1er. Persistance de l'agitation paysanne – Rogne des PMI – Dépôt de bilan de Titan Coder, première entreprise industrielle de Marseille – Développement de la crise pénitentiaire : un détenu tué à Saint-Martin-en-Ré. La grève des surveillants s'étend.

3. Des voitures piégées explosent devant *L'Aurore, Minute,* le Fond social Juif unifié – Début de la reprise du travail dans plusieurs établissements pénitentiaires.

18. Selon l'INSEE, 1 563 entreprises du bâtiment ont été mises en faillite, liquidation ou règlement judiciaire au cours des cinq premiers mois de 1974, soit une augmentation de l'ordre de 40 % par rapport à la même époque en 1973.

22. Violente bagarre à Rochefort entre partisans de G. Nicoud et de E. Leclerc : plusieurs blessés. A la suite de ces incidents, E. Leclerc déclare : « Des actions plus directes seront entreprises si la loi Royer n'est pas abrogée. »

28. Aboutissement des négociations entre G. Nicoud, Président de la Caisse d'Assurance maladie des non-salariés et le ministre du Travail : l'État prêtera 150 millions de francs à la CANAM pour combler son déficit, le montant des cotisations deviendra proportionnel aux revenus.

30. A l'approche de la réunion de Bruxelles et de la réunion de Paris, les organisations professionnelles agricoles haussent le ton et M. Debatisse, Président de la FNSEA, annonce que le monde agricole est prêt à « une violence sans précédent » – De nouvelles bagarres éclatent autour du centre Leclerc de Rochefort. Mise sous scellés du centre Leclerc de la ville.

★ *Septembre.* 12. Occupation par l'équipage et immobilisation devant le port du Havre du paquebot *France.*

13. Plus de 3 000 ouvriers de la SNIAS occupent la piste principale de Toulouse-Blagnac pour obtenir la suspension de transfert autoritaire du personnel.

16. Les agriculteurs manifestent dans toute l'Europe des Neuf, pour obtenir le relèvement de leurs prix de vente – Après la mise en liquidation de Titan-Coder, entraînant le licenciement collectif de 2 700 personnes, le personnel des trois usines du groupe occupe les locaux appuyé par la CGT-CFDT et CGC.

18. Plusieurs manifestations d'enseignants à Paris et en province pour protester contre le chômage des maîtres auxiliaires embauchés en 1973-1974 et non réembauchés à la rentrée universitaire.

20. Les syndicats CGT-CFDT-FO et CGC de Titan-Coder organisent deux manifestations l'une à Marseille, l'autre à Paris, pour la défense des 2 700 salariés licenciés.

27. Après seize jours d'occupation, des négociations s'engagent entre le secrétaire général de la Marine marchande et les différents syndicats pour discuter de l'avenir du *France* – Détenue depuis deux jours par les salariés, deux directeurs de la SNIAS ont été libérés sur intervention de la police. Le mouvement est suspendu.

★ *Octobre.* 4. Tandis que les conflits sociaux portant sur la défense de l'emploi sont chaque jour plus nombreux, la CGT appelle à un mouvement de protestation « contre la désinvolture gouvernementale ». La CGT propose aux autres syndicats (y compris la FEN et FO) le lancement d'« une action unitaire » qui pourrait aboutir d'ici un mois à une journée nationale revendicative avec arrêt de travail.

6. Le centre de tri des PTT Paris-Brune, qui compte 1 500 salariés, s'est mis en grève par brigade successive. Les grévistes dénoncent la mise sur pied par une société privée d'un nouveau système de tri manuel.

8. Début d'une grève illimitée à l'ORTF.

9. Le projet de « taxe conjoncturelle » est adopté au conseil des ministres.

12. 38e jour de la grève de la faim de huit harkis enfermés dans une crypte de l'église de la Madeleine à Paris.

14. Accord conclu entre le CNPF et l'ensemble des organisations syndicales assurant à tous les salariés privés d'emploi pour raison économique et qui sont affiliés à l'UNEDIC, le versement d'une indemnité égale à 90 % du salaire brut pour une période maximum d'un an. Série de grèves tournantes dans l'enseignement.

18. Fin du mouvement des grèves tournantes par académie organisé par la FEN. 4 000 chefs de PMI se sont rassemblés au Pavillon Baltard à l'appel de la CGPME. Ils réclament un assouplissement de l'encadrement du crédit et rejettent la taxe conjoncturelle. Ils menacent de fermer leurs usines le 25 novembre si l'appel n'est pas entendu.

22. La grève des employés des postes s'étend à toute la France; ces mouvements motivés par des revendications portant sur les conditions du travail, les salaires et les effectifs présentent la particularité de ne pas être précédés de préavis et s'accompagnent parfois d'occupation des locaux.

25. Des négociations s'engagent aux PTT.

27. Suspension des négociations aux PTT – Après le licenciement de M. Siegel (Europe 1), plusieurs journalistes décident de quitter la station.

30. Grève des mineurs de Lorraine à l'appel des syndicats suivie à 80 % – Les négociations reprennent aux PTT, tandis que la grève continue de s'étendre suivie par près de 80 % du personnel de tri et par 50 % des préposés et agents des bureaux de poste.

31. Les dirigeants CGT-CFDT-FEN ont lancé un appel « au développement et à la généralisation de l'action » – Le gouvernement annonce son intention de préparer un plan de titularisation des auxiliaires de la fonction publique.

★ *Novembre.* 5. Grève à la SNCF à l'appel des syndicats; arrêt de travail d'une demi-journée à l'EGF; grève limitée au dépôt d'autobus d'Ivry à la RATP; grève toujours largement suivie aux PTT; en revanche, malgré la consigne de poursuite de grève, on enregistre une certaine tendance à la reprise du travail aux Houillères de Lorraine – 20 000 personnes se sont rassemblées à La Bastille à l'appel des unions régionales parisiennes de la CGT, CFDT, FEN pour réclamer des mesures efficaces contre la politique d'austérité, le chômage et l'augmentation des prix.

8. Nouvel indice du ralentissement économique : la société Rhône-Poulenc Textile vient d'annoncer des mesures de chômage technique de 15 jours à un mois qui toucheront 21 000 salariés en décembre et janvier – A l'appel des fédérations CGT-CFDT, nouvelle manifestation de 10 000 salariés du secteur public, rue de Rivoli, pour réclamer de véritables négociations. Trafic SNCF perturbé; PTT : quelques reprises locales, mais la grève se poursuit – A l'appel du comité interconfédéral de coordination de l'artisanat, plusieurs milliers d'artisans manifestent un peu partout en France.

10/11. Suspension du mouvement de grève à la SNCF – Reprise du travail dans quelques secteurs des PTT.

12/15. Série d'arrêts de travail : le 12, fonction publique; le 13, secteur du livre, non parution des quotidiens; les 14 et 15, EDF – Intervention des forces de l'ordre à Lille, Montpellier, Toulouse pour assurer l'accès à leur service des postiers qui désirent travailler.

15. Manifestation organisée par la CGT, CFDT, FEN en province et à Paris pour protester contre l'intervention de la police dans les centres de tri PTT.

18. *Le Parisien Libéré* et *L'Équipe,* appartenant au groupe de presse L. Amaury, ne paraissent plus jusqu'à nouvel ordre – Devant l'extension des grèves, 500 chefs de PMI manifestent dans les rues de Saint-Étienne.

19. Grève nationale de 24 heures à l'initiative de la CGT, CFDT et FEN pour la défense des « libertés syndicales et du droit de grève ». Dans les services publics la grève a été suivie à 52 % à l'EGF, 40 % à la RATP, de 60 à 80 % dans l'enseignement. Dans le secteur privé, elle a été beaucoup moins suivie et les débrayages ont rarement dépassé plus de trois heures. La plus grande manifestation syndicale depuis mai 68 à Paris : 65 000 participants selon la Préfecture de Police, 400 000 selon les syndicats, plus de 100 000 suivant les estimations du *Monde.*

21. Relative détente après la grève nationale du 19 : trafic normal à la SNCF, discussion engagée à Paris avec le personnel des services de voirie; discussion prévue à la fonction publique et à l'EGF. Seuls les PTT restent paralysés : 90 % des agents de tri parisiens sont toujours en grève.

22. Après la proposition écrite du Premier ministre de reprise du dialogue, les dirigeants CGT-CFDT répondent par une demande d'ouverture immédiate des négociations.

25. P. Lelong n'envisage de nouvelles négociations avec les PTT qu'après cessation de la grève – Début, avec la publication du rapport de la commission de répartition des personnels ORTF, des grèves qui vont perturber jusqu'à la fin de l'année la diffusion normale des programmes.

26. Alors que se déroulait la journée d'action dans la fonction publique, à l'appel des syndicats, plusieurs milliers de postiers en grève ont participé à un meeting commun de la CGT, CFDT et FNT (autonome) à la Bourse du Travail.

★ *Décembre.* 2. Fin de la grève des postes – Application de l'accord syndicats-CNPF sur la garantie des ressources aux chômeurs – Restructuration de l'industrie automobile : Peugeot prend le contrôle de Citroën.

12. La détérioration de la situation de l'emploi est confirmée par les statistiques de novembre : 689 200 demandes d'emploi non satisfaites, soit une augmentation de 51 % en un an – Journée d'action « pour la défense de l'emploi et l'amélioration des conditions de vie », à l'appel de la CGT-CFDT. Elle connaît peu d'ampleur. A Paris, le défilé de l'Opéra à la République n'a réuni qu'une dizaine de milliers de personnes – R. Henry est élu secrétaire général de la FEN, succédant à J. Marangé.

14. Les journalistes ORTF en grève ont décidé de reprendre le travail.

17. Les salariés de Titan-Coder à Marseille ont décidé unilatéralement de reprendre le travail.

20. Négociations PTT : établies sur quatre mois, les retenues des journées de grève ont été ressenties par les employés comme une sorte « de vengeance du secrétariat d'État », d'où leur riposte : des postiers et agents des télécommunications refusent de faire des heures supplémentaires pour les fêtes de fin d'année; certains réduisent considérablement leur cadence de travail, beaucoup s'interdisent de collaborer avec la poste parallèle – Cl. Neuschwander a été nommé PDG de la Sté Européenne d'Horlogerie et d'Équipements Mécaniques (Lip).

27. Catastrophe minière à Liévin : 42 morts, 5 blessés.

Croissance du PNB : 3 %.
Augmentation des salaires : 20 % – Augmentation des prix de détail : 15,2 % – Élévation du pouvoir d'achat des salaires horaires : 4,88 % – Hausse du prix du litre de super-carburant : 35,5 % – Hausse du prix du litre d'essence ordinaire : 31 % – Hausse du prix du fuel domestique : 66 % – Hausse du prix du fuel industriel : 157 %.
Nombre de chômeurs : 700 000.
Dépôts de bilans dans Paris et dans la Seine : + 30 % par rapport à 1973.

Champ culturel

▶ *Prix littéraires* – Goncourt : *La dentellière* (P. Lainé)
　　　　　　　　　Renaudot : *Le voyage à l'étranger* (G. Borgeaud)
　　　　　　　　　Fémina : *L'imprécateur* (R.V. Pilhes)
　　　　　　　　　Médicis : *Porporino ou les mystères de Naples* (D. Fernandez)
　　　　　　　　　Interallié : *Le cap de la gitane* (R. Mauriès)

▶ *Littérature* – Best-sellers : *L'archipel du Goulag* (A. Soljénitsyne), *Monsieur le consul* (L. Bodard). Un certain nombre d'ouvrages à caractère politique connaissent de très forts tirages : *Le défi démocratique* (G. Marchais), plus de 700 000 exemplaires, *La cause des femmes* (Gisèle Halimi), *Lettre ouverte aux femmes* (F. Parturier), *Le bonheur en plus* (F. de Closets), *Les exclus* (R. Lenoir), *Le nœud gordien* (G. Pompidou).

▶ *Théâtre* – Les grands succès du théâtre de boulevard continuent leur carrière : *Le tube* (Fr. Dorin) et *La cage aux folles* (J. Poiret). J.L. Barrault crée sans subvention de l'État le Théâtre d'Orsay où il joue *Harold et Maud* et *Ainsi parlait Zarathoustra*. La Comédie Française reprend *Ondine* de J. Giraudoux avec Isabelle Adjani. P. Brook monte aux Bouffes du Nord une admirable pièce de Shakespeare, rarement représentée : *Timon d'Athènes*.

▶ *Cinéma* – On projette le film de J. Rivette *Out one* dans une version abrégée intitulée *Spectre* qui ne dure que 4 heures 20. Le même metteur en scène commence à atteindre le grand public avec *Céline et Julie vont en bateau.*

        A. Resnais : *Stavisky*
        A. Tavernier : *L'horloger de Saint-Paul*
        M. Drach : *Les violons du bal*
        G. Blain : *Le pélican*
        L. Malle : *Lacombe Lucien*

Le cinéma érotique atteint le grand public en se réclamant d'alibis culturels avec J. Jaeckin, *Emmanuelle* (qui fait 14 386 entrées le premier jour de sa projection le 12 juin, et qui sera le plus grand succès du cinéma français de toute l'après-guerre battant les records d'entrées de *La grande vadrouille*) avec W. Borowscyk, *Les contes immoraux;* avec P.P. Pasolini *Les 1 001 nuits.*

Le succès du film de Cl. Sautet *Vincent, François, Paul et les autres* confirme une fois encore la gloire d'Y. Montand.

Le cinéma à tendances sadiques trouve un public de plus en plus nombreux avec les films de B. Blier, *Les valseuses* et de L. Cavani *Portier de nuit.*

R. Bresson réalise le film de sa vie, *Lancelot du lac,* que ses admirateurs portent aux nues et qui est un échec commercial retentissant.

Malgré un fantastique budget publicitaire, le film de J. Yanne : *Les Chinois à Paris,* reçoit un accueil mitigé.

Sans se renouveler L. Bunuel rencontre un succès certain avec *Le fantôme de la liberté.*

Les vieilles recettes fonctionnent avec succès : C. Pinoteau *La gifle,* Y. Robert *Le retour du grand blond,* A. Cayatte, *Verdict.* Mais Cl. Lelouch, malgré sa ruse et l'importance de son budget, ne remporte pas le triomphe escompté avec *Toute une vie.*

        Lucas : *American graffiti*
        G. Roy Hill : *L'arnaque*
        R. Polanski : *Chinatown*
        F.F. Coppola : *La conversation*
        W. Friedkin : *L'exorciste*
        K. Russel : *Mahler*
        P. Brook : *Le roi Lear*
        F. Fellini : *Amarcord*
        C. Saura : *Ma cousine Angélique*
        A. Tanner : *Le milieu du monde*
        B.V. Effenterre : *Erica Minor*
        A. Kurosawa : *Dodes Kaden*

Nouveau virage aux *Cahiers du cinéma* avec un numéro anti-rétro qui prône « la lisibilité des articles ». La tendance maoïste reste prédominante, mais veut, dans un langage clair, étudier les théories du cinéma et s'attacher à la critique de la culture bourgeoise.

▶ *Télévision* – A l'automne, à une heure de grande écoute, la télévision diffuse quatre émissions de D. Karlin consacrées à l'école orthogénique de Chicago, où le Dr.B. Bettelheim soigne les enfants autistiques.

Chaque jour, à RTL, Ménie Grégoire assistée d'un sexologue conseille les Françaises et Français en difficulté dans son émission *Radio-sexe.* Le sexe passionne visiblement l'opinion publique puisque le premier congrès mondial de sexologie qui se tient à Paris en juillet rassemble plus d'un millier de participants venus de 50 pays. A Europe 1 au *Forum sur la vérité médicale,* Ch. Collange pose la question : « Faut-il dire la vérité à un malade condamné? » 52 % des auditeurs répondent positivement.

▶ *Peinture et Expositions* – Au Musée d'art moderne : *Wols* (Alfred Otto Wolgang Schulze, dit), hyperréalisme et art conceptuel, *E. Munch.* A l'Orangerie : *G. Braque,*

J. Gris. Au grand Palais : *A. Valentin et les Caravagistes français, Le réalisme au XVIIe* *siècle, J. Miro, Centenaire de l'impressionnisme, De L. David à E. Delacroix.* Dans l'ancienne gare de la Bastille convertie en galerie d'exposition se tient le *Salon national d'art contemporain* où le public « averti » ou non peut voir les créations les plus déroutantes de la production actuelle.

▶ *Musique et danse* – Dirigeant l'orchestre de la BBC, P. Boulez donne deux concerts à Paris – Carolyn Carlson est nommée danseuse étoile et chorégraphe à l'Opéra de Paris, où R. Liebermann lui confie la direction d'un groupe de recherche – R. Noureev remporte un grand succès au Palais des Sports et à l'Opéra – Au Palais des Congrès, M. Béjart présente deux ballets inédits : *Golestan* et *Les triomphes de Pétrarque.*

▶ *Variétés* – Récitals de Barbara, G. Béart et L. Ferré. Au Théâtre de la Ville, dont le prix des places a été plafonné à 10 f., M. Le Forestier chante devant des salles combles.

▶ *Vie quotidienne* – Invasion de la mode rétro dans tous les domaines : mode, cinéma etc. Les sociologues se penchent sur ce phénomène et certains l'interprètent comme un refus de l'avenir trop angoissant – Guerre des libraires contre la FNAC qui ouvre en mars un nouveau magasin dont une librairie libre-service qui fait 20 % de réduction sur tous les livres – On étudie un projet de réforme de l'adoption, dont le but est de faciliter la procédure d'adoption : 4 300 enfants sont adoptés chaque année et l'objectif est d'atteindre le chiffre de 100 000 – Le gouvernement lance une grande offensive contre la prostitution – L'agitation lycéenne des années précédentes a mobilisé l'attention des autorités et plusieurs rapports sont rédigés sur les adolescents : *La réalité biologique et la psychologie des adolescents* du Pr. J. Bernard, *Des règles de vie de la communauté scolaire* de F. Goguel. La montée de la violence entraîne un colloque sur l'agressivité, qui voit s'opposer les disciples de K. Lorenz, qui voit en elle une pulsion naturelle, et les tenants d'une étiologie sociale – Une campagne contre l'hypertension est lancée par la Fondation Nationale de Cardiologie – Le problème de la drogue fait régulièrement la une des journaux et on s'intéresse à un certain nombre d'expériences qui ont pour but la réinsertion des drogués dans la vie sociale après la période de sevrage – L'opinion publique se préoccupe de la grande misère des vieillards : le « quatrième âge » devient un problème social. On ferme à l'hôpital Bicêtre certaines salles du service de gérontologie considérées comme un véritable « mouroir » – Un sondage d'Interopinion : « Où les Français vont-ils en vacances? » révèle que 48 % des Français ne partent pas et que cette proportion s'élève à 71 % pour les plus de 65 ans – Pourtant la publicité choisit toujours pour « cible » les jeunes, et les magazines de jeunes multiplient les concours pour augmenter leurs ventes : une lectrice de *Hit Magazine* (mensuel qui tire à 800 000 exemplaires) gagne une Rolls Royce – En septembre, une grenade lancée au milieu de la foule de Saint-Germain-des-Prés fait deux morts et 34 blessés et l'on s'interroge sur les motivations du meurtrier – On se demande quel rôle joue « le milieu » dans le monde des courses : le 9 décembre 1973, le tiercé (bride abattue) entraîne une information judiciaire, le directeur de la brigade des jeux déclarant avoir la preuve que ce tiercé a été truqué.

1975

Champ politique

♦ *Janvier* 2. V. Giscard d'Estaing définit les grands axes de sa politique pour 1975 : réforme de l'entreprise; répartition plus équitable des revenus; réforme du système éducatif, des collectivités locales et de l'administration de la justice.

3. Recevant le Corps diplomatique, Giscard dit que sa politique extérieure sera tournée vers « la conciliation, le dialogue et la paix »

6. Plusieurs milliers de personnes précédées de représentants de la CGT et de la CFDT manifestent leur solidarité avec les trois jeunes appelés jugés à Marseille pour leur participation à la manifestation de Draguignan. Deux sont condamnés à un an de prison (dont 8 mois avec sursis), le troisième est acquitté

13. Manifestation de soldats du contingent dans les rues de Karlsruhe comme à Draguignan, les soldats réclament une amélioration de leur condition de vie et une solde décente

14. G. Marchais est victime d'une crise cardiaque.

16. Le Conseil constitutionnel rejette la requête en annulation de la loi sur l'interruption volontaire de grossesse déposée par 81 députés appartenant pour la plupart à la majorité.

19. Protestant contre cette loi, Mgr F. Marty déclare : « l'avortement est objectivement un mal, une œuvre de mort. » Riposte d'un prêtre de gauche dans *Politique hebdo* : « Non Monseigneur », et il condamne ceux qui « essaient d'imposer aux autres jusque dans leur vie privée des fardeaux qu'eux-mêmes ne remuent que du bout des doigts ».

20. Dans une interview donnée au mensuel de droite *Valeurs actuelles,* le général d'armée aérienne J. Mitterrand (frère de François) dénonce « l'antimilitarisme du XVI° arrondissement ».

22. Déclaration du Général M. Bigeard : « Ce sont essentiellement les enfants de la bourgeoisie qui font profession d'antimilitarisme ».

23. Allocution télévisée de V. Giscard d'Estaing qui parle avec optimisme de la situation économique. Vives protestations des syndicats.

31. Remaniement ministériel : J. Soufflet est remplacé par Y. Bourges (UDR) au ministère de la Défense; P. Lelong est remplacé par A. Achille-Fould (CDP) au secrétariat d'État aux PTT; N. Segard (apparenté UDR), de secrétaire d'Etat devient ministre du Commerce extérieur; le Général M. Bigeard est nommé secrétaire d'État à la Défense nationale, chargé de la condition militaire et du service national; X. Deniau est nommé au secrétariat d'État à l'Agriculture.

♦ *Février.* 2. Après le congrès du PS, F. Mitterrand écarte de la direction du parti l'aile gauche constituée par le CERES. Au Congrès des RI, M. Poniatowski, nouveau président, déclare vouloir faire des RI « le premier parti de France ». Devant le comité central de l'UDR, J. Chirac déclare : « Nous avons la prétention de demeurer le premier parti de la majorité. »

4. A la télévision, M. Poniatowski se plaint « de la clémence des juges », réclame pour la police le droit d'entrer partout y compris « dans les églises et les locaux universitaires », suggère le maintien « de la peine de mort pour un certain nombre de cas déterminés : enlèvements d'otages ou d'enfants si les victimes sont tuées, meurtre de policiers ».

10. Première conférence de presse de G. Marchais sorti de l'hôpital. Il accuse F. Mitterrand d'être « de plus en plus sûr de lui et dominateur ».

18. 150 appelés manifestent dans les rues de Verdun pour protester contre la mort de l'un de leurs camarades écrasé par un char au camp de Sissonne.

22/23. Congrès des « Silencieux de l'Église » qui dénoncent « la dégradation de la foi née de la pastorale actuelle ».

27. En compagnie de P. Dijoud, V. Giscard d'Estaing rend visite à Marseille à des travailleurs immigrés.

♦ *Mars.* 4. Le conseil des Ministres décide l'augmentation de l'allocation quotidienne aux soldats de 2,50 f à 7 f et l'attribution d'un voyage mensuel gratuit.

15/16. Festival de la jeunesse et des étudiants « avec les communistes pour que change la vie ». 500 000 participants (?).

18. Conférence de presse de G. Marchais à Nice : « Il ne faut pas que se crée à gauche un rapport de force qui pourrait permettre aux socialistes de se passer de nous ».

25. Causerie mensuelle de V. Giscard d'Estaing à la télévision : « La France est en train de gagner la bataille contre l'inflation. »

♦ *Avril.* 8. J. Dupuy de Méry crée un « Comité de soutien à l'armée » qui lance « l'appel des 100 000 » où on peut lire : « Exprimez votre solidarité aux soldats qui n'acceptent pas la chienlit en uniforme. Vous devez leur montrer qu'ils ne sont pas les seuls face aux intimidations et aux violences exercées par les soviets des casernes ».

10. A Alger, V. Giscard d'Estaing se félicite « de la réconciliation entre Paris et Alger – L'Assemblée repousse une motion de censure de la gauche dénonçant l'aggravation de la récession économique, la persistance des inégalités sociales et la réinsertion de la France dans plusieurs dispositifs de l'OTAN.

15. Grève de la faim à Notre-Dame de jeunes militants de l'extrême droite, pour attirer l'attention sur le Sud-Vietnam.

17. Chute de Pnom-Penh.

21. Démission de Thieu.

30. Les forces révolutionnaires sont maîtresses de Saïgon, qui devient la « ville Ho Chi Minh ». Commentaire du Président Ford : « C'est la fin d'un chapitre de l'histoire américaine » – Déclaration de F. Giroud à l'Assemblée : « C'est avec une ardente patience que pas à pas nous parviendrons à rendre la condition féminine ni plus ni moins rude que la condition masculine ».

♦ *Mai.* 3. Visite de V. Giscard d'Estaing au Maroc.

3/4. Convention nationale du PS où F. Mitterrand condamne les thèses du CERES qu'il qualifie de « pot pourri communo-gauchiste sans aucune réalité politique ».

6. Parution au JO de trois décrets d'application de la loi Neuwirth (la pilule est libre pour les mineurs; l'ordonnance est valable pour un an). Un sondage IFOP auprès des

femmes de 15 à 50 ans donne les résultats suivants : 93 % estiment souhaitable qu'un couple puisse planifier les naissances; 82 % sont favorables aux méthodes contraceptives; 74 % souhaitent pour leurs enfants une information sur la contraception.

8. Décision présidentielle supprimant les cérémonies de commémoration du 8 mai 1945. Accueil hostile des organisations d'anciens combattants – Les autonomistes corses commémorent par deux attentats à l'explosif la perte de l'indépendance de leur île le 8 mai 1769. Le Front Paysan Corse de Libération déclare : « La lutte de Pascal Paoli continue aujourd'hui contre l'impérialisme français, qui de toute façon sera battu. »

13. M. Poniatowski au Sénat : « La violence ne peut apporter ni la justice, ni la paix sociale. Ce n'est pas de moi que viendront des signes de faiblesse. Devant la déliquescence de l'autorité dans plusieurs pays occidentaux, la France doit donner l'exemple du respect de la loi parce que celle-ci est le rempart de la liberté. »

20/21. Dix attentats par explosif sont commis en Corse.

27. M. Durafour à l'Assemblée : « Le chômage des jeunes, s'il présente des aspects inquiétants, ne doit pas être non plus surévalué. »

♦ *Juin.* 2/3. Soixante prostituées de Lyon occupent l'église Saint-Nizier pour protester contre le comportement de la police. Cette occupation est l'aboutissement de diverses manifestations qui s'étaient déjà succédé avec l'appui des membres lyonnais de l'association « Le nid », organisme de réinsertion des personnes prostituées.

4. L'Assemblée adopte en première lecture, par 381 voix contre 34, le projet de loi réformant le divorce.

10. M. Poniatowski fait évacuer les églises occupées par les prostituées. L'épiscopat publie une note déclarant ne pas s'opposer à l'occupation des églises, mais ne pas cautionner pour autant toutes les revendications « des groupes utilisant ce procédé ».

11. Le gouvernement charge un haut fonctionnaire placé auprès du ministre de la Santé d'examiner les problèmes relatifs à la prostitution.

12. J. Chirac au Havre : « La France, en n'élisant pas F. Mitterrand à la présidence de la République, a échappé à l'un des plus grands drames de son histoire. »

15. Élection législative partielle en Seine-Maritime : victoire du candidat UDR sur le communiste.

17/19. Congrès des APEL évoquant la situation financière désespérée des écoles libres.

21/22. Convention nationale du PS qui adopte les quinze thèses sur l'autogestion élaborées par une commission dirigée par G. Martinet. Visiblement, le PS hésite entre le respect de l'étape « de la démocratie avancée » prévue par le Programme Commun et une stratégie plus révolutionnaire préconisée par le CERES et réclamant une application immédiate de l'autogestion.

26. Les partis signataires du programme commun, la CGT, la CFDT, la FEN manifestent à Paris contre la répression et la violence – Le Père A-M. Carré est élu à l'Académie Française au siège laissé vacant par le décès du P. J. Daniélou.

28. Élection d'A. Bord au secrétariat général de l'UDR en remplacement de J. Chirac démissionnaire qui devient secrétaire général d'honneur.

30. En réaction au vote de la loi sur le divorce, un communiqué de la commission épiscopale de la famille réclame une politique familiale d'ensemble. – Causerie de V. Giscard d'Estaing à la télévision : « Mes chers amis, je voudrais que, pendant vos vacances, vous soyez sans inquiétude. L'inquiétude est un sentiment qui ronge et, c'est un sentiment qui gâche. Or il n'y a pas lieu d'éprouver d'inquiétude en France à l'heure actuelle. »

♦ *Juillet* 4. J.J. Servan-Schreiber quitte la présidence du parti radical où il est remplacé par G. Peronnet, secrétaire d'État chargé de la Fonction publique.

♦ *Août.* 17. J. Chirac en Corrèze : « Nous sommes repartis sur une meilleure voie. Nous apercevons la sortie du tunnel. »

22. Affrontement meurtrier à Aléria en Corse où deux gendarmes mobiles sont tués ainsi qu'un des occupants de la cave vinicole. Échauffourées à Bastia. Arrestation de E. Siméoni, leader de l'ARC (Action pour la renaissance de la Corse).

27. Le gouvernement dissout l'ARC.

28. Nuit d'émeute à Bastia. Dans les jours qui suivent, détente en Corse après la désignation d'un préfet corse, J. Riolacci, qui déclare : « L'idée régionale ne me fait pas peur; je crois qu'on peut aller très loin, mais je me place dans le cadre des lois existantes. » Mgr Thomas, évêque d'Ajaccio, écrit une lettre ouverte au Président de la République.

♦ *Septembre.* 1er. L'ordre de grève lancé par le CAR (Comité anti-répression) est unanimement suivi en Corse.

8. Conférence de presse de J. Chaban-Delmas à Bordeaux : « Je reste disponible. »

12. L'Assemblée approuve par 300 voix contre 182 le plan de soutien de l'économie. Lettre de V. Giscard d'Estaing à J. Chirac : « Je vous demande de tenir compte de la sensibilité particulière de l'âme corse. »

18/19. Cinq attentats en Corse. Le préfet J. Riolacci rend hommage « au sang-froid des forces de l'ordre provoquées par de jeunes voyous ». Le CAR réagit : « Ces événements n'ont pas été l'affaire de quelques voyous mais l'évolution inévitable d'une manifestation populaire visant uniquement les symboles du colonialisme et les exploiteurs de la Corse. »

26. Devant les parlementaires UDR, J. Chirac réfute les thèses régionalistes et déclare que « seuls des rêveurs ou des irresponsables peuvent préconiser des parlements et des exécutifs régionaux élus ».

30. Sur sa demande, R. Fabre est reçu par V. Giscard d'Estaing « dans un climat de courtoisie ».

♦ *Octobre.* 4. Des dizaines de milliers de jeunes manifestent à Paris à l'instigation de la CGT et de la CFDT sur les thèmes du « droit au travail » et « du droit au métier ».

5. Devant le conseil politique du Centre démocrate, J. Lecanuet rappelle l'attachement de son parti « à la personnalité régionale » et admet « l'existence d'un débat au sein de la majorité sur ce point ».

8. Situation tendue entre le PCF et le PS au sujet de la situation confuse qui règne au Portugal, où les communistes approuvent la contre-offensive des forces populaires et dénoncent le virage à droite du nouveau gouvernement.

12. Élection législative partielle dans la Vienne : P. Abelin, ministre de la Coopération, ne retrouve pas son siège au Premier tour (il obtient 49,41 % des voix). Il est élu au deuxième tour le 19 octobre, l'emportant avec 52,60 % des suffrages exprimés sur Mme E. Cresson, membre du secrétariat national du PS. Cette élection apporte deux enseignements : la majorité est en perte de vitesse par rapport aux élections de mars 1973; le PS progresse considérablement au détriment du candidat communiste, qui a perdu près de deux points au premier tour. Depuis les élections de mars 1973, c'est la septième élection partielle où le PS devance le PC.

23/30. L'Assemblée plénière de l'Épiscopat élit Mgr R. Etchegaray, archevêque de Marseille, président de la conférence épiscopale, et Mgr G. Matagrin, évêque de Grenoble, vice-président.

♦ *Novembre.* 5. Annonce de la création d'une section syndicale par les appelés d'un régiment de Besançon en accord avec la CFDT locale. Enquête de la sécurité militaire. La gauche traditionnelle, à l'exception du PSU, désapprouve cette création.

6/8. Voyage de V. Giscard d'Estaing en Tunisie.

20. Décès du Général Franco.

26/29. Voyage aux États-Unis de F. Mitterrand qui rencontre H. Kissinger.

27. Ouverture d'une information judiciaire par la Cour de sûreté de l'État pour démoralisation de l'armée (art. 84 du Code pénal). Dix-sept soldats sont inculpés et incarcérés ainsi que le secrétaire départemental CFDT de la Gironde. Déclaration du général M. Bigeard : « La création d'un syndicat dans l'armée est un acte illégal et impensable ».

28/30. Congrès du parti radical : victoire de G. Peronnet sur F. Giroud et les partisans de J.J. Servan-Schreiber.

♦ *Décembre.* 4. Allocution télévisée de V. Giscard d'Estaing : il confirme que la France sera gouvernée au centre et conclut en affirmant que « la main tient la barre ».

20/26. Voyage de J. Chirac en Martinique, Guadeloupe et Guyane.

23. Visite de R. Galley au Tchad : le sort de Mme Claustre qui a, à un moment, passionné l'opinion publique, reste toujours en suspens.

31. A la sortie du conseil des Ministres, S. Veil déclare : « L'évolution de la société, loin d'affaiblir la famille, la réhabilite (...). La famille a acquis et conserve en France plus qu'en tout autre pays peut-être une place centrale dans la vie et les préoccupations des Français ». Elle annonce une série de nouvelles mesures en faveur de la famille.
– V. Giscard d'Estaing présente, en compagnie de son épouse, ses vœux aux Français.

Champ économique et social

Alors que l'année politique a été relativement calme, 1975 est caractérisée par la dramatisation de la crise, la persistance de l'inflation et la montée du chômage qui atteint un volume que la France n'avait jamais connu, même pendant la grande dépression.

★ *Janvier.* 1er. Annonce d'une série de mesures : augmentation du plafond de la Sécurité sociale de 18,5 %; majoration de 6,3 % des pensions pour plus de trois millions de personnes âgées; droit à la retraite à 60 ans pour environ 170 000 anciens combattants; extension à 300 000 familles (notamment de travailleurs immigrés) de l'allocation maternité appelée désormais « allocation postnatale ».

7/8. Grève de 48 heures au centre de tri postal d'Avignon.

9. J.P. Fourcade confirme ses objectifs pour 1975 : croissance économique de 4 %; hausse des prix limitée à 8 %; poursuite dela baisse du taux de l'intérêt.

18. De nombreux dirigeants de sociétés pétrolières sont convoqués chez le juge d'instruction après l'inculpation du Président de BP-France pour entente illicite.

24. Le mois de janvier a été marqué par une série de manifestations de solidarité avec des immigrés faisant la grève de la faim pour protester contre leurs conditions de vie et de travail et pour contester certaines dispositions des circulaires Marcellin et Fontanet, signées au début de 1972 et que le Conseil d'État a finalement annulées le 13 janvier. Le 24 janvier la police expulse les grévistes de la faim qui occupaient différentes églises par solidarité avec les travailleurs immigrés.

29. Grève de certains étudiants des IUT qui demandent : 1. la reconnaissance, dans les conventions collectives, des diplômes universitaires de technologie; 2. la possibilité de poursuivre leurs études en deuxième cycle d'université.

31. Rhône-Poulenc-Textile ferme un atelier de 800 personnes.

28 / 2 *février.* Le Conseil central de Planification fixe les grandes lignes de la politique énergétique de la France : maintien de la production de charbon à son niveau actuel; accroissement de la production électrique d'origine nucléaire qui passera de 3 % en 1975 à 25 % en 1985.

★ *Février.* Le Parlement vote un projet de loi relative à l'enseignement, défendue par R. Haby. Les amendements ayant pratiquement vidé la loi de son contenu, R. Haby (tenant sans doute compte de la malheureuse expérience de son prédécesseur, J. Fontanet, dont le grand projet de réforme avorta) renonce au combat parlementaire et, par petits pas successifs, utilisant arrêtés, décrets et circulaires, fait avancer son projet.

Le principe général de la réforme qui suscite l'approbation des traditionalistes et la violente contestation de la plupart des syndicats d'enseignants, est l'enseignement à deux vitesses. *Dès l'école maternelle,* où se fait l'acquisition des mécanismes de base, on peut déboucher plus ou moins vite sur le cycle élémentaire.

L'enseignement primaire envisage l'accélération « encore qu'à titre exceptionnel » pour les enfants ayant acquis des connaissances suffisantes. On renonce donc à imposer à tous un parcours identique, en s'efforçant d'adapter les rythmes scolaires aux capacités individuelles.

Au niveau de l'*enseignement secondaire* sont organisés des cursus distincts. Dans le *cycle commun* du début du secondaire (soit 6e et 5e) les bons élèves peuvent prétendre à un approfondissement », les plus faibles à un « soutien ». Ces derniers pourront constituer « des groupes à effectifs réduits afin de bénéficier d'un programme allégé. » L'intention du ministre est visiblement généreuse : ne pas faire perdre leur temps aux élèves « doués », soutenir par un plus grand nombre d'heures de cours les élèves socialement pénalisés. Mais les risques sont grands, sinon certains de voir se reproduire le phénomène des classes de transition. Dans le cycle commun « approfondi » se trouveront tout naturellement les bons élèves issus de milieux favorisés; dans le cycle commun de « soutien » se retrouveront les enfants issus des milieux modestes qui seront marginalisés par une institution dont le but est précisément de les démarginaliser. C'est un mécanisme que nous avons déjà rencontré.

Dans le *cycle d'orientation* (4e et 3e) la discrimination se confirme avec l'apparition de bancs d'essais professionnels et de stages d'initiation et de pré-apprentissage dans des centres de formation d'apprentis ou dans les entreprises pour les enfants qui progressent à petite vitesse.

Au niveau du *second cycle* les élèves seront soit dans des lycées professionnels, soit dans des lycées d'enseignement général, dans lesquels dès la seconde et la première le quart du temps sera consacré à des options largement éventaillées qui rendront donc très difficiles d'ultérieures réorientations. La terminale sera totalement optionnelle. Au terme de leurs scolarité, les élèves des lycées (professionnels ou d'enseignement général) seront donc préparés à s'insérer dans la hiérarchie universitaire à trois niveaux : IUT, universités, grandes écoles.

La réforme prévoit également des modifications dans la pondération des disciplines : la philosophie est avancée en première et son programme est réduit. Les horaires d'histoire et de géographie sont également allégés, et ces deux disciplines sont intégrées dans un ensemble dénommé : « sciences économiques et humaines ».

Un des buts de la réforme est de professionnaliser l'enseignement secondaire et de permettre aux élèves de trouver plus facilement un emploi. Elle évite la brutale coupure entre enseignement secondaire du second cycle et le premier cycle de l'enseignement supérieur. Elle prétend respecter les « capacités » de chaque individu.

Mais outre les véhémentes protestations catégorielles des professeurs qui estiment leurs disciplines sacrifiées (philosophie, histoire), elle tend à perpétuer les deux réseaux PP (primaire-professionnel) et SS (secondaire-supérieur) le premier réservé aux fils d'ouvriers, le second aux enfants de la moyenne et grosse bourgeoisie. Dans les tableaux qui suivent, on pourra lire en effet les conclusions de l'enquête longitudinale INED qui conclut formellement à la corrélation entre les enfants dits « doués » et d'origine sociale à haut niveau culturel.

9. 400 savants et chercheurs lancent un appel à la population pour « refuser l'installation des centrales nucléaires ». Ils affirment que, dans l'état actuel de la technique, la sécurité n'est pas totale. Les écologistes se mobilisent sur ce thème.

21. Protestant contre le traditionalisme de l'Ordre des Médecins, 600 d'entre eux réclament sa suppression et déclarent qu'ils cesseront désormais de payer leurs cotisations obligatoires.

27. On connaît les résultats des élections aux Chambres des Métiers qui sont des organismes départementaux représentant les artisans. Les organisations traditionnelles d'artisans, regroupées en une « union professionnelle artisanale », remportent 69,7 % des sièges (80,2 % en 1971 lors des précédentes élections); le CID-UNATI a 29,8 % des sièges (contre 18,7 % en 1971). Le succès du CID-UNATI est donc incontestable, mais ce n'est pas le raz-de-marée que certains espéraient et que d'autres redoutaient.

★ *Mars.* Pendant tout le mois, l'agitation est vive à la RNUR. A la suite de grèves perlées, 42 000 ouvriers sont en chômage technique le 21 mars. Le conflit fait apparaître de graves divergences entre FO, CGT et CFDT. Début avril, alors que se poursuivent sans aboutir les négociations direction-syndicats, CFDT et CGT publient une déclaration commune afin d'atténuer la portée de récents commentaires d'E. Maire sur « les difficultés de l'unité d'action. »

1er. Le SMIC est augmenté de 2,9 % et porté à 6.95 F de l'heure — V. Giscard d'Estaing se rend au Palais des Congrès à l'occasion de la première des trois journées internationales organisées par la France dans le cadre de l'année internationale de la femme, décidée par l'ONU. Il déclare que « la soumission et la dépendance aveugles ne seront plus acceptables ni acceptées ».

4. La direction de la RNUR met en application des mesures de réduction d'horaire concernant 35 000 ouvriers. Meeting de protestation à Boulogne-Billancourt organisé par la CGT et la CFDT. Déclaration de J. Chirac à TF 1 : « Le PC veut créer chez Renault une espèce d'agitation sociale afin de redorer un blason qui a tendance à se faner. »

6. Manifestations organisées par l'UNCAL à Paris et en province pour protester contre la réforme Haby.

10. FO, CGC, CFTC accueillent favorablement le projet d'accord avec le patronat préconisant un élargissement des tâches des cadres et des horaires flexibles. Cet accord sera signé le 17 par ces trois organisations, CGT et CFDT refusant leur signature et qualifiant le dit accord « d'énorme hypocrisie, bien dans le style de la prétendue réforme de l'entreprise. » – Depuis une semaine un conflit oppose le syndicat du livre (CGT) à la direction du *Parisien Libéré.*

13. Journée nationale d'action organisée par les lycéens et collégiens contre la réforme Haby : environ 30 000 manifestants défilent à Paris.

18. Depuis le début de l'année, nombreuses manifestations racistes à Marseille. Le 18 mars Mohammed Laïd Moussa, ouvrier algérien, est grièvement blessé d'une balle de revolver. Ses avocats reçoivent une lettre où l'on peut lire : « Mort aux Algériens et à ceux qui les défendent. » La lettre est signée : « Organisation de Libération de la France. »

★ *Avril.* 15. Le travail est redevenu normal à la RNUR. La grève s'était déplacée de Boulogne-Billancourt au Mans. Dans cette dernière usine, après neuf semaines de grève, la base accepte l'accord direction-syndicats par 76,8 % des voix.

21. *Le Parisien libéré* ne paraît pas. Le syndicat du livre CGT veut donner un avertissement à la direction qui refuse de négocier au sujet des 233 licenciements auxquels elle envisage de procéder.

22. Nombreuses manifestations des viticulteurs du midi contre les importations de vin d'Algérie, d'Espagne et du Portugal.

26. 10 000 personnes manifestent à Paris contre le programme nucléaire.

28. Reconnaissant que l'ampleur de la crise dépasse ses prévisions, J.P. Fourcade déclare : « Je n'exclus pas que le million de chômeurs soit atteint cette année, mais je ne le pense pas. »

★ *Mai.* 3/5. La police expulse les 800 ouvriers qui sont en grève aux aciéries Usinor à Dunkerque. Dès que les forces de police se sont retirées, les grévistes réoccupent les locaux.

9. 130 employés sur les 300 de la FNAC-Montparnasse se mettent en grève. A. Essel, PDG de la FNAC, ancien militant socialiste, fait contre mauvaise fortune bon cœur : « C'est toujours dans les entreprises socialement en pointe qu'éclatent les conflits. »

12. Conduits par G. Nicoud, des manifestants occupent les bureaux des contributions directes à Bourgoin (Isère) pour protester contre l'augmentation des forfaits de certains artisans et commerçants – On apprend la fusion entre Honeywell-Bull et CII, seul fabricant français de gros ordinateurs. Cette fusion signifie l'échec du plan calcul, et (malgré la déclaration de Giscard « La fusion CII-Honeywell Bull aboutit à une entreprise autonome à majorité française ») montre clairement que la France a choisi les États-Unis de préférence à l'Europe.

16. Malgré l'ampleur du chômage, les grèves localisées se mutiplient. Elles affectent la sidérurgie, l'office HLM de la région parisienne, certaines villes comme Besançon où il y a des séquestrations de cadres et des ventes sauvages de produits (Unimel), le trafic de la SNCF sur les réseaux banlieue de Paris-Montparnasse et des Invalides. Le conflit du *Parisien libéré* se poursuit et, à la fin du mois, plusieurs centres de tris postaux de la région parisienne se mettent en grève.

★ *Juin.* 3. Publication des statistiques du ministère du Travail sur la situation de l'emploi : le chômage continue à croître; le taux de salaire horaire des ouvriers s'est accru de 3,7 %, leur pouvoir d'achat de 1 %, mais la réduction des horaires a atténué, voire annulé, cette progression – J.P. Fourcade expose devant le Comité national des Prix le disositif gouvernemental de lutte contre l'inflation : fixation autoritaire par le gouvernement des marges bénéficiaires prélevées par le commerce sur la vente d'un certain nombre de produits (protestations immédiates et unanimes des organismes professionnels de commerçants); blocage à leur niveau actuel et jusqu'au 15 septembre du prix d'un certain nombre de produits.

12. La CGT et la CFDT organisent une journée de protestation contre la répression antisyndicale – V. Ansquer annonce des mesures sociales en faveur des commerçants et artisans âgés.

13. Alors que les ouvriers continuent d'occuper l'imprimerie du *Parisien libéré* malgré le jugement d'expulsion qui leur a été signifié la veille, deux attentats sont commis aux domiciles d'A. Bergeron, secrétaire général de FO et de B. Cabanes, rédacteur en chef à l'AFP. Ce dernier, sans doute victime d'une homonymie avec le rédacteur en chef du *Parisien libéré*, est tué.

22. Congrès de la CGT. G. Séguy prononce un violent réquisitoire contre la politique sociale du gouvernement et critique vivement la CFDT.

★ *Juillet.* 1er. Majoration du SMIC de 6 %. Son taux horaire est ainsi porté à 7,55 f.

31. Journée d'action des viticulteurs languedociens qui barrent les routes et les voies ferrées. Pas d'affrontement avec les forces de l'ordre.

★ *Septembre.* 1er. La délégation générale à l'emploi au ministère du Travail reconnaît que le chiffre du million de chômeurs est désormais dépassé. Le groupe Boussac annonce la fermeture de ses trois usines de Normandie (980 licenciements) et la mise en chômage technique de 6 000 de ses ouvriers des Vosges.

2. Au cours d'une conférence de presse, la CGC réclame des décisions rapides sur la réduction de la durée du travail et l'abaissement de l'âge de la retraite et propose « un sommet sur l'emploi. »

4. A la télévision V. Giscard d'Estaing annonce le contenu du plan de développement de l'économie (une trentaine de milliards) que vient d'adopter le Conseil des Ministres. Il s'agit surtout d'aider les entreprises en difficulté : report à avril de certaines échéances fiscales, prêts du fonds de développement, extension de la déduction de la TVA aux matériels lourds achetés avant la fin de l'année, accélération du paiement des dettes de l'État, mise en chantier de 18 000 logements sociaux, 5 milliards sont consacrés à une allocation exceptionnelle pour les personnes âgées touchant la retraite minimale et pour les enfants d'âge scolaire. Les syndicats trouvent ces mesures insuffisantes.

21. Malgré les rumeurs de relance, licenciements et mises en chômage partiel s'étendent en France. Une amélioration rapide de la situation de l'emploi est à exclure. M. Durafour déclare à St-Étienne : « Les choses n'évoluent pas du jour au lendemain dans un sens favorable. »

24. Le conseil des Ministres approuve le projet de budget pour 1976 : ce budget sera équilibré; 40 000 emplois seront crées dans la fonction publique; le taux de la TVA passera de 17,6 % à 33,3 % pour les distributeurs qui programmeront des films interdits au moins de 18 ans.

29. Le juge d'instruction P. de Charette de la Contrie fait incarcérer J. Chapron, directeur de la Sté Huiles, Goudrons et Dérivés, filiales des Charbonnages de France, sous l'inculpation de non respect de la réglementation en matière de sécurité du travail malgré les injonctions réitérées de l'Inspection du Travail. La CGC appelle à un mouvement de solidarité et annonce un ordre de grève si J. Chapron n'est pas libéré.

★ *Octobre.* 4. Réunie en séance extraordinaire, la chambre des mises en accusation de la Cour d'Appel de Douai décide la libération immédiate de J. Chapron. L'affaire se politise rapidement, J. Lecanuet et J. Foyer (ancien garde des Sceaux) dénonçant l'action du syndicat de la magistrature. La gauche réplique que le gouvernement, si indifférent à l'incarcération des petites gens, s'est bien curieusement et rapidement mobilisé en faveur d'un cadre supérieur. Le PS s'empare de l'affaire et y voit un test « pour mesurer si la justice et les pouvoirs publics sont enfin décidés à faire appliquer dans toute sa rigueur la législation en matière d'hygiène et de sécurité ». Cette affaire déclenche une très vive émotion. La gauche dénonce « la justice de classe »; la droite voit dans le syndicat de la magistrature un foyer de subversion.

6. R. Le Guen, secrétaire général de l'UGICT-CGT, reconnaît que les cadres ont des reponsabilités, mais que le vrai problème est celui de la politique « suivie par le patronat et le gouvernement ».

17. Grève unitaire des mineurs pour demander la revalorisation de leur profession.

31. Dans *Le Figaro*, J. Foyer, sous le titre : « Des juges contre la justice » dénonce dans le syndicat de la magistrature « une organisation subversive gauchiste comptant dans son sein suffisamment de fanatiques pour nous préparer une justice de dictature, précisément une justice de classe à l'exemple des pays de l'Est. » Le syndicat de la Magistrature intente une action en diffamation.

★ *Novembre.* 5. A l'appel de la CGT et de la CFDT, grève des agents de la RATP suivie à 60 %.

6. A l'appel de la CGT et de la CFDT, grève à EGF, très largement suivie (aux alentours de 70 %).

15/17. Conférence économique et monétaire « au sommet » à Rambouillet, réunissant RFA, France, GB, Italie et Japon.

18. Manifestation des employés de banque à la Bourse du travail.

21. Publication au *JO* du décret créant « un conseil supérieur des classes moyennes ». Ce même jour, V. Ansquer prononce un discours devant le Congrès national des Classes moyennes, où il célèbre « ces gens de bon sens qui ont toujours eu la sagesse, dans les moments troublés, d'amortir les excès. »

22/23. Congrès de la CFTC. J. Tessier proteste contre la dégradation de la politique familiale et « les agressions morales contre la famille ».

★ *Décembre.* 2. Journée nationale d'action interprofessionnelle organisée par la CGT et la CFDT pour protester contre le chômage et la vie chère. Les arrêts de travail sont très nombreux dans le secteur public, plus limités dans le secteur privé. Plusieurs dizaines de milliers de personnes défilent de la République à l'Opéra, réclamant : la retraite à 60 ans, le retour aux 40 heures, l'amélioration du pouvoir d'achat, la garantie de l'emploi et la défense de la sécurité sociale. L. Gingembre annonce la création d'une « Union des chefs et responsables d'entreprise » et demande, dans une lettre ouverte au Président de la République, que soit dissipée l'atmosphère de suspicion dont est entouré le patronat.

18. Journée nationale d'action pour la défense des revendications des travailleurs et pour les libertés, organisée par CGT, CFDT, FEN, PCF, PS et radicaux de gauche. Nombreuses manifestations en province et défilé d'une cinquantaine de milliers de personnes à Paris, conduit par F. Mitterrand, R. Fabre, R. Leroy, G. Séguy, E. Maire.

D'après les statistiques officielles : le taux d'inflation a été de 10,5 %; le taux de salaire horaire a augmenté de 17,4 %; le pouvoir d'achat du salaire horaire a augmenté de 5 %; le pouvoir d'achat du revenu disponible a augmenté de 2,5 %; l'augmentation des prix a été de 10,4 % avec une décélération au deuxième semestre (9,2 % contre 11,6 %). Quant au nombre total des défaillances d'entreprises (règlements judiciaires, liquidations de biens, faillites, dépôts de bilan) il a été de 14 871 en 1975 contre 11 981 en 1974, soit un accroissement de 24,1 % en un an. Ce sont les entreprises de bâtiment et travaux publics qui ont été les plus touchées.

D'après les statistiques du Ministère du Travail, le nombre des chômeurs dépasse le million en décembre, le nombre de chômeurs indemnisés se situant autour de 670 000. Mais le nombre de chômeurs indemnisés à 90 % de leur dernier salaire (c'est-à-dire ceux licenciés pour raison économique) est très inférieur à ce chiffre.

Champ culturel

▶ *Prix littéraires* – Goncourt : *La vie devant soi* (E. Ajar)
                              Renaudot : *L'homme de sable* (J. Joubert)
                              Fémina : *Le maître de l'heure* (C. Faraggi)
                              Médicis : *Voyage à Naucratis* (J. Almira)
                              Interallié : *L'amant de poche* (W. Lestienne)

▶ *Littérature* – Les Français ont consommé leurs auteurs préférés : *Madame Ex* (H. Bazin), *Les désordres secrets* et *Les feux du matin* (tomes 2 et 3 des *Moscovites* d'H. Troyat), *L'envoûteuse* (G. des Cars), *La bourgeoise* (C. Saint Laurent), *Les rois mendiants* (J. Larteguy) *Les dames à la licorne* (R. Barjavel).
   Un certain nombre de livres à caractère politique remportent un grand succès, dépassant souvent 100 000 exemplaires : *Pour une parcelle de gloire* (Général M. Bigeard), *La décadence, l'imposture et la tragédie* (Colonel Y. Argoud), *Les intellectuels en chaise longue* (G. Suffert), *La paille et le grain* (F. Mitterrand), *Mémoires d'avenir* (M. Jobert), *Paroles d'homme* (R. Garaudy), *Prisonnier de Mao* (J. Pascalini), *L'archipel du Goulag*, tome 2 (A. Soljenitsyne).

▶ *Théâtre* – Le théâtre d'Orsay, avec J.L. Barrault et Madeleine Renaud, monte des pièces difficiles où le texte est privilégié : S. Beckett, M. Duras *(Des journées entières dans les arbres)* N. Sarraute *(C'est beau)*. R. Hossein tente de ranimer le théâtre populaire en montant notamment *Des souris et des hommes* et *Le cuirassé Potemkine.* Le théâtre du Soleil continue ses recherches à la Cartoucherie de Vincennes avec *L'âge d'or.* P. Chéreau met en scène *Le roi Lear* à l'Odéon. Dans la production non conformiste et contestataire : *Sur le fil* (F. Arrabal) *La pyramide* (Copi) et *Le roi des cons* (Wolinski). Parmi les reprises, *Suréna* au Petit Odéon, mis en scène par J.P. Miquel et *La guerre de Troie n'aura pas lieu* au Théâtre de la Ville.

▶ *Cinéma* – E. Molinaro : *Le téléphone rose*
                     C. Zidi : *La course à l'échalotte*
                     Ph. de Broca : *L'incorrigible*
                     B. Tavernier : *Que la fête commence*
                     Y. Boisset : *Dupont la joie*
                     H. Verneuil : *Peur sur la ville*
sont les films à « forte consommation ».
   On peut noter un retour au star system : les films de grande consommation étant toujours animés par une grande vedette : J.P. Belmondo *(Peur sur la ville* et *L'incorrigible)*, A. Delon *(Flic story* et *Le Gitan)*, Y. Montand *(Le sauvage)*, Ph. Noiret *(Que la fête commence* et *Le vieux fusil)*, P. Richard *(La course à l'échalotte)*. On peut constater que toutes ces vedettes sont des hommes, alors que 1975 est l'année de la Femme et que les deux grands succès du cinéma porno : *Histoire d'O* et *Exhibition,* sont des films plutôt misogynes.
                     R. Altman : *Nashville*
                     S. Pollack : *Les trois jours du condor*
                     O. Welles : *Vérité et mensonge*
                     L. Visconti : *Violence et passion*
                     W. Allen : *Guerre et amour*
                     D. Risi : *Parfum de femmes*
                     M. Antonioni : *Profession reporter*
   Dans le nouveau cinéma trois films français retiennent l'attention : *Souvenirs d'en France* (A. Techiné), *Numéro 2* (J.L. Godard) et *India Song* (M. Duras). Deux très grands

films étrangers remplissent péniblement les seules salles du Quartier Latin : *Le voyage des comédiens* (Théo Angelopoulos) et *Pour Electre* (Miklos Jancso). Le cinéma suédois reste dominé par la personnalité tout à fait originale d'I. Bergman avec *Cris et chuchotements,* et deux films conçus pour la télévision *Scènes de la vie conjugale* et *La flûte enchantée.*

Au niveau du cinéma politique, *La bataille du Chili* de P. Guzman, *Le Liban dans la tourmente* (J. Saab et I. Stocklin) et *Terre d'Espagne* (le vieux film de J. Ivens). Le film de Lakdar-Hamina, *Chronique des années de braise,* qui a obtenu le grand prix au festival de Cannes, programmé dans des conditions médiocres (peut-être parce qu'il évoque des souvenirs désagréables pour les Français) ne remporte qu'un succès d'estime.

▶ *Télévision* – Les nouvelles structures nées du démantèlement de l'ORTF connaissent une période de rodage. Pas d'innovations sur TF 1; FR 3 cherche une formule nouvelle, mais sans doute faute de moyens se contente souvent de passer des films; Antenne 2, dirigée par M. Jullian, programme quelques émissions à sensation avec A. Soljenitsyne et les enfants Rosenberg.

▶ *Peinture et expositions* – Au Grand Palais, *J. Villon, J.F. Millet, L'or des Scythes, J.B. Carpeaux.* Au Musée d'art moderne : *Sonia Delaunay, J. Deyrolle, O. Debré, P. Alechinsky, F.P. Arman.* A l'Orangerie : *A. Marquet.* Au CNAC, *J. Dubuffet.*

▶ *Musique et danse* – P. Boulez dirige deux concerts, l'un à Pleyel, l'autre à Chartres. D. Barenboïm, nouveau directeur de l'orchestre de Paris, dirige au Palais des Congrès *Roméo et Juliette* de H. Berlioz. Les mélomanes font un triomphe à la reprise du *Dom Juan* de W.A. Mozart par l'Opéra de Paris, et ce triomphe devient un succès populaire grâce à la retransmission en direct par la télévision. C'est également cette dernière qui permet à des millions de Français de voir et d'entendre le *Requiem* de H. Berlioz, exceptionnellement joué à cause des centaines de musiciens et de choristes qu'il mobilise. L'Opéra donne *Les vêpres siciliennes* de G. Verdi et présente un spectacle M. Ravel avec chorégraphie de G. Balachine et J. Robbins.

A l'espace Cardin, les ballets américains Pilobulus remportent un grand succès : joignant l'humour à la grâce, ils renouvellent un peu l'art de la danse.

▶ *Variétés* – Outre les vedettes consacrées et souvent âgées (les frères Jacques, Juliette Greco, L. Ferré) deux nouveaux comiques accèdent à la célébrité : *Jacques Martin* qui, à la télévision remporte un indice de satisfaction de 88 % avec son émission « Le petit rapporteur », et *Coluche* dont la double inspiration, celle du café-théâtre et celle de *Charlie-Hebdo,* découvre une nouvelle forme d'humour.

▶ *Vie quotidienne* – Les autorités officielles et la presse prétendent célébrer l'année de la femme : Madame Giscard d'Estaing reçoit deux cents invitées à l'Élysée. Les journées internationales de la femme organisées par F. Giroud rassemblent 1 800 participantes. Une conférence mondiale de la femme a lieu à Mexico sous l'égide de l'ONU et un congrès mondial à Berlin-Est. Cependant, les salaires féminins restent toujours très inférieurs aux salaires masculins : d'une part les femmes occupent les emplois les moins rétribués et d'autre part (sauf dans la fonction publique) quand elles accèdent à des postes de cadre supérieur, elles gagnent en moyenne 37 % de moins que les hommes exerçant les mêmes fonctions. On a pu noter plus haut que tous les grands succès du cinéma français avaient pour vedettes des hommes.

On parle beaucoup de la prostitution, mais là encore la presse s'étend plus longuement sur Ulla (la putain tumultueuse) que sur les clients. En juin, Ulla prend la tête des prostituées de Lyon qui se révoltent contre « la répression policière et fiscale ». Cette révolte s'étend peu à peu à d'autres villes de France : certaines occupations d'églises acceptées par des prêtres compréhensifs scandalisent les intégristes. le 13 juillet, le gouvernement charge Monsieur G. Pinot, premier président de la Cour d'Appel d'Orléans, d'étudier « les problèmes qui se posent dans le domaine de la prostitution. »

La vague des films pornographiques continue à déferler. Le gouvernement s'en saisit en octobre et opte pour des mesures fiscales augmentant la TVA (donc le prix des places) sur les films pornographiques. Cette décision soulève une vive polémique car les critères sont évidemment difficiles à définir.

Sur le plan des faits divers, 1975 est l'année des otages. Les hold-up contre les banques se multiplient, mais comme celles-ci font ramasser leurs liquidités plusieurs fois dans la même journée par des entreprises spécialisées, elles n'ont plus d'argent liquide. D'où la nouvelle tactique des gangsters : prendre des membres du personnel ou des clients comme otages et exiger du siège social l'acheminement immédiat de fonds. La brigade antigang intervient souvent avec des résultats inégaux.

Citroën cesse de fabriquer la DS et la remplace par la CX. Peugeot, Simca et Renault commencent à sortir des 6 cylindres qui avaient été programmées avant la crise. La Peugeot 604 devient la voiture officielle et, à la surprise générale, ces grosses cylindrées dévoreuses d'essence et fort rapides se vendent facilement malgré la hausse du prix du carburant et les limitations (théoriques) de vitesse. Ce fait mérite d'être souligné parce que les prospectivistes des usines d'automobiles avaient élaboré des plans de fabrication en oubliant la possibilité d'une crise, mais les Cassandre de l'économie, oubliant l'irrationalité des comportements humains, se sont trompés eux aussi en pensant que les Français appauvris se refuseraient à acheter des voitures chères. Il est vrai qu'entre les revenus des Français tels qu'ils sont repérables à partir des statistiques fiscales et leurs revenus réels, il y a une grande différence. Mais ceci est une autre histoire.

Structures sociales

Données générales

1

Pyramide des âges au 1er janvier 1974

Année de naissance

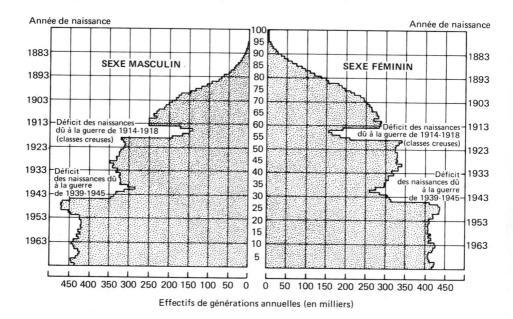

Effectifs de générations annuelles (en milliers)

Source : *Données sociales,* INSEE, 1974

Au 1er janvier 1973, la population de la France est estimée à 52 658 253 habitants.

La pyramide des âges est marquée par les deux guerres mondiales (pertes en vies humaines et déficits des naissances).

La reprise de la natalité et l'allongement de l'espérance de vie ont diminué le rapport population active/population totale. Les 25-64 ans, qui représentaient en 1946 51,3 % de la population totale, n'en représentent plus en 1973 que 45 %.

La croissance de la population totale est due à deux facteurs : 1. – la baisse de la mortalité (1900 : 20 ‰, 1973 : 11 ‰) qui compense largement celle de la natalité (1900 : 20 ‰, 1973 : 17 ‰) faisant apparaître un taux d'excédent naturel de 6 personnes; 2. – au solde constamment positif de la balance migratoire (en 1968 la proportion étrangers + naturalisés = 8 % de la population).

2

Évolution de la population totale de 1962 à 1973

Année	Nombres (en milliers)						Variation ‰		
	Population au 1er janvier	Excédent naturel	Balance migratoire		Ajustement	Variation totale	Due à		Totale
			Totale	Dont rapatriés			L'excédent naturel	L'excédent migratoire	
1962	46 422	+ 291	+ 860	+ 710		+ 1 151	+ 6,3	+ 18,5	+ 24,8
1963	47 573	+ 311	+ 215	+ 90	— 40	+ 486	+ 6,5	+ 4,5	+ 10,2
1964	48 059	+ 358	+ 185	+ 40	— 40	+ 503	+ 7,5	+ 3,8	+ 10,5
1965	48 562	+ 322	+ 110	+ 20	— 40	+ 392	+ 6,6	+ 2,3	+ 8,1
1966	48 954	+ 335	+ 125		— 40	+ 420	+ 6,8	+ 2,6	+ 8,6
1967	49 374	+ 297	+ 92		— 40	+ 349	+ 6,0	+ 1,9	+ 7,1
1968	49 723	+ 282	+ 100			+ 382	+ 5,7	+ 1,9	+ 7,6
1969	50 105	+ 269	+ 150			+ 419	+ 5,3	+ 3,6	+ 8,9
1970	50 524	+ 308	+ 180			+ 488	+ 6,1	+ 3,5	+ 9,6
1971	51 012	+ 328	+ 145			+ 473	+ 6,4	+ 2,8	+ 9,2
1972	51 485	+ 327	+ 109			+ 436	+ 6,3	+ 2,1	+ 8,4
1973	51 921	(p) + 298	(p) + 120			(p) + 418	(p) + 5,7	(p) + 2,3	(p) + 8,0

(p) Évaluation provisoire.

Source : *Données sociales*, INSEE, 1974

3

Les groupes socio-professionnels et leur évolution de 1954 à 1975

Dans tous les pays du monde, les services de statistiques se trouvent confrontés au problème suivant : comment regrouper les milliers de professions exercées par les actifs? En France l'Institut National de Statistiques et d'Études Économiques (INSEE) a conçu 9 groupes d'actifs numérotés de 0 à 8 et un dixième groupe qui porte le n° 9 et qui rassemble les inactifs. Cette classification étant grossière et approximative, chaque groupe est subdivisé en un certain nombre de « *catégories socio-professionnelles* ».

Une lecture attentive du tableau 3, page 274 va nous permettre à la fois de préciser la taxinomie (la « *taxinomie* » est la science des lois de la classification des formes vivantes) retenue par l'INSEE et de saisir l'ampleur des transformations structurelles à l'œuvre dans la société française de 1954 à 1975 (il y a eu un recensement en 1946, mais nous ne l'avons pas utilisé car la taxinomie en était différente, ce qui rendait toute comparaison diachronique aléatoire).

Tableau 3

Groupes	1954 Nombre 1	1954 % 2	1962 Nombre 3	1962 % 4	1968 Nombre 5	1968 % 6	1971 Nombre 7	1971 % 8	1975 Nombre 9	1975 % 10
0 - Agriculteurs exploitants	3 948	20,9	3 045	16	2 475	12	1 972	9,5	1 679	7,7
1 - Salariés agricoles	1 152	6	826	4	588	2,8	388	1,9	380	1,8
2 - Patrons industrie - commerce	2 296	12	2 045	10,6	1 932	10,5	2 064	10	1 887	8,7
3 - Cadres sup. prof. lib.	554	2,9	766	3,9	983	3,9	1 222	5,9	1 494	6,1
4 - Cadres moyens	1 140	5,9	1 501	7	1 947	9,7	2 471	11,9	2 995	13,8
5 - Employés	2 074	10,8	2 396	12	2 996	14,9	3 256	15,7	3 605	16,6
6 - Ouvriers	6 465	33,8	7 061	36	7 484	37,4	7 724	37,4	8 026	37
7 - Personnel de service	984	5,1	1 047	5,3	1 140	5,7	1 212	5,9	1 333	6,1
8 - Autres actifs	499	2,6	564	2,8	417	2	371	1,8	300	1,4
Ensemble	19 152	100	19 251	100	19 937	100	20 680	100	21 700	100

Sources : 1954, 1962, 1968 : INSEE. Recensement général
de la population de mai 1954, mars 1962 et mars 1968.
1971 : R. Pohl, P. Laulhé et R. Lionnet, *Enquête sur
l'emploi de 1971,* premiers résultats INSEE, Série D n° 12, mai 1971.
1975 : B. Seys, P. Laulhé, *Enquête sur l'emploi de 1975,*
INSEE, Série D n° 42, décembre 1975.

0 – Agriculteurs exploitants. On y additionne le grand propriétaire beauceron possédant plusieurs milliers d'hectares et le petit polyculteur de l'Aubrac. De 1954 à 1975, leur nombre a diminué de plus de moitié. C'est la plus importante révolution des structures agraires que la France ait connues depuis la Révolution.

1 – Salariés agricoles. Ils ont encore plus fortement diminué que les Agriculteurs exploitants, ce qui donne la mesure de l'importance de la mécanisation.

2 – Patrons de l'Industrie et du Commerce. Parce qu'on y trouve à la fois les PDG des plus grosses entreprises et les petits épiciers, l'INSEE a divisé ce groupe en cinq catégories :
. *21 – Industriels.* Chefs d'entreprises employant plus de cinq salariés.
. *22 – Artisans.* Chefs d'entreprises employant cinq salariés ou moins. Mais les aides familiaux des artisans sont également classés dans les artisans.
. *23 – Patrons pêcheurs.*
. *26 – Gros commerçants.* Ceux qui emploient trois salariés ou plus.
. *27 – Petits commerçants.* Ceux qui emploient moins de trois salariés.
Donc les subdivisions du groupe 2 sont fondées sur le nombre de salariés et non sur le montant du chiffre d'affaires. Il y a pourtant des exceptions : par exemple les courtiers en bourse et les bijoutiers sont toujours classés parmi les « gros commerçants ».
La diminution de cette catégorie n'a pas été constante (remontée de 1971). Cependant sur longue période, de 1954 à 1975, elle a diminué de 15 % en raison de la concentration du système distributif (supermarchés).

3 – Cadres supérieurs, professions libérales. Ce groupe étant, lui aussi, très hétérogène, a été subdivisé en 4 catégories :

. 30 – Professions libérales.

. 32 – Professeurs et professions littéraires et scientifiques. Mais pour des raisons obscures, on y trouve les professeurs de dessin alors que les professeurs de musique et d'éducation physique sont classés dans les cadres moyens.

. 33 – Ingénieurs. Qu'ils sortent d'une « Grande École » ou soient « autodidactes ».

. 34 – Cadres administratifs supérieurs. Parmi lesquels sont classés les commissaires de police et les officiers d'active. Un sous-lieutenant est donc classé comme « cadre supérieur » et statistiquement additionné avec un professeur agrégé de Médecine, un grand avocat ou un ancien élève de l'ENA membre d'un cabinet ministériel.

Quelles que soient les réserves qu'appelle la grossièreté de la taxinomie concernant ce groupe 3, le fait qu'il ait presque triplé en moins de 20 ans (passant de 554 000 en 1954 à 1 494 000 en 1975) est une indication signifiante.

4 – Cadres moyens.

. 41 – Instituteurs, professions intellectuelles diverses : Parmi celles-ci on trouve les journalistes. Donc un « grand reporter » au *Monde* est cadre moyen alors qu'un professeur de dessin dans un CES est cadre supérieur.

. 42 – Services médicaux et sociaux.

. 43 – Techniciens. On y trouve les TAM (Techniciens, Agents de maîtrise) et ceux « qui appliquent des connaissances de technique industrielle sans qu'il soit possible de les considérer comme ingénieurs ou ouvriers » (par ex. : programmeurs et cameramen).

. 44 – Cadres administratifs moyens.

On peut constater que cette catégorie a augmenté de 150 % en vingt ans.

5 – Employés.

. 51 – Employés de bureau. Parmi lesquels on a la surprise de trouver les magasiniers.

. 52 – Employés de commerce. Dont les revenus peuvent être très différents puisqu'ils figurent les VRP (Voyageurs, Représentants de commerce dont certains ont des revenus élevés).

6 – Ouvriers.

. 60 – Contremaîtres. Il est souvent très difficile de les distinguer de la catégorie des techniciens (43).

. 61 – Ouvriers qualifiés. Ils sont divisés en

– ouvriers qualifiés;

– ouvriers professionnels ou OP, eux-mêmes hiérarchisés en P1, P2, P3, P4 et *« ouvriers spécialistes »* qui sont des actifs de très haute qualification qu'il ne faut pas confondre avec les OS. Mais comme, lors des recensements, les gens n'indiquent généralement pas leur niveau de qualification, tous les OQ sont regroupés en 61 ce qui peut recouvrir de grandes disparités salariales (entre un ouvrier typographe et un ajusteur, par exemple).

. 63 – Ouvriers spécialisés ou OS. Ils se subdivisent en OS 1, OS 2 et OS 3 mais pour les mêmes raisons que pour les OQ ils sont tous regroupés en OS. Les chauffeurs de poids lourds et conducteurs de transports en commun y figurent, ce qui est très surprenant compte tenu de leur qualification, de leurs responsabilités et – pour les premiers – de leurs rémunérations. Par contre les chauffeurs de taxi sont classés dans le personnel de service.

. 65 – Mineurs. Catégorie regroupant tous les travailleurs manuels travaillant dans les mines quel que soit leur degré de qualification.

. 66 – Marins et pêcheurs salariés. Y sont compris conchyculteurs et ostréiculteurs.

. 67 – Apprentis ouvriers. Ce sont les apprentis « sur le tas » et salariés (sauf les fils d'artisans travaillant avec leur père qui sont classés en 22).

. *68 – Manœuvres.* « Ceux qui font un travail manuel ne demandant aucune spécialisation ni qualification particulière. » En sont exclus les manœuvres agricoles (01), les manœuvres des mines (65) et les femmes de ménage classées dans le personnel de service.

De 1954 à 1975, les ouvriers n'ont augmenté que de 20 % en pourcentage, mais de 1 561 000 en chiffres absolus. La société française n'est donc pas encore une « société post-industrielle ».

7 – Personnel de service.
. *70 – Gens de maison.*
. *71 – Femmes de ménage.*
. *72 – Autre personnel de service.* Dans cette catégorie on trouve notamment garçons de café, hôtesses de l'air, interprètes, ouvreuses, coiffeurs salariés, manucures, etc., c'est-à-dire des actifs dont certains – par les pourboires – peuvent atteindre des revenus très élevés. Ce groupe a augmenté de 25 % en vingt ans, mais ce pourcentage n'exprime pas les ventilations entre les catégories composantes du groupe : par exemple, la diminution des « gens de maison » et le développement spectaculaire des services de « luxe » comme les hôtesses.

8 – Autres actifs.
. *80 – Artistes.* On y trouve avec surprise des gens aussi différents que : bruiteur, girl, sportif professionnel, professeur d'éducation physique du secteur privé, cover-girl, etc.
. *81 – Clergé.*
. *82 – Armée et police.* Il s'agit des soldats ADL (« Au-delà de la durée légale »), les soldats du contingent ou PDL (« Pendant la durée légale ») étant classés parmi les « inactifs ». Les officiers sont classés dans les cadres supérieurs.

9 – Personnes non actives.
Ce groupe, qui ne figure pas sur le tableau, est de beaucoup le plus nombreux. En 1975, la population française comptant environ 54 millions de personnes, les actifs étant 21 700 000, les « personnes non actives » étaient donc 32 300 000.
. *91 – Étudiants et élèves.* On y trouve les étudiants inscrits dans les Universités, les élèves de Polytechnique et de l'École Normale Supérieure. Par contre les élèves de l'École Nationale d'Administration, parce qu'ils touchent un salaire, sont considérés comme cadres administratifs supérieurs et classés en 34.
. *92 – Militaires du contingent.*
. *93 – Anciens agriculteurs.*
. *94 – Retirés des affaires.*
. *95 – Retraités du secteur public.*
. *96 – Anciens salariés du secteur privé.*
. *97 – Autres personnes non actives de moins de 17 ans.*
. *98 – Autres personnes non actives de 17 à 64 ans.* Par exemple ménagère, propriétaire foncier, détenu.
. *99 – Autres personnes non actives de 65 ans et plus.*
On peut être surpris de constater qu'une mère de huit enfants vaquant à l'entretien de son ménage est classée comme « non active ». La notion d'« activité » n'est pas rapportée au travail fourni mais au travail rémunéré sous quelque forme que ce soit.

Quelques conclusions peuvent être tirées de cette rapide analyse.
– Les groupes comme les catégories sont très hétérogènes et la classification n'échappe pas à l'arbitraire.

– Cette taxinomie ne nous apporte aucune information sur les revenus du capital (un cadre moyen possédant une grosse fortune mobilière ou immobilière est placé sur le même plan qu'un cadre moyen dont le seul revenu est celui de son salaire) non plus que sur les diplômes possédés par les actifs. Rien ne nous est dit de leur « pouvoir », de leur éventuel « prestige », de leur « multipositionnalité » (ce concept désigne le nombre de positions sociales occupées simultanément ou successivement par un même individu. Par exemple un Inspecteur des Finances, professeur à l'Institut d'Études Politiques, conseiller technique d'un ministre et participant régulièrement à des émissions à la Télévision est « multipositionné » dans la mesure où il occupe des positions à la fois dans les champs économique (Inspecteur des Finances), universitaire (Professeur à l'IEP), politique (Conseiller technique d'un ministre), culturel (émissions à la TV). A propos d'un tel actif on parlera parfois d'« ubiquité sociale ».

– En se rappelant toujours que la taxinomie utilisée par l'INSEE n'est ni neutre, ni pleinement satisfaisante, il faut savoir que les informations statistiques fournies par cet organisme sont irremplaçables et qu'il n'existe, en sciences sociales, aucun système de classification parfaitement rigoureux. Imaginons que, pour « situer » un individu socialement, on retienne cinq critères : 1. appartenance à une CSP; 2. montant des revenus (y compris ceux du capital et des privilèges avoués ou occultes); 3. niveau culturel (diplôme); 4. pouvoir; 5. prestige. Il apparaît avec évidence que la connaissance du second critère se heurtera à des difficultés insurmontables au niveau de la collection de l'information. Quant aux critères 4 et 5, étant subjectifs, ils sont non quantifiables donc insusceptibles d'un traitement mathématique.

Tel qu'il est, c'est-à-dire en le lisant avec toutes les précautions que nous avons dites, ce tableau n'en est pas moins riche d'enseignements. La comparaison entre la colonne 2 (répartition des groupes socio-professionnels en 1954) et la colonne 10 (même répartition en 1975) permet de mesurer l'ampleur des modifications intervenues dans les structures de la société française. Dans aucune autre période antérieure, en si peu de temps, la répartition de la population active n'avait connu une si profonde mutation. Ainsi, alors que se déroulait au niveau qui la concerne cette histoire politique dont la chronologie nous a montré les péripéties, se passait au niveau des structures une autre histoire, repérable par les seuls moyens statistiques, moins spectaculaire mais plus déterminante. Une « autre » société est née, que cachent la continuité molle des discours politiques et l'apparent retard des mentalités. Il y a vingt ans, les exploitants agricoles constituaient plus du cinquième de la population active et aujourd'hui moins du dixième. Mais ces pourcentages secs ne nous fournissent pas la dimension de « l'événement », car celui-ci ne se situe pas uniquement au niveau du spectacle politique. Le « paysan français » de 1975 n'est plus celui de 1954 : il n'a plus les mêmes instruments, plus les mêmes gestes, plus la même mentalité. Il en va de même pour les autres actifs. Dans les cases de ce tableau, il y a des chiffres qui expriment des comptages d'hommes et de femmes. Mais les unités qu'ils additionnent ne sont plus en 1975 ce qu'elles étaient en 1954.

4

Inégalités des hommes et des femmes devant l'emploi
au 1er avril 1974

C.S.P.	Effectifs (en milliers)		Salaires mensuels (en francs)		Indemnités et avantages en nature (en % du salaire net)	
	Hommes	Femmes	Hommes	Femmes	Hommes	Femmes
Cadres supérieurs	435,1	42,7	7 468	4 844	5,4	2,8
Cadres moyens	897,3	261,3	3 693	2 644	4,5	1,1
Employés	893,3	1481,5	2 153	1 655	2,6	0,5
Contremaîtres	362,1	33,8	3 035	2 481	2,2	0,3
Ouvriers	4 852,3	1198,7	1 780	1 241	2,1	0,5
Apprentis et jeunes ouvriers	232,3	93,8	616	748	3,3	1,1
Autres catégories	8,5	2,2	2 493	2 371	2,3	2
Personnel de service	151,3	286,1	1 588	1 267	2,6	2
Toutes catégories	7 832,8	3 400,1	2 377	1 576	3,1	0,8

Source : *Le Monde,* 18 juin 1974

Sur ce tableau figure un peu plus de la moitié de la population active. Dans la mesure où il ne comprend pas les fonctionnaires, il montre avec une très grande clarté que les femmes actives sont triplement pénalisées par rapport aux hommes actifs.

— Elles le sont d'abord parce que, bien que représentant environ le tiers de la population active, elles sont très sous-représentées dans les catégories supérieures (sur 10 cadres supérieurs, il y a 9 hommes et 1 femme) et sur-représentées dans les catégories inférieures (employés, personnel de service).

— Elles le sont ensuite par le fait que, même si elles sont dans la même CSP que les hommes, elles gagnent toujours nettement moins que ceux-ci (exception faite pour la catégorie tout à fait marginale « apprentis et jeunes ouvriers »). Par exemple, une femme qui est parvenue à être « cadre supérieur » a un salaire inférieur d'un tiers à celui d'un homme situé dans cette même CSP.

— Elles le sont en troisième lieu parce que pour toutes les CSP, et cette fois sans aucune exception, leurs « indemnités et avantages en nature » représentent un pourcentage de leur salaire net inférieur à celui des hommes.

Il convient d'ajouter d'autres pénalisations dont sont victimes les femmes et qui ne figurent pas sur le présent tableau. Nous n'en signalerons que trois :

— Le budget-temps des femmes est beaucoup plus lourd que celui des hommes dans la mesure où une femme active rentrant chez elle assure « l'entretien » du ménage pendant une durée très supérieure à celle que lui consacre son mari.

— Les femmes jeunes ont plus de difficulté à trouver un emploi, l'éventuel employeur redoutant les absences pour grossesses. Or les femmes françaises ont actuellement en moyenne un peu plus de deux grossesses dans leur vie, chacune représentant dans l'état présent de notre législation 14 semaines de « congé-maternité » (6 semaines avant l'accouchement, plus 8 semaines après). Donc une femme active qui aurait deux enfants serait absente pour ce motif pendant 28 semaines, ce qui représente un faible pourcentage dans une vie active d'une quarantaine d'années.

– La femme en « congé-maternité » dispose de garanties incontestables : elle continue à toucher l'intégralité de son salaire et ne peut être licenciée ni pendant son congé, ni pendant un certain délai qui suit sa reprise de travail. Mais les statistiques montrent que la plupart des Françaises ont leurs enfants entre 20 et 30 ans et que c'est précisément à cette période de la vie active que se dessine – se décide – le profil de carrière. Nous voulons dire que 28 semaines d'absence (soit 7 mois) en début de carrière ont des conséquences beaucoup plus déterminantes sur l'ensemble du cursus professionnel qu'une absence d'égale durée en milieu ou en fin de carrière.

Ces quelques réflexions sont loin d'épuiser « le problème de la femme » (ou, peut-être, « le problème de l'homme »). Ce que redoute en effet l'employeur, ce sont non seulement les congés de maternité, mais peut-être plus encore les absences des jeunes femmes dues aux problèmes de santé de leurs enfants en bas âge. Les idées conventionnelles et les mœurs qu'elles expriment veulent en effet que ce soit la mère – et non le père – qui reste au chevet de l'enfant malade. On peut douter que « l'année de la femme » qui vient de s'achever ait sur ce point modifié les mentalités et les comportements. Plus subtilement, on peut penser que la jeune femme active, très absorbée par les problèmes de ses enfants en bas âge, investit en eux la plus grande part de son attention, ainsi détournée de ses préoccupations de carrière et des « intérêts » de la firme qui l'emploie. Moins disponible que l'homme parce que hiérarchisant différemment ses polarisations (pour elle le foyer l'emporte sur l'entreprise), elle paraîtra moins « performante » que celui-là. Une fois encore, c'est la pratique langagière quotidienne qui nous révèlera le fonctionnement discret de mécanismes sociaux : l'épouse remercie son mari « moderne » d'avoir fait la vaisselle, mais celui-ci ne la remercie pas d'avoir fait la cuisine : et pourtant, il a mangé.

Les femmes actives représentaient 36,8 % de la population active totale en 1966 et 36,9 en 1973. Cette stabilité masque une ventilation différente de la situation familiale des femmes actives : alors qu'en 1966 le pourcentage des femmes mariées dans la population active féminine était de 52,1, il atteint 62 en 1973. Or une enquête récente de l'INSEE (Charraud A. et Saada K., Les écarts de salaires entre hommes et femmes, in *Economie et Statistique,* sept. 1974, pp. 3/19) nous apprend que si les écarts de salaires entre hommes et femmes sont en moyenne de 16 % pour les célibataires, il atteint la moyenne de 39 % lorsqu'il s'agit de femmes mariées ayant deux enfants. Puisqu'il s'agit d'une moyenne l'écart diffère en fonction des CSP, mais pour toutes les CSP l'écart est beaucoup plus grand pour les mères de famille que pour les femmes mariées sans enfant ou pour les femmes célibataires. On peut donc penser que les femmes mariées acceptent d'autant plus aisément un salaire inférieur qu'elles y sont contraintes par leurs difficultés financières et que leurs employeurs prennent la mesure de leur faible exigence pour ce qu'ils considèrent comme un « salaire d'appoint ».

5

Comparaison entre les écarts de salaires et la proportion de femmes pour quelques activités économiques

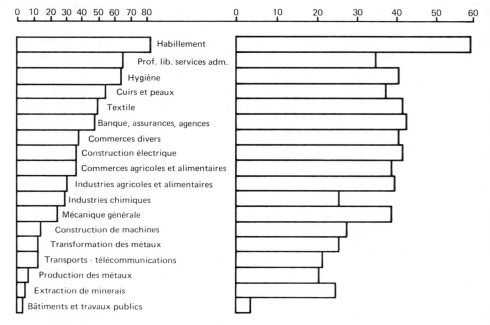

Proportion de femmes en % de l'effectif total de la branche.

Écarts entre salaires masculins et féminins en % du salaire masculin.

Source : A. Charraud et K. Saada, Les écarts de salaires entre hommes et femmes, *Économie et Statistique*, sept. 1974, n° 59, p. 9.

Ce graphique donne la mesure des écarts entre salaires féminins et masculins en fonction des branches d'activités économiques. On peut y lire par exemple, en ce qui concerne l'habillement, que sur 100 salariés, plus de 80 sont des femmes et qu'elles gagnent 60 % de moins que les hommes actifs de la même branche. Les écarts de salaires les plus faibles se rencontrent dans les branches employant peu de femmes : bâtiments et TP, extraction de minerais, etc. Cela tient à la séparation entre métiers masculins et féminins, très nette dans ces branches : les ouvriers y sont presque exclusivement des hommes, les femmes occupant des emplois de bureau. Le cas extrême du bâtiment est particulièrement révélateur : les salaires moyens des hommes y sont pratiquement égaux à ceux des femmes, mais aucune femme n'est ouvrière.

6

Évolution du taux d'activité des femmes en vingt ans (1954-1974)

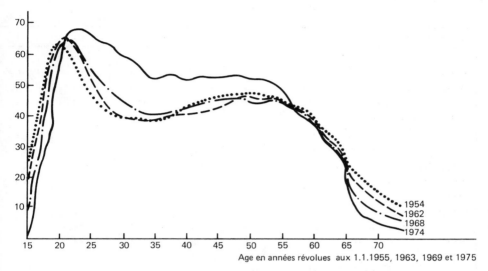

Age en années révolues aux 1.1.1955, 1963, 1969 et 1975

Source : Vivre au féminin, *Les Cahiers français,* mai-août 1975, n° 171, p. 13.
(Données extraites de l'INSEE, *L'emploi féminin en 1968,* série D, n° 25, nov. 1973.)

Ce graphique montre que si, en vingt ans, le taux d'activité des femmes a tendance à croître, la configuration des courbes reste très comparable. En suivant, par exemple, la courbe de 1974, on peut constater : un très fort taux d'activité dans la période post-scolaire jusqu'aux environs de 24/25 ans; une baisse régulière de ce taux jusqu'à 35 ans (mariage, naissance et élevage des enfants en bas âge), une reprise d'activité aux environs de 35 ans (scolarisation des enfants). Le taux d'activité se maintient alors jusque vers 55 ans.

7

Part des ménages de différentes catégories socio-professionnelles équipés en téléphone

En %

Code	Catégories socio-professionnelles	1965	1966	1967	1970	1971	1972
0	Agriculteurs exploitants.......	7,5	7,8	7,3	11,4	14,1	15,8
1	Salariés agricoles............	1,6	4,3	7,1	2,8	3,0	5,0
2	Professions indépendantes.....	45,5	43,8	49,1	56,0	57,5	56,3
30-21 26	*dont :* Professions libérales, industriels, gros commerçants..................	78,4	66,7	80,5	82,7	87,1	80,5
3	Cadres supérieurs...........	49,8	45,0	43,6	53,4	52,4	63,4
4	Cadres moyens..............	15,3	12,9	17,4	17,2	18,1	23,6
60	*dont :* Contremaîtres.......	8,8	6,0	6,3	7,3	7,8	19,5
5	Employés..................	7,2	9,1	8,0	11,8	13,9	17,5
6-7	Ouvriers..................	1,7	2,2	1,9	2,9	2,7	3,2
61	*dont :* Ouvriers qualifiés.....	2,1	2,0	2,3	3,5	4,4	4,6
9	Inactifs....................	7,5	7,5	8,0	11,1	12,1	14,1
	Ensemble	**11,7**	**11,9**	**12,4**	**14,9**	**15,6**	**18,2**

Source : Enquêtes conditions de vie des ménages, *Données sociales 1974,* p. 172.

Ce tableau fait apparaître :

– Le retard presque incroyable de la France dans le domaine de l'équipement téléphonique.

– L'effet socialement très discriminant de ce retard puisque professions libérales, indépendants, et gros commerçants sont trente fois mieux pourvus en téléphones que les ouvriers.

Ces deux anomalies semblent préoccuper les pouvoirs publics puisque le budget des PTT pour 1976 est, en proportion du budget général comme en francs constants, le plus élevé que la France ait jamais connu.

3

aux de départ en vacances selon la catégorie socio-professionnelle en %

Code	Catégorie socio-professionnelle	1965	1969	1970	1971	1972	1973
et 1	Exploitants et salariés agricoles [1]	8,4	7,8	10,2	12,2	11,7	14,2
2	Patrons de l'industrie et du commerce	41,7	47,9	47,7	47,8	48,5	54,9
3	Professions libérales et cadres supérieurs	83,7	84,3	85,8	83,1	83,8	84,4
4	Cadres moyens	74,7	73,8	75,0	77,0	76,3	76,0
5	Employés	56,5	59,5	58,7	58,6	55,1	59,6
6	Ouvriers	41,4	41,6	43,5	45,4	45,6	44,1
7	Personnels de service	44,0	43,6	44,2	49,3	41,7	46,6
8	Autres actifs	52,6	63,0	67,8	70,6	64,9	69,5
9	Inactifs	25,0	26,6	26,2	26,5	27,3	29,3
	Ensemble	**41,0**	**42,7**	**44,6**	**46,0**	**46,4**	**47,6**

1. Effectifs faibles, taux de départ soumis à de fortes fluctuations aléatoires.

Source : Enquête sur les attitudes et les intentions d'achat des particuliers,
Données sociales 1974, p. 176.

La première remarque qui s'impose est que plus de la moitié des Français ne partent pas en vacances.

On peut constater ensuite un grand écart entre les différentes CSP. Les plus défavorisés sont les agriculteurs, ce qui s'explique par le fait que, dans une très forte proportion, les exploitants agricoles français sont aussi des éleveurs. Les professions libérales, cadres supérieurs partent presque deux fois plus en vacances que les ouvriers.

Si la moyenne nationale des départs en vacances croît régulièrement depuis 1965, la ventilation par CSP montre qu'il y a eu diminution du taux de départ pour les employés de 1970 à 1972 et pour les ouvriers en 1973. Nous ne disposons pas encore des statistiques pour 1974, mais on peut présumer que la crise a dû jouer aux dépens des employés et ouvriers.

Ce tableau n'est qu'indicatif car il ne nous renseigne pas sur la durée des vacances, l'INSEE considérant comme « vacancier » toute personne « ayant quitté son domicile plus de quatre jours consécutifs entre le 1er mai et le 30 septembre ».

9

Taux d'équipement des ménages en divers biens durables
Décomposition par catégorie socio-professionnelle (évolution 1964-1972)

	Automobile					Télévision					Réfrigérateur					Machine à laver le linge				
	1954	1959	1964	1969	1972	1954	1959	1964	1969	1972	1954	1959	1964	1969	1972	1954	1959	1964	1969	1972
Agriculteurs exploitants	29	35,5	53,2	73,5	76,5	0,2	3,3	16,3	54,9	70,8	2,4	9,6	31,5	71,2	81,2	7,3	15,4	30,4	60,1	71,5
Salariés agricoles	3	12,1	26,8	42	48,3	–	2,1	14	52,5	72,3	0,5	3,2	21	62,3	72,6	1,8	13,4	20,5	42,8	57,4
Patrons ind. et commerc.	52	50,1	69,5	78	89,4	2	15,6	47,1	78,9	86,8	18	34,7	59,5	86,1	90,1	13,2	32,8	49,3	68,5	77,1
Cadres sup. prof. lib.	56	74,3	86,5	91,8	86,9	4,7	24,8	51,2	78,1	83,2	42,8	66,7	86,5	95,7	97,9	23,4	45	61,5	73,9	82,7
Cadres moyens	32	57,8	71,4	81	86	2,5	16,1	47,3	74,7	81,8	15,5	39,7	75,7	89,2	94,8	16,4	33,1	46,4	65,4	75
Employés	18	30,1	46	59,8	68,1	1,3	13,1	43,5	71,3	81,2	9,9	31	61	83,1	90,4	6,7	25,3	38	54,3	67,1
Ouvriers	8	21,5	40,8	61,1	66,3	0,9	9,7	39,1	71,3	81,3	3,3	16,8	51	80,5	88,6	8,5	23,2	41,2	60,5	69,6
Personnel de service	–	7,7	20,5	35,9	42,2	–	7,7	34,9	64	69,8	–	12,6	39,6	68	79,4	–	11,8	18,2	33,4	45,9
Autres actifs	14	38,8	69,9	83	82,6	–	13,8	49,9	82,2	88,1	–	32,1	75,2	91,1	92,1	–	35,8	54,3	73	73,4
Non actifs	6	9,8	15,9	24,1	30,9	0,4	5,8	25,4	55,6	68,7	3,7	12,1	31,2	63	74	3,8	11,2	18,8	33,4	43,7
Ensemble	21	28,4	42,4	55,4	61,3	1,0	9,5	35,3	66,4	77,5	7,5	20,5	48,3	76,5	85,3	8,4	21,4	35,4	53,2	63,8

Sources : *Annuaire statistique de la France*, INSEE, 1966 et 1972.
Données sociales, INSEE, 1974, p. 168.

Ce tableau appelle les remarques suivantes :

– tous les ménages, quelle que soit leur CSP d'appartenance, sont de mieux en mieux équipés;

– cette amélioration globale n'exclut pas le maintien des inégalités. On peut voir, par exemple, qu'en 1972, 86,8 % des ménages de « patrons de l'industrie et du commerce » ont une télévision, contre 68,7 % des ménages d'inactifs, parmi lesquels dominent les personnes âgées qui sont précisément celles qui ont le plus besoin de cet appareil;

– ces statistiques additionnent des unités inégales. Une « automobile », par exemple, peut être une Mercedes ou une vétuste voiture d'occasion. Une statistique sociologiquement significative devrait prendre en considération : la marque du véhicule, sa puissance fiscale, son âge, le nombre de kilomètres annuellement parcourus.

L'« explosion scolaire »
a-t-elle réduit les inégalités sociales?

Ce problème est aujourd'hui un des plus controversés qui soient. Par « explosion scolaire », on entend le fait que, dans la France d'aujourd'hui, tous les enfants soient scolarisés, au minimum, jusqu'à l'âge de 16 ans. Quelques chiffres montrent que cette « explosion scolaire » est une réalité. Le nombre des enfants et adolescents scolarisés dans l'enseignement public secondaire était de 127 000 en 1897, 737 000 en 1945, 3 718 000 en 1972. En 1975, on évalue à 5 000 000 le nombre des élèves des enseignements public et privé. La question à laquelle il convient de tenter de répondre est la suivante : est-ce que cette scolarisation massive a permis de supprimer le handicap des enfants issus de milieux pécuniairement et/ou culturellement défavorisés? Ou, en d'autres termes, les enfants d'ouvriers ont-ils autant de chances que les enfants de cadres supérieurs de faire des études de niveau élevé et de parvenir aux « statuts » gratifiants auxquels ces études conduisent?

Quelques définitions s'imposent liminairement. On appelle *mobilité sociale* le changement de classe en fonction d'une division trichotomique de la société : classe dirigeante, classes moyennes, classes populaires. La *mobilité professionnelle* exprime le changement de CSP. C'est la seule que nous puissions mesurer en utilisant les statistiques de l'INSEE. La mobilité peut être *ascendante* (l'ouvrier qualifié qui devient ingénieur par promotion interne) ou *régressive* (le commerçant ruiné qui devient employé). Elle est *intra-générationnelle ou biographique* quand elle concerne un même individu durant sa vie active; elle est *inter-générationnelle* quand elle désigne la CSP du fils ou de la fille par rapport au père (pourquoi pas par rapport à la mère? Parce que les statistiques dont nous disposons font toujours référence au père, rarement à la mère. Il y a là une omission, non hasardeuse, que l'INSEE s'efforce, actuellement, de combler). La *contre mibilité* désigne le cas d'un individu qui, par une mobilité intragénérationnelle ascendante, rejoint au bout d'un certain nombre d'années la situation sociale de son père : par exemple un ouvrier qualifié, fils d'ingénieur, qui devient ingénieur autodidacte par la formation permanente.

Pendant longtemps on a pensé que le développement de la scolarisation, corrélatif de l'expansion des sociétés industrielles, engendrerait de façon quasi mécanique une augmentation de l'égalité des chances devant l'enseignement et devant les situations sociales. Le raisonnement qui voyait dans l'école le mécanisme correcteur des inégalités originelles était le suivant : les sociétés traditionnelles sont caractérisées par un haut degré d'homologie entre structures familiales et structures économiques et sociales : donc le « statut » familial est le déterminant principal du « statut » social. Dans les sociétés industrielles au contraire, le statut d'un individu n'est pas *ascriptif* (ascribed) mais *acquis* (achieved) puisque l'important est la compétence plus que l'héritage. On s'attendait donc à un affaiblissement de la corrélation origine sociale-statut. On pensait que la généralisation de l'enseignement ferait surgir « un Mozart et un Stendhal dans chaque village ». Et tout le monde était d'accord pour affirmer que seules méritent d'être qualifiées de « démocratiques » les sociétés qui ne pénalisent pas les enfants issus de familles défavorisées.

10

Catégories socio-professionnelles du père et du fils (1970)

Source : Tableau 6069

Catégorie socio-professionnelle du père \ Catégorie socio-professionnelle du fils à l'enquête	0	1	2	3	4	5	6	7	8	Total
0 Agriculteurs exploitants	558.765	67.662	98.184	25.165	46.216	60.593	470.570	12.316	32.272	1.371.743
	40,7	*4,9*	*7,2*	*1,8*	*3,4*	*4,4*	*34,3*	*0,9*	*2,4*	*100,0*
1 Salariés agricoles	21.581	46.344	21.365	4.874	12.348	25.269	185.625	5.022	5.450	327.878
	6,6	*14,1*	*6,5*	*1,5*	*3,8*	*7,7*	*56,6*	*1,5*	*1,7*	*100,0*
2 Patrons de l'industrie et du commerce	11.001	9.983	217.960	99.881	77.940	64.802	227.772	13.119	26.894	749.352
	1,5	*1,3*	*29,1*	*13,3*	*10,4*	*8,6*	*30,4*	*1,8*	*3,6*	*100,0*
3 Professions libérales et cadres supérieurs	1.774	—	14.909	115.172	42.602	16.080	21.106	2.647	6.575	220.865
	0,8		*6,8*	*52,1*	*19,3*	*7,3*	*9,5*	*1,2*	*3,0*	*100,0*
4 Cadres moyens	—	—	12.299	53.214	55.119	12.046	33.228	4.033	10.348	180.287
			6,8	*29,5*	*30,6*	*6,7*	*18,5*	*2,2*	*5,7*	*100,0*
5 Employés	5.922	2.613	32.781	49.433	58.833	48.268	147.248	4.180	10.842	360.120
	1,7	*0,7*	*9,1*	*13,7*	*16,3*	*13,4*	*40,9*	*1,2*	*3,0*	*100,0*
6 Ouvriers	12.891	19.158	111.895	70.053	184.541	127.751	944.039	21.700	47.943	1.539.971
	0,8	*1,2*	*7,3*	*4,6*	*12,0*	*8,3*	*61,3*	*1,4*	*3,1*	*100,0*
7 Personnels de service	—	1.462	4.758	4.110	11.244	5.015	41.980	1.733	2.659	72.961
		2,0	*6,5*	*5,6*	*15,4*	*6,9*	*57,5*	*2,4*	*3,7*	*100,0*
8 Autres catégories	—	1.006	15.398	13.481	18.564	9.876	42.533	1.037	14.411	116.306
		0,9	*13,2*	*11,6*	*16,0*	*8,5*	*36,5*	*0,9*	*12,4*	*100,0*
9 Inactifs	—	2.495	10.682	34.232	28.520	9.814	51.785	4.650	8.431	150.609
		1,7	*7,1*	*22,7*	*18,9*	*6,5*	*34,4*	*3,1*	*5,6*	*100,0*
Non déclaré	7.690	8.843	14.115	14.940	13.046	10.934	114.361	4.294	8.780	197.003
	3,9	*4,5*	*7,2*	*7,6*	*6,6*	*5,5*	*58,0*	*2,2*	*4,5*	*100,0*
Total	619.624	159.566	554.346	484.555	548.973	390.448	2.280.247	74.731	174.605	5.287.095
	11,7	*3,0*	*10,5*	*9,2*	*10,4*	*7,4*	*43,1*	*1,4*	*3,3*	*100,0*

Source : R. Pohl, C. Thélot, M.F. Jousset, *L'enquête formation-qualification professionnelle de 1970*. Collections de l'INSEE, 1974, série *Démographie et Emploi*, D 32, p. 190.

Il s'agit de la CSP du père au moment où le fils terminait ses études. Aussi, pour avoir une population d'enfants comparable au point de vue de l'âge à celle des pères, le champ du tableau a été réduit aux enfants nés entre 1918 et 1935 ayant donc entre 35 et 52 ans à l'enquête.

Qu'en est-il aujourd'hui? Les détenteurs du pouvoir ne manquent pas de dire qu'il en est bien ainsi et que l'explosion scolaire fut une expansion démocratique. Plus soupçonneux, les sociologues accusent notre système scolaire de « reproduire » les inégalités sociales en donnant – circonstance aggravante – bonne conscience aux possédants... et aux enseignants. C'est la thèse célèbre de « la reproduction » qui souligne que notre système scolaire, grâce à sa « relative autonomie », reproduit à la fois les structures sociales capitalistes et l'idéologie qui les sous-tend : « C'est en effet à son autonomie relative que le système d'enseignement traditionnel doit de pouvoir (...) remplir simultanément sa fonction sociale de reproduction des rapports de classes en assurant la transmission héréditaire du capital culturel, et sa fonction idéologique de dissimulation de cette fonction en accréditant l'illusion de son autonomie absolue » (Bourdieu P. et Passeron J.-C., *La reproduction,* Éditions de Minuit, 1970, p. 237).

L'étude des statistiques permet-elle de trancher entre les deux thèses?

Le tableau 10 présente les résultats de l'enquête FQP (Formation Qualification Professionnelle) administrée en 1970 auprès d'un échantillon extrêmement raffiné de plus de 40 000 actifs. Comparant la CSP des pères et des fils, il permet de mesurer la mobilité inter-générationnelle. Si on lit ce tableau « en ligne », on voit, par exemple, que pour 100 pères qui étaient profession libérale cadre supérieur au moment où leur fils terminait ses études, il y a 52,1 fils qui sont profession libérale cadres supérieurs au moment de l'enquête, c'est-à-dire en 1970. Le taux de reproduction des pères aux fils (c'est-à-dire en terme de « dispersion ») est donc de 52,1.

Si maintenant nous lisons ce tableau, non plus en ligne mais en colonne, nous voyons que, sur les 484 555 professions libérales cadres supérieurs en 1970, 115 172 avaient un père également professions libérales cadres supérieurs. Donc en terme de « recrutement », la « reproduction » est de l'ordre de 26 %.

Il convient de saisir l'importance de ces deux lectures possibles : si on lit « en ligne », c'est-à-dire en termes de « dispersion », on pourra conclure à une forte reproduction (52,1 %); si on lit « en colonne », c'est-à-dire en termes de « recrutement », le taux de reproduction sera exactement moitié moindre (26 %). Donc, à partir des mêmes données statistiques (tenues pour « neutres »), on pourra prononcer deux discours : le premier légitimant le système existant par une lecture « en ligne », le second le contestant par une lecture « en colonne ».

Toutefois, un coup d'œil sur les autres chiffres s'impose. Nous pouvons remarquer que, dans la génération des pères, il y avait 220 865 professions libérales cadres supérieurs (dernière colonne à droite) alors que, dans la génération des fils, il y en a 484 555 (ligne du bas). Leur nombre a donc plus que doublé ce qui exprime, d'une génération à la suivante, de profondes modifications dans la répartition de la population active. Puisque doublement il y a eu, il est inévitable qu'une fraction importante des actuelles professions libérales cadres supérieurs soit issue d'une autre CSP que celle de leur père, donc de catégories « inférieures » si l'on admet, avec l'INSEE, que la CSP « professions libérales cadres supérieurs » constitue la strate la plus élevée. D'où viennent donc les actuelles « professions libérales cadres supérieurs » dont les pères n'étaient pas « professions libérales cadres supérieurs »? Toujours en parlant en termes de recrutement, c'est-à-dire en lisant « en colonne », nous voyons que 99 881 avaient un père « patron de l'industrie et du commerce ». Donc, sur les 484 555 actuelles « professions libérales cadres supérieurs » (115 172 + 99 881 = 215 053) soit environ 45 % – en terme « de recrutement » – ont un père soit profession libérale cadre supérieur; soit patron de l'industrie ou du commerce. La « gauche » triomphe alors en soulignant l'importance de ce pourcentage, mais « la droite » riposte que dans la CSP « patr. de l'ind. et du com. » il y a aussi les artisans et les petits commerçants. Personne n'a tort. Alors?

Peut-être les choses s'éclaireront-elles si l'on tente un autre type de regroupement. C'est ce qu'a fait D. Bertaux (in *L'hérédité sociale en France, Économie et Statistique,* n° 9, février 1970). Il propose un regroupement trichotomique :

– *classe dirigeante* : industriels, gros commerçants, cadres supérieurs, professions libérales;
– *classe moyenne* : employés, services, cadres moyens, artisans, petits commerçants;
– *classe populaire* : agriculteurs et ouvriers.
Appliquant cette « grille » à l'enquête FQP de 1964, il constate que cette répartition
trichotomique a peu changé de la génération des pères à celle des fils. Voici les résultats qu'il trouve (en % de la population active).

	Pères	Fils
Classe dirigeante	5,4	6,7
Classe moyenne	26,4	29,4
Classe populaire	68,2	63,9

Mais cette stabilité apparente masque des changements structurels importants :
– la classe populaire est passée d'une majorité paysanne à une majorité ouvrière;
– la classe moyenne est passée de petits commerçants et artisans à cadres moyens,
techniciens, employés.
La conclusion de D. Bertaux est la suivante : il y a une assez forte mobilité entre
classe populaire et classe moyenne, entre classe moyenne et classe dirigeante. Mais
la mobilité est très faible entre classe populaire et classe dirigeante. Conclusion
confirmée par ce tableau où nous lisons que, sur les 484 555 fils profession libérale
cadre supérieur, il n'y en a que 70 053 qui ont un père ouvrier (raisonnement en termes
de recrutement). Et si nous raisonnons à nouveau en termes de dispersion, nous voyons
que pour 1 539 971 pères ouvriers, ces 70 053 fils qui sont devenus profession libérale
cadre supérieur ne représentent que 4,6 % alors que 944 039 des fils d'ouvriers – soit
61,3 % – sont eux-mêmes ouvriers.

Le tableau 11 nous permet d'affiner notre analyse en soulignant le rôle fondamental
de l'héritage culturel dans la mobilité sociale, héritage culturel qui est souvent – mais
pas toujours – associé à l'héritage pécuniaire. On peut y lire que sont particulièrement
privilégiés les fils de professeurs à qui on enseigne à domicile « le langage de l'école ».
En effet pour 100 pères professeurs il y a 77,8 fils qui sont ou profession libérale, ou
professeurs, ou ingénieurs, ou cadres administratifs supérieurs. La reproduction « à
l'identique » est très élevée (pour 100 pères professeurs 27,3 fils le sont également).
La régression sociale est exceptionnelle et généralement limitée : pour 100 pères professeurs, 14,5 fils sont cadres moyens (certains peuvent encore effectuer une « contre
mobilité » sociale) et il n'y en a que 4,3 qui sont soit employés, soit ouvriers, soit personnel de service.
L'importance de l'héritage culturel apparaît également au niveau des instituteurs,
puisque pour 100 pères exerçant cette profession, 63,3 fils se maintiennent ou s'élèvent.
On regrettera – une fois encore – de n'avoir pas la profession de la mère. On peut
faire l'hypothèse que lorsqu'un fils d'ouvrier ou d'employé accomplit une « ascension
sociale », c'est souvent parce que sa mère est institutrice. Il serait intéressant de savoir
– compte tenu de la forte endogamie en milieu enseignant – si les enfants dont les
deux parents sont enseignants effectuent de meilleurs scores scolaires et font de plus
brillantes carrières que celles et ceux dont un seul parent est enseignant. Et, dans cette
dernière hypothèse, est-il préférable, pour « monter » socialement, que ce soit le père
ou la mère qui soit enseignant?
A cette étape de notre démarche, nous pouvons dire que la mobilité sociale existe
dans la société française contemporaine, mais qu'elle est statistiquement « sectorielle »
ce qui veut dire que la CSP d'arrivée est proche de la CSP de départ. Exemple : le
contremaître qui devient technicien moyen (mobilité intra-générationnelle); le fils

d'avocat qui devient cadre supérieur (mobilité inter-générationnelle). Certes, on rencontre quelques exceptions « brillantes » telles Paul Doumer, fils d'un poseur de rails à la Compagnie des Chemins de fer d'Orléans et Georges Pompidou, fils d'un ménage d'instituteurs, tous deux devenus Présidents de la République. Des ascensions sociales aussi « exemplaires » ont toujours existé (Mazarin, fils d'un horticulteur italien, était devenu Premier Ministre en France) et elles servent opportunément d'alibi pour légitimer des systèmes sociaux relativement stables. De même dans toute société dominée par les hommes, et c'est le cas de la nôtre, on rencontre toujours quelques femmes « mises » à des postes considérés comme essentiels pour masquer le caractère « phallocratique » du système en place.

Ces constatations, pour importantes qu'elles soient, n'ont pas apporté une réponse précise à la question posée : l'explosion scolaire a-t-elle réduit les inégalités sociales? Après avoir étudié les statistiques relatives à la mobilité sociale au niveau de la société globale, portons notre regard sur les statistiques scolaires. Nous disposons d'une remarquable enquête « longitudinale » faite par l'INED et portant sur 17 500 enfants qui étaient en CM 2 en 1962 et qui ont été « suivis » pendant dix ans, c'est-à-dire jusqu'en 1972 (d'où l'expression : enquête « longitudinale », par opposition aux enquêtes « transversales » qui tentent de saisir un groupe à un moment « t » de son existence sociale » : par exemple une enquête sur les intentions de vote quelques jours avant des élections). Les chercheurs de l'INED, qui avaient élaboré leur échantillon de 17 500 élèves en fonction de variables nombreuses, en gardaient encore 90 % sous observation au bout de 10 ans, ce qui constitue une performance tout à fait remarquable. Ils ont publié les résultats de leur étude dans un gros livre (*Population et l'Enseignement*, Paris, PUF et INED 1970) dont on peut très rapidement résumer les conclusions dans les termes suivants :
— ceux qui sont dans l'enseignement supérieur en 1972 étaient de bons élèves en CM 2 dix ans avant;
— ceux qui sont dans des « Grandes Écoles » en 1972 étaient non seulement de bons élèves en CM 2 mais ils étaient « à l'heure », c'est-à-dire qu'ils avaient 9, 10, au grand maximum 11 ans;
— ces élèves des Grandes Écoles, anciens bons élèves « jeunes » de CM 2, avaient fait une très bonne scolarité en Cours Préparatoire où, très jeunes, ils avaient appris à lire et à écrire en quelques mois;
— ils étaient, pour la presque unanimité d'entre eux, issus de milieux culturellement favorisés.

Les auteurs se résument ainsi : « Les jeux sont faits, pour ainsi parler, très tôt. L'orientation prise au terme du CM 2 résulte déjà d'un passé, qui résume la scolarité antérieure et qui préfigure la scolarité à venir ». Ce qui ne veut pas dire, bien entendu, que *tous* les enfants issus de milieux favorisés entreront dans de Grandes Écoles car existent, aussi, des « inégalités individuelles ». Aussi peut-on se demander si les concours d'admissions aux Grandes Écoles n'ont pas pour fonction de sélectionner, parmi les adolescents issus des milieux culturellement favorisés, les plus « doués », en y admettant également les « surdoués » issus de milieux défavorisés et étant parvenus à surmonter le handicap de leur « malédiction originelle » en menant à son terme – et brillamment – leur scolarité secondaire. On saisit l'importance de la réponse à une telle question car, si elle était affirmative, elle prouverait que les « Grands concours » tout « honnêtes et objectifs » qu'ils soient, participeraient à une mythologie de l'égalité des chances scolaires. Il importerait donc de connaître l'origine sociale des *candidats* pour savoir si les jurys sélectionnent parmi des adolescents venus de tous les horizons sociaux ou parmi des « héritiers » parvenus avec un minimum de difficultés aux portes des « Écoles du pouvoir » grâce au fonctionnement d'un système scolaire qui « reproduit » les inégalités sociales.

11

Croisement entre certaines catégories socio-professionnelles du père et du fils (1970)

Hommes actifs occupés au moment de l'enquête nés.entre 1918 et 1935

Catégorie socio-professionnelle du père \ Catég. socio-profess. du fils à l'enquête	30		32		33		34		Techniciens 43		Cadres administratifs moyens 44		Autres cadres moyens 41 + 42		Autres actifs		Total	
30. Professions libérales	11.404	27,5	3.297	7,9	2.921	7,0	6.455	15,6	2.470	6,0	2.556	6,2	1.428	3,4	10.969	26,4	41.500	100,0
32. Professeurs	1.963	15,8	3.380	27,3	2.415	19,5	1.878	15,2	422	3,4	575	4,6	1.222	9,9	533	4,3	12.388	100,0
33. Ingénieurs	2.219	5,2	1.635	3,8	7.193	16,7	9.737	22,7	3.750	8,7	2.859	6,7	410	0,9	15.159	35,3	42.962	100,0
34. Cadres administratifs supérieurs	7.164	5,8	5.129	4,1	13.314	10,7	35.068	28,3	8.873	7,2	14.429	11,6	3.608	2,9	36.430	29,4	124.015	100,0
3. Cadres supérieurs	22.750	10,3	13.441	6,1	25.843	11,7	53.138	24,1	15.515	7,0	20.419	9,2	6.668	3,0	63.091	28,6	220.865	100,0

Hommes actifs occupés au moment de l'enquête nés entre 1918 et 1935

Catégorie socio-professionnelle du père \ Catég. socio-profess. du fils à l'enquête	Cadres administratifs supérieurs 34		Autres cadres supérieurs 30+32+33		Instituteurs 41		Cadres administratifs moyens 44		Techniciens 43		Ouvriers qualifiés et contremaîtres 60+61		Autres ouvriers		Autres actifs		Total	
41. Instituteurs - professions intellectuelles diverses	4.699	13,3	9.118	25,9	4.627	13,1	3.855	11,0	2.476	7,0	3.005	8,5	2.476	7,0	5.003	14,2	35.259	100,0
44. Cadres administratifs moyens	13.151	14,0	11.954	12,7	3.533	3,7	15.328	16,3	8.905	9,5	14.791	15,7	4.103	4,3	22.434	23,8	94.199	100,0
43 + 42. Autres cadres moy (techniciens et person. de santé).	7.181	14,1	7.111	14,0	923	1,8	5.233	10,3	9.301	18,3	6.839	13,4	2.014	4,0	12.227	24,1	50.829	100,0
4. Cadres moyens	25.031	13,9	28.183	15,6	9.083	5,0	24.416	13,5	20.682	11,5	24.635	13,7	8.593	4,8	39.664	22,0	180.287	100,0

Source : R. Pohl. C. Thélot, M.F. Jousset, *L'enquête formation – qualification professionnelle de 1970.* Collection INSEE, 1974, série *Démographie et emploi*, D 32, 276 p., p. 191.

Il s'agit de la CSP du père au moment où l'enfant terminait ses études. Aussi, pour avoir une population d'enfants comparable du point de vue de l'âge à celle des pères, n'ont été retenus que les enfants nés entre 1918 et 1935, ayant donc entre 35 et 52 ans à l'enquête.

Mais, avant d'étudier le problème des Grandes Écoles, il convient de se pencher sur l'origine sociale des étudiants des Facultés. Le tableau 12 permet quelques observations intéressantes (il doit être lu avec prudence parce que les services statistiques du Ministère de l'Éducation nationale se heurtent au très délicat problème des doubles inscriptions : comment ne pas compter deux fois le *même* étudiant inscrit à la fois en droit et en histoire? C'est pourquoi le chiffre total de 644 000 étudiants en 1971 doit être tenu pour approximatif).

– L'«explosion scolaire» est devenue «explosion universitaire» puisque de 1951 à 1971 – en 20 ans – le nombre des étudiants est passé de 126 000 à 644 000.

– La démocratisation du recrutement est absolument générale puisque, dans toutes les spécialités, de 1951 à 1971, le pourcentage d'étudiants issus de pères ouvriers a augmenté. Pour l'ensemble des disciplines, il y avait en 1951 pour cent étudiants 2,5 fils ou filles d'ouvriers, il y en a 13,1 en 1971.

– Cette «démocratisation» varie en fonction des disciplines : ce sont les «lettres et sciences humaines» qui ont le plus fort pourcentage de fils d'ouvriers (16,2 pour 100 étudiants en 1971); c'est la médecine qui reste la plus «aristocratique» : en décembre 1971 6,2 fils d'ouvriers pour 100 étudiants.
Cette première (et hâtive) lecture de ce tableau permettrait de conclure dans le sens des déclarations «officielles» («oui, la démocratisation de l'enseignement supérieur réduit les inégalités sociales) si elle n'appelait pas aussitôt trois remarques correctives :

– L'enseignement supérieur n'est pas une fin en soi, il est un moyen de trouver, en aval, un emploi gratifiant. Or c'est dans les disciplines littéraires que les enfants d'ouvriers, en pourcentage et en chiffres absolus, sont les plus nombreux. Or les licences et maîtrises délivrées par ces UER ne donnent droit à aucun emploi sauf à passer un concours (CAPES, Agrégation) très sélectif pour devenir professeur. Sauf réussite à un pareil concours le (la) titulaire d'une maîtrise de lettres a fort peu de chances de trouver un emploi, le «marché du travail» n'ayant que faire de diplômés de cette nature. Par contre, là où les fils d'ouvriers sont les moins nombreux, en Médecine, le problème des «débouchés» ne se pose pratiquement pas.

– Les pourcentages donnés dans ce tableau sont calculés en fonction de la population étudiante et non en fonction de la CSP d'origine. Sur 100 étudiants, il y a bien en 1971, 13,1 fils d'ouvriers mais nous savons que les ouvriers (cf tableau n° 3) représentaient alors 37,4 % de la population active; sur 100 étudiants toujours pour cette même année 1971, il y en a 26,6 dont le père est profession libérale cadre supérieur, CSP qui représentait alors 5,9 % de la population active. Ce qui veut dire que plus du quart des étudiants sont issus d'une CSP représentant environ 1/17 de la population active et que 13,1 % d'entre eux sont issus d'une CSP représentant plus du tiers de la population active.

– Il est aventureux de comparer la «valeur» d'un diplôme (eu égard à la recherche d'un emploi) à deux époques différentes. En effet, la prolongation de la scolarité obligatoire, la «massification» de l'enseignement secondaire, bref l'exhaussement général du niveau scolaire ont multiplié le nombre des titulaires de diplômes hier plutôt rares et devenus banals. Par exemple, aujourd'hui, presque le quart de chaque classe d'âge obtient son baccalauréat. Il en résulte que le titulaire du bachot en 1975 se présente sur le marché du travail avec un diplôme qui «vaut» ce que valait il y a dix ans le BEPC (Brevet d'Étude du Premier Cycle). Une comparaison diachronique sociologiquement valable ne devrait donc par comparer les pourcentages respectifs d'enfants d'ouvriers qui ont obtenu le baccalauréat en 1975 et en 1965, mais les pourcentages de ces mêmes enfants qui ont obtenu le baccalauréat en 1975 et le BEPC en 1965. C'est ce que dit clairement R. Boudon au terme de son étude capitale sur *L'inégalité des chances. La mobilité sociale dans les sociétés industrielles*, (Paris, A. Colin 1973) : « Les bénéfices tirés par les individus des classes moyennes et inférieures de la lente démocratisation de l'enseignement sont, dans une certaine mesure, rendus illusoires par l'augmentation générale de la demande d'éducation. En effet, d'une période à l'autre, les espérances sociales identiques sont associées à un cursus plus long » (p. 216).

Ce tableau n° 12 ne fournit donc pas une réponse claire à la question que nous avons posée. Il convient de pousser plus loin notre investigation en étudiant l'origine sociale des élèves des Grandes Écoles. En effet, il faut rappeler que l'univers estudiantin est, lui aussi, hiérarchisé. Les élèves des Grandes Écoles qui ont passé avec succès des concours d'admission très sélectifs constituent une aristocratie qui domine la « plèbe » des étudiants inscrits dans les UER où ils sont admis, après le bachot, sans sélection. La loi d'orientation universitaire, dite « loi Edgar Faure », votée à l'unanimité après les « événements de mai 1968 » n'a fait que renforcer cette dichotomie (encore que, dans les disciplines médicales, la sélection ait été rétablie « de facto » par un véritable concours institué en fin de première année). Toutes les enquêtes prouvent, et d'autres tableaux que nous verrons plus loin montrent, qu'à la tête des grandes entreprises publiques, semi-publiques et privées, à la direction des administrations, dans les cabinets ministériels, bref à tous les postes dits « de responsabilités » qu'occupent des « décideurs », ceux-ci sont pour la presque unanimité d'entre eux, sortis d'une « Grande École ». On peut encore aller plus loin dans l'analyse pour découvrir une nouvelle dichotomie : celle qui existe entre ceux qui sont sortis dans « les grands corps » des deux « prestigieuses » Grandes Écoles : Polytechnique et l'ENA (corps des Mines et des Ponts et Chaussées pour la première; Inspection des Finances, Conseil d'État, Cour des Comptes pour la seconde) et leurs camarades issus des mêmes Écoles mais avec un moins bon rang. C'est dire qu'il n'y a pas de commune mesure entre le titulaire d'une maîtrise de lettres, obscur M.A. (Maître auxiliaire) dans un CES de Province et le « brillant » jeune Inspecteur des finances promis à un cursus « glorieux ».

Concernant l'origine sociale des élèves des Grandes Écoles, le tableau 13 est parfaitement clair. On y lit qu'en 1962 2 %, en 1971 1 % des polytechniciens étaient fils d'ouvriers. Les promotions étant d'environ 300 élèves, cela veut dire qu'en 1962 il y avait 6 élèves, et 3 en 1971 dont le père était ouvrier (rappelons que pour cette dernière date, sur 100 étudiants inscrits dans les Universités, 13,1 % avaient un père ouvrier).

Les Écoles Normales de la rue d'Ulm et de Sèvres sont à peine plus « démocratiques ». On peut voir simplement que les enfants d'instituteurs y sont en pourcentage élevé, ce qui confirme ce que nous disions plus haut sur l'importance de l'héritage culturel. En ce qui concerne l'ENA, en 1965, il y avait 1 % d'étudiants dont le père était ouvrier (la promotion comprenant une centaine d'élèves, cela faisait exactement un fils d'ouvrier). Ce qui surprend, ce sont les statistiques concernant la période 1970-1975 (tableau 14). Nous les avons trouvées dans une réponse écrite de Mr Péronnet, secrétaire d'État à la fonction publique à Monsieur Jacques Duclos, sénateur communiste. Cette réponse a été publiée dans le *Journal Officiel* du 5 mars 1975, mais le Secrétaire d'État ne cite pas ses sources. C'est bien regrettable parce que la brusque irruption de fils d'ouvriers et d'employés à l'ENA n'est nullement confirmée par l'étude des statistiques officielles présentées par A. Darbel et D. Schnapper dans le tableau 15. On y lit en effet que sur les 796 *candidats* au « concours étudiant » de l'ENA qui se sont présentés en 1971, il y avait 10 fils d'ouvriers, que sur les 77 admis il en restait 1; que sur les 210 candidats qui se sont présentés au concours « fonctionnaires » (second concours), il y avait 15 fils d'ouvriers dont 2 ont été admis. Nous sommes loin des pourcentages « optimistes » fournis par le ministre en réponse à un Sénateur, communiste il est vrai...

12

Origine sociale des étudiants français (1951-1971)

		Droit				Sciences économiques				Science				Lettres et sciences h.		
		Juin 1961	Déc 1964	Déc 1966	Déc 1971	Juin 1961	Déc 1964	Déc 1966	Déc 1971	Juin 1961	Déc 1964	Déc 1966	Déc 1971	Juin 1961	Déc 1964	Déc 1966
Agriculteurs	Agric. exploitants	3,4	3,9	4,2						4,7	4,6	5,6		4	3,8	4,6
	Fermiers - métayers	1,4	1,0	0,9						1,5	1,7	1,6		2,3	1,7	1,6
	Total	4,8	4,9	5,1	6,7				8,6	6,2	6,3	7,2	8,6	6,3	5,5	6,2
Salariés agricoles		0,3	0,3	0,4	0,6				0,8	0,7	0,7	0,9	1	0,7	0,8	0,8
Patrons industrie commerce	Industriels	5,2	4,2	3,4	1,7				2,6	2,8	2,1	2,1	1,2	5,7	2,2	2,3
	Artisans, petites indus.	3,8	2,8	3,7	2,7				3,6	4,8	4,3	4,8	3,4	3	4	4,4
	Patrons-pêcheurs			0	0,1				—			0,1	0,2			0,1
	Moyens et gros commer.	8,8	8,5	8,8	1,6				1,9	10	8,5	7,3	0,9	8,8	8,2	7,7
	Petits commerçants				4,9				5,4				4,4			
	Total	17,8	15,5	15,9	11				13,5	17,6	14,9	14,3	10,1	17,5	14,4	14,6
Professions libérales cadres supérieurs	Professions libérales	11,9	12	10,8	9,1				5,4	7,8	8,1	7,1	3,4	6,9	6,7	7
	Professeurs	2,8	2,9	2,7	1,8				2,3	3,9	4,2	4	3,3	9,8	4,9	4,4
	Professions lit. ou scient.			0,3	0,2				0,2			0,3	0,6			0,3
	Ingénieurs			4,3	3,1				4,6			7,2	4,9			4,9
	Prof. médicales salariés				0,7				0,5				0,8			
	Cadres adm. sup. publics	6,1	7,9	5,7	12,3				11,7	7	8,3	5,1	8,1	5,7	8,3	5,3
	Cadres adm. sup. privés	7	9,5	5,9						8,5	7,1	3,4		4,1	5,8	3,8
	Total	27,8	32,3	29,7	27,2				24,7	27,2	27,7	27,1	21,1	26,5	25,7	25,7
Cadres moyens	Instituteurs	2,5	2,2	2,1	1,1				1,8	5,6	5,2	4,7	3,5	9,5	5,5	4,5
	Prof. intellectuelles div.				0,6				0,6				0,8			
	Services médicaux et soc.			0,9	0,4				0,3			0,5	0,4			0,6
	Techniciens			2	2,3				2,8			3,1	3,1			2,7
	Pers. de surveil. établ.ens.			0,2	0,2				0,2			0,1	0,3			0,2
	Cadres moyens publics	7,5	6,9	4,8	9,2				9,1	5,3	7,9	5,6	7,3	9,8	7,7	5,7
	Cadres moyens privés	5,9	6,5	3,8						7	5,3	3,2		4,9	4,7	3,5
	Total	15,9	15,6	13,8	13,8				14,8	17,9	18,4	17,2	15,2	24,2	17,9	17,2
Employés	Employés de bureau	5,9	5,5	6,2	6,2				7	6,9	5,9	6,3	6,5	3,4	5,7	6,3
	Employés de commerce	3,3	3,2	2,9	3,4				3,7	3,3	2,9	2,2	2,7	3	3,4	2,4
	Total	9,2	8,7	9,1	9,6				10,7	10,2	8,8	8,5	9,2	6,4	9,1	8,7
Ouvriers	Contremaîtres	1,5	1,2	1,5	2,2				2,8	2	2	2,3	2,7	2,3	2	2
	Ouvriers qualifiés			2,7	4,1				4,9			4,8	5			4,1
	Ouvriers spécialisés	2,8	3,2	2,1	4				4,4	3,9	7,8	3,4	5,6	3,5	5,9	3,5
	Mineurs			0,3	0,4				0,7			0,6	0,9			0,6
	Marins, pêcheurs			0,2	0,2				0,2			0,3	0,3			0,2
	Manoeuvres	0,5	0,4	0,7	0,8				0,7	0,8	0,7	1,3	1,1	0,4	0,6	1,3
	Total	4,8	4,8	7,5	11,7				13,7	6,7	10,5	12,7	15,6	6,2	8,5	11,7
Personnel de service		1,1	1	1,1	0,8				0,9	1	1,2	0,8	1	1	1,2	0,8
Autres catégories	Artistes			0,3	0,2				0,1			0,2	0,2			0,3
	Clergé			0,1								0,1	0,1			0,2
	Armée, police, officiers			5	3,4				2,8			5	2,1			5
	Total			5,4	3,6				2,9			5,3	2,4			5,5
Rentiers		7,6	10	5	1,1				1	6,1	5	1,1	3,7	7	6	1,2
Catégories non mentionnées		10,7	6,2	2,2	3,1				2,5	6,4	6,4	3,5	7,7	4,2	8,3	3,9
Sans réponse			0,7	4,8	10,8				5,9		0,1	1,4	4,4		2,6	3,8
	Total	100	100	100	100				100	100	100	100	100	100	100	100
	Total général en 1000	29,7	50	80	98				45	64	94	115	117	55	94	130

Sources : 1951 : La réforme de l'enseignement, *Esprit,* juin 1954, n° 6, p. 867
1955 : *Informations Statistiques de l'Éducation Nationale,* mai 1957, n° 1
1961 : *Informations Statistiques de l'EN,* sept.-octobre 1962, n° 42-43, p. 254
1964 : *Informations Statistiques de l'EN,* oct. 1966, n° 76, p. 502
1966 : *Informations Statistiques de l'EN,* décembre 1968, n° 108, p. 886
1971 : *Statistiques des Enseignements,* 1973, n° 17, p. 33

Méd. Juin 1961	Médecine Déc 1964	Déc 1966	Déc 1971	Chir. dent. Juin 1961	Déc 1964	Déc 1966	Déc 1971	Pharmacie Juin 1961	Déc 1964	Déc 1966	Déc 1971	Toutes disc. Juin 1961	Déc 1964	Déc 1966	Déc 1971	CSP (1)	Juillet 1951	Juin 1955
	2,8	2,5						4,2	4,7	4,7		4	4	4,6		Agric. ex.	4,3	4,4
	0,5	0,6						0,6	0,6	0,4		1,7	1,4	1,3		fermiers	0,8	0,8
1	3,3	3,1	4,3				3,7	4,8	5,3	5,1	8,4	5,7	5,4	5,9	6,9	Total	5,1	5,2
2	0,2	0,2	0,3				0,2	0,1	0,1	0,1	0,5	0,5	0,6	0,6	0,8	Sal. agric.	0,6	0,8
3	4,9	3,2	1,9				2,6	8,3	5	4,1	2,8	4,7	3	2,6	1,6	Chefs d'entreprises ind. et com.	13,4	7,5
3	3,4	3,3	2,7				3,5	2,8	3,6	3	3,9	3,9	3,8	4,2	3,2			
		0	—				—			0,1	—			0,1	0,2			
	8,8	8,8	2,6				3	13,1	11,9	11,4	2,9	9,6	8,5	8,1	1,5	Artisans commerçants	9,6	12,5
			4,8				7,5				6,4				4,9			
1	17,1	15,3	12				16,6	24,2	20,5	18,6	16	18,2	15,3	15	11,4	Total	23	20
1	18,5	19,2	13,9				15,7	25,1	26,4	22,1	16,4	10,4	10,3	9,8	7,6	Prof. lib.	19,4	11,8
8	4,4	3,9	3,5				3,1	4,1	3,7	3,5	3,5	5,6	4,2	3,8	3,1			
		0,3	0,3				0,4			0,3	0,7			0,3	0,4			
		7,4	6,1				7			7,7	6,5			5,9	4,3	Fonctionnaires de direction	5	5
			2				0,8				1,1				1			
6	6,6	5,1	12,5				13,3	8	8	5,1	12,2	6,7	8	5,3	10,2	Fonctionnaires chefs de services	12,5	12,7
1	6,1	5						5	7,1	4,3		6,7	7	4,3				
6	35,6	40,9	38,3				40,3	42,2	45,2	43	40,4	29,4	29,5	29,4	26,6			
6	3,7	3,5	2,2				2,6	3,4	3,6	3,3	2,8	6,1	4,6	3,9	2,8	Employés cadres	6,7	7,5
			0,8				0,7				0,5				0,8			
		0,7	0,5				0,4			0,4	0,5			0,6	0,4			
		1,8	2,4				2,2			1,3	2,4			2,5	2,6	Fonctionnaires subalternes	10,2	10,9
		0,2	0,2				0,1			0,1	0,2			0,2	0,2			
8	8	4,1	6				8,1	5,4	5,2	4,2	6,3	7,7	7,6	5,2	7,6			
8	7,8	3,5						4,2	5,3	3,2		5	5,6	3,4				
2	19,5	13,8	12,1				14,1	13	14,1	12,5	12,7	18,8	17,8	15,8	14,4	Total	53,8	47,9
,5	3,4	4,6	3,8				3,7	2	1,6	2,8	3,5	5,1	5,3	6	6,5	Employés subalternes	9	7,5
,7	4,2	3	2,1				2,8	3,4	2,9	2,7	2,6	3,3	3,3	2,5	3,1			
,2	7,6	7,6	5,9				6,5	5,4	4,5	5,5	6,1	8,4	8,6	8,5	9,6	Total	9	7,5
,8	0,9	1	1,5				1,5	0,6	0,9	0,8	1,7	1,8	1,7	1,8	2,4			
		1,6	2,2				1,8			1,1	2			3,6	4,6			
,3	2,3	1,5	1,7				1,9	1	1,1	0,9	1,6	3,1	5,4	2,8	4,3	Ouvriers	2,5	3,4
		0,2	0,3				0,3			0	0,2			0,5	0,8			
		0,1	0,1				0,1			0,1	—			0,2	0,2			
,3	0,3	0,3	0,4				0,2	0	0,1	0,2	0,3	0,6	0,5	1	0,8			
,4	3,5	4,7	6,2				5,8	1,6	2,1	3,1	5,8	5,5	7,6	9,9	13,1	Total	2,5	3,4
3	0,4	0,5	0,4				0,3	0,1	0,2	0,2	0,4	0,9	1	0,8	0,8			
		0,2	0,1				0,2			0,2				0,2	0,2			
		0,2	0,1				—			0,1				0,1	0,1			
		3,8	1,8				1,7			3	1,4			4,8	2,3			
		4,2	2				1,9			3,3	1,4			5,1	2,6			
,1	7,4	4,1	0,6				1,8	5,9	5	3,9	0,5	6,6	6,5	2,4	1,5	Rentiers	6	3,9
,8	4,4	2	3,9				4,7	2,7	3	2,7	2,5	6	6,6	3,1	4,2			
	1	3,6	14				4,1			2	5,3			1,1	3,5	8,1	Sans réponse	—	11,3
	100	100	100				100	100	100	100	100	100	100	100	100	Total	100	100
	36	46	109				9	8	10	14	23	184	284	385	644	Total général en 1000	126	140

. En 1951 et 1955, le système de catégories n'étant pas le même et permettant par conséquent difficile-
nt des comparaisons, nous le rappelons dans une première colonne avant de donner les résultats des
quêtes qui n'ont pas été effectuées par discipline.

13

Origine sociale des élèves des Grandes Écoles

Profession du chef de famille	Ecoles scientifiques							Ecoles normales sup.		Ecoles administratives			% de la pop. active	
	Polytechnique		Centrale	Mines	Sup. Aéro	Sup. Elec	Arts et Métiers	Ulm et Sèvres	St Cloud Fontenay	E.N.A.		I.E.P.		
	1962	1971	1962	1962	1962	1962	1962	1962	1962	1965	1970/1975	1962	1962	
Agriculteurs	1	3,3	2	5	5	4	5	1	7	4,1 [1]	3,6 [2]	8	12	
Salariés agricoles	—	—	—	—	—	—	1	—	1	—	—	—	2,8	
Patrons de l'ind. et du com.	13	14,6	12	13	31	19	19	9	14	16,7	12,7	19	10,5	
dont industriels	5	7	3	4	18	6	4	2	—	2,1	6,8			
Professions lib. et cadres sup.	57	55,6	47	41	33	42	19	51	18	56	48,5	44	3,9	
dont hauts fonctionnaires	19	14	16	11	11	17	6	7	6	25		11		
Cadres moyens	15	18,6	18	18	19	17	19	26	24	15,9	19,7	1°	9,7	
dont instituteurs (public)	7	1,8		4	4	4	5	13	14	—				
Employés	8	2,3	9	12	8	8	10	5	10	6,3	9,7	8	14,9	
Ouvriers	2	1	2	5	2	7	17	3	15	1	5,6	2	37,4	
Personnel de service	—	—	—	—	—	1	2	—	2	—	—	1	5,7	
Autres catégories	3	4	4	1	1	—	3	1	4	—	—	2	2	
Rentiers, sans profession	1	—	6	5	1	2	5	4	5	1	—	3		
Total	100	100	100	100	100	100	100	100	100	100	100	100	100	10

Sources : Statistiques du Ministère de l'Éducation Nationale
ENA (1) : A. Girard, *La Réussite Sociale*, Paris, PUF, Q.S.J., 1971, 127 p., p. 90
ENA (2) : *Journal Officiel*, Sénat, 5 mars 1975

14

Origine sociale des élèves de l'ENA (1947-1975)

Catégories socio-professionnelles des parents	Promotions (%)			
	1947-1954	1955-1962	1963-1969	1970-197
Agriculteurs	4,3	2,6	5,6	3,6
Ouvriers	1,9	4,9	2,8	5,6
Employés	15,3	12,4	10,7	9,7
Artisans - commerçants	9,3	6,3	6,4	5,9
Industriels, gros artisans, commerçants	9,7	7	7	6,8
Cadres moyens	27	27,8	20,6	19,7
Professions libérales	8,2	6,8	13,2	11,3
Cadres supérieurs	24,3	32,1	33,8	37,2

Source : *Journal officiel*, Sénat, 5 mars 1975.

5

**Répartition des candidats au concours d'entrés à l'ENA 1971
par origines sociales (nombre)**

Origines sociales	Premier concours				Second concours			
	Inscrits	Présents	Admissibles	Admis	Inscrits	Présents	Admissibles	Admis
Administrations [1] :								
CATÉGORIE A1 (Directeurs)	95	83	16	9	16	15	5	1
CATÉGORIE A2	126	114	20	5	35	30	15	7
CATÉGORIE B	52	46	9	4	18	17	8	3
CATÉGORIE C	11	8	—	—	12	12	2	2
CATÉGORIE D	1	1	—	—	10	8	3	—
Artisans, commerçants	62	50	13	7	24	23	8	6
Chefs d'entreprise (ind.)	14	12	5	3	4	4	1	1
Employés de comm. et ind. :								
Cadres	275	230	53	24	49	42	13	8
Emplois subalternes	72	61	12	3	20	18	7	4
Agents de maîtrise	6	4	1	1	1	1	1	1
Ouvriers	12	10	2	1	17	15	4	2
Professions libérales	166	134	31	15	9	4	2	2
Cultivateurs	34	29	6	5	9	9	3	2
Rentiers, sans profession	2	—	—	—	6	1	—	—
Professions non indiquées	17	14	—	—	11	11	4	—
Totaux	945	796	168	77	241	210	76	39

(1) Répartition selon les catégories prévues par le statut général des fonctionnaires

Document distribué au séminaire de Sciences Politiques
de Paris I, dirigé par M. Birnbaum

Au terme du décryptage un peu austère et laborieux de ces tableaux statistiques, nous sommes en mesure de répondre à la question posée en tête de ce développement : « L'explosion scolaire a-t-elle réduit les inégalités sociales ? » Les statistiques officielles démentent les discours officiels : la réponse est négative en ce qui concerne les élèves des grandes Écoles qui seront demain « l'élite du pouvoir » et qui sont toujours issus des mêmes milieux socialement et culturellement privilégiés. Elle est plus nuancée à l'égard de « status » situés au milieu de l'échelle sociale (professeurs, ingénieurs de production, etc.). Introduisant son étude sur *L'inégalité des chances* (op. cit.), R. Boudon constate dans les sociétés industrielles « le maintien des inégalités économiques et d'un éventail de revenus ouvert, le maintien des inégalités des chances scolaires, le maintien des inégalités des chances socio-professionnelles » (p. 12) et remarque que « l'inégalité des chances devant l'enseignement est celle qui apparaît, avec les inégalités économiques, comme la plus réfractaire au changement et la plus insensible au développement des sociétés industrielles » (p. 12). Et il conclut : « Il est très peu probable que l'atténuation des inégalités scolaires comme celle des inégalités socio-économiques passe par la réforme scolaire... La suppression de l'inégalité des chances devant l'enseignement passerait par la réduction des inégalités sociales, c'est-à-dire par des changements profonds dans la société tout entière » (p. 216).

On a longtemps pensé qu'en changeant l'école on changerait la société. Un auteur aussi peu marxiste que R. Boudon nous dit qu'il faut changer la société pour changer l'école. C'est la fin d'une illusion. L'explosion scolaire a bien eu lieu. Mais chaque village n'a pas eu son Mozart et son Stendhal.

Se pose une dernière question : l'origine sociale qui engendre l'inégalité des chances devant l'enseignement continue-t-elle à « peser » sur un individu issu d'un milieu défavorisé et qui serait parvenu à surmonter scolairement ce handicap? En d'autres termes, prenons deux individus : « A » fils d'avocat et « B » fils d'ouvrier. Imaginons qu'ils sortent tous deux 20ᵉ ex aequo de l'École Polytechnique. Ont-ils les mêmes chances de carrière? Toutes les études faites en France montrent que, vingt ans plus tard, « A » occupera un status supérieur à celui de « B ». Pourquoi? Parce que le père de « A » a (statistiquement) épousé une jeune fille de son milieu, donc « A » dispose du réseau relationnel de ses familles paternelle et maternelle ainsi que de ces deux réseaux « amicaux ». Son « capital social » est très supérieur à celui de « B ». Les sociologues appellent *méritocratiques* les sociétés où le niveau scolaire détermine le status, à l'exclusion de l'origine sociale (qui, c'est évident, a influencé ce niveau scolaire). Ce n'est pas le cas de la société française, où non seulement l'origine sociale engendre des inégalités devant l'enseignement, mais la perpétue au-delà de ce stade. On dit alors de notre société qu'elle est caractérisée par une prépondérance des *structures de dominance* par quoi on entend que les différents groupes sociaux qu'on peut distinguer sur la base de l'origine sociale ont une inégale « aptitude à monnayer » leur niveau scolaire en termes de status social. Au contraire, les sociétés américaine, tchécoslovaque, hongroise auraient des structures « méritocratiques », ce qui signifie qu'une fois atteint le même niveau de diplôme, deux individus ont les mêmes chances sociales, c'est-à-dire qu'ils sont « libérés » de la pensanteur sociologique de leurs origines sociales.

Les conflits du travail

Les journées recensées dans le tableau 16 sont effectivement « perdues » en tant que journées productives. Mais les gens ne se mettent pas en grève pour s'amuser.

Dans une société de classes, la grève reste le moyen le plus efficace, pour les plus défavorisés, d'obtenir une amélioration de leur condition. Presque toutes les grèves se terminent par un marchandage : les grévistes demandant « beaucoup », le patronat propose « peu », et l'accord se fait entre ces deux extrêmes. Si l'on prenait comme référent non la production de travail mais l'amélioration de la condition ouvrière, les journées de grèves pourraient être qualifiées de « gagnées ».

1 – Le record annuel de « journées de travail perdues » a été atteint en 1947/8 après l'éviction des communistes du gouvernement.

2 et 3 – Les deux autres grandes vagues de grèves correspondent au « Plan Pinay » et à ses conséquences de 1952/53 et au « Plan de stabilisation » de V. Giscard d'Estaing de 1963. Elles s'expliquent par le fait que les ouvriers se sont perçus comme payant la note du redressement économique qui s'imposait à la suite d'une politique économique dont la conception et l'application avaient été menées sans qu'ils fussent consultés.

Ce tableau autorise une dernière remarque, et elle est d'importance. On peut y lire que les années qui ont été, politiquement, parmi les plus mouvementées (1958 : effondrement de la IVe République – 1960 : dramatisation du problème algérien avec la « semaine des barricades » et ses conséquences – 1965 : première élection au suffrage universel du Président de la République) ont été, sur le plan social, les plus calmes. On voit donc que le « niveau politique » et le « niveau social », quoiqu'interdépendants, donc agissant et rétroagissant l'un sur l'autre, n'en connaissent pas moins un déroulement relativement autonome. Ce qui confirme les thèses de L. Althusser : « Il n'est plus possible de penser dans le même temps historique le processus du développement des différents niveaux du tout. Le type d'existence historique de ces niveaux n'est pas le même. A chaque niveau, nous devons au contraire assigner un temps propre relativement autonome, donc relativement indépendant dans sa dépendance même des temps des autres niveaux » *Lire le Capital*, Tome II, p. 46). Ainsi se dégage le concept de « temporalité différentielle » (avec ses scansions et rythmes spécifiques) des différents niveaux, ce qui délivre le marxisme du schéma simpliste superstructure-infrastructure. Au sein de chacun de ces ensembles existe une grande diversité d'instances, dont chacune a sa propre temporalité.

16

Journées de travail perdues

	Journées de travail perdues (en milliers)	Nombre de conflits résolus	Taille moyenne des établissements en grève (nombre de salariés)
1946............................	374,0	523	
1947............................	23 361,2	3 598	
1948............................	11 918,9	1 374	
1949............................	7 229,3	1 413	
1950............................	11 710,1	2 585	
1951............................	3 294,0	2 514	
1952............................	1 752,6	1 749	191
1953............................	9 722,1	1 761	327
1954............................	1 440,1	1 479	369
1955............................	3 078,7	2 672	241
1956............................	1 422,5	2 440	205
1957............................	4 121,3	2 623	188
1958............................	1 317,7	954	431
1959............................	1 938,4	1 512	392
1960............................	1 070,0	1 494	568
1961............................	2 600,6	1 963	258
1962............................	1 901,5	1 884	236
1963............................	5 991,5	2 382	233
1964............................	2 496,8	2 281	170
1965............................	979,9	1 674	183
1966............................	2 523,5	1 711	297
1967............................	4 203,6	1 675	91
1968............................			101
1969............................	2 213,6	2 207	124
1970............................	1 782,1	2 942	182
1971............................	4 387,8	4 318	192
1972............................	3 755,3	3 464	113
1973............................	3 914,5	3 731	

Journées de travail perdues : *il s'agit du nombre de journées directement perdues, compte non tenu des pertes induites ou des « récupérations » ultérieures. Ce nombre qui dépend lui-même du nombre très controversé de grévistes est soumis à de fortes fluctuations d'une année sur l'autre. Il a un intérêt surtout économique: il ne représente qu'une part minime d'ailleurs du nombre de journées ouvrées.*

Nombre de conflits résolus : *ce nombre est certainement un des meilleurs indicateurs de la fréquence des grèves : il prend pour unité l'établissement dans lequel se déroule un conflit connu de l'inspection du travail: il a donc pour inconvénient de ne pas en saisir l'ampleur ou de perdre son sens dans le cas des conflits nationaux.*

Taille des établissements en grève : *il complète le précédent, en ce que le « produit » des deux donne une idée de l'ampleur des conflits; de plus, il donne une indication sur la gravité des conflits.*

Source : *ministère du Travail.*

Les exploitants agricoles

17

Répartition des exploitations agricoles selon la taille

1. En milliers d'exploitations

Classes de taille	1892	1929	1955	1963	1967	1970
Moins de 5 ha	4 064	2 160	792	547	447	420
5 à moins de 20 ha	1 217	1 310	1 004	849	724	506
20 à moins de 50 ha	335	380	375	393	399	394
50 à moins de 100 ha	52	81	74	84	92	101
100 et plus	33	32	20	23	26	30
Total	5 702	3 966	2 267	1 899	1 689	1 552

Les résultats de 1892, 1929 et 1955 sont tirés des recensements agricoles effectués par le Ministère de l'agriculture, les résultats de 1963, 1967 et 1970 proviennent des enquêtes du SCEES.

2. En pourcentage de la surface agricole utile totale

Classes de taille	1955	1963	1967	1970
Moins de 5 ha	5,6	4,0	3,4	2,9
5 à moins de 20 ha	34,3	30,0	26,2	22,2
20 à moins de 50 ha	34,7	36,8	38,1	38,2
50 à moins de 100 ha	15,4	17,5	19,2	21,3
100 et plus	10,0	11,7	13,1	15,2
Superficie cultivée totale en milliers d'ha	32 425,6	32 193,0	32 006,7	31 683,2

Les résultats de 1955 sont tirés des recensements agricoles effectués par le Ministère de l'agriculture, les résultats de 1963, 1967 et 1970 proviennent des enquêtes du SCEES.

Y. Tavernier, M. Gervais et Cl. Servolin, *L'univers politique des paysans*
Cahier 184 de la FNSP, Paris, Colin, 1972.

La diminution du nombre d'exploitations est spectaculaire depuis 1892.

La grande exploitation a une importance que l'on a trop tendance à sous-estimer : en 1970, les exploitations de 100 ha et plus (elles ne sont que 30 000) occupent 15,2 % de la surface agricole utile totale.

Ajoutons un élément d'information ne figurant pas sur ces tableaux : de 1955 à 1967, la superficie agricole utile moyenne est passée de 14,2 ha à 18,9 ha. Ce qui veut dire que la concentration foncière qui n'est pas niable n'a pas abouti, pour autant, à des bouleversements spectaculaires. Car «le mouvement des structures foncières s'opère par translation de chaque classe à la classe immédiatement voisine et non par disparition des plus petits au profit des plus gros.» (Viau V. et Laurent C., *La concentration des exploitations,* 1969). La moyenne exploitation reste donc prédominante et doit se perpétuer dans les prochaines décennies. Ajoutons qu'en 1967, 82 % des exploitations sont en «faire-valoir direct» pour au moins une partie de leur superficie.

18

Parc des machines agricoles

	1929			1955			1963			1967		
Tracteurs en milliers	26,8			305,7			867,6			1 106,7		
Moissonneuses-batteuses en milliers				17,7			77,9			117,8		
Machines à traire en millier	3,7			79,9			157,6			230,4		
Engrais en milliers de tonnes de NPK	N 160	P 494	K 227	N 330	P 645	K 495	N 696	P 1133	K 883	N 935	P 1388	K 1024

Source : « Tableaux de l'agriculture française et européenne », articles cités.

Source : Tavernier, *op. cit.* p. 19.

L'agriculture achète à l'industrie non seulement des machines, mais aussi des engrais, de la nourriture pour les animaux et bien d'autres produits. La mécanisation du travail agricole, c'est-à-dire la substitution du travail technique au travail humain, entraîne :
– Une augmentation de la productivité du travail. De 1949 à 1962, l'agriculture fait partie des cinq branches d'activité qui connaissent des gains de productivité très élevés : le taux de croissance par heure de travail a été de 6,8 % par an alors que, pour la même période, le taux moyen de croissance pour l'ensemble des branches économiques n'était que de 5,5 % (3,3 % pour le bâtiment et les travaux publics). Donc les agriculteurs ont gagné la «bataille de la productivité».
– Une augmentation des rendements : en 1950, le maïs cultivé dans dix départements du SW, exige 100 heures de travail à l'ha pour un rendement de 20 Qx; en 1971, il est également cultivé dans le Bassin Parisien. Il exige 20 heures de travail et produit 50 Qx/ha. En 1929, la France produisait 80 millions de Qx de blé, 693 milliers de tonnes de bœuf (viande abattue) et 138 millions d'hectolitres de lait; en 1967, pour ces trois produits, les chiffres étaient 140 millions de Qx, 1 203 milliers de tonnes et 292 millions d'hl. Donc les agriculteurs ont également gagné la bataille de la production.

Mais l'agriculteur français, tout «indépendant et libre» qu'il soit, dépend «en amont» de l'industrie qui lui fournit outillage, engrais, etc. et «en aval» des circuits distributifs qui lui achètent sa production et qu'il ne contrôle pas. Le travail agricole reste donc une «activité dominée» et l'exploitant agricole se plaint à juste titre de n'avoir pas tiré de sa double victoire de la production et de la productivité les profits qu'il pouvait en espérer. C'est ce que montre clairement le tableau suivant.

19

**Valeur ajoutée et population employée
dans quelques branches d'activité en 1969**

Nomencl. INSEE	Branche d'activité	population employée en milliers de personnes [a]	valeur ajoutée de la branche en milliers de F [b]	% de la population employée dans la population totale	% de la valeur ajoutée de la branche dans la PIB
19	Commerce	2 316	82 623	11,5	13
16	Autres services [c]	2 574	100 266	13	15
13	Bâtiment et travaux publics .	2 024	73 776	10	11
01	Agriculture	2 839	43 336	14	7

a) « Les comptes de la nation 1969 », *Collections de l'INSEE*, série C, n° 8, tome 3, 1970, p. 162.

b) « Tableau d'échanges interindustriels 1969 aux prix courants », *ibid.*, annexes non paginées.

c) La branche 16 est une branche « résidu » dont sont exclus les transports, les services de télécommunication, les services du logement et les commerces.

Source : Tavernier, *op. cit.* p. 29.

On peut y lire en effet qu'en 1969 la population active agricole représente 14 % de la population active totale, mais que la part de la valeur ajoutée de l'agriculture dans la production intérieure brute (PIB) n'est que de 7 %. Donc, un exode considérable et de grandes transformations techniques n'ont pas réduit la disproportion entre l'évaluation totale des richesses créées dans l'agriculture et la dépense de force de travail dans cette branche.

20

Revenu final moyen par ménage après impôts
(en francs courants)

	1956	1962
Inactifs	5 528	9 117
Salariés agricoles	5 693	9 847
Personnel de service	6 695	10 960
Ouvriers	8 734	14 645
Employés	9 329	15 714
Ensemble de ménages ordinaires	10 645	17 754
Exploitants agricoles	12 145	22 174
Cadres moyens	16 241	26 754
Patrons de l'industrie et du commerce	21 086	35 341
Cadres supérieurs et professions libérales ..	27 866	46 554

Source : Y. Tavernier, *op. cit.* p. 30

Ce tableau permet de comprendre les raisons profondes de « l'agitation paysanne », dont la chronologie nous a fourni de nombreux exemples. Une approche superficielle donnerait à penser que le revenu moyen, après impôts, des ménages d'exploitants agricoles, se situe au-dessus de l'ensemble des « ménages ordinaires ». En fait il n'en est rien. Car la comptabilité nationale française maintient la confusion pour les entrepreneurs individuels (ce qui est le cas des exploitants agricoles) entre l'entreprise et le ménage. Ce qui veut dire que le revenu d'un ménage d'agriculteurs constitué dans la plupart des cas par le revenu brut de l'entreprise individuelle doit couvrir à la fois les dépenses de consommation du ménage et produire une épargne permettant d'investir (achats de machines et d'engrais, réfection des bâtiments, éventuellement achat ou location de nouvelles parcelles, etc.). Alors qu'un ménage de salariés peut utiliser ses revenus pour subsister et « placer » l'éventuel surplus, le ménage agricole doit prioritairement prélever sur les revenus de la ferme ce qui est nécessaire à sa survie (investissements) et « se débrouiller » pour vivre avec le reste. D'où la compression des dépenses de consommation qui apparaissent nettement dans les enquêtes du CREDOC. Certes, en 1972, 76,5 % des exploitants agricoles ont une voiture contre 68,1 % des employés mais une enquête de 1967 nous apprend que plus de 50 % des ménages agricoles utilisaient des véhicules dont la mise en circulation était antérieure à 1961 (ce qui était également le cas pour les ménages d'ouvriers).

Les ouvriers

21

Évolution du pouvoir d'achat de revenu mensuel net [1] des ouvriers

Ensemble des ouvriers (manœuvres OS et OP). Base : moyenne 1962= 100

Année	Célibataire	Père de 2 enfants[2]	Père de 5 enfants[3]
A-Paris			
1949	56	66	74
1956	86	91	94
1962	100	100	100
1970	122	118	116
B-Province[4]			
1949	57	67	72
1956	84	90	93
1962	100	100	100
1970	132	125	122

Source : Salaires, prestations sociales et pouvoir d'achat depuis 1968, INSEE

1. Par « revenu mensuel net » il faut entendre le salaire mensuel + les majorations pour heures supplémentaires + les prestations familiales, – retenues pour cotisations Séc. soc., retraite et assurance chômage – montant de l'Impôt sur le revenu.
2. Salarié ayant 2 enfants à charge dont l'un de plus de 10 ans.
3. Salarié ayant 5 enfants à charge dont 2 de 10 à 15 ans bénéficiant depuis janvier 1955 d'une majoration d'allocations familiales.
4. Province : zone d'abattement de salaire de 10 % en 1949, ramené à 7,5 % en juin 1951, à 6,67 en avril 1955, à 4,44 en avril 1956, à 4 en janvier 1963, à 2 en janvier 1968. L'abattement a été supprimé le 1er juin 1968.

Deux constatations s'imposent :
– Les ouvriers provinciaux, dont le pouvoir d'achat était sensiblement égal à celui des ouvriers parisiens en 1949, l'emportent nettement sur ceux-ci en 1970 en raison de la suppression progressive des zones d'abattement de salaires.
– En province comme à Paris, les pères de famille – surtout de famille nombreuse – sont pénalisés par rapport aux ouvriers célibataires. Ce qui veut dire que la politique pro-familiale proclamée successivement par la IVe et la Ve Républiques, est démentie par les statistiques officielles.

22

Salaire mensuel moyen des ouvriers en 1973

	Salaire mensuel[1] (en francs) en 1973		Indemnités et [2] avantages en nature (en % du salaire net)	
	Hommes	Femmes	Hommes	Femmes
Ouvriers qualifiés	1 728	1 269	2	0,5
Ouvriers spécialisés	1 482	1 050	2	0,5
Manoeuvres	1 156	925	1,4	0,9
Mineurs	1 815	–	3,7	–
Marins et pêcheurs	2 083	–	4,7	–
Apprentis et jeunes ouvriers	605	665	3,1	1,4

1. Salaire annuel divisé par 12   Source : *Le Monde,* 27 déc. 1973.
2. Enquête de 1970

La comparaison entre les tableaux 21 et 22 montre que, si l'amélioration du pouvoir d'achat des ouvriers est incontestable, leurs salaires restent bas.

Le tableau n° 22 confirme l'observation faite plus haut sur la pénalisation des femmes.

23

**Évolution comparée du pourcentage des OQ et des OS
par rapport à la population ouvrière et à la population active totale.**

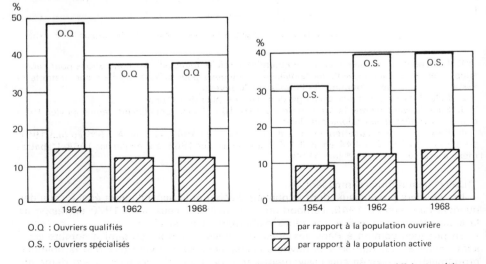

O.Q : Ouvriers qualifiés
O.S. : Ouvriers spécialisés

☐ par rapport à la population ouvrière
▨ par rapport à la population active

Sources : INSEE et *Revue française des Affaires sociales,*
in : La condition ouvrière, Dossiers et Documents du Monde, n° 4, juin 1973.

Le graphique de gauche montre que les OQ ont diminué puis stagnent, à la fois par rapport à la population ouvrière et par rapport à la population active totale.

Le graphique de droite montre que les OS ont augmenté puis stagnent à la fois par rapport à la population ouvrière et par rapport à la population active totale.

On voit donc que, dans l'état actuel de la technique, l'industrie a toujours autant besoin d'OS, c'est-à-dire de travailleurs effectuant des tâches, répétitives, parcellaires, pénibles, non gratifiantes.

On peut donc se demander pourquoi la classe ouvrière, qui en 1973 représente 37,2 % de la population active, qui dispose de syndicats puissants, n'est pas parvenue à obtenir une réduction de l'« écart » qui la sépare des strates sociales privilégiées. Énumérer rapidement les éléments de diversité et les éléments d'unité de la classe ouvrière permettra peut-être l'esquisse d'une réponse.

Les éléments de diversité

1. La classe ouvrière « française » est en partie composée de travailleurs immigrés. Ces derniers, combien sont-ils? Nous ne le savons pas avec précision, parce que les statistiques de l'ONI (Office National d'Immigration) ne comptabilisent pas l'immigration clandestine. En 1970, le Ministère de l'Intérieur estimait à 3 338 000 le nombre d'étrangers dont, peut-être, 2 000 000 d'actifs, tous – ou presque – ouvriers ou « personnel de service ». Ces ouvriers étrangers ne disposent pas de droits politiques. Ils sont eux-mêmes divisés, hiérarchisés, en groupes ethno-linguistiques souvent antagonistes.

2. L'origine sociale des ouvriers français est diverse. Environ 40 % d'entre eux ont un père ouvrier (c'est le phénomène de la « reproduction »). Plus d'un quart d'entre eux sont fils d'agriculteur (exploitant ou salarié). Certains sont d'anciens agriculteurs qui ont dû « se reconvertir ». D'autres sont d'anciens artisans dont les affaires n'ont pas marché. Il est évident qu'en fonction de leur origine, les ouvriers actuels n'ont pas les mêmes traditions culturelles. Et c'est encore plus vrai pour ceux d'entre eux qui, issus de milieux socialement plus favorisés (pères petits commerçants, cadres moyens, voire parfois cadres supérieurs) se perçoivent « en régression sociale » et refusent mentalement la prolétarisation qu'ils vivent concrètement.

3. Des « manœuvres-balais » qui constituent une sorte de sous-prolétariat jusqu'aux « ouvriers spécialistes » qui forment une aristocratie ouvrière, qualification, rémunération et « prestige » sont fort différents.

4. Le secteur d'activité professionnel joue également un rôle divisoire. Longtemps, les mineurs ont constitué une couche ouvrière « privilégiée ». Aujourd'hui, ce sont les travailleurs des « secteurs de pointe » qui semblent les relayer.

5. Les revendications ouvrières s'insèrent dans des revendications plus globales qui les sous-tendent en les diversifiant : il y a une « spécificité » de la « question ouvrière » en Bretagne, en Corse, dans le Pays Basque.

6. L'efficacité de la lutte ouvrière dépend de celle des « militants », mais ceux-ci, par la formation particulière que leur donnent syndicats et partis politiques, par l'ascèse à laquelle les astreint leur fonction (être moralement « exemplaires », ne nourrir aucun espoir de promotion, etc.) tendent à constituer une élite « morale » ouvrière différente de la « masse » qu'ils prétendent incarner.

7. Les options politiques constituent un septième facteur de diversification. Certes la plupart des ouvriers français se situent politiquement « à gauche ». Mais cette gauche est profondément divisée : aux législatives de 1973 (d'après un sondage SOFRES effectué entre le 21 mars et le 5 avril), sur 100 ouvriers, 27 ont voté pour le PS et 37 pour le PCF. En outre, « l'ouvrier conservateur » existe puisqu'à ces mêmes élections, 32 % des ouvriers ont voté pour la majorité, pour les Réformateurs ou pour l'extrême droite. Les présidentielles de 1974 confirment cette observation avec beaucoup de précision

puisque, sur 100 ouvriers qui ont voté, 68 l'ont fait en faveur de F. Mitterrand et 32 en faveur de V. Giscard d'Estaing.

8. Les problèmes confessionnels jouent également leur rôle : bien que « déconfessionnalisée » depuis 1964 la CFTC, devenue alors CFDT, continue à défendre des « valeurs » judéo-chrétiennes laïcisées souvent différentes de celles que tente de promouvoir l'autre grand syndicat ouvrier, proche des Communistes : la CGT. « L'unité d'action » entre les deux grandes centrales ouvrières est prônée par les deux, non sans réticences et tiraillements, et les grandes batailles menées en commun offrent à la fois l'occasion d'exprimer la volonté unitaire et de réaffirmer sa respective spécificité.

9. L'histoire des conflits sociaux souligne le rôle joué par la taille de l'entreprise. Dans les petites et moyennes entreprises, le contact direct avec le « patron » permet souvent à celui-ci, au prix de quelque paternalisme, d'éviter les grèves dans les « moments chauds ». L'ouvrier n'a pas le sentiment de n'exister qu'en tant que « matricule » producteur de travail. Mais il arrive aussi que la dimension modeste de l'entreprise permette aux travailleurs de saisir plus concrètement la nature de leur exploitation. Ces dernières années, des grèves « dures », souvent « sauvages » (c'est-à-dire déclenchées par « la base », les responsables syndicaux étant contraints de suivre leurs troupes) ont été fort nombreuses dans des établissements employant peu d'ouvriers. Donc moyennes et grandes entreprises ont leur « temporalité différentielle » et il appartient aux centrales syndicales – souvent avec insuccès – de synchroniser les calendriers revendicatifs.

10. Il y a souvent des tensions entre délégués ouvriers en fonction de leur sexe. Les déléguées féminines ont des revendications spécifiques, notamment en ce qui concerne les horaires, qu'elles veulent harmoniser avec leur vie familiale.

11. Enfin, depuis le printemps 1967, un nouveau clivage apparaît en fonction de l'âge des ouvriers. Les luttes ouvrières les plus « dures » de ces dernières années ont été déclenchées par les jeunes ouvriers qui se méfient de la « bureaucratie syndicale », qui prônent « l'action directe et immédiate », qui sont las de la perpétuelle évocation « du Front populaire de 1936 », qui ignorent – ou feignent d'ignorer – les problèmes qui se posent au niveau confédéral (c'est-à-dire au niveau de l'organisation et de la coordination de la lutte ouvrière sur le plan national). On peut penser toutefois que le « conflit des générations » est moins vif en milieu ouvrier que dans les classes favorisées : il existe en France des traditions de militantisme qui se transmettent de pères en fils.

Les éléments d'unité

Une enquête IFOP réalisée pour la CGT en 1973 et portant sur 1 500 ouvriers et ouvrières de 16 à 24 ans nous apprend que 55 % d'entre eux n'avaient ni CAP (Certificat d'Aptitude Professionnelle) ni aucun autre diplôme technique.

1. Les enfants d'ouvriers sont les grandes victimes de l'inégalité devant l'enseignement. Une récente enquête du « Centre d'Étude de l'Emploi » (1973) nous apprend que :
– 34,1 % des fils d'OS et de manœuvres quittent l'école dès 16 ans contre 2,3 % des fils de cadres supérieurs professions libérales;
– 5,3 % des enfants d'OS et de manœuvres entrent en 6e classique contre 40,2 % des fils de cadres supérieurs professions libérales;
– 3,4 % des enfants d'ouvriers commencent en avance ou « à l'heure » un second cycle long scientifique, contre 34,2 % des enfants de cadres supérieurs professions libérales;
– les enfants d'ouvriers qui entrent dans la vie active à 16 ans ont, pour 72,3 % d'entre eux, un salaire égal ou inférieur au SMIC, et 26 % ont des horaires supérieurs à 45 heures par semaine.

2. Les ouvriers ont une espérance de vie plus courte que celle des membres des autres CSP et sont les principales victimes des accidents du travail. D'après une enquête de la « Fédération des mutilés par des accidents du travail » (cf. *Le Monde, Dossiers et Documents,* La condition ouvrière en France, n° 4, juin 1973) :
– Un million d'accidents du travail se produisent chaque année provoquant plus de 4 000 décès, soit un toutes les 40 minutes. Métallurgie, bâtiment et travaux publics sont les plus touchés;
– pour 90 % des dossiers qui lui ont été présentés sur ce sujet, l'expertise technique reconnaît une « faute inexcusable » de l'employeur.
Il y a donc une inégalité devant la mort.

3. Pour tous les enfants d'ouvriers, les possibilités d'ascension sociale leur vie durant (« ascension intragénérationnelle ou biographique ») sont très faibles. Dépourvus de soutien « intellectuel » chez eux (la plupart des fils d'ouvriers qui terminent leur premier cycle ont des parents qui ont au maximum le certificat d'études), ils réalisent plus rarement que les autres enfants de bons scores scolaires. Quand ils y parviennent, leur origine sociale « les suit » en aval de leurs diplômes, le réseau relationnel de leurs parents étant inexistant dans la strate à laquelle ils parviennent. Quant à la « formation permanente », elle favorise principalement celles et ceux qui ont déjà une bonne formation « secondaire ». Pour les fils d'ouvriers – rares – qui, par cette formation, parviennent à devenir ingénieurs, le fait d'être « ingénieur autodidacte » (non passé par une grande Ecole) leur interdira de dépasser « un plafond de carrière » situé assez bas.

4. Les ouvriers(ères) épousent des ouvriers(ères) ou des employés(ées). L'étude du *Choix du conjoint* faite par A. Girard montre qu'il est rare qu'un membre de la classe ouvrière se marie avec une personne issue d'une CSP supérieure.

5. Si la consommation ouvrière en voitures, télévisions, réfrigérateurs, machines à laver le linge, a beaucoup augmenté, l'étude de la structure des dépenses des ménages ouvriers montre qu'il ne reste plus d'argent pour les dépenses « culturelles ». La télévision est pour eux la principale – voire la seule – distraction alors que, pour les CSP plus favorisées, elle est une distraction supplémentaire. Le mépris pour « la société de consommation » n'est pas le fait des smicards qui trouvent la société injuste et non absurde.

6. Les ouvriers sont tenus à l'écart de toutes les décisions d'importance nationale (qu'ils peuvent seulement tenter d'influencer par leur vote ou la pression de leurs syndicats) et même des décisions concernant leur propre entreprise : les ouvriers de Citroën et de Berliet n'ont pas été consultés sur les récentes fusions (décembre 1974).

7. La conséquence apparaît avec clarté dans toutes les enquêtes portant sur les jeunes, qui révèlent un évitement unanime de la condition ouvrière. Devenir ouvrier c'est un destin, ce n'est jamais un choix.

Les employés

24

**Professions des pères des employés
au moment où ceux-ci finissaient leurs études**

C.S.P. du père	%	C.S.P. du père	%
Agriculteurs exploitants	15,2	Employés	13,0
Salariés agricoles	5,0	Ouvriers	37,0
Patrons ind. et com.	15,3	Personnel de service	2,3
Prof. lib. et cad. sup.	3,6	Autres actifs	2,8
Cadres moyens	5,8	TOTAL	100

Nous avons vu (cf. tableau 3) que de 1954 à 1973 le nombre d'employés était passé de 2 079 000 à 3 392 000, soit une augmentation de 63 %. Il y a un peu plus d'un employé de commerce pour trois employés de bureau. La féminisation de la profession s'accroît : en 1954 52,5 % des employés sont des femmes et en 1972 63,3 %. Le tableau ci-dessus – qui ne concerne que les employés masculins – montre qu'ils sont presque tous d'origine « modeste ». Il n'y en a que 3,6 % dont le père est cadre supérieur profession libérale et, parmi les pères patrons de l'industrie et du commerce, il y a de nombreux artisans et petits commerçants. Pendant longtemps, on a considéré les employés comme une sorte de classe-tampon entre la petite bourgeoisie et le prolétariat, où se croisaient les bourgeois en régression sociale et les prolétaires en ascension. C'est l'opinion de M. Crozier qui écrit « le groupe des employés retient dans l'orbite bourgeoise, en leur procurant une façade respectable, tous ceux qui étaient en train de descendre, et il attire dans cette orbite tous ceux qui ont pu franchir le premier échelon ». On peut se demander si une telle conception du monde des employés ne doit pas être révisée, et cela pour cinq raisons :

– La déqualification des employés de commerce : le passage de vendeuse à débitrice ou caissière dans les supermarchés;

– La déqualification des employés de bureau : dans les compagnies d'Assurance, par exemple, dans les services « sinistres », on passe de « l'étude des dossiers » à leur simple codage. En informatique les « perfos-vérifs » (perforatrices-vérificatrices) font un travail d'OS, justiciable d'un contrôle des cadences et sont classées par l'INSEE comme « employées » de bureau;

– L'origine sociale plus « populaire » des employés;

– Le rajeunissement des employés, notamment dans les banques qui ont massivement recruté jusqu'à la crise de 1974. Ces jeunes employés, souvent titulaires d'un diplôme d'enseignement supérieur, doivent effectuer des travaux de codage peu gratifiants et ils sont d'autant plus contestataires que leur niveau d'attente était plus élevé. Ils n'ont pas hésité à manifester dans les rues en 1974;

– La quasi-parité des salaires des employés et des ouvriers avec des exceptions sectorielles en faveur des employés (banques : 14 mois et primes).

25

Évaluation des salaires moyens mensuels nets en 1973 au moment où ceux-ci finissaient leurs études

Catégories	Effectifs (en milliers)	Salaires en francs			Ecart femmes/ hommes en %
		Hommes	Femmes	Ensemble	
Employés de com. qualifiés	55,9	2 357	1 479	2 037	– 37,3
Employés de bureau	1 133,8	1 806	1 480	1 590	– 18,1
Employés de com. non qualif.	412,6	1 920	1 126	1 463	– 41,4
Ensemble des employés	1 582,4	1 873	1 394	1 573	– 25,6

Source : *Économie et Politique,* juillet 1973, p. 81

Les enquêtes les plus récentes montrent que les niveaux de vie des ouvriers et des employés sont très comparables (les employés possèdent davantage de téléphones et partent un peu plus souvent en vacances (tableaux 7 et 8). Peut-on dire, pour autant, que les employés fassent partie de la classe ouvrière?

Les ressemblances avec les ouvriers

– Bien que qualifié de « tertiaire », l'employé n'est généralement pas un travailleur intellectuel. Dans les bureaux modernes, la préparation des données mobilise des effectifs considérables : OS de la paperasse ou de la carte perforée, souvent rassemblé(es) dans de grandes salles sous la surveillance de contremaîtres ou contremaîtresses, ces employés ressemblent fort à des ouvriers.

– L'accroissement du nombre des employés leur a retiré leur tout relatif « prestige ». Pour un fils d'ouvrier, devenir employé est de moins en moins perçu comme une promotion sociale.

– L'élévation générale du niveau d'instruction, l'allongement de la scolarité et la diffusion de la formation technique ont fait perdre aux employés le fondement de leurs maigres privilèges sociaux : leur niveau d'instruction, désormais rattrapé par celui de la plupart des ouvriers.

Les différences avec les ouvriers

– Plus que chez les ouvriers, existe la notion de « carrière ». Comme l'écrit M. Crozier : « L'employé est au bas de l'échelle, mais déjà sur l'échelle ». Parce qu'en contact quotidien avec les cadres et autres membres des classes supérieures, l'employé tend à s'identifier à eux en intériorisant leur système de valeurs.

— Les employés travaillent dans le centre des villes ou dans des quartiers de bureaux : ils ne connaissent pas cette espèce de relégation des ouvriers dans les banlieues usinières (cela ne vaut pas pour les employés d'usines de plus en plus nombreux).

— Si les perforatrices peuvent être soumises à un système de cadence, un très grand nombre d'employés échappent encore à la « haute surveillance », même dans les « pools de dactylos ».

— Les sondages nous apprennent que les employés votent moins à gauche que les ouvriers. Aux législatives de 1973, 17 % d'entre eux (il est vrai confondus avec les « cadres moyens ») ont voté pour le PCF et 23 % pour le PS, alors que 13 % votaient réformateurs, 38 % pour la majorité et 5 % pour l'extrême droite. Aux présidentielles de 1974, 51 % des employés-cadres moyens ont voté pour F. Mitterrand et 49 % pour V. Giscard d'Estaing.

Les petits commerçants

26

**Évolution du nombre d'entreprises
et d'établissements commerciaux de 1966 à 1971**

	Nombre d'entreprises			
	1966	1971	Variation	
			Unités	%
Commerce de détail	546 055	530 006	−16 049	−2,9
Commerce de gros	94 347	90 405	−3 942	−4,2
Services à caractère commercial	402 558	396 560	−8 998	−2,2
TOTAL	1 042 960	1 013 971	−28 989	−2,8

	Nombre d'établissements			
	1966	1971	Variation	
			Unités	%
Commerce de détail	602 286	591 564	−10 722	−1,9
Commerce de gros	119 110	118 129	−981	−1,0
Services à caractère commercial	508 866	506 862	−304	−0,1
TOTAL	1 228 262	1 216 255	−12 007	−1,0

Source : Ministère de l'Économie et des Finances, Direction générale du commerce et des prix.
L'activité et les comptes du commerce et des prix.
Diffusion 12/72/4, annexe n° 2, in *Les cahiers français,* n° 165, mars-avril 1974.

Le nombre d'entreprises – quel que soit le type de commerce – diminue de 2,8 %.
En 1971, il y a 1 216 255 « points de vente » ce qui est très considérable pour une population qui était alors de 51 millions d'habitants.

27

Salariés et non-salariés dans le commerce de 1954 à 1972

	1954		1962		1968		1972	
	Effectifs	%	Effectifs	%	Effectifs	%	Effectifs	%
Salariés	1 047 600	53,5	1 371 200	61,3	1 698 400	66,6	1 782 391	71
Non-salariés	910 600	46,5	865 800	38,7	852 700	33,4	708 009	28
Total	1 958 200	100,0	2 237 000	100,0	2 551 100	100,0	2 490 400	100

Les pourcentages des effectifs salariés et non salariés évoluent en sens inverse.

Source : Tableau établi d'après les statistiques de l'INSEE par
C. Baudelot, R. Establet, J. Malemort, in *La petite bourgeoisie en France*
Maspéro, Cahiers libres, 1974, p. 119.

Le tableau 28 (ci-contre) appelle les commentaires suivants :
– Le petit commerce indépendant voit sa part diminuer dans le chiffre d'affaires *total* du commerce de détail : cette part passe de 87,9 % en 1950 à 65,2 % en 1972. La baisse est encore plus nette en ce qui concerne le commerce alimentaire : de 89,3 % à 58,7 %.
– Les « Grandes surfaces » spécialisées dans le commerce alimentaire font une percée spectaculaire : inexistantes en 1950, elles vendent 8 % des produits alimentaires en 1972.
– Quant aux grands magasins et magasins populaires, ils croissent vigoureusement de 1950 à 1970, puis plafonnent, puis déclinent.

La tendance est donc à une diminution du petit commerce. Le surgissement des « grandes surfaces » depuis deux décennies s'explique par quatre raisons :
1. Besoin de surfaces commerciales nouvelles en raison d'une urbanisation croissante.
2. Asphyxie du cœur des villes anciennes par suite de la circulation automobile.
3. Obsolescence de certains modes de vente traditionnels par suite des comportements nouveaux des acheteurs : 53,3 % des femmes de 25 à 55 ans ont des activités professionnelles d'où la nécessité de pouvoir faire rapidement ses courses dans de grandes surfaces « déspécialisées ».
4. Elévation générale du niveau de vie mettant à la disposition de presque tous automobiles et réfrigérateurs permettant des approvisionnements de longue durée.
Cette mutation commerciale peut se résumer en une chronologie très sommaire :
– 1948 : apparition des « libre-service » ;
– 1952 : apparition des centres « Leclerc » : raccourcissement des circuits de distribution; réduction des frais de présentation; faible marge bénéficiaire compensée par le volume des ventes; vente de « produits de marque » rendant possible les comparaisons entre les prix;

28

Pourcentage du chiffre d'affaires du commerce de détail ventilé suivant les formes de commerce (1950-1972)

	Achats alimentaires				Achats non alimentaires				Total			
	1950	1960	1970	1972	1950	1960	1970	1972	1950	1960	1970	1972
Petit commerce dit Indépendant (ni intégré, ni associé)	89,3	79,8	64,2	58,7	88,4	82,1	70,1	69,5	87,9	81,1	67,7	65,2
Commerce organisé en chaînes volontaires et groupement de détaillants	n.c	5,8	8,1	9,8	n.c	2,0	3,2	4,6	1,0	3,9	5,2	6,3
Autres formes de commerce souvent mises en cause par le petit commerce dont:	10,7	14,4	27,7	32,3	11,6	15,9	26,8	26	11,1	15	27,1	28,5
– Coopératives de consommateurs	2,5	3,6	4,3	4,4	0,8	0,8	0,8	1,0	1,7	2,2	2,3	2,3
– Grandes surfaces spécialisées	–	–	4,4	8,0	–	–	–	–	–	–	–	–
– M.A.S. (N.S. + S.)*	6,7	7,8	12,2	15,4	2,0	2,8	3,0	3,6	4,5	5,3	6,8	7,5
– Grands magasins/magasins populaires	0,9	2,3	5,6	5,1	6,4	7,5	7,4	6,8	3,5	4,8	6,6	6,1
	100	100	100	100	100	100	100	100	100	100	100	100

* M.A.S. : magasin à succursales – N.S. : non spécialisé – S. : spécialisé.

Source : Le petit commerce en perte de vitesse? *Les cahiers français* n° 165, mars-avril 1974, p. 26.

- 1954 : création de la FNAC (Fédération Nationale d'Achat des Cadres);
- A partir des années 60, apparition des « supermarchés »;
- 1963 : Marcel Fournier ouvre le premer « Carrefour »;
- A partir des années 70 multiplication des « centres commerciaux » : autour de l'hypermarché prolifèrent boutiques spécialisées et établissements de services ce qui permet parfois la « réconciliation des grands et des petits ».

29

Les méthodes de vente en 1972

Méthodes de vente	Chiffre d'affaires alimentaire		Chiffre d'affaires non alimentaire		Chiffre d'affaires total
	Millions de F	%	Millions de F	%	Millions de F
Ventes par correspondance ou catalogue	460	0,3	4 865	2,2	5 325
Ventes directes à domicile	25	ε	2 575	1,2	2 600
Ventes par distributeurs automatiques	45	ε	110	ε	155
Ventes sur marchés	9 800	6,9	4 200	2	14 000
Ventes par « tournées »	3 625	2,6	590	0,3	4 215
Ventes à l'entreprise sur commande préalable	350	0,2	515	0,2	865
Ventes en magasin :					
— En service traditionnel	76 814	53,7	194 234	89	271 048
— En libre-service, dont :	51 870	36,3	11 170	5,1	63 040
hypermarchés (1)	9 850	6,9	5 870	2,7	15 720
supermarchés (2)	10 480	13,2	2 760	1,2	21 600
supérettes (3)	18 840	7,3	1 290	0,6	11 770
petits libres-services (4)	12 700	8,9	1 250	0,6	13 950
Total.	142 989	100	218 259	100	361 248
Part des ventes réalisées en moyennes et grandes surfaces : grands magasins, magasins populaires, hyper et super-marchés, magasins spécialisés (+ 4 000 m² de surface de vente)	31 330	129,	33 640	15,4	64 970

(1) Hypermaché : surface de vente de plus de 2 500 m².
(2) Supermarché : surface de vente en libre-service comprise entre 400 et 2 499 m².
(3) Supérette : surface de vente en libre-service comprise entre 120 et 399 m².
(4) Petit libre-service : surface de vente en libre-service inférieure à 120 m².

Source : M. Sidhon, L'évolution de la distribution en France.
Les cahiers français, n° 165, mars-avril 1974, notice 3.

Ce tableau présente la situation en 1972.

La vente par correspondance (au vu d'un catalogue) commence à compter. Elle fait une intense publicité.

La vente par distributeurs automatiques reste très limitée en France.

Le petit commerce alimentaire est le plus touché : il ne représente que 53,7 % du chiffre d'affaires alimentaire national contre 89 % du chiffre d'affaires non alimentaire.

Les « libre-service » – où domine le grand commerce concentré – se taillent la part du lion dans le commerce alimentaire (36,3 %), mais leur part reste modeste dans le commerce non alimentaire (5,1 %).

(Les différences entre les pourcentages donnés par les tableaux 28 et 29 s'expliquent par le fait que les auteurs des deux études dont ils sont extraits ont adopté des systèmes de classification différents. Ce qui permet de souligner – en passant – combien est délicat le maniement des statistiques.)

Mais tout le petit commerce alimentaire n'est pas également atteint : de 1966 à 1973, 18 000 magasins d'épicerie-alimentation ont disparu mais 90 % des ventes de produits de boulangerie, 80 % des pâtisseries, 84 % de la charcuterie sont encore assurées par de petits commerçants. D'autre part, le nombre de ceux-ci progresse spectaculairement dans les domaines « non alimentaires ». De 1966 à 1973 cette croissance est de :
- 26 % pour les magasins de meubles;
- 23 % pour les commerces d'agrément et de loisirs;
- 80 % pour les parfumeries;
- 40 % pour les articles de sport;
- 29 % pour les magasins d'Antiquités.

30

Évolution pour chaque branche, en pourcentage, du nombre des entreprises commerciales entre 1963 et 1972

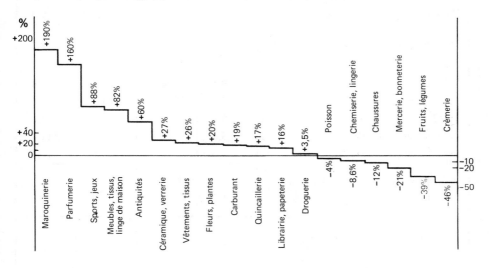

Source : Statistiques AFRESCO, citées par J. Doyère, in Commerce, la métamorphose s'accélère, *Le Monde,* 26 février 1974

Il y a donc un petit commerce en crise et un petit commerce en plein essor comme le montre, à l'évidence, le graphique n° 30. L'explication est donnée par l'évolution de la consommation des ménages qui croît en moyenne de 5 à 6 % par an de 1969 à 1971, mais très différemment selon les produits comme le montre le tableau 31 : alors que la croissance de la consommation de produits pharmaceutiques et de biens d'équipement des foyers est spectaculaire, celle des produits alimentaires (« le riche lui-même n'a qu'un seul estomac », dit un vieux proverbe) est relativement inélastique.

31

Évolution de la consommation commercialisée des ménages

Produits	Taux d'accroissement annuel en volume (en %)			
	1969/1968	1970/1969	1971/1970	1972/1971
Poissons............................	3,4	2,5	4,7	4,8
Epicerie, produits agricoles divers	5,4	3,8	6,5	3,7
Fruits et légumes frais	1,4	0,8	— 0,1	— 2,4
Crèmerie et autres produits frais	7,3	5,1	2,8	4,2
Pain, pâtisserie fraîche	3,4	1,2	0,9	0,8
Viande, charcuterie, volaille, gibier	2,2	2,1	2,8	0,7
Poissons, crustacés, coquillages..........	— 1,0	4,2	— 2,6	— 2,0
Ensemble des produits alimentaires	*3,7*	*2,8*	*3.1*	*2,1*
Véhicules, carburants, combustibles.	8,4	4,6	9,4	8,4
Équipement du foyer..................	9,7	4,2	11,7	10,3
Textiles et chaussures.................	6,9	4,1	3,1	4,5
Produits pharmaceutiques..............	15,5	14,4	10,8	11,0
Produits divers.......................	9,6	8,9	10,6	10,7
Ensemble des produits non alimentaires	*7,8*	*6,8*	*7,8*	*8,2*
Ensemble des produits alimentaires et non alimentaires	**5,9**	**5,0**	**5,7**	**5,6**

Source : J. Albert, J. Saindon, En 1972, le commerce traditionnel a maintenu ses positions
Économie et Statistiques, n° 53, février 1974, p. 61

Ce tableau 32 montre clairement que la crise du petit commerce de détail ne résulte pas d'un recul de ses ventes mais d'un taux de croissance inférieur à celui du commerce concentré, ce qui fait décroître sa part dans le marché national. Concluant l'étude savante d'où ce tableau est extrait, l'auteur écrit : « Quand on observe que le commerce traditionnel voit décroître lentement sa part de marché, quelques remarques s'imposent :
– Cela signifie que l'activité des grandes surfaces croît plus vite que celle du commerce traditionnel, non que l'activité du commerce traditionnel décroît;
– Les grandes surfaces ont souvent comblé un vide dans les banlieues urbaines et n'ont pas pris la place du petit commerce;
– Une part importante des petits commerces qui ont fermé leurs portes est constituée

32

Indice d'évolution du chiffre d'affaires du commerce de détail de 1969 à 1973 (100 = année précédente)

Secteurs d'activité	Indice d'évolution (année précédente = 100)			
	1970	1971	1972	1973
Commerce concentré « traditionnel » (a) ...	102,4	101,5	102,8	103,9
Grandes surfaces du commerce concentré (c)	154,8	140,7	133,3	129,2
Ensemble du « commerce concentré » (a + c)	*110,7*	*110,3*	*111,7*	*112,6*
Commerce indépendant « traditionnel » (b).	106,5	109,7	109,9	111,1
Grandes surfaces du commerce « indépendant » (d)	149,0	141,1	125,2	129,5
Grandes surfaces mixtes (e)	–	–	–	185,7
Ensemble du commerce « indépendant » (b + d + e)	*107,9*	*111,1*	*111,5*	*112,7*
Ensemble des grandes surfaces (c + d + e).	152,5	140,9	135,5	131,6
Commerce concentré « traditionnel » et ensemble des grandes surfaces (a + c + d + e).	114,5	114,2	115,8	116,8
Ensemble du «commerce de détail» (a + b + c + d + e)	**108,5**	**110,9**	**111,5**	**112,7**

1. A l'exclusion du chiffre d'affaires des grandes surfaces mixtes.
2. Y compris les grandes surfaces mixtes (1,4 milliards en 1972; 2,6 milliards en 1973).

Source : J. Albert, En 1973, grand et petit commerce se répartissent 30 et 70 % du marché in *Économie et statistiques,* septembre 1974, n° 59, p. 46.

par des établissements ruraux à la suite d'un exode rural non compensé par les déplacements de loisirs;
– Une partie importante des grandes surfaces provient de la transformation de magasins traditionnels dont la taille s'est accrue et les formes de vente modernisées.
Donc la lente décroissance de la part de marché du petit et moyen commerce ne résulte pas d'un recul des ventes qui se sont accrues chaque année en valeur et en volume, mais simplement d'un taux de croissance inférieur à celui du grand commerce ».

33

Différences entre les créations et les cessations de fonds de commerce (1963-1973)

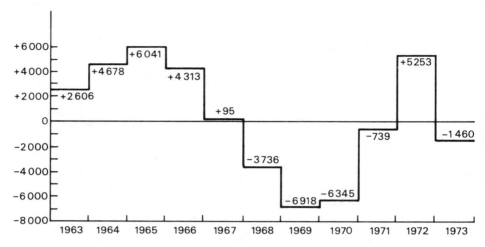

Sources : – 1963-1972. AFRESCO, cité par *Le Point*, nº 55, 8 octobre 1973, p. 47
– 1973 statistique AFRESCO (Association Française de Recherches et Études Statistiques Commerciales)
Recherche effectuée par N. Mayer, *Les attitudes politiques des petits commerçants*
thèse de III° cycle en cours

Mais il est évident que les petits commerçants, victimes de ces taux différentiels de croissance, n'entrent pas dans ces subtilités statistiques. Lorsqu'on étudie diachroniquement le solde créations-cessations de fonds *(graphique)* on constate que la naissance du mouvement « Poujade » en 1953/4 (UDCA) et celle du CID-UNATI de Gérard Nicoud en avril 1969 correspondent très précisément à des périodes où les cessations l'emportaient sur les créations. Si l'on ajoute que d'après l'INSEE, le revenu fiscal moyen par ménage de petit commerçant est près de quatre fois moindre que celui des industriels et peu supérieur à celui des employés, on comprend qu'à la question « diriez-vous que depuis une dizaine d'années, votre niveau de vie, va mieux, est pareil, va moins bien? », 73 % des petits commerçants et artisans aient répondu qu'il allait « moins bien ». (Enquête SOFRES effectuée à la demande du CERC – Centre d'Étude des Revenus et des Coûts, fin 1970).

Mais comme ces petits commerçants constituent un électorat non négligeable, on comprend également le vote de la « loi Royer » le 20 décembre 1973, qui crée –entre autres dispositions – les CDUC – Commissions départementales d'Urbanisme Commercial – compétentes pour autoriser ou refuser la création de nouvelles grandes surfaces commerciales. Dans ces commissions, il y a 9 représentants des commerçants artisans, 9 des élus locaux et 2 des consommateurs. On peut aller en appel devant le Ministre du Commerce qui est assisté d'une commission simplement consultative. En 1974, les CDUC ont accordé 233 autorisations et en ont refusé 212 (en appel 279 autorisations et 212 refus). Pour les dix premiers mois de 1975 elles ont accordé 151 autorisations et en ont refusé 107 (chiffres devenus après appel 157 et 101). Pourtant, malgré la menace que fait peser sur eux la concentration capitaliste dans le secteur distributif, les petits commerçants constituent un électorat conservateur. Aux législatives de mars 1973, 60 % des artisans, petits commerçants ont voté majorité ou réformateurs, 23 % votant PS et 10 % PCF (en % des suffrages exprimés). Aux présidentielles de

34

Revenu fiscal global moyen par ménage suivant la CSP du chef de ménage en 1970

Catégorie socio-professionnelle du chef de ménage	Revenu fiscal moyen par ménage (en F)	Répartition des ménages (en %)
0. Exploitants agricoles..........................	**11 339**	**6,3**
1. Salariés agricoles..............................	**12 706**	**1,4**
2. Professions indépendantes......................	**37 894**	**9,5**
21. Professions industrielles, commerciales et artisa-nales.....................................	34 465	8,2
dont :		
Industriels.............................	102 222	0,5
Artisans...............................	25 729	2,9
Gros commerçants.......................	61 616	0,8
Petits commerçants.....................	26 864	4,0
22. Professions non commerciales..................	62 240	1,2
dont : Professions libérales..................	83 309	0,7
23. Patrons pêcheurs...........................	(11 734)	0,1
3. Cadres supérieurs.............................	**57 229**	**4,1**
30. Cadres supérieurs de la fonction publique (Caté-gorie A)................................	47 323	1,5
31. Autres cadres supérieurs.....................	62 803	2,6
4. Cadres moyens................................	**32 770**	**11,4**
40. Cadres moyens de la fonction publique (catégorie B)	28 760	3,7
41. Cadres moyens administratifs..................	38 324	3,2
42. Techniciens, agents de maîtrise................	32 154	4,5
5. Employés....................................	**22 546**	**11,4**
50. Employés de la fonction publique (catégories C et D).......................................	21 430	2,3
51. Autres employés, personnels de service..........	23 058	8,9
52. Clergé...................................	(8 217)	0,2
6. Ouvriers....................................	**19 171**	**25,6**
61. Ouvriers qualifiés et professionnels.............	21 289	11,9
62. Ouvriers spécialisés.........................	18 495	10,0
dont : Mineurs..........................	20 951	0,6
63. Manœuvres, gens de maison, femmes de ménage...	13 870	3,5
dont :		
Manœuvres...........................	14 903	2,7
Gens de maison, femmes de ménage..........	10 402	0,8
66. Marins..................................	(19 426)	0,2
7. Inactifs.....................................	**13 201**	**30,3**
73. Anciens agriculteurs (exploitants et salariés)......	7 259	3,8
74. Retirés des affaires..........................	15 400	2,0
75. Retraités du secteur public....................	18 388	6,9
76. Anciens salariés du secteur privé...............	12 798	11,8
79. Autres inactifs, étudiants et élèves, militaires du contingent...............................	10 991	5,8
Ensemble des catégories	**22 013**	**100,0**

Source : *Les données sociales*, INSEE, 1974, p. 84

1974, 66 % des artisans et petits commerçants ont voté pour V. Giscard d'Estaing et 36 % pour Fr. Mitterrand.

Donc :

— sur longue période le petit commerce a un taux de croissance de son chiffre d'affaires inférieur à celui du grand commerce, mais il survit;

— de nouveaux commerces s'ouvrent qui se spécialisent dans ce que P. Bourdieu appelle des « biens symboliques (comme les livres, les disques ou les reproductions d'œuvres d'art) ou des biens à composante symbolique (comme les objets de décoration ou les vêtements) »;

— de grandes possibilités existent dans le domaine des « services » où l'innovation peut être assumée par le petit commerce dont les structures sont légères;

— les thèses à la mode sur la « qualité de la vie » font de la « boutique » un des noyaux humains et chaleureux de l'urbanisme moderne;

— l'exemple américain est peut-être instructif : les « convenience stores » sont une sorte de réinvention de « l'épicerie du coin ». Il s'agit de petits établissements à gestion familiale (comme « Nicolas » en France)... mais qui sont intégrés dans des chaînes.

Les artisans

D'après le décret du 1er mars 1962 qui constitue le texte fondamental définissant les entreprises artisanales, pour être considérée comme « entreprise artisanale » et avoir droit à l'inscription au répertoire des métiers, l'entreprise doit satisfaire à deux critères :
– *un critère d'activité.* Il s'agit des « activités se rattachant aux activités de production, de transformation, de réparation ou de prestation de services exercées à titre principal ou secondaire »;
– *un critère de taille.* Les entreprises artisanales ne doivent pas en principe compter plus de cinq salariés (les membres de la famille, les handicapés physiques, les apprentis, même s'ils perçoivent un salaire, ne sont pas pris en compte dans la détermination de l'effectif des salariés). Ce critère de dimension peut atteindre dix salariés pour les entreprises d'alimentation (boulangeries, pâtisseries, boucheries) et de services personnels (coiffure, blanchisserie, teinturerie). D'autres dépassements d'effectifs sont admis par décret en sorte qu'il existe des entreprises artisanales dont le nombre des salariés dépasse largement les limites théoriques.

35

Répartition des entreprises artisanales par secteurs d'activité

Alimentation	116 265
Travail des métaux	27 328
Textile et travail des étoffes	37 886
Travail du cuir	17 699
Travail du bois	29 487
Polygraphie et travail du papier	14 300
Autres fabrications (dont bijouterie, etc.)	10 066
Matériaux de construction	7 838
Bâtiment	247 716
Transports	20 502
Verre et chimie	2 587
Services	75 928
Réparations	106 000
TOTAL	713 602

Source : Rapport de la Commission du secteur des métiers et de l'artisanat pour le VIe Plan
La documentation française, 1971, p. 31

D'après le tableau 35, il y aurait en 1971 713 602 entreprises artisanales. D'après une autre estimation de l'INSEE (*Perspectives,* l'artisanat et le secteur des métiers, n° 1312, 20 oct. 1973), il y aurait en 1972 770 000 entreprises artisanales qui occuperaient 1 650 000 personnes auxquelles il faudrait ajouter 200 000 auxiliaires familiaux non rémunérés et 150 000 apprentis, soit au total 2 000 000 de personnes donc près de 10 % de la population active. Le chiffre d'affaires réalisé en 1972 par le secteur artisanal est évalué à 100 milliards de francs (chiffre presque trois fois supérieur à celui de l'industrie automobile). On lit sur le tableau 35 que le bâtiment constitue le secteur où les entreprises artisanales sont les plus nombreuses. Il est bon de rappeler que dans le secteur « alimentation » sont classés boulangers, pâtissiers, bouchers et charcutiers que le langage commun dénomme « commerçants ».

Chaque année, de 40 à 50 000 entreprises artisanales disparaissent, soit un peu plus de 5 % des entreprises existantes. Parmi les artisans nouvellement installés, on constate un pourcentage élevé de jeunes ce qui, note le *rapport pour la commission du VIe plan* (dit *Rapport Ansquer*) « est le signe de l'attrait que continuent d'exercer les caractéristiques propres des professions artisanales : initiative, indépendance, promotion sociale individuelle, etc. ». Environ la moitié des entreprises artisanales qui se créent ou disparaissent sont des entreprises du bâtiment, qui constitue donc la branche professionnelle la plus instable. Dans 70 % des cas de disparition d'entreprises, il s'agit d'un abandon de l'activité artisanale et le plus souvent d'un échec. 2 % des radiations du répertoire des métiers ont pour cause un accroissement du nombre des salariés de l'entreprise qui perd ainsi son caractère « artisanal » pour devenir « industrielle » : dans ces cas il s'agit d'une réussite.

Les auteurs du *Rapport Ansquer* ont suivi l'évolution de l'artisanat de 1954 à 1970 et ont tenté d'extrapoler les tendances observées sur la période 1970-1975. Ils ont fait trois observations concernant le passé :

1. De 1954 à 1958 le nombre des entreprises artisanales a diminué lentement de – 0,8 % par an;

2. Pour la période 1958-1966 cette diminution s'est accélérée : – 1,5 % entre 1958 et 1962, – 1,7 % entre 1962 et 1966;

3. De 1968 à 1970 le nombre des entreprises est resté à peu près stable.

Le tableau 36 présente à la fois leurs observations et leurs extrapolations. On peut y lire trois tendances variant en fonction des secteurs d'activité :

1. *Les artisans se maintiennent :* industries agricoles et alimentaires, matériaux de construction, papiers, cartons, presse, édition, divers;

2. *Les artisans régressent :* verre, chimie, métaux, textile, habillement, cuir, bois;

3. *Les artisans progressent :* bâtiment, travaux publics, transports.

Les responsables des différentes organisations de défense de l'artisanat imputent généralement la « crise de l'artisanat » au poids excessif des charges sociales qui atteignent 60 % du salaire de la main-d'œuvre. Or la main-d'œuvre peut représenter jusqu'à 80 % du prix de revient de la production artisanale c'est-à-dire – en % – beaucoup plus que dans la grande industrie qui, elle, est très mécanisée. Ces difficultés ont été clairement exposées par les différents candidats lors des élections aux Chambres de métiers du 20 janvier 1975.

Les Chambres de métiers, créées en 1925, et qui sont actuellement au nombre de 97, sont des établissements publics administrés par des artisans élus. Représentatives des artisans, elles ont depuis un certain temps développé tout un ensemble d'actions économiques, d'études et d'assistance technique. Elles jouent un rôle important dans la formation professionnelle. La « loi d'orientation du commerce et de l'artisanat » du 27 décembre 1973, plus connue sous le nom de *loi Royer* (du nom de son rapporteur), a renforcé leur rôle à l'égard des problèmes d'aménagement du territoire et de formation à la gestion des chefs d'entreprises.

36

Évolution des effectifs artisans par branche d'activité

(en milliers)

BRANCHES		EFFECTIFS EN :					
			1962		1966		1975
02 - Industries agricoles et alimentaires.	Total ... dont	(30,7)	640,6	(29,6)	663,2	(30,6)	661
	Artisans.		196,4		196,3		202
07 - Matériaux de construction.	Total ... dont	(18,0)	207,3	(15,9)	227,4	(17,4)	236
	Artisans.		37,3		36,1		41
08.16.23 - Verre, chimie, divers.	Total ... dont	(9,4)	595,9	(7,7)	663,3	(6,0)	888
	Artisans.		56,1		51,0		53
11 à 15 - Travail des métaux.	Total ... dont	(5,9)	1.975,0	(5,2)	2.083,5	(4,7)	2.527
	Artisans.		117,5		108,9		118
17.18 - Textiles et habillement.	Total ... dont	(17,7)	940,9	(13,7)	915,9	(12,3)	748
	Artisans.		166,7		125,7		92
19 - Cuir.	Total ... dont	(32,3)	189,3	(23,7)	182,1	(18,8)	149
	Artisans.		61,1		43,1		28
20 - Bois.	Total ... dont	(30,9)	291,9	(27,0)	295,8	(24,7)	288
	Artisans.		90,1		79,9		71
21.22 - Pâtes papiers, cartons, presse, édition.	Total ... dont	(14,3)	322,1	(13,4)	356,3	(13,8)	414
	Artisans.		46,1		47,6		57
24 - Bâtiment, travaux publics.	Total ... dont	(30,5)	1.680,0	(29,9)	2.010,3	(38,9)	2.072
	Artisans.		511,6		600,8		805
25 - Transports.	Total ... dont	(3,1)	676,0	(3,6)	719,3	(5,3)	800
	Artisans.		20,8		26,1		42
28.29 - Autres services, commerce.	Total ... dont	(13,1)	4.055,8	(12,7)	4.521,8	(12,2)	5.672
	Artisans.		530,0		572,4		692
ENSEMBLE.	Total ... dont	(15,8)	11.574,8	(14,9)	12.638,9	(15,2)	14.455
	Artisans.		1.833,7		1.887,9		2.201

NOTA. — Les chiffres entre parenthèses indiquent les pourcentages représentés par les effectifs du secteur des métiers dans les effectifs globaux.

Source : Rapport de la Commission du secteur des métiers et de l'artisanat pour le VI⁰ Plan
op. cit. p. 28

Lors des élections du 20 janvier 1975 (où le taux de participation a été exceptionnellement élevé : 41,4 % des artisans ont voté, contre 35 % en 1971 et 29 % en 1968) se sont affrontés l'Union professionnelle de l'Artisanat (UPA) résultant d'un regroupement des quatre plus importantes organisations professionnelles (Confédération Nationale de l'Artisanat et des Métiers ou CNAM; Confédération de l'Artisanat et des Petites Entreprises du Bâtiment ou CAPEB; Confédération Nationale des Artisans et Petites Entreprises en Milieu Rural ou CNAR et section artisanale de la Confédération Générale de l'Alimentation de Détail ou CGAD) et le CID-UNATTI qui, en 1971, avait conquis la majorité dans 11 chambres. Les programmes des deux formations sont presque semblables (égalité sociale et fiscale avec les salariés, lutte contre la patente et contre le travail noir, garantie pour la sous-traitance, etc.) mais elles préconisent des « moyens » différents : « concertation raisonnable » avec les pouvoirs publics pour l'UPA, actions « dures » pour le CID-UNATI. Les résultats ont montré une poussée du CID-UNATI sans qu'on puisse parler de « raz de marée » : le CID-UNATI occupe 1 156 sièges (28,8 %) et l'UPA 2 707 (69,7 %). Les « traditionnels » ont perdu 11,3 % de leurs sièges par rapport à 1971 et dans le collège des chefs d'entreprises (il y a trois collèges : chefs d'entreprises, compagnons, syndicats professionnels) le CID-UNATI occupe 46,7 % des sièges contre 29 % en 1971.

Les entreprises moyennes

Entre les petit commerçants (deux salariés au maximum) et les artisans (cinq salariés au maximum) qui, incontestablement, constituent de « petites entreprises » et les 895 entreprises françaises employant 1 000 salariés ou plus (à elles seules, elles en emploient plus de deux millions et représentent 42,1 % de la valeur ajoutée brute au prix du marché) qui sont sans possible contestation de « grandes entreprises », comment situer les « moyennes entreprises » qui assurent une part importante de la production française? En l'absence d'une définition légale de la moyenne entreprise et d'une définition juridique (certaines sont des Sociétés anonymes, d'autres des Sociétés à Responsabilité limitée), on est contraint de recourir à des critères numériques, tous insatisfaisants. Faute de mieux, nous retiendrons le moins imparfait de ces derniers : à savoir le nombre de salariés (critère très contestable quand il s'agit, par exemple, d'une entreprise commerciale qui peut faire un très gros chiffre d'affaires avec très peu d'employés). Dans la mentalité française, la notion d'« entreprise moyenne » évoque celle dont le « patron » est à la fois propriétaire et gestionnaire. « On considère comme petite et moyenne entreprise celle dont le patron détient la majorité du capital, celle dont il assume lui-même la gestion sous sa responsabilité personnelle et dans laquelle il existe des contacts permanents et directs avec ses salariés. Bref, une entreprise dans laquelle le chef assume la responsabilité financière, technique et sociale, sans que ces éléments soient dissociés » (L. Gingembre, Président de la CGPEME).

7

aille des entreprises industrielles (B.T.P. exclu)
'après la répartition des effectifs salariés

ndustrie (B.T.P. exclu)	Total	0 à 9 salariés	10 à 49 salariés	50 à 199 salariés	200 à 499 salariés	500 à 999 salariés	1000 à 4999 salariés	5000 et plus
				47 529				
ombre d'entreprises	351 603	302 739	34 878	10 301	2 350	776	478	81
ombre de salariés (en milliers)	5 476,5	421,8	766,6	975,7	712,1	532,6	901,9	1 165,3
ombre de salariés (en %)	100	7,7	14,0	17,8	13,0	9,7	16,5	21,3

Source : Données essentielles sur l'industrie française, Documentation CGPEME, sept. 1970
Tableau reconstitué à partir de données publiées dans
Économie et statistique, INSEE, juillet-août 1970, n° 14.

38

Nombre d'entreprises selon le nombre de salariés et le secteur au 1er janvier 1971

Secteur	Nombre de salariés							
	0 et non déclarés	1 à 5	6 à 9	10 à 49	50 à 199	200 à 999	1 000 et plus	Total
Total industrie	233 219	269 331	36 565	58 623	14 273	3 924	683	616 618
dont								
Industries agricoles et alimentaires	23 965	44 995	4 472	4 846	1 107	297	44	79 726
Industries charbonnières	10	12	2	11	6	1	2	44
Production, distribution électricité, gaz, eau	736	2 954	112	193	36	29	5	4 065
Raffinage et distribution du pétrole	6 864	7 286	585	501	77	18	14	15 345
Extraction de minerai de fer et sidérurgie	14	8	1	2	15	29	18	87
Extraction minerais et métallurgie métaux non fer.	20	26	13	49	21	12	2	143
Première transformation et travail des métaux	3 615	4 713	1 256	2 942	912	295	41	13 774
Industrie mécanique	6 296	9 189	2 178	5 327	1 687	445	87	25 209
Construction électrique (1)	1 940	2 157	504	1 250	490	203	76	6 620
Industrie automobile	747	1 008	230	548	230	110	35	2 908
Construction navale, aéro et armement	350	557	108	282	98	65	38	1 498
Industrie du verre	388	543	118	290	62	30	6	1 437
Ind. chimie, caoutchouc	851	1 481	491	1 214	518	251	57	4 863
Industrie textile	3 670	3 087	835	2 288	940	367	59	11 246
Industrie habillement	22 796	14 421	1 886	3 268	891	222	14	43 498
Industrie du cuir	16 196	4 561	455	1 164	427	115	13	22 931
Industrie du bois	21 009	15 005	2 081	3 415	723	108	9	42 350
Industrie papetière	249	539	250	673	312	141	13	2 177
Industrie polygraphique presse, édition	8 251	9 466	1 600	2 654	533	141	22	22 669
Transformation des matières plastiques	6 762	5 426	1 074	2 231	571	179	9	16 252
Extraction, fabrication matériaux construction	3 730	5 508	1 298	2 323	489	103	21	13 472
Entreprises de bâtiment et de T.P.	104 760	136 389	17 016	23 152	4 126	763	98	286 304
Total entreprises commerciales	295 737	221 829	23 414	25 333	3 255	509	96	570 173
Total prestataires de services (non compris transports, hôtels, cafés)	211 792	189 146	15 840	16 173	2 510	670	81	436 212
Entreprises transports	42 474	20 922	2 772	4 084	754	208	33	71 247
Hôtels, cafés, restaurants	135 281	85 156	5 576	4 421	274	962 42	2	230 752

Annotations (accolades) :
- Total industrie : 76 820 (50 à 199 + 200 à 999) ; 18 197
- Entreprises de bâtiment et de T.P. : 29 097
- Total entreprises commerciales : 3 764 ; 19 353
- Total prestataires de services : 3 180 ; 5 046
- Hôtels, cafés, restaurants : 316 ; 4 737

1. et électronique.

Source : Documentation CGPEME.
Tableau reconstitué à partir du fichier national des entreprises industrielles en 1970 tenu par l'INSEE.

Si nous prenons comme critère de la Moyenne Entreprise industrielle (Bâtiment et Travaux Publics exclus) des effectifs de 10 à 499, le tableau 37 nous montre qu'elles sont 47 529.

Si nous prenons comme critère les effectifs de 10 à 999, le tableau 38 nous donne les résultats suivants :

- total PMI 76 820
- total entreprises commerciales 29 097
- total entreprises prestataires de services 19 353
- total entreprises transports 5 046
- total hôtels, cafés, restaurants 4 737

- total M.E. de 10 à 999 salariés 135 053

Si nous prenons comme critère les effectifs de 50 à 999, ce même tableau 38 nous donne un total de 26 419.

Une étude diachronique montre que la concentration capitaliste n'entraîne pas la disparition des Moyennes Entreprises. De 1952 à 1968, le nombre des entreprises de 11 à 200 salariés a crû de 7 % et celui des entreprises de 201 à 500 salariés de 8,5 %. Beaucoup plus vigoureuses qu'on ne le pense généralement, les moyennes entreprises ont les atouts suivants :
- valeur technique du chef d'entreprise parfois le fondateur);
- souplesse de fonctionnement : la moyenne entreprise peut réagir très rapidement, tant aux impulsions de son chef qu'aux exigences du marché (faible bureaucratisation);
- gestion peu coûteuse.

Les secteurs d'activité où les moyennes entreprises ont leur « créneau » sont principalement les suivants :
- fabrication de pointe mettant en œuvre des techniques en constante évolution;
- fabrication en série de produits ou d'appareils simples : quincaillerie, petits appareils électriques, jouets;
- fabrication en grandes séries de pièces détachées et normalisées : boulons, résistances, etc.;
- fabrication spécialisée et travaux à façon : emboutissage, découpage, gravure;
- fabrication en petites séries d'appareils très élaborés : appareils de laboratoires;
- produits de luxe;
- entreprises d'installation et de réparation (ces dernières en plein essor avec la crise actuelle);
- entreprise de service en contact avec la clientèle;
- sous-traitance.

Quelle part de la production revient aux moyennes entreprises? D'après le tableau 39, qui malheureusement donne les chiffres de 1963, les entreprises industrielles de 10 à 499 salariés qui étaient alors 65 491 représentaient 39,5 % de la valeur ajoutée brute au prix du marché.

39

Effectifs et valeur ajoutée selon la taille des entreprises

Tranche de salariés	Nombre d'entreprises		Nombre de personnes occupées				Valeur ajoutée brute au prix de marché		Valeur ajoutée par personne
			Total		Salariés seuls				
		%		%		%		%	
0 à 9	504 504	88,2	1 172 233 *	16,6	626 265	9,7	14 806 210	10,1	12,6
10 à 19	27 086	4,7	392 659	5,6	368 273	5,7	6 819 421	4,6	17,3
20 à 49	22 654	4,0	703 625	10,1	701 643	10,9	12 507 229	8,6	17,6
50 à 99	8 506	1,5	590 368	8,4	587 523	9,2	10 490 588	7,2	17,8
100 à 199	4 561	0,8	633 263	9,0	631 688	9,8	11 643 395	8,0	18,4
200 à 499	2 684	0,5	815 609	11,6	815 443	12,6	16 257 575	11,1	19,9
500 à 999	837	0,2	582 451	8,3	580 231	9,0	12 088 760	8,3	20,8
1 000 et plus	564	0,1	2 139 022	30,4	2 140 076	33,2	61 312 507	42,1	28,6
Total	571 396	100	7 036 259	100	6 452 045	100	145 926 185	100	20,8

Note : accolade regroupant les tranches 10 à 499 = 65 491 entreprises ; colonne valeur ajoutée correspondante = 39,5.

Sont compris ici 452 732 entrepreneurs individuels dont 259 420 n'emploient pas de salariés.

Source : « Statistiques de l'Industrie », Documentation CGPEME, d'après le recensement industriel de l'INSEE de 1963.

Le tableau 40-A montre la diminution du nombre des toutes petites entreprises. Les créations d'entreprises intéressent surtout celles qui ont de 10 à 49 salariés (+ 5,72 %) et les très grosses employant plus de 1000 salariés (+ 6,25 %).

Le tableau 40-B montre le grand dynamisme des PMI dans cinq secteurs : matériaux de construction, Travaux publics, Bâtiment, matières plastiques, imprimerie/presse/édition.

Le tableau 40-C montre que les trois secteurs d'activité où les PMI sont en plus forte régression sont : céramique, chaussures et textile.

Les responsables des moyennes entreprises en expansion expliquent ce dynamisme par le fait qu'ils s'affirment les grands promoteurs de l'innovation. Ils opposent l'aptitude du système capitaliste et concurrentiel à susciter l'innovation et à l'intégrer dans le procès de production à la lourdeur bureaucratique des grandes entreprises capitalistes ou du système soviétique dont l'échec, dans le secteur distributif, administre – selon eux – la preuve de son incapacité à s'adapter aux exigences nouvelles de la clientèle d'un grand pays industriel. Ils affirment – mais c'est difficile à prouver statistiquement – que les PMI consacrent à la création, à la recherche et au développement (en % du chiffre d'affaires) plus d'argent que les grandes. Ils déplorent que n'existe pas en France l'équivalent des sociétés américaines de « Venture capital » qui assument le « premier risque » en « misant » – financièrement – sur un homme ou sur une idée.

D'autre part, ils opposent les entrepreneurs dynamiques et innovateurs qu'ils prétendent être aux fonctionnaires prudents ou aux ingénieurs précautionneux qui entrent dans de grandes firmes pour éviter tout risque et se préparer une carrière « sûre ». Cette affirmation – très élogieuse pour ceux qui la prononcent – semble confirmée par une enquête de la SOFRES administrée entre le 1er et le 20 juillet 1973 auprès d'un échantillon de 519 chefs d'entreprises représentatives de l'ensemble des entreprises françaises de moins de 500 salariés (cf. résultats dans *Expansion,* oct. 1973). Selon cette enquête :

40

Évolution des petites et moyennes entreprises entre 1966 et 1970

A — En fonction de leurs effectifs

Entreprises employant	Nombre d'entreprises		Variation de 1966 à 1970	
	1966	1970	en nbre absolu	en pourcentage
De 0 à 5 salariés	578 170	548 370	− 29 800	− 5,15
De 6 à 9 salariés	35 950	36 950	+ 1 000	+ 2,71
De 10 à 49 salariés	55 440	58 610	+ 3 170	+ 5,72 + 4,66
De 50 à 199 salariés	14 210	14 260	+ 50	+ 0,35
De 200 à 999 salariés	3 830	3 910	+ 80	+ 2,09 + 2,68
Plus de 1000 salariés	640	680	+ 40	+ 6,25
	688 240	662 780	− 25 460	− 3,70

B — Secteurs d'activité des petites et moyennes industries [1] en expansion

Secteurs d'activité	Nombre d'entreprises		Variation de 1966 à 1970	
	1966	1970	en nbre absolu	en pourcentage
Bâtiment	36 410	41 730	5 320	+ 14,6
Imprimerie, presse, édition	4 250	4 790	540	+ 12,7
Matériaux de construction	1 510	1 990	480	+ 31,7
Travaux publics	2 790	3 210	420	+ 15,0
Mécanique générale	3 120	3 310	190	+ 5,9
Transformation de matière plastique	1 230	1 390	160	+ 13,0
Automobiles et cycles	3 370	3 520	150	+ 4,4

(1) Les P.M.I. sont ici définies comme des entreprises employant de 6 à 199 salariés.

C — Secteur d'activité des petites et moyennes industries en régression

Secteurs d'activité	Nombre d'entreprises		Variation de 1966 à 1970	
	1966	1970	en nbre absolu	en pourcentage
Textile	3 320	2 750	− 570	− 17,1
Habillement	6 590	6 040	− 550	− 8,3
Bois - Ameublement	5 890	5 420	− 470	− 7,8
Chaussure	1 180	950	− 230	− 19,4
Chimie	2 180	2 020	− 160	− 7,4
Céramique	500	390	− 110	− 22,0

Source : Documentation CGPEME.
Tableaux reconstitués à partir du résultat du fichier national
des Entreprises en 1970 tenu par l'INSEE.

- Le bagage culturel des chefs d'entreprises est très hétérogène :
28 % n'ont fait que des études primaires;
20 % se sont arrêtés au baccalauréat;
23 % viennent du technico-commercial;
29 % possèdent des diplômes d'études supérieures.
- 66 % déclarent que « si c'était à recommencer » ils créeraient ou recréeraient une entreprise semblable à celle qu'ils dirigent;
- 83 % disent que c'est au propriétaire de détenir l'autorité.

D'après d'autres sources, il semble que les ingénieurs diplômés soient très peu nombreux à créer des entreprises : 26 % seulement des créateurs d'entreprises auraient fait des études supérieures. Si ce chiffre est exact, cela donnerait à penser qu'un cursus universitaire élevé contribue à atténuer les facultés créatrices et le goût du risque pour développer le désir de sécurité. D'autre part, les ingénieurs hautement diplômés auraient un « esprit aristocratique », ne consentiraient pas à commencer « petitement » et à « mettre la main à la pâte » contrairement à ce qui se passe aux États-Unis. On peut donc se demander si les hommes qui créent des entreprises et ceux qui font marcher les entreprises existantes ne constituent pas deux types de tempéraments profondément différents.

Quant aux rémunérations des chefs d'entreprises moyennes, elles sont difficilement quantifiables, compte tenu du remboursement des « frais annexes » et des avantages « occultes » (voitures de fonction, chasse, etc.). Dans son rapport publié en 1973, le Conseil des Impôts écrit qu'« aux privilèges légaux de toutes sortes qui favorisent ces professions s'ajoutent dans de nombreux cas des fraudes considérables ». Ce qui lui attire cette réplique de Mr A. Pinay (in *La Volonté,* avril 1973) « que des hommes qui acceptent et assument ces responsabilités soient traités comme des parias est parfaitement révoltant. Quand, de plus, ils acceptent et revendiquent de voir leurs activités sanctionnées par la ruine ou le déshonneur (ce qui est le cas des sociétés de personnes), il semble que les lois fiscales devraient plutôt les favoriser que les pénaliser. Que ce raisonnement dépasse l'expérience et l'imagination de fonctionnaires, certes consciencieux, mais vivant à l'abri de tout risque économique, c'est possible. Mais cela n'infirme pas la valeur sociale de celui qui accepte le risque plutôt que la sécurité et le combat plutôt que la stabilité ».

Les professions libérales

« Les membres des Professions libérales sont des personnes physiques, éventuellement groupées, titulaires d'un diplôme, titre ou agrément professionnel, exerçant leur profession d'une manière indépendante tant de l'État et des collectivités publiques que des entreprises industrielles et commerciales, dispensant des services personnels délivrés librement, ce dans le cadre d'un règlement, d'une discipline et d'une éthique professionnelle, souvent même sous l'obédience d'un Ordre ». (Les Professions libérales en France, *Notes et Études documentaires*, 25 mai 1971.)

Le tableau 41 montre que les individus exerçant une profession libérale sont environ 170 000 mais que leurs revenus, leur pouvoir et leur prestige sont fort différents. Quel écart entre un avocat près le Conseil d'État et la Cour de Cassation et un pédicure !

Le graphique 42 montre clairement que si, au zénith de leur carrière (et sans accroc de santé) les professions libérales ont des revenus supérieurs à ceux des cadres supérieurs et des fonctionnaires, ils sont pénalisés en début et en fin de carrière.

On pourrait esquisser la carrière théorique d'un membre d'une profession libérale de la façon suivante :

— L'exercice de telles professions comporte l'interdiction de la publicité et de la prospection systématique de la clientèle.

— L'importance des investissements intellectuels (diplômes), la nécessité de l'installation ou de la reprise d'un cabinet, l'acquisition d'instruments de travail en constante évolution (radiologues, dentistes) se traduisent par un démarrage de carrière tardif pendant lequel le revenu de l'entreprise libérale ne se développe que lentement, tant les recettes sont obérées par les frais d'établissement et d'investissement (sauf si l'on succède à son père, ce qui est le cas dans une proportion non négligeable). C'est précisément pour aider les jeunes à s'installer qu'une loi du 28 novembre 1955 (dite « loi Pleven ») prévoit des prêts pour sept ans dont profitent dans la proportion de 75 % les professions de la santé publique.

— Une fois réglés les frais d'installation, pas avant 30/35 ans le membre d'une profession libérale est réellement indépendant. En cours de carrière, il encourt toujours le risque d'une incapacité physique provisoire qui peut entraîner une perte de clientèle. C'est l'hypothèse retenue dans le graphique 42.

— Le perfectionnement professionnel en cours de carrière est entièrement à la charge du membre d'une profession libérale. Il doit en outre acquitter des cotisations relativement élevées aux groupements professionnels chargés de la défense de ses intérêts. Il est astreint au versement de cotisations familiales : il doit en effet assurer par ses propres versements le financement d'une caisse particulière d'allocations familiales. Le taux de ses allocations familiales est inférieur d'environ 10 % à celui du régime des salariés. Au point de vue assurance-maladie, depuis la loi du 6 janvier 1970, il est placé dans le même régime que les industriels, les commerçants et les artisans.

41

Effectifs des professions libérales

	Exercice libéral	Effectif total
Professions judiciaires et juridiques		
Avoués	1 675	
Avocats	7 550	
Notaires	6 300	
Agréés au tribunal de commerce	150	
Conseils juridiques	1 500 (1)	
Huissiers de justice	2 500	
Greffiers	700 (1)	
Syndics et administrateurs judiciaires	non renseigné	
Commissaires priseurs	330	
Professions de la santé publique		
Médecins	42 000 (2)	65 000
Chirurgiens, dentistes	17 800	22 000
Pharmaciens	17 000	23 600
Vétérinaires	4 000	14 500
Para et auxiliaires médicaux		
Infirmiers	12 000 (3)	120 000
Sages-femmes	2 000 (1)	8 500
Masseurs kinésithérapeutes	12 000	15 500
Pédicures	3 500 (1)	4 000
Métiers de la rééducation		
Puéricultrices ⎤		5 000 (1)
Psychologues ⎦	qques centaines	2 000 (1)
Professions techniques		
Conseils fiscaux	550	
Experts comptables	2 000	3 000
Comptables agréés	3 000	5 800
Commissaires aux comptes	1 000 (1)	
Agents généraux d'assurances	16 000 (4)	20 000
Agents de change	120	
Architectes	7 200	8 500
Géomètres-experts	1 900	3 500
Métreurs-vérificateurs	2 500	
Ingénieurs conseils	1 250	
Chimistes, propriétaires de laboratoire	150 (1)	
Experts agréés de diverses spécialités		
Sténographes	200	
Sténotypistes de conférence	150	
Traducteurs interprètes	600 (1)	
TOTAL environ	170 000	

(1) chiffre approximatif
(2) dont 1/3 de salariés à temps partiel

(3) qui sont surtout des infirmières
(4) tirant leur "revenu principal" de leur portefeuille

Source : Les Professions libérales en France,
Notes et Études documentaires, 25 mai 1971, p. 7.

— Pour la retraite vieillesse les membres des professions libérales perçoivent des annuités beaucoup plus faibles que celles des cadres. D'où le développement dans le cadre professionnel de régimes complémentaires obligatoires ou facultatifs. Ils doivent en effet se ménager des ressources supplémentaires en songeant particulièrement à la situation future de l'épouse devenue veuve. Pour beaucoup, ces ressources résultent de la cession à un confrère de la charge ou du cabinet lors de l'abandon de la vie professionnelle active.

42

Schéma de « l'aire des revenus professionnels »

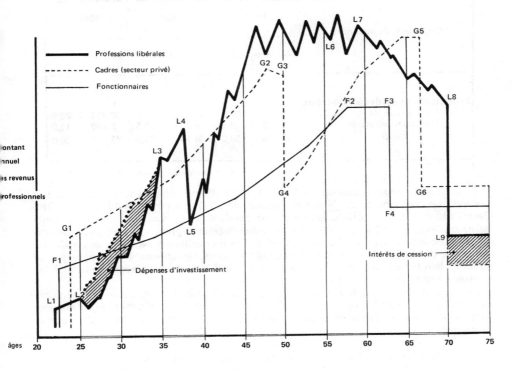

Professions libérales (L)

a – L1 – L2 : La courbe représente une période de stage rémunéré.

b – A partir de L2, démarrage réel de la carrière professionnelle. Le revenu ne se situe pas au niveau de la courbe à gros points, mais à celui de la courbe pleine, pour tenir compte des dépenses d'investissement et de l'intérêt des prêts d'installation.

c – L4 – L5. Chute brusque de revenu consécutive à un accident de carrière comme une maladie grave.

d – L6 représente la période d'activité maxima.

e – A partir de L7 diminution d'activité par suite de l'âge.

f – En L8, départ en retraite, indiqué vers 70 ans, pour marquer la longue durée d'exercice de la plupart des professions indépendantes.

9 – Le niveau L9 indique le montant des ressources de retraite, généralement très inférieur à celui des honoraires d'activité (on a tenu compte des intérêts d'une cession de charge).

Fonctionnaires (F)

a – En F1 – F2 : Démarrage à un niveau relativement modeste; progression régulière et progressivement accélérée.

b – En F2 – F3 dernier échelon de traitement atteint.

c – En F4, retraite vers 62-63 ans (moyenne tenant compte des diverses carrières de l'État). Montant de la retraite représentant un % élevé du traitement d'activité.

Cadres de l'économie privée (G)

a – En G1 – G2 : Démarrage à un niveau relativement élevé et progression rapide.

b – En G2 – G3 : Stabilisation de carrière puis perte d'emploi.

c – En G4 – G5 : Nouvelle carrière dans une autre entreprise.

d – En G6 : Retraite des cadres obtenue vers 66 ans (moyenne nationale).

Source : *Notes et Études documentaires, op. cit.* p. 71.

43

Effectifs des médecins libéraux

Catégorie de médecins	1962		1966		1969	
	Nombre	%	Nombre	%	Nombre	%
Ensemble des médecins libéraux						
Conventionnés	28 294	80,8	35 131	87,5	38 400	88,0
Non conventionnés	6 712	19,2	5 033	12,5	5 240	12,0
Total	35 006	100,0	40 164	100,0	43 640	100,0

Source : *Notes et Études documentaires, op. cit.* p. 71.

Le tableau 43 montre que de 1962 à 1969 les effectifs des médecins libéraux augmentent en moyenne de 3,2 % par an passant de 35 006 en 1962 à 43 640 en 1969. Parmi ces médecins libéraux, les médecins conventionnés occupent une place croissante de 80,8 % à 88 %. Ces 43 640 médecins libéraux représentent les deux-tiers des 64 873 médecins inscrits à l'Ordre en 1969. Les médecins qui ne sont pas « libéraux » sont soit des médecins ayant une activité de soins rémunérée uniquement par un salaire (plein temps en hôpital ou dispensaire), soit des médecins n'ayant pas d'activités de soins (administratifs, chercheurs, retraités).

En vertu de la convention nationale du 28 octobre 1971, le médecin conventionné accepte de respecter les tarifs d'honoraires fixés annuellement et s'engage à « observer dans toutes ses prescriptions la plus stricte économie compatible avec l'efficacité du traitement ».

Tout actif français voit en lui-même une victime et en « l'autre » un privilégié. Il est donc intéressant de comparer les revenus par tête – et leur évolution – des médecins et des fonctionnaires. C'est ce que montre le graphique 44.

De 1962 à 1969 la croissance revenu nominal par tête de l'ensemble des médecins conventionnés (+ 7,8 % par an) a été supérieure à celle des fonctionnaires (+ 7,3 %) mais inférieure à celle des cadres (+ 8,1 %).

Les généralistes ont eu un taux de croissance égal à celui des cadres et à celui du taux de salaire horaire (+ 8,1 %) alors que les spécialistes ont vu leurs revenus croître moins fortement que celui des généralistes et des fonctionnaires (+ 6,6 %).

La tendance serait donc au « rattrapage » des revenus des spécialistes par ceux des généralistes. De 1962 à 1969, le prix des actes des médecins conventionnés a augmenté annuellement de 7,7 % pour les généralistes et de 4,5 % pour les spécialistes. Deux raisons expliquent cette tendance :
– Un accroissement trop faible du prix des actes des généralistes aurait conduit à une diminution du temps passé par acte, donc à une baisse de qualité;
– Les effectifs des généralistes croissant moins vite que ceux des spécialistes, il y a pression de la demande sur l'offre.

Cependant, les spécialistes continuent à gagner plus que les généralistes. En 1966, le revenu professionnel avant impôt (c'est-à-dire les recettes professionnelles dont on a retranché la totalité des frais professionnels) d'un radiologue était de 123 795 frs et

44

**Évolution comparée des revenus nominaux par tête 1962-1969
(1962 → 100)**

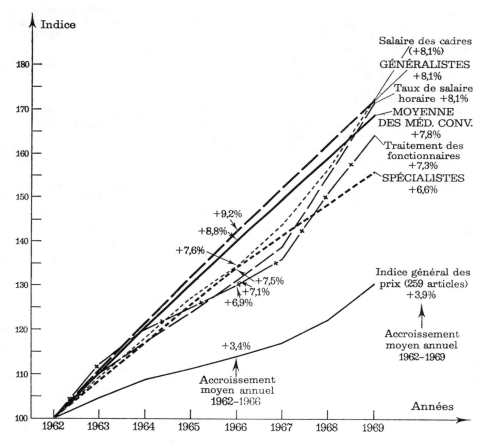

Source : A. Foulon, S. Sandier, Étude économique de l'activité des médecins
in *Consommation* n° 3/1971, Juill. Sept. 1971, Dunod éd., Paris.

celui d'un généraliste de 68 501 frs. En outre, il faudrait tenir compte du nombre des
actes pratiqués : pour gagner moins que le spécialiste, le généraliste doit accomplir des
actes plus nombreux. En 1966, pour un nombre d'actes inférieur de moitié, le spécialiste (radiologues exceptés) avait un chiffre d'affaires d'environ 34 % supérieur à celui
du généraliste. Ajoutons que, jusqu'à une période récente, nous ignorions les honoraires
demandés par les médecins non conventionnés. (Ils doivent maintenant figurer sur les
feuilles de maladie.) Signalons enfin que la durée hebdomadaire de travail est de
57,9 heures pour le généraliste et de 51,9 heures pour le spécialiste, compte non tenu
dans les deux cas du temps consacré à l'information (chiffres donnés par le *Bulletin
de statistiques de Santé et de Sécurité sociale,* janv.-fév. 1972, p. 78).

Où en est aujourd'hui la « médecine de groupe »? Il est difficile de répondre parce que ces « groupes » peuvent revêtir des formes variées, souvent très souples. D'après une enquête du B.R.E.S. (Bureau des Relations Extérieures et Sociales) dont les résultats ont été publiés dans *Coopération* (mai 1974), il y aurait, en 1970, 1 910 groupes comptant 4 372 médecins libéraux. Chiffre contesté par « l'Association de la médecine de groupe » qui affirme qu'il existe 5 000 groupes rassemblant environ 20 000 médecins. Les praticiens qui se groupent sont surtout des généralistes et, parmi les spécialistes, les radiologues, les ophtalmologistes et les cardiologues en raison de l'importance des investissements. Les motivations de l'exercice de la médecine de groupe peuvent être les suivantes :
— se prémunir contre une fonctionnarisation de la médecine;
— monopoliser la médecine dans une région donnée;
— contrôler la politique de la santé, notamment les implantations;
— alléger les conditions de travail pour les généralistes;
— s'ouvrir à des possibilités de recyclage permanent : d'après certains praticiens la somme des connaissances médicales doublerait tous les sept ans (les « spécialités », qui étaient au nombre de 10 en 1954, sont 50 en 1974).

Le Dr Junod, Président de « l'Association de la médecine de groupe » résume en ces termes la philosophie de son association : « Nous rejetons aussi bien l'asservissement à une administration tâtillonne et lourde que l'exploitation du système capitaliste. Cela nous amène à l'obligation de prendre la responsabilité des investissements tant mobiliers qu'immobiliers afin de garder la maîtrise de notre outil de travail, c'est-à-dire, en fait, notre mode d'exercice. Cela nous oblige à dépasser la propriété individuelle. »

Les cadres

L'emploi du mot « cadre » dans les divers secteurs de l'économie remonte à quelques décennies. La loi du 4 octobre 1941 dite « Charte du Travail » est le premier texte législatif français où on le rencontre. Il n'existe aucune définition légale du mot « cadre ».

Pour l'INSEE il y a deux grandes catégories : 03 *Cadres supérieurs professions libérales* et 04 *cadres moyens.* Cette différenciation est justifiée par trois critères :
– la fonction exercée;
– le niveau de rémunération;
– l'homogénéité sociale entendue comme « les personnes appartenant à une même catégorie et présumées être susceptibles d'entretenir des relations personnelles entre elles, avoir souvent des comportements ou des opinions analogues, se considérer elles-mêmes comme appartenant à une même catégorie, être considérées par les autres comme appartenant à une même catégorie ».

Aussi :
– professions libérales et cadres supérieurs sont classés dans une même catégorie bien que leur statut juridique soit différent;
– les contremaîtres, pourtant « personnel d'encadrement » sont tantôt classés comme « cadres moyens », tantôt comme « ouvriers ».

Les statistiques de l'INSEE doivent donc être lues avec prudence, d'abord, parce que la critère « homogénéité sociale » est flou, ensuite parce que la répartition des individus entre les différentes CSP repose sur les données du recensement. Or les recensés ou bien ont tendance à se « surqualifier », ou bien n'ont d'idée précise ni de leur fonction, ni de leur titre.

Lorsqu'à la Libération la « Charte du Travail » a été abrogée, un certain nombre d'arrêtés dits « Arrêtés Parodi » (fondamentaux car ils ont servi de base aux classifications figurant dans les Conventions collectives lorsque la loi du 11 février 1950 a rendu leur liberté contractuelle aux organisations syndicales) ont retenu trois critères :
– être salarié, c'est-à-dire lié à l'entreprise par un contrat de travail;
– avoir une qualification sanctionnée par un diplôme, une compétence, une technicité;
– exercer réellement une fonction d'initiative, de responsabilité entraînant une délégation tacite ou expresse de l'autorité patronale.

Ces critères sont vagues mais, si on se place au niveau des actifs, ceux-ci savent fort bien s'ils sont cadres ou non (Les conventions collectives précisent à partir de quel niveau de rémunération on est « cadre »; le cadre a un régime de retraite particulier, le cadre ne « pointe » pas – sauf dans les entreprises qui ont adopté les « horaires libres » – contrairement aux ouvriers et employés, etc.).

45

Évolution des effectifs du personnel d'encadrement de 1954 à 1974

	1954	1962	1968	1974
Ensemble du personnel d'encadrement	1 684 160	2 387 140	3 172 560	4 005 328
Population active totale	19 151 380	19 164 460	20 439 160	21 123 206
Personnel d'encadrement par rapport à la population active totale	8,7%	12,4%	15,5%	19%

Sources : 1954, 1962, 1968, INSEE, Recensements généraux de la population, sondages au 1/20ᵉ
1974 : P. Laulhé, Enquête sur l'Emploi de 1974, premiers résultats
Coll. de l'INSEE, Série *Démographie et Emploi,* déc. 74, P. 38

D'après le tableau 45, il y aurait 4 millions d'actifs dans le personnel d'encadrement, soit près du 1/5ᵉ de la population active totale.

46

Évolution des effectifs des cadres supérieurs et des cadres moyens de 1954 à 1974

	1954	1962	1968	1974
Professeurs, professions littéraires et scientifiques	77 900	119 900	203 600	
Ingénieurs et cadres administratifs supérieurs	353 160	510 660	641 200	
Total cadres supérieurs	**431 060**	**630 560**	**844 800**	**1 239 112**
Instituteurs et professions diverses	376 460	409 540	554 580	
Services médicaux et sociaux		97 100	157 260	
Techniciens	188 280	336 600	516 320	
Cadres administratifs moyens	546 880	609 560	739 480	
Contremaîtres	141 480	303 780	360 120	
Total des cadres moyens	**1 253 100**	**1 756 580**	**2 327 760**	**2 766 216**

Mêmes sources que pour le tableau 45

Le tableau 46 fait apparaître le système de répartition de l'INSEE entre cadres supérieurs et cadres moyens. L'augmentation très spectaculaire du nombre de professeurs en 14 ans s'explique par « l'explosion scolaire » que nous avons signalée plus haut.

47

Réparation des effectifs « cadres » en 1968 par sexe

	Ensemble	Femmes	Proportion de femmes
Professeurs, professions littéraires et scientifiques	200 760	90 760	45,2
Ingénieurs	186 740	6 380	3,4
Cadres supérieurs adm.	447 400	57 220	12,7
Ensemble cadres supérieurs	**845 000**	**154 360**	**19**
Professions intellectuelles diverses	547 580	472 000	73
Techniciens	515 940	57 300	11,1
Cadres moyens	726 380	252 680	34,7
Contremaîtres	357 600	24 520	6,8
Ensemble cadres moyens	**2 327 760**	**676 420**	**29**

Source : INSEE, Recensement général de la population, 1968.

Le tableau 47 confirme ce que nous avons dit plus haut sur l'inégalité des femmes et des hommes devant l'emploi. On peut y lire que, sur 100 ingénieurs, il n'y a que 3,4 femmes, que les professeurs sont pratiquement la seule profession où elles sont en nombre presque égal aux hommes (45,2 %), que les « instituteurs » sont, pour presque les trois-quarts d'entre eux, des institutrices (73 %). Toutefois, la tendance à moyen terme semble favorable aux femmes : d'après d'autres tableaux de l'INSEE que nous ne pouvons reproduire ici, de 1962 à 1968 le nombre total de cadres supérieurs a augmenté de 35 %, le nombre des femmes cadres supérieurs augmentant de 53 %; et, pour la période 1968-1972, les pourcentages sont en augmentation de 25 % pour l'ensemble des cadres supérieurs et de 45 % pour les cadres supérieurs féminins.

Les tableaux 48 et 49 font nettement apparaître les différences de niveaux de diplômes entre cadres supérieurs et cadres moyens.
– 75,9 % des hommes profession libérale ont un diplôme d'enseignement supérieur;
– 77,4 % des ingénieurs de moins de 30 ans en ont un contre 43,2 % seulement des ingénieurs de plus de 30 ans (ce qui s'explique par l'accroissement du nombre des étudiants et par le nombre des ingénieurs autodidactes qui ne sont jamais très jeunes puisqu'ils sont « montés » par la formation permanente);
– Le pourcentage de professions libérales et de jeunes ingénieurs hautement diplômés s'est vraisemblablement encore accru depuis la date de l'enquête d'où ces tableaux sont extraits (1964);
– Les cadres moyens sont en faible pourcentage diplômés de l'enseignement supérieur et, lorsqu'ils le sont, le sont souvent de l'enseignement supérieur court.

Le tableau 50 est particulièrement riche d'enseignements. Il se lit de la façon suivante : soit le passage entre 1959 et 1964 des cadres administratifs moyens devenus cadres supérieurs (colonne XIV). D'après l'enquête, ils sont 16 000 à avoir effectué cette ascension « intra-générationnelle ». Sur les 82 cas observés (l'échantillon est au 1/200e), on voit que 18, soit 22 %, étaient fils de cadres supérieurs (alors que sur 100 cadres moyens administratifs il n'y a que 10 % de fils de cadres supérieurs) alors que deux seulement, soit 2 % avaient un père OS (alors que sur 100 cadres moyens administratifs il y a 11 % de fils d'OS). Ce qui veut dire qu'entre deux cadres moyens

48

Niveau de diplômés des cadres supérieurs

Niveau de diplôme ⟍ Catégorie socio-professionnelle	Professions libérales		Professeurs, prof. lit.et scientifiques		Ingénieurs		
	Hommes	Femmes	Hommes	Femmes	− 30 ans	+ 30 ans	En
Aucun diplôme, C.E.P., enseignement secondaire	15,3	29,6	27,2	16	6,9	20,2	
Enseignement technique					14,7	27,3	
Enseignement supérieur court	8,8	3,7	13,2	12		4,8	
Enseignement supérieur long	65,3	66,7	49,5	61	1	4,5	
Grandes écoles ⎤	9,7		4,9	9,7	77,4	43,2	
Autres diplômes ⎦	0,9		5,2	1,3			
Ensemble	45 600	10 800	57 400	60 000	20 400	79 200	9

49

Niveau de diplôme des cadres moyens

Niveau de diplôme ⟍ Catégorie socio-professionnelle	Cadres adm. et commerciaux		Instituteurs, services médicaux et sociaux		Dessinateurs	Techniciens et agents de m		
	Hommes	Femmes	Hommes	Femmes		− 30 ans	+ 30 ans	E
Aucun diplôme, C.E.P.	21,1	21,1	4,7	7,1	19,3	17,3	44,5	
B.E.P.C.	10,7	18,8						
Baccalauréat 1ère et 2ème parties ⎦	14,4	19,3	53,6	55,4	8,4	17,1	5,8	
Enseignement technique (C.A.P., B.P.) ⎤	24,9	20,8	20,2	27,5	43,9	35	36,4	
Enseignement technique long ⎦					26,4	27,9	11,4	
Enseignement supérieur court ⎤	28,9	20,0	10,6	4,9	2,0	2,7	1,9	
Autres diplômes de l'ens. supérieur ⎦			10,9	5,1				
Ensemble	321 800	90 200	128 000	386 600	107 600	96 000	306 600	4

Source : R. Salais, Les niveaux de diplômes dans chaque
Économie et Statistique, INSEE, février 1970, n° 9, pp. 49, 52, 5
(Tableaux établis d'après l'enquête FQI de 1

administratifs dont l'un est fils de cadre supérieur et l'autre fils d'OS, le premier a 11 fois plus de chance de devenir cadre supérieur administratif entre 1959 et 1964. Ce qui confirme donc de façon très claire ce que nous avons écrit plus haut en tentant de répondre à la question : « L'explosion scolaire a-t-elle réduit les inégalités sociales? » lorsque nous avons conclu qu'en France, les structures de « dominance » l'emportent sur les structures « méritocratiques ». En additionnant à ces 22 % de fils de cadres supérieurs, provisoirement cadres moyens administratifs, les 8 % fils d'Industriels et de Gros Commerçants on obtient un total de 30 % qui représentent des « contre-mobiles », c'est-à-dire des individus qui ont regagné la même CSP que celle de leur père.

Toujours sur ce même tableau 50, examinons une autre filière : celle d'Ouvrier Qualifié à Technicien (colonne X). Il s'agit d'un flux important puisqu'il concerne 124 individus (rappelons que l'échantillon est au 1/200ᵉ). On peut penser que, pour ces mobiles ascendants, qui entre 1959 et 1964 sont passés d'OQ à Techniciens, ce poste constitue pour eux un « bout de route » et qu'ils ne « monteront » pas plus haut. Pourquoi? La catégorie « technicien » s'est développée très rapidement après la guerre comme une

50

Origine sociale des salariés ayant accédé à la hiérarchie entre 1959 et 1964

PROFESSION DU PÈRE	VIII — OUVRIER SPÉCIALISÉ A EMPLOYÉ DE BUREAU	IX — OUVRIER QUALIFIÉ A CONTRE-MAITRE	X — OUVRIER QUALIFIÉ A TECHNICIEN	XI — EMPLOYÉ DE BUREAU A TECHNICIEN	XII — EMPLOYÉ DE COMMERCE A CADRE MOYEN ADMINISTRATIF	TOUS EMPLOYÉS DE COMMERCE	XIII — EMPLOYÉ DE BUREAU A CADRE MOYEN ADMINISTRATIF	TOUS EMPLOYÉS DE BUREAU	XIV — CADRE MOYEN ADMINISTRATIF A CADRE SUPÉRIEUR ADMINISTRATIF	TOUS CADRES MOYENS ADMINISTRATIFS	XV — EMPLOYÉ DE BUREAU A CADRE SUPÉRIEUR ADMINISTRATIF
Industriel, gros commerçant, profession libérale	—	—	—	—	(2) 5	7	—	2	(7) 8	8	— —
Cadre supérieur	(10) 9	—	—	(5) 15	(5) 13 — **18**	5	(15) 12	3	(18) 22 — **30**	10	(6) 22
Artisan, petit commerçant	(5) 4,5	(15) 9	(21) 17	(2)	(13) 35 — **35**	20	(21) 17	11	(13) 15 — **15**	16	(4) 15
Agriculteur	(45) 41	(26) 16	—	(2)	— **O**	16	(12) 10	20	(11) 14 — **14**	8	(4) 15
Cadre moyen, technicien	—	(10) 6	(5) 4	—	—	9	(18) 14	4	(8) 10 — **10**	13	(5) 18
Employé de bureau. Services police, armée	(5) 4,5	(26) 16	(26) 21	(1)	(5) 13 — **13**	15	(9) 7	18	(13) 17 — **17**	16	(4) 15
Ouvrier qualifié, mineur, contremaître	(35) 32	(65) 40	(50) 40	(25) 75	(11) 30	16	(39) 32	23	(10) 12	16	(3) 11
Ouvrier spécialisé, manœuvre, ouvrier agricole	(10) 9	(22) 13	(22) 18	—	(1) 3	12	(10) 8	18	(2) 2	11	(1) 4
TOTAL	(110) 100	(164) 100	(124) 100	(35) 100	(37) 99	100	(124) 100	99	(82) 100 100 100	100	(27) 100

Source : D. Bertaux, Mobilité sociale biographique. Une critique de l'approche transversale
Revue française de Sociologie, juil. sept. 1974, XV-3 p. 348. CNRS

51

Diplôme le plus élevé obtenu et catégorie socio-professionnelle à l'entrée dans la vie active

Hommes nés en 1918 ou après (a)

Catégorie socio-professionnelle initiale \ Diplôme (b)	Aucun diplôme 1	C.E.P. 2	B.E.P.C. 3	C.A.P. ou équivalent 4	Brevet Bac techniques 5	Bac classique moderne 6, 7
00. Agriculteurs exploitants	861.580	669.515	31.769	119.623	7.182	14.125
0. Agriculteurs exploitants	861.580	669.515	31.769	119.623	7.182	14.125
	50,4 24,6	*39,1 19,7*	*1,9 6,0*	*7,0 6,5*	*0,4 2,4*	*0,8 4,2*
10. Salariés agricoles	658.117	250.641	6.561	50.009	4.621	2.513
1. Salariés agricoles	658.117	250.641	6.561	50.009	4.621	2.513
	67,2 18,8	*25,6 7,4*	*0,7 1,2*	*5,1 2,7*	*0,5 1,6*	*0,3 0,8*
21. Industriels	1.726	–	509	–	–	217
22. Artisans	49.359	80.869	4.042	17.363	5.299	2.909
23. Patrons pêcheurs	3.577	3.662	–	515	–	–
26. Gros commerçants	1.924	2.179	235	543	–	272
27. Petits commerçants	54.249	95.751	15.123	15.497	4.442	6.442
2. Patrons de l'industrie et du commerce	110.835	182.461	19.909	33.918	9.741	9.840
	29,2 3,1	*48,0 5,4*	*5,2 3,7*	*8,9 1,8*	*2,6 3,3*	*2,6 2,9*
30. Professions libérales	1.292	220	–	–	220	1.186
32. Professeurs	216	1.297	1.633	–	1.034	4.505
33. Ingénieurs	1.971	678	5.681	1.443	2.189	5.302
34. Cadres administratifs supérieurs	5.758	3.619	3.120	2.366	3.641	17.689
3. Professions libérales et cadres supérieurs	9.237	5.814	10.434	3.809	7.084	28.682
	2,9 0,3	*,8 0,2*	*3,2 2,0*	*1,2 0,2*	*2,2 2,4*	*8,9 8,6*
41. Instituteurs, professions intell. divers	5.523	6.627	14.371	1.381	12.212	91.417
42. Services médicaux et sociaux	770	1.481	234	–	–	218
43. Techniciens	13.719	57.997	42.822	56.423	82.093	21.028
44. Cadres administratifs moyens	8.082	19.520	19.049	14.064	16.623	44.882
4. Cadres moyens	28.094	85.625	76.476	71.868	110.928	157.545
	4,0 0,8	*12,1 2,5*	*10,8 14,3*	*10,1 3,9*	*15,7 37,4*	*22,2 47,2*
51. Employés de bureau	57.292	232.651	195.676	71.383	35.653	57.556
53. Employés de commerce	87.520	145.418	23.964	65.093	5.316	6.216
5. Employés	144.812	378.069	219.640	136.476	40.969	63.772
	14,2 4,1	*37,0 11,1*	*21,5 41,1*	*13,4 7,4*	*4,0 13,8*	*6,3 19,1*
60. Contremaîtres	1.029	3.828	3.068	2.404	1.711	1.951
61. Ouvriers qualifiés	421.167	516.269	51.538	562.120	72.857	14.303
63. Ouvriers spécialisés	279.057	321.885	33.867	210.275	23.939	7.919
65. Mineurs	57.679	38.464	2.555	25.255	–	550
66. Marins et pêcheurs	18.028	6.696	1.438	5.690	477	436
67. Apprentis ouvriers	420.366	531.066	21.376	530.100	2.045	1.274
68. Manœuvres	388.379	242.260	16.799	39.097	1.795	4.023
6. Ouvriers	1.585.705	1.660.468	130.641	1.374.941	102.824	30.456
	32,2 45,2	*33,7 48,9*	*2,7 24,5*	*27,9 74,7*	*2,1 34,7*	*0,6 9,1*
70-71. Gens de maison femmes de ménage	3.862	3.829	–	–	–	628
72. Autres personnels de service	92.655	106.754	5.571	33.284	2.343	5.320
7. Personnels de service	96.517	110.583	5.571	33.284	2.343	5.948
	37,7 2,7	*43,2 3,2*	*2,2 1,0*	*13,0 1,8*	*0,9 0,8*	*2,3 1,8*
8. Autres catégories	14.460	53.855	33.278	17.832	10.777	20.991
	8,1 0,4	*30,2 1,6*	*18,7 6,2*	*10,0 1,0*	*6,0 3,6*	*11,8 6,3*
Total	3.509.357	3.397.031	534.279	1.841.760	296.469	333.872
	100,0	*100,0*	*100,0*	*100,0*	*100,0*	*100,0*

(a) Sont exclues de ce tableau les personnes n'ayant pas déclaré de situation initiale.
(b) Diplôme le plus élevé obtenu avant les études postscolaires. Les numéros de code correspondent à la nomenclature de l'annexe 4 page à

Source : tableau 2009

B.T.S. ou D.U.T. 9	Propédeutique D.U.E.L. ou D.U.E.S. 10, 11	Diplôme paramédical ou social, etc. 12	Licence 13, 14	Diplômes Supérieurs à la Licence 16, 17, 18	Autres diplômes 8, 15, 19, 20	Total
217	1.988	–	–	1.378	4.251	1.711.628
217	1.988			1.378	4.251	1.711.628
€ 0,9	0,1 3,1			0,1 0,5	0,2 4,7	100,0 16,3
–	–	–	–	2.393	3.843	978.698
–	–	–	–	2.393	3.843	978.698
				0,2 0,8	0,4 4,2	100,0 9,4
–	–	–	228	217	–	2.897
–	216	–	–	437	982	161.476
–	–	–	–	–	–	7.754
–	3.584	–	259	803	–	9.799
–	3.839	694	220	1.096	743	198.096
–	7.639	694	707	2.553	1.725	380.022
	2,0 12,0	0,2 1,4	0,2 1,3	0,7 0,9	0,4 1,9	100,0 3,6
–	216	–	1.103	32.154	910	37.301
2.406	3.621	1.657	6.252	55.185	6.342	84.148
465	3.107	2.050	3.898	87.665	2.447	116.896
234	3.458	1.274	8.700	30.790	3.937	84.586
3.105	10.402	4.981	19.953	205.794	13.636	322.931
1,0 13,6	3,2 16,3	1,5 9,6	6,2 36,2	63,7 72,3	4,2 15,0	100,0 3,1
2.461	17.136	29.586	18.427	16.709	5.798	221.648
–	–	3.271	234	870	694	7.772
12.572	3.640	3.677	531	12.252	5.110	311.864
–	7.466	4.708	8.762	18.872	5.517	167.545
15.033	28.242	41.242	27.954	48.703	17.119	708.829
2,1 65,7	4,0 44,2	5,8 79,6	3,9 50,7	6,9 17,1	2,4 18,8	100,0 6,8
289	7.965	1.948	4.942	9.726	7.111	682.192
217	880	–	–	1.724	2.055	338.403
506	8.845	1.948	4.942	11.450	9.166	1.020.595
€ 2,2	0,9 13,8	0,2 3,8	0,5 9,0	1,1 4,0	0,9 10,0	100,0 9,7
886	–	–	–	506	–	15.383
1.826	5.111	462	1.366	2.482	14.504	1.664.005
1.015	668	953	–	999	2.920	883.497
–	–	–	–	–	–	124.503
–	–	–	–	–	511	33.276
288	–	–	–	456	1.899	1.508.126
					3.395	696.492
4.015	5.779	1.415	1.366	4.443	23.229	4.925.282
0,1 17,6	0,1 9,0	€ 2,7	€ 2,4	0,1 1,6	0,5 25,5	100,0 47,0
–	–	–	–	–	–	8.319
–	–	1.256	–	228	216	247.627
–	–	1.256	–	228	216	255.946
		0,5 2,4		0,1 0,1	0,1 0,2	100,0 2,4
–	1.038	271	228	7.672	17.940	178.342
	0,6 1,6	0,2 0,5	0,1 0,4	4,3 2,7	10,0 19,7	100,0 1,7
22.876	63.933	51.807	55.150	284.614	91.125	10.482.273
100,0	100,0	100,0	100,0	100,0	100,0	100,0

Source : R. Pohl, C. Thélot, M.-F. Jousset, *L'Enquête FQP de 1970*. INSEE 1974, p. 146.

des composantes de la mutation du système capitaliste français. Sur le tableau 46 on peut lire que les techniciens qui sont 188 280 en 1954, sont 516 320 en 1968. Étant donné le retard de l'appareil scolaire sur le développement du capital, la plupart de ces techniciens ont été formés « sur le tas ». Ce qui est confirmé par le fait qu'en 1962, 62 % environ des « techniciens » n'avaient reçu aucune formation technique. D'où cette conclusion de D. Bertaux dans l'article d'où ce tableau est extrait : « Une seule filière hiérarchique s'ouvre aux ouvriers fils d'ouvriers : la filière technique (...). Les autres filières tendent à être envahies par les contremobiles ».

Le tableau 51 montre clairement la corrélation entre CSP et niveau de diplôme. Il croise le diplôme le plus élevé obtenu avant d'éventuelles études post-scolaires avec la CSP au moment de l'entrée dans la vie active. Sous les chiffres absolus sont inscrits les pourcentages. Ceux de gauche se lisent en ligne : par exemple, sur 100 exploitants agricoles, il y en a 50,4 % qui n'ont aucun diplôme, 39,1 % qui ont le CEP, 1,9 % qui ont le BEPC, etc. Le pourcentage de droite se lit en colonne : par exemple, sur 100 individus qui n'ont aucun diplôme, il y a 24,6 % d'exploitants agricoles, 18,8 % de salariés agricoles 3,1 % de patrons de l'industrie et du commerce, etc.

On remarque que 1,3 % seulement des patrons de l'industrie et du commerce ont un diplôme égal ou supérieur à la licence (mais on sait que, dans cette catégorie, l'INSEE classe les petits commerçants et artisans) alors que pour les cadres supérieurs professions libérales, ce pourcentage est de 74,1 %.

On peut résumer l'importance du diplôme sur la profession initiale par deux pourcentages : 69 % des personnes qui entrent dans la vie active comme cadres supérieurs ont au moins une licence; 63 % de ceux qui ont au moins une licence entrent dans la vie active à un niveau élevé. Un diplôme n'assure pas automatiquement une situation élevée (car joue le « capital social » dont nous avons parlé plus haut), mais l'absence de diplôme pénalise l'individu – même issu d'un milieu très favorisé socialement – et lui retire presque toute chance d'accéder à une situation élevée.

En 1962, l'U.I.M.M. (Union des Industries Métallurgiques et Ministères, organisme patronal) a administré une vaste enquête auprès des ingénieurs et cadres de sa branche. Cette enquête fait apparaître la supériorité des « Grandes Écoles ». Sur 100 diplômés de Polytechnique 48,6 occupent un poste de direction, pour 100 « centraliens » 28,5, et le pourcentage tombe à 7,6 % pour les diplômés des facultés des sciences. Sur 100 diplômés de Sciences Po 25,6 occupent un poste de direction, les pourcentages étant de 18,3 % pour les HEC et 11,8 % pour les gens diplômés des Facultés de droit. On peut être surpris de voir que la Faculté de Droit fournit plus de « directeurs » que la faculté des Sciences : cela est dû au fait que les étudiants en droit sont d'une origine sociale plus élevée que leurs camarades des facultés de sciences. On constate donc une fois encore que les structures de dominance l'emportent sur les structures méritocratiques. Quant aux anciens élèves des Grandes Écoles ils cumulent les avantages d'une origine sociale élevée (donc important « capital social ») et d'un diplôme prestigieux (« capital culturel »). Commentant cette enquête, Catherine Gadjos remarque que, si on divise les cadres en trois catégories : I. supérieure, II. technique, III. autodidacte (sur 100 directeurs il n'y a que 16 ingénieurs autodidactes), on met en évidence l'existence de trois filières : « Même si dans l'entreprise, écrit-elle, les positions se découpent sous l'apparence d'une hiérarchie continue, il est faux de dire que la « direction » est l'aboutissement logique de la carrière des Ingénieurs des Grandes Ecoles. Ce n'est pas un aboutissement. Dès le départ, les uns et les autres sont sur des trajectoires différentes. (...) Il reste que tout n'est pas joué avec l'acquisition du diplôme. Toutes les fonctions – y compris celle de Direction – semblent être ouvertes à tous, certes avec des probabilités d'accès différentes mais il n'y a pas de barrières étanches. Cette apparente ouverture permet de maintenir la fiction du mérite, de la valeur personnelle, comme critère principal de sélection ». (Gadjos C., Culture et impasse de la technique : les cadres de l'Industrie, *Rev. Fr. de Sociologie,* 1972, III supplément, pp. 666, 669 et 690.)

52

**Accroissement des traitements et des gains horaires de 1967 à 1971
chez les salariés de l'industrie**

	Cadres	Agents de maîtrise Techniciens	Employés	Ouvriers
Sept. 1967 – Sept. 1968	8,4	9,6	10,4	13,9
Sept. 1968 – Sept. 1969	9,6	8,9	9,8	9,9
Sept. 1969 – Sept. 1970	9,4	10,2	10,2	11,6
Sept. 1970 – Sept. 1971	9,1	10,2	10,5	12,2

Source : J. Doublet, D. Passelecq, *Les Cadres*, PUF, 1973, p. 103
(Tableau établi d'après les statistiques du Ministère du Travail).

53

**Progression des traitements de la fonction publique
de 1967 à 1973**

	Ensemble	A	B	C	D
Moyenne 1968/moyenne 67	11,1	8,8	10,5	12,8	13,4
Moyenne 1969/moyenne 68	8,4	6,9	8,0	9,4	9,7
Moyenne 1970/moyenne 69	8,9	7,0	8,1	10,6	12,6
Moyenne 1971/moyenne 70	8,4	7,4	7,8	9,7	9,6
Moyenne 1972/moyenne 71	7,9	7,3	7,4	8,7	8,2
Moyenne 1973/moyenne 72	10,0	8,9	10,2	10,7	10,1

Source : M. Perrot, Les traitements de la fonction publique
Économie et Statistique, sept. 1974, n° 59, p. 58.

Quelles sont les rémunérations des cadres? Et comment ces rémunérations évoluent-elles par rapport à celles des autres actifs? Le tableau 52 montre que chez les salariés de l'industrie le taux de croissance des salaires ouvriers est plus rapide que celui des cadres (cet « écrasement de la hiérarchie » suscite d'ailleurs de vigoureuses protestations de la part de ces derniers).

Le tableau 53 permet de percevoir la même tendance dans les traitements de la fonction publique : les traitements des fonctionnaires des catégories C et D progressent plus vite que ceux de la catégorie A.

54

Traitements annuels bruts (primes et indemnités de résidence comprise) des cadres de la fonction publique

En 1974 Age :	Administrateur civil	Officier	Inspecteur de travail	Professeur agrégé	Attaché d'adm. centrale	Professeur certifié	Inspecteur des P. et T.
25 - 26 ans	42 900	27 500	29 300	38 200	29 800	30 400	28 200
31 - 32 ans	58 500	33 000	39 800	49 800	39 300	38 200	36 800
35 - 37 ans	66 100		63 700	61 500	45 400	45 000	42 600
60 ans	97 300	55 000	80 200	79 100	62 800	62 000	58 200

55

Traitements annuels bruts (primes comprises, avantages en nature exclus) des cadres des entreprises publiques

En 1974 Age :	E.D.F. – G.D.F.		S.N.C.F.		Air France		Charbonnages de France			Renault	
	Ing. grandes écoles	Ecoles commerciales	Ing. grandes écoles	Ecoles commerciales	Ing. grandes écoles	Ecoles commerciales	Ing. grandes écoles (fond)	Ing. grandes écoles (jour)	Ecoles commerciales	Ing. (tous diplômes)	Ecoles commerciales
23 - 24 ans	44 000	36 000	51 400	41 200	44 200	39 000	50 400	43 000	43 000	43 000	41 900
28 - 30 ans	52 000	44 000	67 700	53 200	69 600	63 400	64 000	54 500	48 500	62 000	57 900
35 ans	71 000	57 000			92 700	80 100	83 800	70 600	60 800	75 900	71 100
45 ans										100 900	90 000
Fins de carrière	120 000	91 000			164 000	141 400	149 400	127 400	102 200	136 600	103 600

Source : Le prix des cadres 1974, Enquête effectuée sous la direction de P. Beaudeux, Extrait du journal économique : *L'Expansion*, juin 1974, pp. 105, 118, 119, 128.

Le tableau 54 qui concerne les cadres supérieurs de la seule fonction publique fait apparaître l'extraordinaire pénalisation des officiers, que ce soit en début ou en fin de carrière. On comprend donc que le mécontentement actuel dans l'armée ne soit pas exclusivement celui des hommes du contingent. Le tableau 55, comparé au tableau précédent, montre qu'en début comme en fin de carrière les cadres supérieurs des entreprises publiques sont nettement mieux rémunérés que ceux de la fonction publique.

Quant aux cadres des entreprises privées, le tableau 56 permet d'évaluer avec assez de finesse leur traitement annuel en fonction de cinq variables : leur secteur d'activité à l'intérieur de la firme, leur âge, leurs diplômes, le chiffre d'affaires de l'entreprise et sa localisation. Souvent mieux rémunérés que leurs collègues de la fonction publique et des entreprises publiques, ils sont par contre victimes du chômage des cadres. D'après une enquête de l'INSEE (Economie et statistique, décembre 1974, n° 62, pp. 39-43) 0,9 % des cadres sont « disponibles à la recherche d'un emploi », c'est-à-dire chômeurs contre 3,5 % du personnel de service, 2,5 % des employés et 2 % des ouvriers, ceci en mars 1974 c'est-à-dire tout au début, de la crise actuelle.

Depuis lors, le chômage des cadres n'a cessé de s'aggraver et, dans la mesure où il s'agit, pour eux, d'un phénomène nouveau, il est souvent vécu de façon dramatique. Le chômage des cadres pose trois séries de problèmes :

– Problèmes résultant de fusions et concentrations : reconversion technique, reconversion psychique (par ex. passage d'une moyenne à une grande entreprise);

– Problèmes relatifs à l'âge : le chômage frappe toutes les classes d'âge de cadres, mais il y a une corrélation étroite entre la durée du chômage et l'âge. L'explication de cette sélection ne résulte pas de la baisse de « productivité » chez les cadres âgés (le *Rapport Laroque* a montré que la baisse du rendement du cadre ne commence qu'à 58 ans) mais de sa faible « malléabilité ».

– Ce qui nous amène aux problèmes concernant l'adaptation des connaissances : il ne s'agit pas de la « spécialisation » (les techniques évoluent si vite qu'une spécialisation étroite devient un handicap) mais de la « qualification adaptable » liée à la formation générale (on disait hier « culture générale ») que le système éducatif actuel tend à sacrifier au profit d'une qualification instantanée strictement adaptée aux besoins du moment.

Une enquête du C.I.P.C. (Centre Interprofessionnel de Prévoyance des Cadres) dont les résultats sont publiés dans *Le Point* du 16 décembre 1974 (n° 117) apporte les éléments d'information suivants :
– un cadre sur dix connaît aujourd'hui le chômage au cours de sa carrière;
– 70 % des cadres estiment qu'il est plus difficile de trouver un travail qu'il y a 5 ans;
– dans la hiérarchie de leurs « plus graves préoccupations », le chômage arrive en deuxième position (cité par 46 %) derrière la maladie (90%) et avant le décès (27 %);
– pour 61 % des enquêtés, c'est la crise qui est responsable de leur chômage;
– deux facteurs de sécurité sont recherchés : le recyclage permanent et la possibilité d'une plus grande mobilité professionnelle (or l'enquête FQP de 1970 montre que la mobilité professionnelle est plus élevée qu'en 1964).

Les cadres cherchent à se sécuriser par trois moyens :
– l'acquisition de leur logement : 51 % en sont propriétaires;
– l'épargne : 86 % s'entourent de « garanties financières » en plaçant leurs économies « dans la pierre », à la Caisse d'Épargne (55 %), à la Bourse (32 % possèdent des actions ou des obligations);
– la souscription d'une assurance-vie (35 %).

La tendance au refermement de l'éventail des salaires (cf. tableaux 52 et 53) soulève le mécontentement des cadres quelles que soient leurs positions partisanes. D'après l'INSEE, en 1974, le coût de la vie a augmenté de 15,2 %, le SMIC de 23,1 %, le salaire horaire moyen de 17 %, le salaire moyen des cadres de 13 %. D'après une enquête

56

Salaire annuel moyen des cadres du secteur privé

Variables (1)	Direction générale (1) Base : 87 400	Marketing Publicité (2) Base : 73 300	Production Entretien (3) Base : 71 700	Finance Administration (4) Base : 70 000	Traitement de l'information (5) Base : 68 100	Etudes Organisation (6) Base : 66 200	Personnel Formation (7) Base : 64 400	Vente Technico-commerc. (8) Base : 63 900
Age								
– de 25 à 29 ans	– 38 800	– 28 700	– 23 500	– 25 200	– 17 000	– 22 400	– 18 300	– 17 800
– de 30 à 34 ans	– 18 800	– 6 800	– 9 600	– 2 800	+ 300	– 2 300	– 2 500	– 4 900
– de 35 à 39 ans	+ 7 600	+ 14 200	+ 9 500	+ 9 500	+ 15 200	+ 12 500	+ 11 600	+ 6 000
– de 40 à 44 ans	+ 10 900	+ 12 600	+ 12 400	+ 12 900	+ 11 100	+ 13 900	+ 7 900	+ 10 400
– de 45 à 49 ans	+ 22 400	+ 32 600	+ 11 500	+ 14 400	+ 21 200	+ 16 300	+ 12 300	+ 10 500
– de 50 à 54 ans	+ 16 800	+ 18 800	+ 19 000	+ 12 800	—	+ 14 100	+ 6 700	+ 12 400
Diplôme								
– Ecole d'ingénieurs	+ 13 200	+ 6 500	+ 6 400	+ 12 100	+ 6 500	+ 6 600	+ 7 500	+ 7 800
– Ecole comm. et de gestion	+ 7 100	+ 10 400	+ 16 500	+ 12 300	+ 16 000	+ 11 700	+ 11 750	+ 6 000
– Doctorat	+ 11 700	—	+ 3 300	– 5 700	+ 3 800	+ 2 600	+ 6 300	+ 4 800
– Licence	– 3 700	+ 4 500	+ 2 500	– 5 300	– 3 400	+ 800	– 3 200	+ 1 700
– Baccalauréat	– 11 300	+ 5 700	– 12 600	– 11 900	– 5 100	– 7 100	– 8 500	– 7 600
– Primaire	– 16 900	– 7 200	– 16 000	– 12 900	– 17 700	– 14 600	– 13 800	– 12 800
Entreprise (en millions de F. de C.A.)								
– de 0 à 4	– 14 100	– 5 000	—	– 2 700	– 3 000	– 6 200	– 3 200	– 2 300
– de 5 à 19	– 7 900	– 2 000	– 4 300	– 5 600	– 5 000	+ 2 000	– 2 900	– 2 500
– de 20 à 99	– 3 700	+ 2 200	+ 2 700	+ 1 200	– 850	+ 1 500	– 3 000	+ 2 100
– 100 à 499	+ 20 300	+ 7 400	+ 200	+ 7 700	+ 9 400	—	+ 8 000	+ 2 200
– plus de 500	+ 5 400	– 2 300	+ 1 300	– 500	– 500	+ 3 400	—	+ 400
Lieu de travail								
– Paris	+ 5 400	+ 1 900	+ 200	+ 2 500	+ 400	+ 1 700	+ 2 500	+ 3 400
– Province	– 5 400	– 1 900	– 200	– 2 500	– 400	– 1 700	– 2 500	– 3 400

Ce tableau se lit comme suit : supposons un cadre dans un service financier (colonne 4 « finance-administration).
Le premier terme de la somme qui composera son salaire est la « base », soit 70 000 frs;
Il est âgé de 42 ans, on ajoutera 12 900 frs;
Diplômé de l'ESSEC, on ajoutera 12 300 frs;
Son entreprise a un chiffre d'affaires de 10 millions, on retranchera 5 600 frs;
Il travaille à Paris : on ajoute 2 500 frs.
Le cadre a un salaire annuel de 92 100 frs.

Source : Le Prix des cadres, *L'Expansion, op. cit.*, p. 116.

publiée par *Usine nouvelle* (septembre 1974), 34 % des cadres pensent que leurs revenus stagnent et 47 % qu'ils régressent. D'où les protestations attendues d'A. Malterre, alors Président de la CGC : « Nous sommes arrivés à la limite du supportable (...). L'égalité totale n'existe dans aucun pays du monde, ni en Russie soviétique, ni en Chine populaire » et les protestations aussi vives mais plus inattendues de Le Guen, secrétaire général de l'UGICT-CGT (Union Générale des Ingénieurs, Cadres et Techniciens, affiliée à la CGT) qui affirme que le pouvoir d'achat des Cadres a diminué de 2 à 3 % en 1974 et qui avance un argument intéressant : « Tous les salariés sont soumis à une agression contre leur pouvoir d'achat. Mais dans le cas des cadres, cette offensive s'accompagne d'une action de culpabilisation à partir de leurs prétendus avantages et privilèges quel'on ferait mieux de rechercher du côté du capital ». Il insiste sur le fait que salaires ouvriers et cadres n'obéissent pas au principe des vases communicants. Selon lui, renoncer à la hiérarchie aurait plus de chance de grossir les profits des entreprises que la bourse des moins favorisés. Dans une conférence de presse tenue le 25 février 1975, il déclare : « On veut dresser contre les cadres les salariés des catégories les plus modestes. Or, la défense de la hiérarchie est une des composantes de la lutte de l'ensemble des travailleurs ».

Salariés, mais non dépourvus de pouvoirs et de privilèges, les cadres – surtout supérieurs – occupent dans notre société une position ambiguë qui permet d'avancer quatre hypothèses :

1. Le cadre est un allié du conservatisme : gérant d'un appareil de production dont il n'a en vue que l'efficience, il se soucie plus de l'outil que du but qu'il sert. Il se situe à l'intérieur d'une rationalité constituée, de fins prédéterminées qu'il ne remet pas en cause.

2. Le cadre est un intermédiaire, une troisième force : c'est la philosophie des classes moyennes chère à la CGC. J.-J. Servan-Schreiber tente de la moderniser en faisant de l'ensemble technocrates-techniciens l'arbitre des conflits qui naissent de l'adaptation de la société aux exigences du monde moderne.

3. Le cadre est un allié privilégié de la classe ouvrière : c'est l'optique du PCF qui pose le problème en termes d'alliance entre celle-ci et celui-là.

4. Le cadre est le fer de lance de la lutte des classes : le besoin de sécurité de l'ouvrier le conduit à la peur du changement. Le niveau culturel du cadre lui permet d'avoir sur la société en place une vision plus critique.

Compte tenu de leur accroissement numérique (cf. tableau 45), les cadres ont constitué un des enjeux des Présidentielles de 1974. L. Liou a fondé « Socialisme et Entreprise » et a invité les cadres à voter pour F. Mitterrand : « La Gauche sera jugée sur sa gestion de l'économie. Et la moindre défaillance sera mise à profit par la réaction, très forte après seize ans de pouvoir ». Et F. Mitterrand, s'adressant aux militants de cette nouvelle formation : « Les révolutions qui réussissent sont les révolutions qui disposent déjà de leur encadrement ».

Existe-t-il une strate supérieure de la classe dominante?

Existe-t-il dans la société française actuelle une strate supérieure de la classe dominante qui cumulerait les privilèges, détiendrait le pouvoir de décision, contrôlerait l'appareil d'État? Depuis 1945, notre société est caractérisée par une très forte mobilité structurelle : les tableaux précédemment étudiés ont clairement montré que la répartition des pères et des fils entre les CSP était fort différente. En outre, ils ont fait apparaître l'enrichissement de tous mais le maintien des écarts entre les revenus. Il s'agit de savoir si cette forte mobilité structurelle et la forte croissance économique (jusqu'à la crise de 1974) ont permis – ou non – la perpétuation au sommet de la pyramide sociale de cette « strate supérieure de la classe dominante ». Les tableaux qui suivent vont nous permettre de donner une réponse affirmative sous la réserve que les enfants issus de ces milieux favorisés accomplissent (sauf exception) des performances universitaires ajoutant une compétence individuelle à leur « capital social ». Ainsi se trouve confirmée la perspicacité d'E. Boutmy, fondateur de l'École libre des Sciences politiques (devenue en 1945 l'Institut d'Études Politiques) qui écrivait à son ami E. Vinet le 25 février 1971 : « Le privilège n'est plus; la démocratie ne reculera point. Contraintes de subir le droit du plus nombreux, les classes qui se nomment elles-mêmes les classes élevées, ne peuvent conserver leur hégémonie politique qu'en invoquant le droit du plus capable. Il faut que derrière l'enceinte croulante de leurs prérogatives et de la tradition, le flot de la démocratie se heurte à un second rempart fait de mérites éclatants t utiles, de supériorités dont le prestige s'impose, de capacités dont on ne puisse se passer sans folie ». Bien entendu cette « élite » vit dans l'illusion de son hétérogénéité alors que l'étude systématique du contenu du *Who's who in France* permet à O. Lewandoswski de constater que les gens qui y figurent sont « presque uniquement des hommes de plus de 40 ans, bacheliers sans origines prolétariennes (2 % de femmes, 3 % de fils d'ouvriers). Plus de 7 sur 10 habitent Paris, sont d'origine sociale supérieure, ont fait des études supérieures » (O. Lewandowski, L'Image sociale de l'élite d'après le Who's who in France, *Rev. fr. de Sociologie*, janv.-mars 1974, p. 43-74). La circulation entre les secteurs élitaires serait favorisée, d'après P. Bourdieu, par une homogénéisation des dirigeants de ces différents secteurs qui seraient de plus en plus des gestionnaires plutôt que des savants et des techniciens comme ce fut le cas il y a quelques années. Ce qui caractérise donc les membres éminents de cette strate supérieure de la classe dominante c'est que leur multipositionnalité, facilitée par l'homogénéisation croissante de leurs qualités requises – celles de bons gestionnaires – fait de chacun d'eux « un groupe » : « on peut proposer de définir l'individu concret comme la réunion de toutes les personnalités socialement requises qu'il est en mesure de produire, bref, comme un groupe » (L. Boltanski, L'espace positionnel, multiplicité des positions institutionnelles et habitus de classe, *Rev. fr. de Sociologie*, janv.-mars 1973, p. 16).

57

Évolution de l'origine sociale de quelques catégories dirigeantes

	Classes populaires		Classes moyennes	Classes supérieures
	Ouvriers	Paysans		
	%		%	%
1871				
Conseil d'Etat	2,3		3,7	94
Députés	3		8	89
1880 – 1900				
Ing. des ponts, polytechniciens	12		30	58
Conseil d'Etat[1]	0		13,1	86,9
Députés (1893)	5		10	85
Ministres (1870 – 1899)	4		4	90
1971				
Ing. des ponts, polytechniciens	5		22	73
Conseil d'Etat[2]	–		12	88
Députés (1973)	7	9,5	28	55,5
Ministres (1969 – 1973)	–	8	16,1	76

1. Origine sociale des membres du Conseil après l'épuration de juillet 1879 qui suivit la « conquête de la République par les républicains ».

2. Pourcentage calculé sur les personnes dont on connaît l'origine sociale avec précision : 193 membres du Conseil d'État sur 262, 325 députés sur 473.

Sources : Conseil d'État : IIIe Rép. V. Wright, *L'épuration du Conseil d'État*, *Rev. d'Hist. mod. et contemp.*, tome XIX, oct.-déc. 1972, p. 643
Ve Rép. *Who's who in France*
Personnel politique : IIIe Rép. M. Dogan, *Les filières de la carrière politique en France, Rev. fr. de Sociologie*, oct.-déc. 1967, pp. 468, 469, 471, 493
Ve Rép. *Who's who in France*
Ingénieurs des Ponts : J.C. Thoenig, *L'Ère des Technocrates, le cas des Ponts et Chaussées*, Paris, 1973, p. 263

Le tableau 57 fait bien apparaître cette continuité de la strate supérieure : de 1871 à 1971 (en un siècle donc), le Conseil d'État ne s'est pratiquement pas démocratisé (94 % de ses membres sont issus des classes supérieures en 1871, 88 % en 1971). Faible pour les ministres (entre 1870 et 1899 ils sont pour 90 % issus des classes supérieures, et pour 76 % en 1969-1973), elle est plus marquée pour les députés (85 % sont issus des classes supérieures dans la Chambre de 1893, 55,5 % dans l'actuelle Assemblée Nationale élue en 1973), mais au profit des classes moyennes. On constate de façon frappante l'exclusion quasi radicale des ouvriers.

58

Inscriptions au *Who's Who* 1969-1970

	RÉPARTITION DES INSCRITS (1) (pourcentages)	FRÉQUENCE D'INSCRIPTION (2) (pour mille actifs)
Art	17	12
Justice	5	8
Administration	13	3
Enseignement	10	2
Santé	6	2
Finances	5	2
Industrie	34	0,7
Commerce	5	0,3
TOTAL (incluant armée, agriculture et association)	100 Cent inscrits	1 Un pour mille actifs

(1) RÉPARTITION DES INSCRITS : Edition 1969-70, les personnalités ayant été sélectionnées en 1968; rappelons que notre échantillon est de 1.345 sur 19.600 environ, soit 7 %.

(2) FRÉQUENCE D'INSCRIPTION : Il s'agit d'ordres de grandeur, obtenus en prenant pour base les tableaux du recensement de 1968, fournis par l'Institut National des Statistiques et Etudes Economiques (I.N.S.E.E.), d'après la nomenclature des activités économiques en 99 postes.

Source : O. Lewandowski, Différenciation et mécanismes d'intégration de la classe dirigeante
L'image sociale de l'élite d'après le *Who's who in France*
Rev. fr. de Sociologie, janv.-mars 1974, p. 50, CNRS

Les tableaux 58 et 59 ont été établis par O. Lewandowski à partir de 1 345 notices tirées au hasard sur les 20 000 contenues dans l'édition du *Who's who* de 1969-70. Ils donnent, sinon l'image de « l'élite », tout au moins l'image que cette élite se donne d'elle-même, car, selon cet auteur, « l'élite demeure un objet socialement préconstruit, comme la délinquance ou la folie. « Élite » signifiant image sociale de l'élite, c'est une notion qui porte en elle ses propres guillemets (...). Le *Who's who* prétend sélectionner dans tous les domaines ceux qui sont effectivement quelque chose, les meilleurs, ou du moins ceux qui sont reconnus comme tels. En d'autres termes, le *Who's who* ne fait qu'enregistrer un jugement social préexistant ». Le tableau 58 montre bien la sur-représentation des industries puisqu'ils représentent gî' à des inscrits et 0,7 pour 1 000 des actifs. Le tableau 59 donne la mesure de cette préconstruction de l'élite. Il n'y a pas un seul fils d'ouvrier. Presque tous les inscrits sont fils d'industriels ou de cadres supérieurs. Seuls les artistes sont un peu « déviants » puisque 41 % d'entre eux sont issus des classes moyennes. Presque tous ont fait des études « très supérieures » (Grandes Écoles) ou supérieures. Toutefois, le pourcentage relativement faible des fils de « financiers » et de commerçants ayant fait des études très supérieures (respectivement, 10 % et 13 %) permet de saisir l'importance de l'héritage pécuniaire. 71 % de « l'élite » habite Paris, seuls magistrats et médecins habitent en forte proportion – encore que minoritaire – la province. Enfin il faut généralement avoir au moins 50 ans pour accéder à « l'élite » sauf si l'on est haut fonctionnaire (36 % d'entre eux ont 49 ans et moins).

59

Origine sociale, niveau scolaire, âge, habitat, des personnalités inscrites au Who's Who 1969-1970 selon les secteurs

	JUSTICE	AFFAIRES (INDUSTRIE, FINANCES, COMMERCE)				ADMINIS-TRATION	SANTÉ	ENSEIGNE-MENT	ART	TOTAL
Fils d'industriels.	23 %	41 %	(43 %	37 %	37 %)	12 %	18 %	14 %	22 %	28 %
Fils de cadres sup.	69 %	41 %	(40 %	43 %	35 %)	67 %	60 %	55 %	37 %	48 %
Fils de classes moyennes	8 %	18 %	(17 %	20 %	28 %)	20 %	22 %	32 %	41 %	24 %
N	51	493	(384	51	54)	138	72	117	189	N = 1106 NR = 239
Etudes très sup..	6 %	30 %	(34 %	10 %	13 %)	25 %	36 %	76 %	10 %	29 %
Etudes supér. ...	88 %	48 %	(45 %	74 %	48 %)	72 %	64 %	20 %	57 %	53 %
Pas d'études	6 %	22 %	(21 %	16 %	39 %)	2 %	0	3 %	33 %	17 %
N	51	493	(384	51	54)	138	72	117	189	N = 1106 NR = 239
Habite Paris ...	55 %	71 %	(69 %	85 %	72 %)	79 %	56 %	74 %	76 %	71 %
Habite Province..	45 %	29 %	(31 %	15 %	28 %)	21 %	44 %	26 %	24 %	29 %
N	54	515	(398	53	61)	150	79	121	198	N = 1178 NR = 127
66 ans et plus ..	27 %	28 %	(27 %	36 %	26 %)	11 %	31 %	37 %	25 %	26 %
50-65	60 %	45 %	(46 %	45 %	44 %)	53 %	51 %	39 %	44 %	47 %
49 ans et moins.	13 %	27 %	(27 %	19 %	30 %)	36 %	18 %	24 %	32 %	27 %
N	63 5 % 5	588 44 %	452 (34 %	62 5 %	70) 5 %)	176 13 %	83 6 %	131 10 %	231 17 %	N = 1345 NR = 0

Source : O. Lewandowski, Différenciation et mécanismes d'intégration de la classe dirigeante
L'image sociale de l'élite d'après le *Who's who in France*
Rev. fr. de Sociologie, janv.-mars 1974, p. 53

Le tableau 60 présente la multipositionnalité des patrons des cent premières entreprises françaises. Les rectangles noirs indiquent les positions qu'ils occupent en 1972, les rectangles hachurés celles qu'ils ont occupées antérieurement. Les études qu'ils ont faites et la profession de leur père sont indiquées en bas du tableau. Chaque colonne correspond à un individu. Quelques remarques s'imposent :

— Les patrons des cent premières entreprises françaises ne sont que 89, ce qui veut dire que quelques-uns d'entre eux occupent deux fauteuils de PDG.

— Quand le niveau d'études de l'intéressé est faible (niveau « C »), le père est très souvent « 1 », c'est-à-dire patron de l'industrie ou du commerce, banquier ou administrateur de Sociétés. C'est le cas des patrons n° 1, 12, 13, 15, 17, 18, etc. Il s'agit donc d'« héritiers économiques » qui n'ont accompli que de faibles scores universitaires ou qui n'ont effectué que des études secondaires. Mais le capital financier et le capital social dont

60

Les propriétés positionnelles des patrons des cent premières entreprises françaises en 1972

Source : P. Bourdieu, L. Boltanski, M. de Saint-Martin, Les stratégies de reconversion, les classes sociales et le système d'enseignement, *Information sur les sciences sociales*, oct. 1973, pp. 76-77.

* Ont été distingués : A. Polytechnique, Mines, Centrale ;
     B. IEP, HEC, Droit, ENA (ou concours de recrutement des Grands Corps non techniques avant la fondation de l'ENA en 1945) ;
     C. Petites Écoles, bac, Études primaires et secondaires.

** Ont été distingués : 1. Patrons de l'Industrie et du Commerce, banquiers, administrateurs de Sociétés ;
       2. Professions libérales, Hauts fonctionnaires ;
       3. Cadres supérieurs, ingénieurs, professeurs ;
       4. Artisan, petit commerçant, employé, cadre moyen, ouvrier.

Dans cette catégorie se trouvent donc les pères instituteurs ou/et des pères cadres moyens qui peuvent être eux-mêmes fils de cadres supé-

leur origine les a dotés leur a permis de s'installer dans un fauteuil présidentiel (assez souvent celui du père comme il apparaît lorsque l'on s'amuse au petit jeu qui consiste à les identifier). Nous prendrons comme exemple le patron n° 1 et nous le nommerons Monsieur X.

– Prenons maintenant l'exemple du patron n° 88. Il a un niveau d'études B et un père situé en « 2 », c'est-à-dire profession libérale ou haut fonctionnaire. On remarque qu'il a occupé ou occupe aujourd'hui des positions situées dans les quatre champs. Il est membre d'au moins trois conseils d'administration, il occupe un poste dans une organisation patronale. Originairement, c'est un haut fonctionnaire membre soit du Conseil d'Etat, soit de la Cour des Comptes. Il est passé par une entreprise publique et par un (ou plusieurs) cabinets ministériels avant de « pantoufler » dans le secteur privé. Il est membre d'une des commissions du Plan. Il a écrit quelques livres, ce qui lui vaut de figurer dans le champ culturel. Il a eu des activités d'enseignement, vraisemblablement à l'Institut d'Etudes Politiques dont il est issu (à l'époque où cet institut s'appelait l'Ecole libre des Sciences politiques) puisque c'est dans cet Institut que l'on prépare les concours ouvrant la porte des « Grands Corps » (hier : concours séparés, aujourd'hui ENA). Dans le tableau figurent un grand nombre d'individus aussi largement multipositionnés que celui-là. Nous l'appellerons Monsieur Y.

– L'expression de L. Boltanski « l'individu est un groupe » est tout à fait justifiée pour Monsieur Y. Son « capital social » est considérable : à celui qu'il a hérité de son père (profession libérale ou haut fonctionnaire) il faut ajouter celui que lui a apporté son épouse, car tout donne à penser qu'il s'est marié dans son « milieu ». En outre, ses successifs passages par l'Ecole libre des Sciences politiques, par un Grand Corps, par un – ou des – cabinets ministériels lui ont permis de nouer de multiples relations « utiles ». Bien entendu ces divers réseaux relationnels se « recouvrent » en partie. Il reste que, dès le départ, par les réseaux relationnels paternel et maternel il a été « mis sur orbite », c'est-à-dire placé dans une position où il pouvait développer considérablement son capital social. C'est ce qu'écrit L. Boltanski : « L'occupation d'une position déterminée implique elle-même la possession d'un capital déterminé de relations sociales, de prestige, de crédit symbolique, de légitimité, de pouvoir. Il s'ensuit que l'importance du capital social qu'un individu peut mobiliser dépend non seulement de ses origines familiales, mais aussi de la surface sociale qu'il maîtrise à titre individuel, elle-même fonction – au moins dans la plupart des cas – du capital social accumulé par la famille, dont dépend à son tour l'étendue de son réseau de relations multiplié par la surface sociale que maîtrisent chacun des membres de sa famille étendue et, à un moindre degré, chacun des membres de son réseau de relations » (L. Boltanski, *op. cit.,* pp. 10-11).

– Une dernière question se pose, à laquelle nous ne pouvons répondre faute d'une information suffisante et d'un système de mesure opératoire : De Monsieur X et de Monsieur Y quel est le « plus puissant »?

Le tableau 61 montre que, sauf pour les députés – et l'on sait le rôle décroissant du Parlement sous la Ve République – les postes les plus élevés dans les trois champs administratif, économique et politique, restent occupés par des gens issus des classes supérieures. C'est là – qu'on l'admire ou qu'on s'en indigne – la preuve de la perpétuation de la strate supérieure de la classe dominante.

Le tableau 62 en administre une preuve supplémentaire. Alors que 44,9 % de la totalité des Maires sont des exploitants agricoles, ce pourcentage tombe à 1,5 % pour les villes de plus de 30 000 habitants. Pour ces dernières, 59,2 % des Maires sont issus des classes supérieures (professeurs : 11,6 %; médecins : 2,5 %; cadres supérieurs professions libérales : 23,3 %; hauts fonctionnaires : 9,1 %; ingénieurs et architectes : 2,5 %; industriels : 10,2 %). Le fait que 12,2 % des mairies de ces villes oient occupées

61

Origine sociale des catégories dirigeantes en France 1971 [1]
(d'après le niveau social des pères)

%	Classes populaires		Classes moyennes	Classes supérieures
	Ouvriers	Paysans		
CHAMP ADMINISTRATIF				
- Inspection des finances (1971)	—	—	11	89
- Cour des comptes (1971)	—	—	11,8	88,2
- Conseil d'Etat (1971)	—	—	12	88
CHAMP ECONOMIQUE				
- Ingénieurs du corps des ponts(1969)	5		22	73
- Patrons des 100 premières entreprises françaises (1973)	—	—	9	90,6
CHAMP POLITIQUE				
- Députés (1973)	7	9,5	28	55,5
- Ministres (1969 - 1973)	—	8	16,1	76

1. Pourcentages calculés sur les personnes dont on connaît l'origine sociale avec précision : 165 Inspecteurs des Finances (sur 234), 229 magistrats de la Cour des Comptes (sur 277), 193 membres du Conseil d'État (sur 262), 75 patrons, 325 députés sur 473.

Source : Tableau établi par Mlle Véronique Aubert, dans le cadre d'une thèse en cours
d'après le *Who's who in France,* 1972

62

Origine professionnelle du personnel politique

	Ouvriers	Employés	Fonctionnaires	Agriculteurs	Instituteurs	Professeurs	Journalistes	Médecins	Avocats	Cadres sup. Prof. libérales	Hauts fonctionnaires	Ingénieurs Architectes	Cadres moyens Techniciens	Commerçants	Industriels	Officiers ecclésiastiques	Divers	Retraités	Total
Tous maires (élections 1971)	2,1	4,6		44,9	2,7	1,7		2,5		3,7	1,3	1	4,4	8,5	5,3	1,1	3,3	12,1	100
Maires des villes de + 30.000 h. (élect. 1971)	12,2	5,5		1,5	6,1	11,6		2,5		23,3	9,1	2,5	7,6	4	10,2	0,5	2,5	-	100
Candidats élect. législatives (1973)	6,5	8,3	7,1	3,6	4,9	13,4	3,6	7,6	5,5	1,3	3	2,8	12,6	3,6	7,3	0,5	7,3	-	100
Députés (1973)	4,8	3,3	2,9	5,2	3,5	10,1	2,9	12	8	7,6	11,4	3,5	5	2,8	11,4	0,2	4,4	-	100
Sénateurs (1971)	1,8	2,2	3,3	22,1	2,7	7	3,3	7,7	11,7	1,8	6,2	1,4	3,3	5,5	11,7	-	7,3	-	100
Ministres (1969-1974)	-	-	-	1,6	-	8,9	1,6	5,9	8,9	13,4	38,8	2,9	-	2,9	13,4	-	1,6	-	100
Ministres (1974-1975)	2,7	2,7	-	-	-	10	8,1	8,1	2,7	-	35	2,7	-	2,7	16	-	5,4	-	100

Sources : Maires, députés, sénateurs : pourcentages calculés à partir de données fournies
par la Direction des Affaires politiques du Ministère de l'Intérieur
Ministres : *Who's who in France*
Tableau établi par Mlle Véronique Aubert dans le cadre d'une thèse en cours
sur *Le Personnel politique français*

par des ouvriers s'explique par l'importance des municipalités communistes et dans ces cas il s'agit plutôt d'anciens ouvriers. Au niveau des ministres, on peut constater que les hauts fonctionnaires en ont fourni 38,8 % en 1969-1974, alors que médecins et avocats, grands pourvoyeurs en ministres sous les IIIe et IVe Républiques n'en ont fourni respectivement que 5,9 et 8,9 %. Si l'on fait la comparaison entre les candidats aux législatives de 1973 et ceux qui ont été élus, on peut constater que pour les catégories socialement défavorisées le pourcentage des candidats est très supérieur à celui des élus (par exemple 6,5 % des candidats étaient ouvriers, 4,8 % seulement des députés le sont; 8,3 % des candidats étaient employés, 3,3 % seulement des députés le sont, etc.) alors que, pour les catégories socialement favorisées, le mécanisme est très exactement inversé : les médecins, qui représentent 7,6 % des candidats, forment 12 % des élus, les avocats sont 5,5 % des candidats et 8 % des élus, les cadres supérieurs professions libérales sont 1,3 % des candidats et 7,6 % des élus, les hauts fonctionnaires sont 3 % des candidats et 11,4 % des élus.

Ce tableau permet de comprendre que la Ve République inaugure un nouveau type de stratégie de carrière politique. Sous les IIIe et IVe Républiques (avec, sous cette dernière, le début de la mutation que nous expliquons en ce moment) la carrière politique classique était la suivante : acquisition d'une « légitimité » locale (conseiller municipal, maire, conseiller général, député) qui permettait d'accéder à la députation. Une fois député, il était possible de se multipositionner et d'acquérir ainsi une légitimité nationale. De ce point de vue, la carrière de Paul Doumer, fils d'ouvrier devenu député de l'Aisne en 1888 (gauche radicale), puis gouverneur général de l'Indochine en 1896 à 1902, animateur avec Étienne du « Comité de l'Asie française », « père » du chemin de fer du Yunnan pour avoir arraché au Parlement une convention particulièrement favorable aux quatre banques qui vont financer le projet, est tout à fait exemplaire. Cette stratégie classique favorisait l'ascension des « sursocialisés anticipatoires » de la moyenne, voire de la petite bourgeoisie, parfois même de « surdoués » issus de milieux ouvriers comme ce fut le cas de P. Doumer, dont le père était poseur de rails à la Compagnie des Chemins de fer d'Orléans. Aujourd'hui, il en va différemment. Issu de la strate supérieure de la classe dominante, le futur ministre passe par une Grande École (Polytechnique ou ENA), « fait » du cabinet ministériel, puis se présente dans une circonscription qu'il est bien vu d'enlever à l'opposition. Cet « enlèvement » est facilité par le statut du conquérant : son appartenance à un cabinet ministériel le fait percevoir par ses électeurs comme un homme « bien introduit » dont le réseau relationnel permettra l'aboutissement de certaines affaires « en souffrance » au niveau de sa future circonscription. De ses électeurs il attend qu'ils lui confèrent la légitimité du suffrage universel. De sa multipositionnalité au niveau national ses électeurs attendent des prises de décision intéressant leur circonscription, mais arrêtées au niveau gouvernemental. Élu député, secrétaire d'État pendant un temps plus ou moins long, il peut devenir ministre s'il sait choisir ses patrons, jouer les bonnes cartes, écarter les rivaux et servir les puissants. Pour être exceptionnelle, l'irrésistible ascension de Jacques Chirac n'en est pas moins représentative des stratégies de carrière des « hommes nouveaux » de la Ve République : ancien élève de l'ENA, Auditeur à la Cour des Comptes, chargé de mission au Cabinet de G. Pompidou, Premier ministre, élu député de la circonscription d'Ussel en Corrèze en 1967 (il s'agit du fief d'H. Queuille), Secrétaire d'État aux Affaires sociales chargé des problèmes de l'emploi, participant à ce titre à la Conférence de Grenelle en mai 1968, réélu député d'Ussel en juin 1968, Secrétaire d'État à l'Économie et aux Finances dans les Cabinets Pompidou, Couve de Murville et Chaban-Delmas, ministre délégué auprès du Premier Ministre, chargé des relations avec le Parlement, Ministre de l'Agriculture, Ministre de l'Intérieur, Premier Ministre enfin !

On ne peut qu'être frappé par la place tenue par les hauts fonctionnaires ayant « pantouflé » à la tête des cent premières entreprises françaises puisqu'on peut lire sur le tableau 60 que 11 PDG sont d'anciens Inspecteurs des Finances, membres du Conseil d'État ou de la Cour des Comptes, et que 17 sont d'anciens ingénieurs des Corps techniques (en clair du corps des Mines et du Corps des Ponts et Chaussées). Ce total de 28 est d'autant plus frappant que les cent premières entreprises françaises n'ont – nous l'avons vu – que 89 PDG. Cette place éminente occupée par les anciens hauts fonctionnaires dans le champ économique n'a d'égale que celle qu'occupent les hauts fonctionnaires en activité, ou détachés, dans le champ politique puisque le tableau 62 nous a montré qu'ils fournissent plus du tiers de l'effectif des ministres. P. Bourdieu pense qu'à l'heure actuelle, aux spécialistes issus des Grandes Écoles scientifiques, tendent à se substituer à la tête des grandes Entreprises des gens multipositionnés issus notamment de l'ENA (et ayant traversé les champs administratif et politique avant de déboucher dans le champ économique de la décision) ou des anciens élèves d'HEC et de l'INSEAD (Institut Européen d'Administration des Affaires), ces derniers étant prédisposés à rechercher des positions dans les firmes multinationales. Le même auteur parle d'une « nouvelle symbolique de l'excellence » qu'il définit en ces termes : « Le mode personnel de domination en un état précédent du champ économique exigeait des agents ayant fortement intériorisé les modèles traditionnels (à la limite militaire). Au contraire, le mode structural de domination exige objectivement des agents capables d'assurer les *relations publiques externes* (avec les autres entreprises, l'administration, etc.) nécessaires à la bonne marche de la grande firme intégrée et au maintien de sa domination sur le marché et les *relations publiques internes* par lesquelles s'exerce, au moins en temps normal, le maintien de l'ordre à l'intérieur de l'entreprise » (P. Bourdieu, L. Boltanski, M. de Saint-Martin *Les stratégies de reconversion,* op. cit.). Donc, plus que des compétences technologiques, importeraient l'aptitude à la discussion et à la négociation, la connaissance des langues étrangères, des manières policées et subtiles, bref ce que le langage commun désigne par l'expression « distinction de grand bourgeois ».

L'efficacité opératoire de la combinaison du capital social hérité de la famille et du capital culturel hérité mais accru par des performances individuelles apparaît avec éclat dans le cas de Valéry Giscard d'Estaing. Le tableau 63 présente de façon très simplifiée l'arbre généalogique de l'actuel Président de la République. Son grand-père paternel est un magistrat de province, propriétaire foncier. Du côté maternel, un de ses aïeux fut ministre de l'Instruction publique sous la IIIe République. Le père de Valéry, Edmond Giscard, est autorisé par un décret du 17 juin 1922 à « particulariser » son nom en y ajoutant d'Estaing. Il épouse une demoiselle Bardoux dont la mère est une Georges-Picot, apparentée à la puissante famille des Montalivet. Passé par l'École libre des Sciences politiques, Inspecteur des Finances, Edmond Giscard d'Estaing est largement positionné dans les milieux économiques, notamment dans ceux qui sont liés à l'exploitation coloniale (il n'y a rien de polémique dans cette expression « d'exploitation coloniale » puisque les manuels scolaires distinguaient alors les « colonies d'exploitation » des « colonies de peuplement »). Mais on voit qu'il est également administrateur de nombreuses sociétés de « secteurs de pointe ». Le frère d'Edmond, René Giscard, épouse une demoiselle Carnot, qui descend de « l'organisateur de la Victoire » et du Président de la République assassiné et qui est issue d'une famille fortement implantée dans les entreprises coloniales.

Mais on voit qu'au niveau des garçons de la génération de l'actuel Président de la République (ce qui confirme ce que nous avons dit sur l'obligation d'ajouter aux capitaux économique et social des performances scolaires individuelles, ce qui justifie les thèses réalistes d'E. Boutmy sur la nécessité de la compétence) sur cinq cousins germains :

– *Valéry*, reçu à Polytechnique en 1946, sort dans un très bon rang en 1949, ce qui lui permet de choisir l'ENA (où quelques places sont « réservées » aux Polytechniciens bien classés), et d'en sortir parmi les premiers en 1951 dans le Corps de l'Inspection des Finances;

— *Olivier*, frère de Valéry, positionné dans le champ politique (il est député-maire) et dans le champ économique, est diplômé de Harvard;

— *François*, cousin germain des deux précédents, est sorti dans les premiers de l'ENA et a choisi le Corps des Inspecteurs des Finances. Il est positionné dans les champs économique et politique;

— *Philippe*, frère du précédent, est ancien élève de Polytechnique et Directeur général de Thomson CSF.

— *Jacques*, frère du précédent, sorti lui aussi parmi les premiers de l'ENA, est Conseiller référendaire à la Cour des Comptes.

Nous n'avons pas à retracer ici la carrière brillante du Président de la République. Notons toutefois qu'elle est absolument conforme à la nouvelle stratégie ascensionnelle que nous avons décrite plus haut. En effet, Directeur adjoint du Cabinet d'Edgar Faure alors Président du Conseil de la IVe République (fév.-déc. 1955), il va chercher la légitimité du suffrage universel en se faisant élire le 2 janvier 1956 Député du Puy-de-Dôme au siège que vient de quitter son grand-père maternel Jacques Bardoux qui ne se représente pas.

Le *tableau 64* présente (de façon simplifiée) l'arbre généalogique de la famille Taittinger. Contrairement à la famille Giscard, elle est de récente bourgeoisie. Le fondateur de la dynastie, Pierre Taittinger, naît en 1887, débute comme vendeur dans un Grand magasin de Nouveautés, adhère en 1910 à un groupe de « Jeunesse bonapartiste » où il rencontre Gaston le Provost de Launay dont le père, héritier d'une dynastie déjà longue de parlementaires, était alors Sénateur de la Côte-d'Or. En 1914, Gaston, candidat aux législatives en Charente Inférieure, patronne Pierre dans une circonscription voisine : ni l'un, ni l'autre ne sont élus. Mais aux élections de 1919 (scrutin de liste proportionnel) Gaston le Provost de Launay, de nouveau candidat en Charente Inférieure, prend Pierre Taittinger sur sa liste et tous deux entrent à la « Chambre bleu-horizon ». Là, Pierre Taittinger devient le défenseur des grands intérêts économiques, s'implante dans différents conseils d'administration, fonde sa Société de Champagne, crée les « Jeunesses patriotes » et anime *L'Ami du Peuple*, le journal du parfumeur Coty. On peut lire sur le tableau 64 les positions occupées par les quatre fils ainsi que leurs stratégies de mariage. La seule fille, Colette, épouse un Jacquin de Margerie, membre d'une famille puissamment positionnée dans le champ financier. L'originalité de la famille Taittinger tient peut-être au fait que le fils qui a le mieux « réussi », politiquement parlant, puisqu'il fut ministre de la Justice et Garde des Sceaux, Jean, est le seul des quatre frères à n'avoir fait aucune étude supérieure. C'est une exception intéressante à la règle que nous avons formulée (à savoir que pour se perpétuer au pouvoir la strate supérieure de la classe dominante doit « exiger » de ses enfants des performances universitaires de haut niveau) mais, dans le cas qui nous occupe, le capital économique et le capital social étaient d'une telle ampleur que les scores universitaires de l'intéressé ont pu être absents sans que ce fut dommageable pour lui.

La règle étant confirmée par l'exception, le grand privilège de la strate supérieure de la classe dominante reste donc son aptitude à faire jouer en sa faveur l'effet de dominance. Le *tableau 65* le montre clairement puisque, sur cent fonctionnaires du cadre « A » (qui donc ont tous été recrutés par les mêmes concours) qui arrivent au sommet de la hiérarchie, 65,5 % sont issus des classes supérieures. Voilà pour le secteur public. Quant aux patrons et dirigeants de l'Industrie, le *tableau 66* montre de façon éclatante l'effet de dominance. On peut y lire (en prêtant attention au fait qu'il s'agit de chiffres absolus et non de pourcentages) que c'est parmi les fils de banquiers et d'industriels qu'on trouve le plus grand nombre d'individus ayant quatre ou plus de quatre Présidences, participant à quatre ou plus de quatre conseils d'administration.

63

Arbre généalogique (simplifié) de Valéry Giscard d'Estaing

(famille George Picot)

Père : Jacques ◀▶ Geneviève PICOT
Sénateur; Pdt des Etains du Cammon
Vice-Pdt des Etains d'Extrême-Orient
Administrateur de 5 sociétés minières
liées à la banque d'Indochine

1894   Membre de l'Institut

Edmond ◀▶ M. BARDOUX
Licence lettres, Docteur en droit
Inspecteur des Finances. Membre de l'Institut
Président de la société financière pour la France et les
pays d'Outre-Mer, de la société indochinoise des
cultures tropicales, de la société de chalandage et
remorquage d'Indochine, de la société française pour la
construction et l'exploitation du tunnel du Mont-Blanc
Administrateur de 13 sociétés
dont THOMSON-HOUSTON, T.A.I.,etc.

Aristocratie terrienne
Valéry ◀▶ M.L. MONTEIL-ANSALDI
Conseiller à la Cour d'Appel de Riom

Lazare CARNOT 1753-1823
Mathématicien et Conventionnel
Sadi CARNOT 1837-1894
Président de la République
La famille occupe des sièges dans les C.A.
de nombreuses sociétés, principalement
coloniales, minières, de transport.

René ◀▶ Anne CARNOT
Conseiller d'État
Secrétaire délégué de la fédération des porteurs de valeurs
mobilières créée par l'Union syndicale des banques

Sources : A. Hamon, *Les Maîtres de la France;* Paris, Éditions Sociales Internationales, 1936
F. Claude, *Le Pouvoir et l'Argent,* Paris, Éd. Sociales, 1972, 174 p.
Who's Who in France, éd. 1961-1962; 1974-1975.
Bottin Mondain.

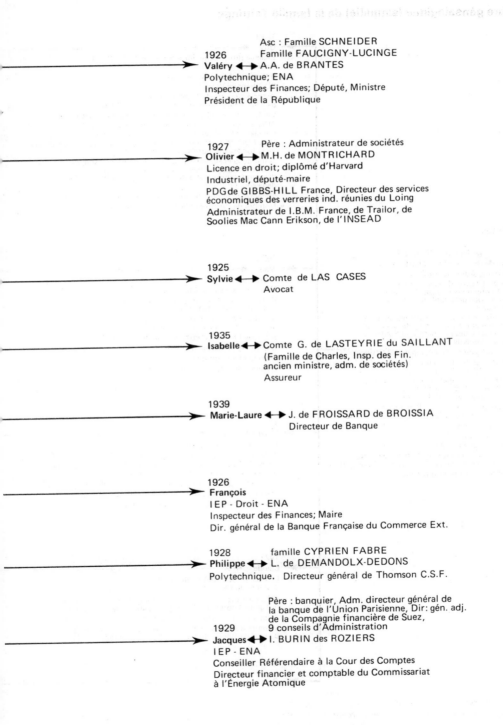

Asc : Famille SCHNEIDER
1926   Famille FAUCIGNY-LUCINGE
Valéry ◄─► A.A. de BRANTES
Polytechnique; ENA
Inspecteur des Finances; Député, Ministre
Président de la République

1927   Père : Administrateur de sociétés
Olivier ◄─► M.H. de MONTRICHARD
Licence en droit; diplômé d'Harvard
Industriel, député-maire
PDG de GIBBS-HILL France, Directeur des services
économiques des verreries ind. réunies du Loing
Administrateur de I.B.M. France, de Trailor, de
Soolies Mac Cann Erikson, de l'INSEAD

1925
Sylvie ◄─► Comte de LAS CASES
Avocat

1935
Isabelle ◄─► Comte G. de LASTEYRIE du SAILLANT
(Famille de Charles, Insp. des Fin.
ancien ministre, adm. de sociétés)
Assureur

1939
Marie-Laure ◄─► J. de FROISSARD de BROISSIA
Directeur de Banque

1926
François
IEP - Droit - ENA
Inspecteur des Finances; Maire
Dir. général de la Banque Française du Commerce Ext.

1928   famille CYPRIEN FABRE
Philippe ◄─► L. de DEMANDOLX-DEDONS
Polytechnique.   Directeur général de Thomson C.S.F.

Père : banquier, Adm. directeur général de
la banque de l'Union Parisienne, Dir: gén. adj.
de la Compagnie financière de Suez,
1929   9 conseils d'Administration
Jacques ◄─► I. BURIN des ROZIERS
IEP - ENA
Conseiller Référendaire à la Cour des Comptes
Directeur financier et comptable du Commissariat
à l'Énergie Atomique

64

Arbre généalogique (simplifié) de la famille Taittinger

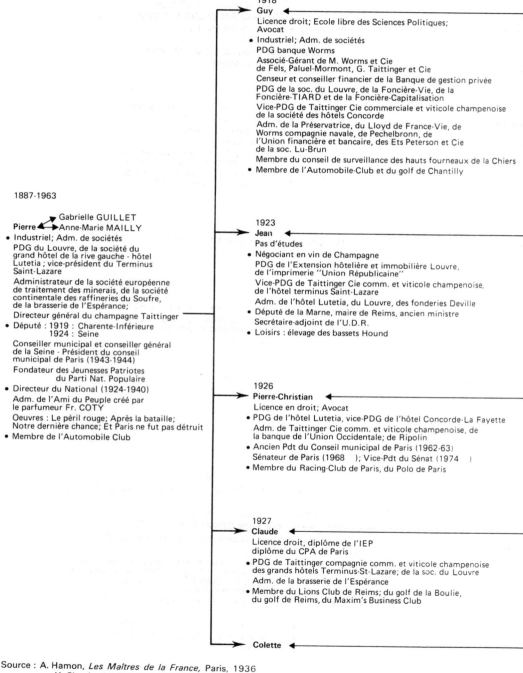

1918
Guy
Licence droit; Ecole libre des Sciences Politiques;
Avocat
- Industriel; Adm. de sociétés
PDG banque Worms
Associé-Gérant de M. Worms et Cie
de Fels, Paluel-Mormont, G. Taittinger et Cie
Censeur et conseiller financier de la Banque de gestion privée
PDG de la soc. du Louvre, de la Foncière-Vie, de la
Foncière-TIARD et de la Foncière-Capitalisation
Vice-PDG de Taittinger Cie commerciale et viticole champenoise
de la société des hôtels Concorde
Adm. de la Préservatrice, du Lloyd de France-Vie, de
Worms compagnie navale, de Pechelbronn, de
l'Union financière et bancaire, des Ets Peterson et Cie
de la soc. Lu-Brun
Membre du conseil de surveillance des hauts fourneaux de la Chiers
- Membre de l'Automobile-Club et du golf de Chantilly

1887-1963

Gabrielle GUILLET
Pierre ⇄ Anne-Marie MAILLY
- Industriel; Adm. de sociétés
PDG du Louvre, de la société du
grand hôtel de la rive gauche - hôtel
Lutetia ; vice-président du Terminus
Saint-Lazare
Administrateur de la société européenne
de traitement des minerais, de la société
continentale des raffineries du Soufre,
de la brasserie de l'Espérance;
Directeur général du champagne Taittinger
- Député : 1919 : Charente-Inférieure
              1924 : Seine
Conseiller municipal et conseiller général
de la Seine - Président du conseil
municipal de Paris (1943-1944)
Fondateur des Jeunesses Patriotes
                du Parti Nat. Populaire
- Directeur du National (1924-1940)
Adm. de l'Ami du Peuple créé par
le parfumeur Fr. COTY
Oeuvres : Le péril rouge; Après la bataille;
Notre dernière chance; Et Paris ne fut pas détruit
- Membre de l'Automobile Club

1923
Jean
Pas d'études
- Négociant en vin de Champagne
PDG de l'Extension hôtelière et immobilière Louvre,
de l'imprimerie "Union Républicaine"
Vice-PDG de Taittinger Cie comm. et viticole champenoise,
de l'hôtel terminus Saint-Lazare
Adm. de l'hôtel Lutetia, du Louvre, des fonderies Deville
- Député de la Marne, maire de Reims, ancien ministre
Secrétaire-adjoint de l'U.D.R.
- Loisirs : élevage des bassets Hound

1926
Pierre-Christian
Licence en droit; Avocat
- PDG de l'hôtel Lutetia, vice-PDG de l'hôtel Concorde-La Fayette
Adm. de Taittinger Cie comm. et viticole champenoise, de
la banque de l'Union Occidentale; de Ripolin
- Ancien Pdt du Conseil municipal de Paris (1962-63)
Sénateur de Paris (1968   ); Vice-Pdt du Sénat (1974   )
- Membre du Racing-Club de Paris, du Polo de Paris

1927
Claude
Licence droit, diplôme de l'IEP
diplôme du CPA de Paris
- PDG de Taittinger compagnie comm. et viticole champenoise
des grands hôtels Terminus-St-Lazare; de la soc. du Louvre
Adm. de la brasserie de l'Espérance
- Membre du Lions Club de Reims; du golf de la Boulie,
du golf de Reims, du Maxim's Business Club

Colette

Source : A. Hamon, *Les Maîtres de la France*, Paris, 1936
H. Claude, *Le Pouvoir et l'Argent*, Paris, 1972
Who's who in France
Bottin Mondain

Père : Armateur
Monique GASTON-BRETON
Frère : Jean
HEC
- PDG des magasins Jones
  Adm. de la soc. Lesieur; de la soc. des Essences
  et Carburants de France
  Assureur-Conseil
- Pdt honoraire du tribunal de commerce de la Seine
  Membre de l'Association Fce de Droit Maritime
- Membre de l'Automobile Club, du Golf Club de Fontainebleau,
  du Yacht Club de France

Père : PDG de la compagnie financière Deville; Conseiller financier
       Secrétaire du Salon d'Automne
Corinne DEVILLE
Soeur : Comtesse G. d'HARCOURT
Alliances : La ROCHEFOUCAULD
            VOGUË; FÉNELON

Marie-Louise ROUX
Médecin

Catherine de SUAREZ d'AULAN
Frère : François
Certificat de lettres
- Vice-Pdt du champagne Piper-Heidsieck
  Adm. du champagne Taittinger; de la Société de placements et
  participations sélectionnées
- Pdt de l'Union des Syndicats du commerce des vins de Champagne
- Membre du conseil de direction du comité France-Actuelle
- Membre du Jockey-Club; du Polo de Paris; du Maxim's Business Club

Pierre JACQUIN de MARGERIE
Pas d'études
Directeur et Administrateur de Sociétés

65

Origine sociale des fonctionnaires du cadre « A »

Origine sociale %	Ensemble des fonctionnaires du cadre A		
	Indices les plus bas	Indices intermédiaires	Indices les plus élevés
Classes supérieures	29	40,4	65,5
Classes moyennes	29	36,6	19,3
Classes populaires	42	23	15,2

Source : A. Darbel, D. Schnapper, Les Agents du système administratif,
Cahier du Centre de Sociologie européenne, VI, Paris, Mouton, 1969, vol. I, p 91.

66

Patrons et dirigeants de l'industrie en 1973
Nombre de présidences et de conseils d'administration
en fonction de l'origine sociale

Profession du père / Situation du fils	Banquiers Industriels	Prof. lib.,Hts fonct. Militaires,Hommes politiques	Cadres sup. Ingénieurs	Autres	Sans profession	Non répondu	Total
1 présidence	10	13	6	13	0	6	48
2 à 3 présidences	18	9	7	14	0	7	55
4 présidences ou +	21	7	2	4	0	1	35
1 conseil d'administration	4	5	5	4	0	1	19
2 à 3 conseils d'administration	10	5	2	14	0	1	33
4 conseils d'administration ou +	34	15	7	15	1	4	74

La recherche porte ici sur les Présidents et Directeurs généraux des cent premières entreprises françaises (classement : Les Dossiers d'Entreprise, 1973).

Source : D. Danic-Careil, *Les dirigeants des cent premières entreprises françaises,*
Paris II 1975, DES d'Histoire du Droit, p. 42 (exemplaire ronéoté)

La crise actuelle va-t-elle remettre en question la dominance de la strate supérieure? Les réformes jusqu'ici accomplies ne portent sérieusement atteinte ni à ses privilèges, ni à son pouvoir. Les grognements du patronat devant certaines mesures – ou leur simple annonce – montrent qu'une fois de plus c'est au sein même de cette strate que se déroule un combat codé et non douteux dont l'issue – sauf dramatisation de la crise économique, nette victoire électorale de la gauche aux législatives de 1978, ou imprévu – sera la perpétuation de cette strate.

Les inactifs

On sait qu'ils représentent à peu près les 3/5 de la population française. Est considérée comme « inactive » par l'INSEE toute personne « qui n'a pas de profession ». Il faut donc bien se garder de prendre le mot au sens propre et de penser que les « inactifs » n'ont pas d'activité. Dans la catégorie 98 intitulée « Autres personnes non actives de 17 à 64 ans », l'INSEE classe « toutes les personnes de 17 à 64 ans, non mentionnées ailleurs dans le présent code et considérées comme non actives, par exemple : ménagère (personne assurant l'entretien de son propre ménage), propriétaire foncier, détenu ». Donc la mère de famille (nombreuse ou pas) qui « s'active » à son foyer est « inactive ». En outre de nombreuses personnes (non quantifiées) ont des activités rémunérées non déclarées : c'est le « travail noir » qui échappe bien entendu à tout recensement. Nous nous contenterons de donner ici quelques tableaux concernant deux catégories d'inactifs : les handicapés et les personnes âgées.

Le tableau 67 ne contient, comme R. Lenoir le souligne justement, qu'une estimation. Le problème de la taxinomie retenue est à la fois complexe et controversé. D'autre part, tous les handicapés ne sont pas des inactifs. De nombreux handicapés physiques ont des activités professionnelles tout à fait « normales ». Certains débiles mentaux exercent également des activités professionnelles, souvent sous-rémunérées (en raison – une raison impitoyable – de leur faible « productivité »).

Dans l'étiologie de « l'inadaptation sociale », la question capitale est la suivante : quelle part en revient au « terrain » (le code génétique), quelle part en revient à l'environnement socio-familial? En d'autres termes : où passe la frontière entre l'inné et l'acquis? Quand commence la socialisation? Dans l'état actuel de nos connaissances, un consensus se dégage pour admettre que les « codes génétiques » sont distribués aléatoirement. Si l'on admet ce point de vue et si l'on accepte les estimations de R. Lenoir (in *Les Exclus*, op. cit. p. 154) selon lesquelles les enfants d'ouvriers et salariés agricoles fournissent 62,3 % des inadaptés scolaires (par quoi on entend les enfants de 11 ans qui ont un retard égal ou supérieur à deux ans), 69,5 % des jeunes délinquants, 67,7 % des mineurs « en danger », 64 % des adultes masculins délinquants alors qu'ouvriers et salariés agricoles (cf. tableau 3) représentent pour cette année 1973 38,9 % de la population active, on est logiquement conduit à conclure que l'origine sociale ouvrière qui pénalise déjà les enfants au niveau scolaire, les pénalise également au niveau de « l'inadaptation sociale ». Le raisonnement est irréfutable, sauf à revenir aux thèses de la bourgeoisie de l'époque de Zola qui affirmait que ceux qui étaient ouvriers l'étaient par choix « parce qu'ils n'avaient pas « voulu » faire autre chose » et que leurs enfants éventuellement devenus délinquants devaient cette « chute » à la fois (ce qui est un peu contradictoire) à leur « mauvaise nature » et à leur manque de volonté.

67

Estimation de l'effectif des handicapés au 1er janvier 1973

	Enfants de 0 - 5 ans	Enfants de 5 - 19 ans		Adultes de 20 - 64 ans		Personnes âgées plus de 65 ans
	Nombre	Nombre	%	Nombre	%	Nombre
DÉBILES MENTAUX						
– légers		380 000	3	Estimation de 200 000 à 300 000		
– légers avec troubles associés		70 000	0,55			
– moyens		125 000	1			
– profonds		95 000	0,75			
– arriéré profonds		30 000	0,25			
TOTAL		700 000	5,55			
HANDICAPÉS PHYSIQUES						
– déficients moteurs		63 000	0,5	187 859	0,7	
– déficients sensoriels		32 000	0,25	110 800	0,39	
dont – visuels		12 500	0,1	66 000	0,23	
– auditifs		19 500	0,15	45 000	0,16	
– divers non spécifiés				517 260		
TOTAL		95 000		825 919		
TOTAL	100 000	795 000		1 126 000		1 282 000*

*Soit 20% de l'ensemble des personnes âgées

Si on exclut les personnes âgées, les handicapés sont au nombre de 2 millions, soit 4,4 % de la population globale. Sur ce nombre, environ la moitié soit 1 million, est pris en charge par le système de protection sociale en raison de la gravité du handicap.

Source : R. Lenoir, *Les exclus, un Français sur dix*, Paris, © Éditions du Seuil, 1974, p. 151.

68

Origine sociale et quotient intellectuel en 1973

Ensemble des enfants d'âge scolaire   Enfants avec Q.I. inférieur à 85   Enfants avec Q.I. supérieur à 124

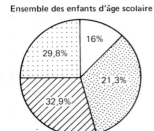
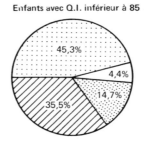
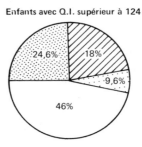

▓▓ Salariés agricoles, manoeuvres, mineurs, O.S.

▨▨ O.P., contremaîtres, agriculteurs

▦▦ Employés, commerçants, artisans, armée, police

☐ Cadres moyens, sup., prof. lib., industriels

Source : P.A. Mercier, V. Scardigli, Pourquoi les pauvres, de l'inégalité à l'exclusion sociale,
in *Revue de Droit social*, nov. 1974, n° 11, numéro spécial : L'Exclusion sociale,
chiffres extraits d'une enquête INED-INOP
sur le niveau intellectuel des enfants d'âge scolaire, 1973.

Le *graphique 68* apporte plus qu'un argument, une preuve, à ceux qui affirment (c'est le point de vue de l'auteur de ces lignes) que compte tenu des codes génétiques (jusqu'ici non décodés) qui, bien entendu, engendrent des différenciations entre individus d'une même CSP ou d'une même fratrie, la corrélation n'est pas niable entre « l'inadaptation scolaire » première forme de « l'inadaptation sociale » et l'origine sociale ouvrière.

On sait que le quotient intellectuel (Q.I.) est calculé selon des méthodes qui prétendent faire abstraction du niveau culturel de l'enfant, donc de celui de son environnement. Aujourd'hui (quels que soient les modes d'établissement du Q.I.) personne ne peut plus prétendre sérieusement qu'il soit « neutre ». Disons seulement qu'il mesure l'adaptation de l'enfant au code scolaire. On peut lire sur le graphique que 45,3 % des enfants qui ont un Q.I. inférieur à 85 sont issus de père représentant 38,9 % de la population active (les ouvriers) et que les 46 % qui ont un Q.I. supérieur à 124, donc sont aptes à poursuivre des études supérieures, voire à faire une « Grande École », sont issus de pères représentant (cf. tableau 3) environ 20 % de cette population active.

L'étude du tableau 50 nous avait permis de conclure qu'en France, l'effet de dominance l'emporte sur l'effet méritocratique, c'est-à-dire que la marque d'une origine sociale « modeste » subsistait en aval de performances universitaires éventuellement brillantes. Le tableau 69 montre que la vieillesse n'est pas vécue de la même façon par toutes les CSP : alors que, de 51 ans au-delà de 65, les cadres supérieurs ne cessent pas d'améliorer leur situation financière, les travailleurs manuels voient leur salaire diminuer au-delà de 60 ans. Ainsi les métiers les plus mal rémunérés lorsque l'actif est dans « la force de l'âge » sont également ceux qui sont encore moins rétribués au-delà de 60 ans. Pénalisés de l'adolescence à la vieillesse, ainsi apparaissent les ouvriers à la lumière de statistiques, toutes officielles.

69

Salaires moyens par âges et CSP (les deux sexes réunis par rapport aux salaires moyens tous âges en 1968

	51 à 60 ans	61 à 65 ans	Plus de 65 ans	Tous âges
Cadres supérieurs	110,1	115,5	122,7	100
Cadres moyens	110,8	113,1	100,4	100
Employés	113,3	109,7	101,0	100
Ouvriers	104,9	98,8	88,8	100
dont: contremaîtres	96,4	95,4	92,4	100
O.Q.	101,8	96,8	92,9	100
O.S.	99,1	94,1	90,7	100
manoeuvres	97,4	97,5	87,1	100
Personnel de service	104,5	99,3	91,1	100

Source : E. Andreani, Indicateurs sociaux pour la population âgée,
in *Documents d'information et de gestion gérontologique,* sept-nov. 1974, p. 126.

70

État matrimonial de la population âgée en 1968

HOMMES					
	Mariés	**Veufs**	**Divorcés**	**Célibataires**	**Total**
65 - 74 ans	1 361 580 78	219 300 12	31 140 2	133 200 8	1 745 220 100
75 ans et + ...	496 740 61	255 720 32	8 120 1	50 780 6	811 360 100
65 ans et + ...	1 858 320	475 020	39 260	183 980	2 556 580
60 - 64 ans (rappel)	1 031 000 83	77 160 6	29 280 2	116 480 9	1 253 920 100

FEMMES					
	Mariées	**Veuves**	**Divorcées**	**Célibataires**	**Total**
65 - 74 ans	1 093 300 45	999 660 41	58 520 3	258 680 11	2 410 160 100
75 ans et + ...	289 480 17	1 210 120 70	29 440 2	184.240 11	1 713 280 100
65 ans et + ...	1 382 780	2 209 780	87 960	442 920	4 123 440
60 - 64 ans (rappel)	898 960 63	345 020 24	44 320 3	137 000 10	1 425 300 100

Source : Commissariat général au VIᵉ Plan. Rapport de l'intergroupe : personnes âgées
Paris – *Documentation française,* 1971, p. 21

Les femmes, on le sait – mais on ne sait pas pourquoi puisque le même phénomène s'observe chez presque tous les mammifères – ont une espérance de vie plus longue (de 8 ans) que celle des hommes. Il est donc démographiquement normal qu'il y ait plus de veuves que de veufs. A cette cause naturelle il faut ajouter des causes conjoncturelles : pour les personnes très âgées, la guerre de 1914-1918 qui a plus que décimé les hommes qui avaient alors 18/32 ans; la Seconde Guerre mondiale a été plus « impartiale » mais les morts ont cependant été plus nombreux que les mortes. Comme le montre le tableau 70 dès la tranche d'âge 60/64 ans il y a quatre fois plus de veuves que de veufs. Pénalisées toute leur vie sur le plan professionnel comme nous l'avons vu plus haut, la plupart des femmes, au terme d'une existence peu gratifiante quant au travail, connaissent une vieillesse solitaire.

Index des sigles

FNSP, Fondation Nationale des Sciences Politiques.
FO, Force Ouvrière.
FPA, Formation Professionnelle des Adultes.
FQP, Formation Qualification Professionnelle (Enquête sur).

GIP, Groupement d'Informations sur les Prisons.
GPRA, Gouvernement Provisoire de la République Algérienne.
GPRF, Gouvernement Provisoire de la République Française.

HEC, Hautes Études Commerciales (Écoles des).

IEP, Institut d'Études Politiques.
IFOP, Institut Français d'Opinion Publique.
INED, Institut National d'Études Démographiques.
INSA, Institut National des Sciences Appliquées.
INSEAD, Institut Européen d'Administration des Affaires.
INSEE, Institut National de la Statistique et des Études Économiques.
IPES, Institut de Préparation aux Enseignements du Second degré.
IPR, Institut Pédagogique Régional.
IRPP, Impôt sur le revenu des Personnes Physiques.
IUT, Institut Universitaire de Technologie.

JAC, Jeunesse Agricole Chrétienne.
JCR, Jeunesse Communiste Révolutionnaire.
JEC, Jeunesse Étudiante Chrétienne.
JOC, Jeunesse Ouvrière Chrétienne.

LICA, Ligue Internationale Contre l'Antisémitisme.
LO, Lutte Ouvrière.

MAS, Magasin à Succursales.
MAS–NS, Magasin à Succursales – Non Spécialisées.
MAS–S, Magasin à Succursales – Spécialisées.
MIT, Massachusetts Institute of Technology.
MLF, Mouvement de Libération des Femmes.
MRP, Mouvement Républicain Populaire.

OAS, Organisation de l'Armée Secrète.
OCDE, Organisation de Coopération et de Développement Économique.
ONU, Organisation des Nations Unies.
OPEP, Organisation des Pays Exportateurs de Pétrole.
OQ, Ouvrier Qualifié.
ORTF, Office de Radio Télévision Francaise.
OS, Ouvrier Spécialisé.
OTAN, Organisation du Traité de l'Atlantique Nord.

PCF, Parti Communiste Français.
PDM, Progrès et Démocratie Moderne.
PL, Profession Libérale.
PMI, Petite et Moyenne entreprise Industrielle.
PMU, Pari Mutuel Urbain.
PNB, Produit National Brut.
PRL, Parti Républicain de la Liberté.
PS, Parti socialiste.
PSA, Parti Socialiste Autonome.
PSU, Parti Socialiste Unifié.

QI, Quotient Intellectuel.

RATP, Régie Autonome des Transports Parisiens.
RDA, République Démocratique Allemande.
RDA, Rassemblement Démocratique Africain.
RDR, Rassemblement Démocratique Révolutionnaire.
RER, Rréseau Express Régional.
RGR, Rassemblement des Gauches Républicaines.
RI, Républicains Indépendants.
RNUR, Régie Nationale des Usines Renault.
RP, Représentation Proportionnelle.
RPF, Rassemblement du Peuple Français.

SDECE, Service de Documentation Extérieure et de Contre-Espionnage.
SFIO, Section Française de l'Internationale Ouvrière.
SGEN, Syndicat Général de l'Éducation Nationale.
SMAG, Salaire Minimum Agricole Garanti.
SMIC, Salaire Minimum Interprofessionnel de Croissance.
SMIG, Salaire Minimum interprofessionnel Garanti.
SNCF, Société Nationale des Chemins de fer Français.
SNECMA, Société Nationale d'Études et de Construction de Moteurs d'Avions.
SNES, Syndicat National de l'Enseignement Secondaire.
SNE Sup, Syndicat National de l'Enseignement Supérieur.
SNI, Syndicat National des Instituteurs.
SOFRES, Société Française d'Enquêtes par sondages.
STO, Service du Travail Obligatoire.

TAM, Technicien Agent de Maîtrise.
TVA, Taxe à la Valeur Ajoutée.

UCP, Union des Chrétiens Progressistes.
UDCA, Union de Défense des Commerçants et Artisans.
UD Vᵉ, Union de Défense de la Vᵉ République.
UDI, Union des Indépendants.
UDMA, Union Démocratique du Manifeste Algérien.
UDR, Union de Défense de la République.
UDSR, Union Démocratique et Socialiste de la Résistance.
UDT, Union Démocratique du Travail.
UEC, Union des Étudiants Communistes.
UER, Unité d'Enseignement et de Recherche.
UFD, Union des Forces Démocratiques.
UGICT–CGT, Union Générale des Ingénieurs Cadres et Techniciens de la Confédération Générale du Travail.
UGS, Union de la Gauche Socialiste.
UGSD, Union des Gauches Socialistes et Démocratiques.
UIE, Union Internationale des Étudiants.
UIMM, Union des Industries Métallurgiques et Minières.
UJP, Union des Jeunes pour le Progrès.
UNCAL, Union Nationale des Comités d'Action Lycéens.
UNEDIC, Union Nationale pour l'Emploi Dans l'Industrie et le Commerce.
UNEF, Union Nationale des Étudiants de France.
UNR, Union pour la Nouvelle République.
UPA, Union Professionnelle de l'Artisanat.
URAS, Union des Républicains d'Action Sociale.
URD, Union Républicaine Démocratique.
URP, Union des Républicains de Progrès.

ZAC, Zone d'Aménagement Concerté.
ZAD, Zone d'Aménagement Différé.
ZUP, Zone à Urbaniser en Priorité.

Index des noms propres

MASSON ÉDITEUR
120 boulevard Saint-Germain, Paris VIᵉ
2ᵉ trim. 1977

Imprimé en France
par
MAURY-IMPRIMEUR S.A.
45330 MALESHERBES